CARNETS
1944-1974

LOUIS GUILLOUX

Carnets

1944-1974

GALLIMARD

ISBN : 2-07-026716-4.

Imprimé en France.

NOTE DE L'ÉDITEUR

Comme le tome I des *Carnets* (1921-1944) le présent volume est composé d'un choix fait dans les carnets que Louis Guilloux a tenus entre 1944 et 1974.

Seul le texte des années 1944 à 1967 a été établi par l'auteur qui se proposait d'en faire une relecture avant la publication.

À partir de 1955, Louis Guilloux a tenu ces carnets irrégulièrement, il les a même parfois abandonnés, d'où les très longues ou fréquentes interruptions.

Des notes précisent l'identité des personnes lorsque celle-ci peut aider à la compréhension du texte.

1944

Mardi 10 octobre 1944, Saint-Brieuc — « Rentré dans mes foyers » vendredi dernier 6 octobre après un voyage pénible, au cours duquel les bons papiers qu'on m'avait faits à Saint-Quentin ne m'ont pas servi.

Ma promenade à travers les rues de Saint-Quentin ne fut pas de bien longue durée. Je ne savais où aller, à qui rien demander. Seul comme je me trouvais, dans ce bel uniforme auquel je n'avais plus droit, je me sentais suspect. J'allais devant moi, d'un pas incertain, comme il arrive quand on n'a pas de but précis, à vrai dire quand on ne sait pas où l'on va et, déjà, il m'avait semblé à deux ou trois reprises que les gens me regardaient, comme on dit, à deux pas. Cette impression ne devait pas être tout à fait fausse car tout d'un coup voilà que deux hommes, l'un et l'autre, se plantèrent devant moi, me barrant le passage et l'un des deux me demanda :

— Et où donc allez-vous comme ça mon bon monsieur ?

Ce ne fut pas avant d'avoir entendu cette question que je compris enfin qui étaient ces deux hommes, et ce qu'ils pouvaient me vouloir.

C'était deux membres de la Police militaire, deux M.P., deux Mashed Potatoes, deux Mother's Pets. Ils me regardaient tout souriants en attendant ma réponse. Je leur répondis que je rentrais dans mes foyers, et que pour cela, il me fallait d'abord regagner Paris. Et que j'étais à la recherche d'une voiture, dans laquelle on voulût bien m'emmener.

— Donc, vous n'êtes pas un G.I. ?

— Non.

Il me fallut expliquer qui j'étais, un volontaire français, qui pendant un certain temps avait été attaché à l'armée américaine en qualité d'interprète. Et je m'apprêtais à leur montrer le certificat que venait de me remettre le colonel, quand le M.P. me dit :

— Tout à l'heure. Venez d'abord avec nous.

Ils m'emmenèrent je ne puis dire où, car le lieu où ils me firent entrer et où ils me laissèrent, en me priant de ne pas bouger de là et d'attendre leur retour, ce lieu n'était pas autre chose qu'une sorte de hangar, absolument vide et nu, sans même un banc pour s'asseoir. Ils me laissèrent là pendant près de deux heures, au bout desquelles l'un des deux M.P. revint enfin en me disant :

— O.K. Maintenant, puis-je vous aider à quelque chose ? Vous cherchiez une voiture ?

— Oui.

— Venez.

A mon grand plaisir, c'est dans un garage qu'il me conduisit. Il y avait là de nombreuses voitures et pas mal de gens très affairés. Le M.P. demanda s'il y avait là quelqu'un qui se rendait à Paris ? La réponse fut oui, et un homme s'avança vers nous.

— Pouvez-vous emmener cet homme ? demanda le M.P. en me désignant.

La réponse fut que c'était possible, en se serrant. Mais il fallait être prêt à partir tout de suite. Est-ce que je l'étais ? Oui. Alors, venez.

Le M.P. salua et nous quitta au moment où je montais en voiture, ayant eu à peine le temps de le remercier.

Ce qui se passa ensuite reste très confus dans ma mémoire. Il serait oiseux, et je n'en éprouve pas le moindre désir, de chercher à raconter dans ses détails la suite du voyage qui dura encore assez longtemps. Il me semble que je n'ai pas eu une idée en tête. Ce que j'éprouvais surtout, c'était une profonde

envie de dormir qui n'était pas facile à satisfaire, et, parfois, je
me demandais si le lieutenant Green n'avait pas eu raison, si je
n'étais pas plus fatigué que je ne l'avais cru et prétendu. À
présent qu'une certaine tension avait disparu, tout se relâchait
en moi. Il me venait de grands moments de mélancolie à la
pensée que cette fois encore, je ne serais pas dans le coup.

Quels sont les moments dont je me souvienne, dont fut marqué mon retour dans mes foyers ? La grande question resta
tout du long celle de trouver une voiture. À Paris, je ne trouvai
rien ni personne. En sortant d'un bureau français où l'on
m'avait dit que là on me faciliterait les choses, ce qui fut malheureusement impossible, je me vis entouré d'un petit groupe
d'isolés comme moi, et dans le même cas. L'un d'eux, un jeune
gendarme, prétendait savoir que c'était à Versailles qu'il fallait
aller. Là, il était sûr qu'il s'y trouvait une organisation officielle pour les transports. Nous nous rendîmes à Versailles, comment, il n'importe plus guère et là, ayant trouvé les bureaux de
l'organisation que nous cherchions, quelqu'un de mes camarades ayant demandé qui se chargerait de prendre la parole pour
exposer notre cas, je vis, avec grande surprise, tous les yeux se
tourner vers moi.

— Pourquoi ?

L'un d'eux pointa son doigt vers ma tête.

— A cause de vos cheveux blancs, me répondit-il.

Le plus déçu d'entre nous fut le jeune gendarme en apprenant que là non plus on ne pouvait rien pour nous. On comprenait bien notre cas mais on manquait de moyens, et nous
n'étions pas les seuls à qui il fallait faire cette réponse. Il fallait
tenir compte de la situation. On nous conseilla d'aller nous
poster au bord de la route et de faire du stop. Si nous avions
assez de patience...

Mais la patience n'était pas le fait du jeune gendarme. Il y
avait déjà un certain temps que nous étions postés au bord de
la route et nous avions déjà vu passer devant nous bien des
voitures sans qu'aucune se fût arrêtée, le soir tombait, quand
le gendarme, tirant son pistolet et le brandissant très haut,

alla se poster au milieu de la route en annonçant que si la prochaine voiture ne s'arrêtait pas...

— Gendarme ! Rentrez-moi ce pistolet.

Après tout, l'autorité que me conféraient mes cheveux blancs ne se bornait pas à prendre la parole.

— Et revenez ici tout de suite.

Un instant, il me défia, puis il obéit.

Notre petit groupe d'isolés se disloqua aussi vite qu'il s'était formé. Toujours à cause de mes cheveux blancs, je fus le premier à me séparer de mes camarades pour qui je ne pouvais rien faire d'autre que leur souhaiter bonne chance.

J'ai eu la veine de trouver à Versailles un camion anglais qui m'a amené d'une traite à Laval. Me voici rentré assez rompu et ne bougeant pas pour le moment, je me sens très faible et je n'ai pour le moment pas le désir de grand-chose. Je voudrais me remettre au travail, reprendre mes vieux papiers. C'est difficile. J'espère quand même.

J'ai eu bien du bonheur à revoir Jean[1] à Fontenay. Comme je voudrais que nous puissions vivre ensemble ! Plus je vais et plus j'éprouve qu'il est le seul avec qui je puisse être entièrement moi-même. Youyou[2] est-elle partie pour Castres ?

---

1. Jean Grenier.
2. Yvonne Oulhiou fait partie du cercle des amis de jeunesse : André Chamson, Jean Grenier, Henri Petit.

1945

Mardi 6 février 1945, Saint-Brieuc — Dans ma chambre, relevant de maladie. Depuis un mois passé, congestion pulmonaire. Il paraît que j'ai été très mal, que même j'ai failli passer. Si cela est vrai, la chose, me semble-t-il, n'eût pas été très difficile, car c'est à peine si j'en ai eu le soupçon. Pas encore le droit de sortir, je n'ai guère de forces.

Mercredi — Une lettre de ma mère, mais toujours rien de Mimi[1], qui, pourtant, dans sa récente lettre, en annonçait une pour moi, qui devait suivre...
Une lettre de mon ancien camarade de lycée Charles Michel.
Cette lettre m'a si bien ramené à plus de trente ans en arrière que, de toute la matinée, je n'ai guère pensé à autre chose. J'ai répondu à Michel sur-le-champ.
Les souvenirs de la rue de l'Abbé-Josselin où il avait sa chambre, et nous nous y retrouvions tous les jours, restent pour moi liés à des atmosphères d'automne, de pluie qui s'égoutte, de feu dans la cheminée, tout le contraire des souvenirs de sa chambre de la rue Madeleine dans la maison voisine de celle du maréchal-ferrant, qui sont des souvenirs de volets

1. Emilienne Robert. Louis Guilloux avait fait la connaissance à Saint-Brieuc en 1919 de Mimi et Georges Robert. Il fit de nombreux séjours chez eux, à Lannion, Angoulême, Poitiers, Moulismes, Joigny.

clos sur le soleil trop vif, dont un rayon perçait jusque sur le tapis... Epoque à laquelle un hôpital militaire était installé au lycée. Les dortoirs étant occupés par les blessés, les pensionnaires habitaient la ville. Michel était de Paimpol, Pierre Etienne[1], de Binic, logeait dans une mansarde de la rue Charbonnerie.

Mai 1945 — Capitulation de l'Allemagne.

2 mai — La radio allemande annonce que l'amiral Doenitz a ordonné la capitulation sans conditions des forces allemandes.

Août — Hiroshima et Nagasaki.

Lundi 12 septembre, Fontenay-aux-Roses — Je suis arrivé hier soir à Paris à sept heures un quart. Je comptais trouver Jean et Youyou à Montparnasse, mais personne. Youyou était allée à Amiens sur la tombe de la malheureuse Paulette.

Pour le moment, il est environ dix heures du matin. J'attends Youyou, qui doit me conduire chez Jean, à Sceaux. Temps mou et vaguement pluvieux. Depuis cette pneumonie, je crains toujours d'y retomber.

Mardi 13 septembre — Passé la fin de la matinée et déjeuné hier chez Jean, avec qui je suis ensuite allé à Paris. Passé chez Gallimard, qui me donne certaines facilités.

Avec Jean, à cette exposition Asselin, galerie Charpentier — puis à la N.R.F. (Camus), puis au ministère de la Guerre où j'ai revu Malraux. Ensuite, Petit[2]. Couché chez Lemière[3]. Ce matin,

1. Pierre Etienne et Louis Guilloux étaient tous deux élèves au lycée de Saint-Brieuc quand ils se lièrent d'amitié en 1915. Louis Guilloux parle de Pierre Etienne — mort en 1923 — dans un texte publié dans la *N.R.F.* (décembre 1972 et janvier 1973) sous le titre *Marins*.
2. Henri Petit (1900-1978), journaliste, critique littéraire, essayiste, ami d'A. Chamson, Jean Grenier, Louis Guilloux. Son journal de pensée qu'il tint pendant des années est la matière de plusieurs de ses nombreux livres.
3. Alain Lemière, un des amis de jeunesse qui, dans les années 1922-1924, se retrouvaient rue du Val-de-Grâce, chez Louis Guilloux.

revenu à Fontenay, déjeuné chez Jean et après-midi à Paris, boulevard Saint-Michel. Fatigué, et me demandant si je dois ou non aller à Joigny, ou rentrer à Saint-Brieuc. Le temps s'est beaucoup refroidi. J'espérais travailler en route et j'avais emporté quelques papiers, mais rien. Mais est-ce qu'il n'en est pas toujours ainsi pour moi en voyage ? J'aurais dû le savoir.

Nous avons tous vécu sous l'oppression et nous ne savons que trop jusqu'où on peut contraindre les hommes. Il est trop vrai qu'on peut exiger d'eux un nombre infini de choses, et les obtenir, mais on n'obtiendra pas qu'ils aiment quand ils n'aiment pas. Les contraintes, d'où qu'elles s'inspirent, et tentent de se justifier n'ont jamais provoqué en personne l'élan spontané de la joie, ni de la ferveur. Leur condamnation première vient de ceci, qu'elles ne réussissent et n'obtiennent jamais rien que sur ce qui chez les hommes est le plus inférieur et le plus bas. On ne contraint personne à l'héroïsme, au dévouement, à l'amour, à la charité. Par contre, nous l'avons appris, on peut très bien contraindre le fils à livrer son père au bourreau, ou inversement, le mari à dénoncer sa femme, etc. A renier sa foi. Il n'y a pas d'exemples qu'on ait contraint les hommes à la grandeur. Il y en a beaucoup du contraire. Tout ce qui existe de noble chez les hommes veut la liberté. On ne peut consentir qu'à ce qu'on a choisi soi-même, aimer ce que l'on aime, et c'est une folie que de croire que l'on puisse, contre son cœur, dans la crainte, dans l'obéissance, rien entreprendre de fertile. La contrainte, issue du mépris, n'a jamais d'avenir. Elle ne peut être remplacée que par une autre contrainte, elle-même soumise à la même loi, qui empêchera toute ouverture. Quand on estime les hommes, on ne songe pas à les contraindre. Toute chose obtenue par les moyens de la peur et de la contrainte devient digne de mépris. La contrainte, qui commence à l'intimidation, suppose le mépris. On ne contraint pas dans l'estime, on ne contraint pas à estimer. Il faut que les cœurs soient libres.

Cette pensée que l'homme est un élément de la nature comme les autres, et qu'il faut guider sa conduite envers lui d'après
cela, implique de la part de celui qui la formule, ce postulat :
bien que l'homme ne soit pas un État dans l'État à l'intérieur
de la nature, je suis moi-même un État dans l'État parmi les
hommes. Ce qui revient à dire qu'il est victime d'une illusion
fondée sur ce qu'il appelle une expérience (on ferait mieux de
dire sur une sensibilité), position « romantique » que rien
n'empêche de préférer d'ailleurs...

MONSIEUR COQUILLAGE

Je ne veux pas médire des employés de chemin de fer : toutefois, s'ils avaient fait leur devoir, je n'aurais pas manqué ma correspondance. Dans ce cas, il est vrai, rien ne serait arrivé, et...
Mais gardons-nous d'anticiper.
Nous autres Français nous sommes extrêmement sensibles à
ce genre de désagrément. Même si l'affaire qui nous met en
route n'est pas d'une extrême gravité, rater une correspondance, cela ne nous va point du tout. Et nous nous mettons en
colère.
Pourquoi ce train avait-il tant de retard ? Pourquoi l'autre
n'avait-il pas attendu ? Mais c'est bien simple, répondait l'employé : on lui avait donné des ordres... Il y avait le train de
bestiaux qui ne pouvait pas attendre, etc. Bref, la correspondance était ratée, et le prochain départ n'aurait lieu que le
lendemain matin, vers les six heures. Il en était neuf à peine. Il
faisait nuit. C'était dans une petite gare de province, en
hiver...
Je préviens le lecteur que je ne lui dirai pas le nom de cette
gare, ni même où elle se trouve. Au moment de raconter ce qui
advint (je crois la chose nécessaire) il me faut déclarer ceci :
qu'il m'est impossible de rien préciser quant aux lieux et quant
à l'état civil des personnes. Au reste, le lecteur n'en aura que

plus de liberté, et, je l'espère, plus de plaisir. Si ce qu'on m'a dit est vrai, l'art y gagnera. Mais venons au fait.

Le vent se levait dans la nuit noire. J'errais sur le quai de la gare, à peine éclairé d'un lumignon, en attendant qu'un employé qui, d'abord, avait à mettre en ordre certains papiers, vînt comme il l'avait promis, me donner certains « tuyaux » sur le pays, et la meilleure façon d'y trouver à manger et à dormir. Et tout en faisant les cent pas, je me mis à réfléchir sur l'affaire qui m'avait tiré de chez moi, et qui... Mais cette affaire n'ayant guère d'importance en elle-même, et point de rapport avec ce que j'ai à conter, je n'en dirai rien.

Mes réflexions là-dessus ne furent d'ailleurs pas très longues. Il avait fallu cet incident de la correspondance ratée pour que me revînt en tête le but de mon voyage. Je ne suis pas un homme pratique. Les choses, je les oublie facilement. Et je me suis dit souvent que si j'avais quelque talent, c'est vers la poésie que je me serais, comme on dit, « tourné ». Malheureusement, ce n'est point le cas, et mes rapports avec la poésie, et en général avec ce qu'on appelle l'esprit, n'ont jamais été que ceux d'un honnête lecteur. Je n'ai pas, qu'on m'entende bien, l'outrecuidance de me donner pour un homme cultivé, mais j'ai beaucoup lu. Ma profession m'y aide : je suis, en effet, voyageur en librairie. C'est vous dire que je ne prends le train qu'avec une bibliothèque dans ma valise.

Donc, j'errais en rêvant sur ce quai de gare. Ici, je note une certaine bizarrerie. Pour peu que le lecteur me ressemble, comme il est possible, il verra de quoi je veux parler.

Maxime Gorki rapporte dans des notes certains traits de Tolstoï, de Tchekhov et de bien d'autres, surpris alors qu'ils se croyaient seuls. Tolstoï s'entretient avec un lézard, Tchekhov s'efforce d'enfermer dans son chapeau des rayons de soleil... N'est-ce pas étrange ? Mais sans aller chercher d'aussi illustres exemples, n'ai-je pas celui d'un de mes amis, homme modeste et pauvre ? C'est un émigré. Il traîne comme il le peut sa misère. Et il lui arrive, tout en vaguant dans les rues de Paris, de rêver que les rajahs des Indes viennent de déposer pour lui,

dans une banque de Londres, quelques petits milliards de rou-
pies. Comment cela s'est-il fait ? Il l'ignore. Pourquoi les
rajahs l'ont-ils choisi ? Il n'en sait rien. Les choses se sont
faites d'elles-mêmes. Il se promène donc, en rêvant à ses milliards. Il prend le métro pour rentrer chez lui : sa femme l'at-
tendra à la sortie. Il croit la voir : elle accourt vers lui, elle
brandit un télégramme : c'est le télégramme des rajahs. Elle
est ivre de joie. Tous leurs amis sont là, qui s'empressent et les
félicitent. Et comme la nouvelle s'est répandue, que c'est une
nouvelle extraordinaire, des inconnus surviennent en foule,
des journalistes, des photographes. Et les vivats ne cessent
plus...
     Bien entendu, on porte mon ami en triomphe.
     Mais rien n'est si simple : à chaque fois, m'a-t-il confié, qu'il
sort du métro, et qu'il ne voit là personne, il éprouve tout de
même une petite déception. Sans doute cesse-t-il à l'instant de
rêver aux milliards des rajahs, mais jusqu'au moment où la
solitude et la rêverie ramèneront encore une fois du fond des
mers, le galion merveilleux...
     À chacun sa vérité. La mienne, ce soir-là, n'était point de
rêver à des milliards, je répondais à un discours.
     Cela peut sembler étrange, étant donné la circonstance,
mais je dois avouer que je réponds fort souvent à des discours,
dans ma tête, cela va sans dire, car vous ne me feriez pas monter à une tribune même pour tous les milliards des rajahs. Et
parmi tous les discours auxquels je réponds, il en est un...
     C'est d'un discours de l'abbé Desgranges que je parle.
     Il y a des années, j'ai entendu l'abbé Desgranges, qui, on le
sait, est un grand orateur. Cela se passait dans une salle
immense et pourtant comble, au cours d'une période électora-
le. L'abbé n'épargnait pas sa peine. Quel feu ! Il me semble
toujours que je le vois et l'entends...[1]

     À ma grande surprise, mon petit bonhomme, écoute bien ce

---

1. La suite du texte manque.

que je vais te raconter — et à ma grande stupéfaction, je t'assure, une voix, qui n'était plus du tout celle du député, retentit à mes oreilles. Où diable s'était-il caché celui-là ? « Permettez ! Rien qu'un mot... Permettez ! ...»

L'auditoire n'était sans doute point d'accord, et pourtant, mon petit bonhomme, je n'entendis aucun de ces cris, tu sais, qui accompagnent généralement ces sortes d'intervention. Personne ne lui intima l'ordre de fermer sa gueule, il n'y eut personne pour demander qu'on le sortît, qu'on l'envoyât au poteau. « Un simple mot... je voudrais m'expliquer... »

Tu me suis ?

Je t'écoute.

Écoute-moi bien. Et sache que je ne voyais encore personne. J'entendais seulement ! Une petite voix de tête, fluette, pas tout à fait une voix de fausset, mais il ne s'en manquait guère. Et je te l'avoue, ce ton de voix m'indisposa ! J'avais envie, je ne sais pourquoi, d'envoyer le personnage au diable ! « Permettez ! Rien qu'un mot ! Je voudrais m'expliquer ! » Tu parles ! Mais si tu l'avais vu !... Eh ! Eh ! Un tout petit bonhomme de rien, mon vieux, maigre comme un clou. Mettons qu'il pouvait avoir une cinquantaine d'années. Et si tu avais vu sa redingote, son chapeau melon tout cabossé. Il le tenait à la main, fort poliment... « Permettez-moi, monsieur... »

Son immense col raide faisait une tache blafarde dans la nuit (au fait, ceci se passait sur le quai de la gare, et non dans la salle de meeting, ai-je besoin de le préciser ?) et le lumignon répandait sur son visage fripé un reflet vert. Pourtant il paraissait alerte, et même, je crois pouvoir préciser, mon petit bonhomme, qu'il sautillait sur place, son petit baluchon d'une main, son chapeau de l'autre. Je vis alors qu'il était chauve et qu'il portait un lorgnon à l'ancienne mode, aux verres grossièrement montés sur des cercles de métal. Un sage cordon de liséré passé derrière l'oreille. Je te continue le portrait ?

Bien sûr.

Merci. Une petite moustache. Et il souriait mais de la bouche seulement. Ses yeux — impossible d'en distinguer la cou-

leur, naturellement — étaient fixés sur moi, il me considérait
avec une gravité gênante... « Est-ce que nous ne serions pas
tous les deux dans le même cas ? » me demanda-t-il. Cette
question me fit presque peur, je t'assure, mon petit bonhomme ! Dans le même cas ! Eh ! Eh ! Eh ! Il avait, lui aussi, raté la
correspondance ! Tu piges ?
Continue...

« Voyons, voyons voir ! » dit l'employé en sortant de son
bureau, son porte-plume sur l'oreille. Il se pinça le bout du
nez, s'arrêta sur le pas de sa porte, se gratta la tête par-dessous
sa casquette, d'abord avec ses doigts, ensuite avec sa plume et
fort adroitement. « Voyons voir ! Mais c'est que vous n'avez pas
le choix... Y a que la mère Bamboche ! Par file à gauche ! Sui-
vez le bourdon ! »

Dès les premiers pas, il apparut que nous marchions un peu
trop vite pour le... farfadet. Il courottait derrière nous. On
aurait dit qu'il allait à cloche-pied. Ce n'était pourtant pas que
son bagage l'embarrassât, le pauvre ! Son baluchon devait
tenir au plus trois pommes. Non, c'était plutôt une question de
longueur de jambes. Le chemin était fort mauvais, et malgré la
lanterne que l'employé avait prise en quittant la gare — est-ce
que ce détail est bien à sa place ? Réponds ?

— Mais oui.

— Sûr ?

— Continue donc !

— N'aurais-je pas dû l'introduire plus tôt ? Et signaler en
même temps que l'employé avait pris des sabots, tandis que
nous, c'est avec nos chaussures de ville que nous pataugions
dans la boue ? Malgré cette lanterne — on dit aussi, je crois,
falot ? — on ne voyait pas grand-chose. Ajoute le vent, quelque
vague humidité dans l'air, et la distance : les villages sont parfois loin des gares ! Le farfadet perdit ses lunettes. « Mes verres ! cria-t-il. Éclairez ! » et l'employé revint sur ses pas, avec
sa lanterne. On retrouva les verres. L'employé recommanda de
ne pas crier si fort. « Pourquoi ? dis-je. — Parce qu'on approche. Une fois comme ça, dit-il, j'étais en patrouille au front. Et

y en a un qui a gueulé... Là-dessus rafale. Les vaches ! J'en ai
fait des prisonniers ! Oh ! là, là ! Mais j'en ferai plus. Ce coup-
là, je les tue. J'les égorge. Tous. Au couteau. — Pourquoi ? —
Parce que c'est des vaches ».

Par un mystère que je ne t'expliquerai pas, mon petit bonhomme, le député reparut un instant, marchant à côté de moi.
« Hein ? me dit-il, qu'est-ce que je vous disais ? » Et il disparut.
« On va rigoler », dit l'employé, en s'approchant de la seule maison du village qui fût éclairée. De son gros poing, il cogna comme
un sourd à la porte en criant : « Au nom de la loi ! »... Le farfadet
me prit le bras et me souffla à l'oreille : « J'espère qu'il plaisante.
Car, à vous, je peux bien l'avouer : je suis en fuite... ! »

Au bruit, quelqu'un accourut — la mère Bamboche, suppo-
sai-je. Elle aussi chaussée de sabots, comme l'employé de la
gare. Mais une fois tout près de la porte, la mère Bamboche, si
c'était elle, ne bougea plus. Et l'employé se remit à frapper.
« C'est elle ? » demandai-je. L'employé cligna de l'œil.

« En v'là-t-il d'un train qu'vous nous m'nez ! dit la mère
Bamboche, derrière sa porte. Qui qu'vêtes ? — Gendarmerie,
répondit l'employé en déguisant sa voix. Ouvrez, bon d'là ! Au
nom de la loi, que je vous dis... »

La mère Bamboche débarra la porte, mais elle ne l'ouvrit
pas encore tout à fait. Elle se contenta de passer dans l'entre-
bâillis sa grosse tête de grosse bonne femme. « Est-il Dieu possible, s'écria-t-elle, l'employé lui ayant mis sous le nez sa lanterne... En v'là d'un garcier qui nous fait des frayeurs que j'en
suis à moitié terbellie... Cré couillon ! Tu changeras donc
point ! » La porte s'ouvrit toute grande.

Pour moi, je rapporte cette scène par souci de la vérité uniquement. À Dieu ne plaise que j'y aie trouvé le moindre plaisir. Au contraire, cette plaisanterie villageoise me semblait des
plus plates, et j'en eusse volontiers fait la remarque à son
auteur, n'eussent été d'une part la sympathie que m'inspira du
premier coup d'œil la mère Bamboche, et d'autre part l'étonnante révélation que venait de me faire le farfadet. En fuite !
Tiens ! Et avec ce drôle de baluchon pour tout bagage !

L'employé de la gare s'étouffait de rire. Ah ! cré p'tit bon Dieu ! Il l'avait bien attrapée la vieille...

— Mais c'est pas tout ça, dit-il, j'vous amène de la compagnie...

— C'est-il ces messieurs ? dit la mère Bamboche.

— Ma foi, dit l'autre, il paraît... Faudrait leur donner quelque casse-croûte, et après ça, les coucher, la mère Bamboche.

— Zont raté le train ?

— Hum, fis-je...

— Ben, dit l'employé, ça doit être queuque chose comme ça, la mère Bamboche. Y avait-il pas un sacré train de bestiaux par là... Et puis quoi, j'avais des ordres !...

Toujours la rengaine !

La mère Bamboche apporta une bouteille de vin. Du blanc. Et ma foi, tout commença à prendre tournure.

Notez que la mère Bamboche ne tenait pas auberge. Ce qu'elle faisait c'était pour rendre service au pauvre monde.

— Vous leur sauterez ben une omelette ?

— Que oui ! ! !

— Avec un petit bout de jambon ?

— Du meilleur...

— Y a-t-il de la soupe ?

— Toute fraîche !

— Crédié, dommage que ça soye si tard, et que j'aye déjà soupé. Vous m'faites d'envie. Y aura-t-il de la salade ?

— De tout que je vous dis, répondit la mère Bamboche. Ils seront pas à plaindre.

— Et pour les coucher ?

— Pour ça, Dame, faudra que j'les mette dans la même chambre, vu que j'ai ben deux lits, mais pas deux chambres. À la guerre comme à la guerre !

— Faut pas parler de la guerre, la mère Bamboche !

— Pourquoi donc ?

— Parce que c'est terrible.

— Oui da ! que c'est terrible. Si elle viendrait pourtant ?

— Ce coup-là, vous savez, je fais pas de prisonniers.

— Première nouvelle, dit-elle.

— Je les tue tous.

— Vantasse !

— Au couteau.

— Prends garde qu'ils te chatouillent les premiers.

C'est toujours par souci de la vérité que je rapporte ce dialogue. Au fond il ne m'intéresse pas. C'est curieux : je soupçonne que les littérateurs écrivent souvent des choses qui ne les intéressent pas du tout. Pourquoi donc ?...

Ici, il faudrait décrire le lieu. Ça m'ennuie. Tâchez de vous représenter — non pas une ferme, mais une maison villageoise. La table et ses bancs. Le buffet, sa vaisselle et ses cuivres (bien astiqués), le feu dans l'âtre (nous sommes en hiver). Quoi encore ? Les volets clos. Au-dehors, la bise...

Le chat ronronne sur la pierre du foyer.

Le sol : de la terre battue.

Au mur : le Christ, et sa branche de rameaux.

Le calendrier.

Quoi encore ? Les agrandissements des portraits de famille au-dessus du lit à rideaux. Édredon rouge.

Est-ce tout ?

Ça suffira en tout cas.

La table est ronde. L'employé de la gare, le farfadet et moi, nous sommes assis à cette table. J'ai omis de dire que, pendant tout le dialogue précédent, la mère Bamboche allait et venait, apportait tantôt les verres tantôt la bouteille (l'employé de la gare réclama le privilège de la déboucher).

C'est en le traitant de vantasse qu'elle posa la première assiette.

Ici, je pourrais prendre le lecteur en flagrant délit d'inattention. Voyons si M. Thérive (c'est sa partie) se sera même rendu compte que la scène n'est pas éclairée !... Ah, ah ! Je vous tiens ! Ne répliquez pas. Tout se passe dans la nuit, ou s'il y a là une lampe, c'est celle de l'employé de la gare. À votre avis qu'a-t-on fait de cette lampe, depuis le début de la scène ? Ceci n'est pas une devinette. Elle est restée derrière la porte, et vous ne vous en étiez pas aperçu. Pour votre punition, monsieur Thérive, je vous l'offre. Et gardez-la bien, ça peut vous servir. D'ailleurs nous n'avons aucun besoin de cette lampe, vu que la scène est éclairée par une suspension, juste au-dessus de la table, une belle suspension de famille.

Là, tout est en place.

Et voyons plus loin.

L'employé de la gare sortit après nous avoir abreuvé des propos les plus divers sur la guerre et sur la paix, et s'être abreuvé lui-même de vin blanc, dont je bus moi aussi deux verres, sans préjudice pour personne, car le farfadet n'y voulait point toucher.

— Qué failli bonhomme ! disait la mère Bamboche, en le regardant avec sympathie et curiosité. C'est-il qu'il aurait une si petite nature ?

Mais le farfadet ne répondait rien. Il hochait la tête en souriant et, à deux ou trois reprises, je le vis opposer une fermeté tranquille aux insistances de l'employé de la gare...

À peine celui-ci avait-il franchi le seuil de la maison, que nous l'entendîmes qui faisait un pétard du diable.

La lanterne n'était plus là !

Quelqu'un l'avait déjà emportée !

— Ousqu'elle est, bon Dieu, ma lanterne... Si je tenais le galapiat qui me l'a étouffée, je lui apprendrais comment que j'cause le français à çui-là !

J'avoue que galapiat me réjouit, et curieusement car j'ignore le sens de ce mot. Je ne suis pas même bien sûr de son orthographe. Mais, toujours mon souci de vérité, de sincérité, d'objectivité dans le récit.

Je me suis fait cette règle.

— C'est-il dommage ! marmonnait la mère Bamboche. Pauv'Arsène (car tel était le nom de l'employé de la gare), le v'là sans lanterne, à c't'heure !...

Tout se compliquait, du fait que la lanterne n'était pas à lui. Elle appartenait à l'administration. Il n'aurait pas dû s'en ser-

vir pour son usage personnel... C'était quasiment un détournement...

Arsène se voyait foutu.

— Vu que je suis pas bien avec les chefs, dit-il... Y vont
profiter...

Tout a une fin. Il partit. La mère Bamboche apporta la soupe.

— Fourrez toujours ça dans le coco, dit-elle... Et regardant
le farfadet : « Pauv' failli bonhomme, il a l'air ben faible... »

Toutefois il mangeait de vaillant appétit... de si vaillant
appétit même que le soupçon me vint qu'il n'avait rien avalé
depuis sa fuite...

Il ne m'était plus du tout antipathique, au contraire.

Certes, depuis que je n'entendais plus grincer sa voix, depuis
surtout qu'il m'avait fait cette intrigante révélation sur son
compte et qui témoignait, de sa part, d'une telle confiance
envers moi, mes sentiments à son égard avaient bien changé.
Mais de plus, ne le voyais-je pas désormais, en pleine lumière,
n'étais-je pas assis près de lui à table, dans cette espèce de joie
que connaît tout citadin qu'un hasard a retenu pour une soirée
dans les terres. Car nous aurons beau dire et médire, nous
autres, habitants des villes, nous n'aimons rien tant que la
campagne. À preuve que nous y allons tous les dimanches, dès
qu'il fait un peu de soleil. Sous prétexte d'y respirer un air pur.
Le prétexte est bon mais la réalité plus profonde : je veux dire
la vérité de nos cœurs. Seulement elle nous reste cachée, et
tandis que nous pensons naïvement que nos poumons se gonflent d'aise, au grand soleil et au grand vent des plaines (et
vraiment ils se gonflent en effet), c'est notre cœur surtout qui
en nous répand sa joie. Il a reconnu son ordre, mesuré sa
mesure. Au diable la folie des hommes ! Au diable aussi la
mauvaise humeur qui fait pester contre les correspondances
ratées conçues comme des désagréments. Colère mensongère.
Rien ne me plaisait tant au contraire, que d'être là, tout bon-
nement devant cette table sans art. Le vent bourdonnait tout
autour de la maison, le feu, dans lequel la mère Bamboche
avait jeté ce qu'il fallait de bois nouveau, brasillait et rou-

geoyait, éclatait, étincelait dans la plus noire et pour le moment dans la plus belle des cheminées... Comme il n'est sauce que d'appétit, le repas était un délice. Et dites, si vous voulez, que j'étais heureux surtout par les deux verres de vin blanc que j'avais déjà dans le nez — je vous en donne le démenti. Ce n'était pas deux mais trois qu'il fallait compter dès lors ; — et si vous voulez tout savoir, j'avais fait revenir, comme on dit, une seconde bouteille que je viderais tout seul apparemment car le farfadet, avec une persévérance que je ne sais s'il convient de louer ou blâmer, s'obstinait à n'y point toucher. Pauvre failli bonhomme, comme disait la mère Bamboche ! Il m'inspirait désormais, en même temps que de la pitié, un certain respect, voyez-vous. Et je regrette bien de devoir employer ce mot de respect, qui, pour tout vous dire, me pue au nez. Mais trouvez-en un autre !

À vrai dire, je me croyais tombé d'une diligence, avec mon compagnon (j'appelais ainsi désormais le farfadet). Je me fais volontiers des rêves de diligence. Nous avons pris la route trois jours en ça, appelés en la capitale par quelque grave événement. Nous avons couché à l'auberge tous les soirs, vidé quelques bouteilles avec les postillons, qui sont d'étonnants gaillards, dansé avec les filles, quand l'occasion s'en est offerte, échappé aux brigands qui convoitaient nos bourses. Tantôt un essieu s'est rompu. Croiriez-vous que le pays nous plaisait tant à mon compagnon et à moi que nous avons préféré y passer la soirée plutôt que de monter dans la diligence de secours, qu'on nous avait envoyée en hâte de la ville voisine, où un courrier était allé, à francs étriers, je vous prie, annoncer notre mésaventure. Les autres sont partis. Bon voyage ! Que saint Christophe les accompagne ! Nous autres nous avons le temps. Comme il fait bon chez la mère Bamboche !

— V'là l'omelette !

— À vous, dis-je, en me tournant vers mon compagnon.

— Je n'en ferai rien, dit-il.

— Et l'omelette refroidira, dit la mère Bamboche.

J'admirais son bon sens.

— Soit, dit-il, mais en m'excusant.

— Vous auriez bien tort, répondis-je, et il se servit.

Ensuite ce fut mon tour.

Tout cela n'a l'air de rien, monsieur mon lecteur — ou madame — ou mademoiselle, peut-être ? — mais c'est ainsi qu'on crée l'atmosphère, par une accumulation de petits détails, de petits riens, de mots, de phrases qui ont toute l'apparence de la banalité, mais qui enfin...

Et croyez bien que je ne me trouve pas drôle.

Ou ne croyez rien du tout.

Je ne sais pas pourquoi je vous dis cela : si, en application d'un principe, à savoir qu'il faut dérouter le lecteur. Je tiens ce principe d'un maître.

Passons.

J'ai dit qu'à la lumière, mon compagnon apparaissait très différent de ce qu'il m'avait semblé être tout d'abord, sur ce quai de gare. Et de fait... Voyez vous-même. Regardez-le !

Tenez ! On dirait qu'il pleure en dedans... Quelque préoccupation de l'âme sans doute... Voyez comme il est distrait. Tout à l'heure, il prenait sa fourchette pour avaler sa soupe et, maintenant, il prétend couper son jambon avec sa cuiller. Il ne voit même pas le couteau posé devant lui. On dirait un enfant en peine. Regardez ses yeux comme ils sont beaux. Certains visages gagnent en vieillissant une beauté que la jeunesse ne laissait point du tout prévoir. Il est de ceux-là. Comment aurais-je pu m'en douter sur ce quai de gare ?... Regardez encore : cette bouche rêveuse, qui sourit comme pour elle-même et vers les tempes la finesse des rides...

Nota : il tient son baluchon sur ses genoux.

— Je me suis décidé brusquement.

— Ah, vous n'y pensiez pas ?

Il haussa vaguement les bras, en souriant.

— J'y pensais sans y croire, dit-il. En tout cas, cela m'a paru très simple. Il n'y avait pas autre chose à faire.

— Il y a longtemps ?

— Hier.

Cela ne me parut pas croyable, je ne sais pourquoi —
(c'était, sans doute, parce qu'il avait parcouru tant de chemin
depuis la veille).

— Ce n'est point une affaire d'horloge, dit-il, ni de kilomètres... — Et sur un autre ton : — Agir vous rend plus léger.

Et en effet, il ne paraissait guère tourmenté par les remords.

— Les enfants ? osai-je murmurer.

Mais il avait aussi réfléchi sur ce point.

— C'est en agissant comme je l'ai fait que je gagnerai les
enfants, dit-il...

Je voyais bien ce qu'il voulait dire. Pourtant, je demandai :

— Et la présence ?

— La leur, ou la mienne ?

— La vôtre auprès d'eux.

— Ma présence ne leur est point pour le moment nécessaire... Plus tard, plus tard... Nous devons tous mériter quelque
chose.

Il arpentait la pièce. Son petit pas fiévreux glissait pourtant
sur le vieux parquet. Je comprenais qu'en homme délicat, il
faisait des efforts pour ne point éveiller notre hôtesse.

« Peut-être a-t-il raison, me disais-je. Mais je ne pouvais pas
me faire tout à fait à l'idée de ce père qui venait d'abandonner
ses enfants. Bien que je comprisse toutes ses raisons, il y avait
là quelque chose de monstrueux à mon sens — d'héroïque
peut-être, quelque chose en tout cas qui dépassait mes moyens,
que j'étais sûr de ne jamais pouvoir faire. Et quelle présomp-
tion que de compter, comme le faisait ce monsieur, sur le
temps ! Je me sentis tout prêt à le lui dire, et je n'en fis rien,
toutefois, car, au moment où je levai les yeux vers lui pour
parler, je le vis qui souriait dans sa barbe, de la manière la
plus innocente, il faut bien le dire — et non sans charme.

— Savez-vous à quoi j'ai pensé, quand je suis parti ? À la
chose la plus futile du monde... À me chercher un nom...

— Ah, bah !

— Oui... Cela me paraissait indispensable — et urgent...
Mon nom véritable, il ne pouvait plus en être question. Il m'en
fallait un autre... Et...

Il souriait toujours, de la même façon charmante, presque
enfantine, un peu infatuée, peut-être, ce qui me fit penser qu'il
devait presque sûrement être enchanté du nouveau nom qu'il
s'était choisi. Il y avait en lui quelque chose de la joie un peu
pétillante d'un auteur qui va dire sa prose...

— Eh bien ? fis-je...

— C'est une histoire, me répondit-il... comme je descendais
l'escalier, sur la pointe des pieds, cela va sans dire, j'étais, je
l'avoue, fort inquiet de me trouver un nom avant de franchir
le seuil. Il me semblait que j'aurais en quelque sorte manqué à
mon destin, si je ne m'y étais présenté, paré de mon armure...
Et pour armure, je ne pouvais avoir que ce nom encore inconnu...
Ce fut presque une angoisse, que de ne l'avoir pas trouvé
avant d'avoir ouvert la porte. Je passai outre l'angoisse, cependant, j'ouvris la porte, et m'avançai dans le jardin. Il faisait un
clair de lune éblouissant — peut-être vous en souvenez-vous ?
Alors, je regardai cette lune, tout en marchant avec précaution
à travers les sentes du jardin. Je ne sais pas pourquoi, après
tout, j'avais choisi la nuit pour m'enfuir. Je ne sais pas pourquoi je prenais un si grand souci de ne pas me faire entendre. À bien réfléchir, ces précautions n'avaient pas le moindre sens, car, s'il ne m'eût pas été tout à fait égal qu'on
s'aperçût de ma fuite, en tout cas, je sais et je savais fort bien
que rien ni personne au monde ne pouvaient plus l'empêcher. Je livre à vos méditations ce nouvel aspect du problème. Ce qui est certain c'est que j'avançais difficilement sur
la pointe des pieds, tenant à la main ma valise, et faisant en
sorte que le sable de l'allée ne criât pas trop fort... Mais il
n'y avait pas que le sable.

Et ici, le sourire de mon interlocuteur s'accentua. Et même
il y mit une pointe de malice.

Il me dit :

— Êtes-vous jardinier ?

— Du tout.

— Vous le deviendrez peut-être... si tout va mal. Que de dimanches j'ai passés dans ce jardin ! J'avais fini, voyez-vous, par me passionner pour les légumes. Car il va de soi que c'était un jardin potager. Depuis longtemps, la moindre fleur était bannie de la maison. Et tout ce qui subsistait d'un peu inutile et de fantaisiste dans mon jardin, c'étaient des coquillages.

— Pourquoi ai-je fui ? Pourquoi n'ai-je pas dit à ma femme, à mes fils, à mes filles, toute la vérité ?

M. Coquillage se prit la tête à deux mains.

— Singulier regret ! lui dis-je. Il n'en fût résulté que des scènes.

Il ne parut pas m'entendre. Tout entier à sa pensée, il poursuivit :

— À peine étais-je dans le train, à peine avais-je commencé de m'éloigner, que la faiblesse de mon action — je la croyais presque héroïque, notez bien ! — que la faiblesse, donc, de mon action, m'aveugla.

— Permettez ! N'était-ce point là, plutôt, du remords... du remords déguisé ? Est-ce qu'en somme vous ne vous êtes pas mis à croire...

— Du tout ! Du tout ! répliqua vivement M. Coquillage, en agitant la main... Ce n'était rien d'autre qu'une vue parfaitement nette des choses...

— Poursuivez donc, dis-je.

— Je poursuis... Mais où en étais-je ? Oui : à cette idée qui m'est apparue, soudain, de ma faiblesse. Et en effet, est-ce qu'il n'est pas toujours plus simple de fuir ?

— Ils ne vous auraient pas compris, dis-je.

— Oui ? fit-il, en penchant la tête sur l'épaule.

— Assurément ! Vous n'auriez tiré de votre prétendu acte de courage que de nouvelles sources de souffrance...

— Croyez-vous ?

— Couru d'avance, répondis-je.

— Mais, fit-il, avec un air d'étonnement candide, il y a un

malentendu ! Mais oui. Dans un cas comme celui-là, je n'aurais nullement prétendu les convaincre... pas même espéré d'être compris...

Il triomphait.

— Ce n'est pas pour eux, ajouta-t-il, que j'aurais désiré dire la vérité, mais pour moi.

J'avoue n'avoir rien trouvé à répondre.

M. Coquillage se frappa la poitrine.

— Pour moi !

— Ah ! dis-je enfin, c'est différent !

— Saisissez-vous la nuance ?

— À merveille.

Il soupira.

— Quel soulagement, si j'eusse agi de la sorte !

— Mais voyons ! Voyons ! répliquai-je... c'est une duperie. Après tout ce que vous m'avez raconté, comment pouvez-vous encore espérer...

— Demain.

— Quoi ?

— Je retournerai demain.

Décidément, cet homme était bien singulier !

— J'irai leur dire cette vérité que je n'ai pas osé leur dire hier.

— Et ils vous feront enfermer chez les fous, répliquai-je.

Il réfléchit une seconde, et, me regardant droit dans les yeux, il répondit :

— Qu'est-ce qu'il y aura de changé ?

À table était assise une femme d'une trentaine d'années, brune, boulotte, pas tellement laide, presque élégante, et en face d'elle son mari. Mais du mari je ne voyais que le dos étroit, trop long, la tête maigre et blonde. Il portait une veste bleue. Pas d'âge précis. La femme faisait manger le gosse en le giflant à tour de bras. Elle lui faisait manger des gifles. Il n'était pas propre, il n'était pas poli, il ne savait pas dire merci.

— Dis merci ! — Et comme il ne dit pas merci, il reçut encore une baffe. — Veux-tu dire merci ! — Merci pour la baffe ?

Le temps d'aller chercher son souffle au plus profond de ses entrailles et le gosse se mit à hurler comme une sirène.

— Mais qu'est-ce que j'ai donc fait au bon Dieu ! Tête de caillou ! hurla à son tour la chère maman. Il n'est bon qu'à se faire remarquer !

Le père ne disait rien.

— Alors, c'est bien entendu ? reprit la mère, tu ne veux pas dire merci ?

Elle prit l'assiette sous le nez du gosse et la posa à l'autre bout de la table.

— Tu mangeras ta soupe quand tu auras dit merci.

Ça fait que le gosse ne mangea pas du tout de soupe et la bonne apporta les nouilles.

— Cette fois, tu vas dire merci.

Mais pas du tout, le gosse était trop bien occupé à hurler.

— Tu veux que papa s'en mêle ?

Le papa n'avait pas l'air d'avoir très envie de s'en mêler. Il mangeait. On aurait pu croire qu'il n'avait rien de commun ni avec la maman ni avec le gosse.

— Si jamais papa s'en mêle !

À la fin, le gosse dit quelque chose qui devait ressembler à un merci et la chère maman lui mit sous le nez une assiette de nouilles. Le gosse y plongea la main.

— Cochon ! Avec ta fourchette !

Mais il ne savait pas tenir sa fourchette. Il s'était mis des nouilles partout. Il était tout barbouillé de nouilles, le pauvre. Et alors, à quoi ça sert, les serviettes ? Hein ? dis ?

— Hein ? Dis ? Réponds quand on te parle ! Et tiens-toi droit !

Il se tint droit, mais il se mit à remuer les pieds.

— Laisse tes pieds tranquilles et mange tes nouilles !

Il voulait bien manger ses nouilles mais pas avec la fourchette. Il prit une grosse poignée de nouilles qu'il porta à sa bouche et, en même temps il reçut une baffe de réserve, une très belle baffe bien balancée.

— Tiens, celle-là, tu ne l'as pas volée ! Je t'avais pourtant prévenu.

Le gosse se reprit à hurler. Il étouffait, suffoquait, sanglotait ses nouilles, les joues en feu, barbouillées de pleurs, de nouilles, de morve, et les baffes redoublèrent. Quand donc, mais quand donc apprendrait-il à manger proprement, à boire son eau rougie sans faire glou glou.

— Hein ? Quand ? Si on compte pour ça sur ton père...

Mais le père ne s'occupait pas. On aurait dit qu'il lisait le journal.

... et...

— Quoi ! m'écriai-je, il y a une suite ?

L'excellent M. Coquillage poussa un soupir à fendre l'âme, puis, souriant avec tendresse — mais d'un air de tendresse blessée et toute prête au sursaut de la vengeance, il me répondit :

— Non. Ce n'est pas une suite. C'est une autre histoire qui me revenait à l'esprit tandis que je vous contais la première. Seigneur ! Oh Seigneur ! s'écria-t-il en joignant les mains au-dessus de sa tête. Et il se mit à marcher dans la pièce, à petits pas vifs, en sautillant pour ainsi dire.

Quelle étonnante petite silhouette ! Il était si fluet, si léger, dans son frac noir, ses pantalons rayés, ses souliers vernis. Et cette petite tête ronde au visage flétri, mais aux grands yeux tendres et humides. Il portait la mouche au menton.

Après qu'il eut fait deux ou trois fois le tour de la pièce il parut se calmer un peu. Il soupira encore, ramena les mains derrière le dos et poursuivit :

— Il y avait une fois... (il est bon que ce petit récit commence comme un conte de fées) — il y avait donc, une fois, une jeune mère, veuve... Peut-être même n'avait-elle jamais eu de mari, ce point m'échappe... Elle n'avait pas trente ans et, à ce que l'on m'a dit, moi je ne l'ai jamais vue, elle était, vous savez, ravissante...

Le clin d'œil de M. Coquillage en disant cela !

— Et pauvre, ajouta-t-il.

Je crus bon de m'exclamer. La beauté devrait toujours être riche.

— Il fallait donc, continua M. Coquillage, travailler. Gagner sa vie et celle de son petit garçon qui commençait à grandir. Ma foi oui, il allait bientôt entrer dans sa huitième année. Déjà !

— Comment s'appelait-il ?

— Paul, naturellement. Petit Paul. Popaul.

— Et la mère ?

— Sais pas...

Il ne l'avait pas connue. Il ne savait cette histoire que par ouï-dire. Il reprit :

— Et alors, l'amour, hein ? Elle qui avait toujours été une si bonne mère. Une bonne ouvrière et une excellente mère.

— Appelons-la Jenny, proposai-je.

— Si vous voulez, Jenny l'ouvrière. Elle prit un amant.

— Comment s'appelait-il ?

— Oh ! Assez ! Cela est bien égal. Mettons Lucien. Ce qui donne Lulu.

— Jenny, Popaul et Lulu.

— Mais Lulu n'aimait pas Popaul.

Il l'avait tout de suite pris en grippe, cet enfant d'un autre. Qu'est-ce qui m'a foutu un gosse pareil ? D'où vient-il encore celui-là ?

— Ça devait mal tourner ?

— Oui. Vous voyez déjà un enfant martyr ? Le titre du fait divers... « Jaloux, l'amant de Jenny l'ouvrière séquestrait le petit Popaul... » — ou pire : le crime ? Eh bien non... Pas nécessaire de recourir au crime. Jenny la tendre mère écrivit une lettre...

Silence. Soupir. Bras levés au ciel.

— Une lettre à qui ?

— Vous allez le voir. L'idée de le conduire elle-même la gênait.

— Le conduire où ?

— Je vous le dirai... Elle trouvait cela, sans doute, contraire
à la bienséance et d'un fort mauvais exemple. Comme il fallait
cependant que l'enfant disparût — Nom de Dieu ! Il est encore
là, ce... ! — eh bien, elle écrivit cette lettre. Représentez-vous
la scène, continua M. Coquillage presque à bout de souffle :
voilà Jenny qui cherche dans son tiroir une feuille de papier à
lettres un peu convenable, de ce mauvais papier quadrillé
qu'on achète en pochettes vous savez et qui sert aux lettres de
nouvel an et d'anniversaires — Quand il arrive qu'on se souvienne de vieux parents qui crèvent tout seuls dans leur trou
de province. Voilà sur la table la feuille, l'encre violette et le
porte-plume d'un sou. Jenny tourne et retourne dans ses doigts
le porte-plume, elle en mord le bout comme du temps où elle
faisait ses rédactions. Rien ne vient. Et Lulu qui va rentrer ! Il
va encore gueuler ! Alors, vas-y ! Tiens, l'inspiration est venue
d'un coup... D'un trait, la lettre est faite et parfaite — belle,
avec toutes les formules de politesse qu'il faut et cet art inimi-
table qu'elles savent avoir si souvent de détourner sur elle la
pitié dans l'instant même où elles abattent le couteau !

Silence. M. Coquillage devenait un peu orateur. Songeait-il à
ménager ses effets ?

— Voilà donc sur la table la lettre achevée, l'encre brille.
Une enveloppe et tout sera prêt. L'innocent bambin joue avec
des soldats de plomb ou avec ses poupées. Il parle à ses poupées
et parfois il regarde sa mère : elle est là. Pourquoi avoir peur ?
La voilà qui se lève et prend une enveloppe dans un tiroir, elle
y met sa lettre, elle colle l'enveloppe...

— Adresse ?

— Attendez. On sort. Ils sortent. Allons ! Dépêche-toi, mon
petit Popaul ! On va faire des commissions.

Il veut bien.

— Où ? dit Popaul.

— Tu le verras...

Elle prend la lettre. Dehors ils montent tous les deux dans
un autobus et ils s'en vont... à l'autre bout de Paris.

— Tiens ?

— C'est plus sûr, dit M. Coquillage. Alors, on rôde un peu.
Jenny tient sa lettre à la main. On arrive près d'une station de
métro. Il y a pas loin un agent. Jenny dit à Popaul : « Tiens, va
donc donner cette lettre à l'agent, mon petit Popaul. Cours ! »
Il court, le petit Popaul et, pendant ce temps là, Jenny saute
dans le métro !

Silence. Silence.

— L'histoire est finie ?

— Si vous appelez ça une histoire, oui, dit M. Coquillage.
Malheureux de voir ça, dit l'agent. À l'Assistance ! Pauv' gosse.
En effet, l'histoire est finie.

— Le retour de Jenny ?

— Sais pas.

— Et Lulu ?

— Il était temps, dit Lulu. J'aurais fait un malheur. Tu as
fait le mien, répondit Jenny. Sacré nom de Dieu ! Que ce soit
une histoire finie, dit Lulu. Et l'histoire du petit Popaul, dites
alors, elle commence drôlement !

De temps en temps, je perds ma colère. Ce sont là, pour moi,
les moments les plus désolés : je découvre qu'ils ont désen-
chanté ma solitude. Leur magie subtile a tout brouillé aux
sources mêmes de la vie. Ils ont empoisonné les eaux profondes
de l'âme, les plus cachées, celles où toute naissance s'élabore,
où s'accomplit toute renaissance.

J'ai cessé depuis longtemps de m'intéresser à moi-même non
pas, comme d'autres, par raison philosophique ou par vertu —
je n'avais pas tant d'ambition — mais par ennui, par dégoût,
pour les raisons les plus plates et les plus triviales, en un mot
par persuasion. Je me suis laissé persuader et convaincre. Et
me voilà, avec tout à recommencer — et peut-être qu'il est trop
tard.

— Le véritable amour de Dieu est aussi rare que le véritable
amour humain. Mais notre civilisation n'ayant point de valeur
supérieure ni de justification supérieure à celle de l'amour,

qu'il soit divin ou humain — il en résulte que chacun veut soit
se donner l'illusion qu'il aime vraiment Dieu, ou un être
humain, soit en donner l'illusion, ou les deux. Il y a là quelque
chose de touchant, de pathétique et d'odieux, comme il est
pathétique, après tout, de voir un singe s'efforcer de devenir
un homme. Mais pourquoi forcer sa nature ? « Nous ne ferions
rien avec grâce », dit La Fontaine.

Une question est de savoir si l'impuissance est naturelle à
l'homme, ou si elle vient des conditions dans lesquelles il vit.

L'amour n'est pas ce qu'on croit.

Ce qui fait le lien de tant de gens, mariés ou non (mais
surtout des premiers), c'est, ou c'était, dans une faible mesure,
l'amour, et, pour le reste, des raisons parfaitement extérieures
(ou totémiques).

— Quand la mèche est allumée, continua M. Coquillage, il
faut s'attendre à voir sauter la poudre, et peut-être à sauter
avec. Toute réflexion faite, on ne meurt content que dans la
haine ou dans l'amour. Nous aurons la chance d'avoir les
deux, comme deux grandes ailes, pour nous porter ailleurs.

Et puis, qu'importe !

Je veux dire : qu'importe cet « ailleurs » !

... « Tu aimeras ton prochain comme toi-même », disaient
les chrétiens — et après tant de temps où pas une seconde il
n'a vraiment été question pour personne d'aimer son prochain
comme soi-même mais bien plutôt de tuer son prochain comme le prochain vous tue, nos chrétiens modernes, nos catholiques, nos bien-pensants font la fine bouche dès qu'ils enten-
dent parler de la haine. Voilà bien de l'audace. La chose ne les
dégoûte pas, rien que le mot qui leur répugne. La haine, au
moins, est une vérité très franche, mais il est plus facile d'as-
sassiner au nom de l'amour. La haine est un fruit de l'expérience, comme l'amour. Qui peut apprendre à mieux aimer
peut apprendre aussi à haïr et à mieux haïr. La haine et
l'amour sont des sentiments fertiles. Ne criez pas au mauvais

berger si je dis que la haine est une chose nécessaire — rentrez
plutôt en vous-mêmes, jeunes hommes, et faites le compte de ce
qu'on vous a déjà volé.

Oui, pour l'imbécile qui veut m'obliger à entendre des mor-
nes propos, etc., j'ai de la haine. J'en ai pour tout ce qui me
prive, me vole d'une chose irremplaçable, cette minute qui ne
reviendra plus, dont je suis à jamais appauvri, amputé, sans
profit pour personne.

Les hommes sont avares de leurs biens, mais de leur vie !
comme ils sont prodigues de leurs vies, en gros et en détail ! La
vie est moins que les biens.

Nous n'avons pas une seconde à perdre pour l'amitié, pour
l'amour, pour le bonheur, pour la recherche, pour les œuvres.
Il faut haïr et punir tout ce qui nous empêche en cela. Haïr et
punir. Voler la vie, n'est-ce rien ?

— Oh, monsieur, dit-il avec transport, que les anciennes
mœurs paraissent donc charmantes quand on les compare à
celles d'aujourd'hui ! Je parle, dit-il — ce qui fit la preuve
qu'il n'était pas dépourvu d'esprit —, du temps délicieux qui
s'est écoulé avant les guerres. Âge heureux de l'humanité. Malgré mon horreur de la tyrannie, il m'arrive, monsieur, dans
mon embrouillamini, de pleurer sur ce temps-là. Mais d'ailleurs, vit-on jamais tyrannies plus affreuses, plus abjectes que
celles qu'on voit aujourd'hui dans le monde ? Je ne le crois
pas. Et si nous n'y prenons garde, tout ira de mal en pis et les
premières tyrannies qui se sont établies après la guerre nous
sembleront idylliques comparées à celles qui viendront. Ah,
quel monde affreux ! Que de sang ! Que de sang ! Et l'homme
ne se reconnaît plus. Certes oui, les anciennes mœurs avaient
du bon. Il arrivait bien sûr que le riche maltraitât le pauvre et
même qu'il le pendît ou qu'il le rouât. Et c'était bien affreux.
Mais enfin, ce n'était pas tous les jours et si maigrement qu'on
vécût, on vivait tout de même, on n'avait point tant de peur.
Mais c'est fini. L'âge des guerres commence...

1946

26 janvier 1946 — « Cher Ami. Pouvez-vous venir à Paris, ne serait-ce que pour vingt-quatre heures ? Un Comité d'intellectuels argentins nous a fait d'importants envois de vivres et de vêtements. Je pourrais vous donner : complet, chaussures, linge, etc. Je crois que ça vaut le voyage.

« En hâte ce mot après un si long silence — et tant d'événements : Toute la rue de l'Odéon vous envoie beaucoup d'amitiés. Adrienne Monnier.

« Un mot de réponse par retour, vous serez gentil. »

26 février — « Mon cher Guilloux. J'ai reçu hier soir votre paquet qui est arrivé fort à propos — alors que je me voyais contraint d'en venir au tabac gris. Je vous remercie donc et pour l'attention à laquelle j'ai été très sensible et pour l'objet lui-même qui prolonge mon plaisir de fumer.

« Naturellement aussi, je suis confus de ce tabac que vous vous êtes retiré de la pipe pour moi — bien à tort si c'était un remerciement de quoi que ce soit car je n'ai jamais eu l'occasion de rien faire pour vous qui ne fût un plaisir pour moi.

« Je vous connaissais très mal avant votre dernier séjour à Paris et je le regrettais beaucoup. Aussi ai-je été très heureux de profiter de toutes les occasions qui m'ont été offertes de vous voir un peu. J'espère d'ailleurs qu'à l'avenir, vous n'hésiterez à vous arrêter à la maison quand vous viendrez à Paris.

« Camus est maintenant installé à la maison. Ça s'organise assez bien matériellement et l'atmosphère est très agréable.

« Nous comptons bien aller vous voir en mai, si vous êtes toujours d'accord.

« Janine me charge de vous transmettre ses amitiés.

« Bien amicalement. Michel Gallimard. »

Le 19 mai dernier, je suis allé avec Yvonne à la fête de Saint-Yves à Tréguier, dans l'auto des Maisonneuve.

A L'Arcouest, avec les amis yougoslaves de la Princesse Jeje, fille du docteur Prigent, qui a épousé le grand héritier de Yougoslavie, dont elle a un fils : Nicolas. Le déjeuner avec Joliot-Curie.

Plus tard (mémento) à Saint-Jean-Kerdaniel. Mais ce devait être pour la Saint-Jean, puisque c'était le jour du Pardon — Le Château. La veille (sans doute) les feux de la Saint-Jean près de chez Mme Brunel[1], sur les lieux où les Allemands avaient leurs installations de D.C.A (la FLAK).

Noter : la visite du père Vaugarni. Ensuite, je suis allé le voir.

A Guingamp, le 12 juillet la nuit, les autonomistes bretons, persévérants, arrachent les drapeaux de la République.

Boncors[2], le poète de Rostrenen, auteur des *Odes triomphales*, cette façon de balancer les bras comme un animal qui, jusqu'alors, ne marchait qu'à quatre pattes, et qui vient tout juste de se redresser.

Ce sourire, comme un voile qu'on écarte et qui laisse apparaître un visage entièrement nouveau.

---

1. Louis Guilloux avait fait connaissance pendant la guerre, à Saint-Brieuc, de la famille Brunel avec laquelle il resta lié.
2. L. Guilloux parle du poète A. Boncors dans *Absent de Paris* (Gallimard, 1952, pp. 197-200).

— Ah ! dit l'homme, ce temps-là ne me convient pas : ça trompe le sang.

— Mais, la religion, vous le voyez bien : c'est la lumière en plein jour.

Je me suis remis difficilement au *Jeu de patience*. La matière, assurément, ne manque pas. Il n'y aurait donc qu'à laisser « courir sa plume » (comme on dit), qu'à se laisser aller comme dans la conversation en s'abandonnant au hasard, à s'en remettre à une constante improvisation. Et pourquoi pas ? L'écriture de certains mémorialistes n'est si excellente que parce qu'ils y côtoient au plus près le ton de leur propre voix.

... Je lis que John Ruskin était né dans une famille de riches bourgeois puritains qui, le dimanche, retournaient leurs tableaux contre la muraille, pour s'épargner des spectacles futiles.

Tel magistrat de ma connaissance me dit *aimer* les inculpés qu'il interroge et ne rien connaître de plus beau moment que celui de l'aveu, « car alors nous sommes deux frères ».

Le vieux garçon :
— Moi, j'ai toujours défendu la cigarette...

A la Saint-Yves, à Tréguier, il y avait un petit garçon qui disait : « Je veux voir le monstre ! » On lui répondait : « Quel monstre ? — Le monstre apostolique », dit-il...

Je regardais travailler un manœuvre occupé à creuser une tranchée dans la rue pour quelque canalisation. C'était un jeune garçon très beau, l'air intelligent. Rien n'empêchait de penser que s'il était manœuvre, la raison en était dans une suite d'injustices dont la première avait commencé à sa naissance. On avait dû le mettre à l'école jusqu'à douze ou treize ans, et aussitôt le certificat d'études obtenu : au travail, mon garçon ! Les alouettes rôties ne vous tombent pas tout droit dans le bec. Qu'espérait-il ? Qu'une belle fille passant par là, frappée de sa beauté, en devînt amoureuse ? On appelle « romanesques » des événements de hasard peu croyables, rares, comme de gagner le gros lot à la loterie. Toutefois, on peut toujours espérer en attendant que les temps soient venus où il n'y aura plus de hasard, quand les progrès de la science seront tels que lorsqu'on verra au travail un manœuvre, si jeune et si beau soit-il, il faudra bien admettre qu'il *est* manœuvre, naturellement et scientifiquement. La science aura décelé à travers l'espèce humaine les catégories. Elle aura mis chacun à *sa* place. Nouvelle justice. A laquelle, de son côté, sera soumise la belle jeune femme passant par là. Il n'y aura plus d'aventure. La preuve aura été faite de la catégorie à laquelle on appartient dès la petite enfance à travers le dispensaire, l'école, les tests, la surveillance médicale, toutes ces institutions se développant et se perfectionnant de plus en plus. On saura, de science sûre, qu'aucun génie ne se cache, même à lui-même, sous les grossières apparences de l'homme voué à la pelle et à la pioche. La science aura permis de déceler sans erreur les esclaves *naturels,* qui n'auront rien à réclamer. On réinventera les castes, fondées non plus sur les hasards de l'histoire, de la superstition ou de la fortune, mais parfaitement *déduites,* comme des théorèmes.

Cette nuit, du 24 au 25 juillet, ne dormant pas à cause de la chaleur, et d'un café un peu trop corsé, je lisais ce qui m'était tombé sous la main (ici, à Dinan). Le livre était *Le Dernier Romanov,* de Rivet, ouvrage hâtif, mais où j'ai tout de même appris qu'Azef, traître par excellence, flic au service de l'Okhrana, agent double, chef des organisations de combat des Socialistes révolutionnaires qui réussirent de nombreux attentats en Russie contre un grand-duc, contre le ministre Plehve, etc. — était décoré de la Légion d'honneur — Voir les mémoi-res du général Guerassimov — chef de l'Okhrana — et le livre de Roman Goul : *Lanceurs de bombes,* et aussi, bien sûr, *Ce qui ne fut pas,* de Boris Savinkov, ouvrage malheureusement in-trouvable aujourd'hui.

Camille racontait comment son père le battait très souvent, quoique pas tous les jours, sous le moindre prétexte. « J'étais, il est vrai, dit-il, un gosse très dur. » Le père lui flanquait de véritables tournées à coups de cravache ne s'arrêtant que lors-qu'il voyait le sang. Au cours de ces « séances » il ne disait jamais rien. Il prenait soin d'informer son fils dès le matin que, le soir, il lui flanquerait une tournée. « Prépare-toi. » Les choses durèrent ainsi jusqu'au moment où Camille, ayant atteint ses dix-sept ans, répliqua. Ce fut lui qui, alors, rossa le père. « Je l'ai foutu par terre, et je lui ai bourré la gueule de coups de poing. Ensuite, il n'était pas beau à voir. » Dès lors le père cessa de battre le fils. Camille me raconte que, alors qu'il avait dix ou douze ans et qu'il habitait le petit village de K. où son père était instituteur, un jour qu'il avait reçu une tournée exceptionnelle, et qu'il en portait sur le visage les marques évi-dentes, les gendarmes arrivèrent à l'école pour une raison quel-conque et, le voyant fort mal arrangé, ils lui demandèrent ce qui s'était passé. Le père était présent. Le père et le fils échangèrent un regard, le père fit une grimace « significative » à son fils qui répondit aux gendarmes : « Je me suis battu avec un camarade. » Etrange complicité. Les gendarmes n'insistèrent pas.

A noter que la mère, parfaitement au courant des traite-ments que le père infligeait au fils, n'en parlait jamais, ne protestait jamais...

Tout marié qu'il soit aujourd'hui et père de famille, Camille rêve encore de s'engager dans la Légion étrangère. Il ne parle guère d'autre chose. En marchant, il fredonne des refrains guerriers...

— Et, note bien, mon père, c'est un péteux. Il a la trouille. C'est un lâche, quoi...

Rentré de Dinan, je trouve un mot de Jean m'annonçant sa venue et celle de Camus pour les premiers jours du mois d'août.

On parlait du temps de l'occupation, des misères, des douleurs déjà oubliées.
— Oui, dit Johanna, la mémoire se guérit comme la peau...

A lire (m'a conseillé Parrot[1]) *Le Pape du ghetto,* de Gertrude Von Lefort.

Le « tout fait » (*ready made*) : Il parlait des hommes tout faits, des hommes de confection, de la peinture de confection, de la littérature de confection, de l'amour de confection, etc. Il comparait la plupart des hommes à des somnambules, etc.

La tante, brouillée avec toute sa famille, renvoie aux siens leurs photos après en avoir crevé les yeux à coups d'épingles.

Passé chez M. le substitut Lemarié, au palais de justice, pour lui parler de cette femme venue me voir hier, à qui l'Assistance publique a enlevé un enfant de quatre ans et refuse de le lui laisser voir, de dire où il est. Mais il paraît que dans certains cas l'Assistance a parfaitement ce droit, que c'est une question d'appréciation, etc.

Le fils ayant été tué au front, et la mère étant malade sur son lit et en passe de mourir, la vieille Zabelle Morel fabriquait de fausses lettres du fils qu'elle envoyait par la poste, et qu'elle venait lire à la malade, laquelle mourut sans avoir su la fin de son fils.

... un point lumineux lui mettait sur la joue comme une petite touffe de coton rose...

1. Louis Parrot (1906-1948), poète, romancier et critique.

... « elle était tellement petite, et si frêle, que sa mère fourrait du papier dans toutes les serrures pour qu'elle n'attrape pas de courant d'air. Eh bien, elle est morte à quatre-vingt-dix-neuf ans, furieuse de n'être pas centenaire. »

Les enfants comme ce petit de quatre ans enlevé à sa mère, sont officiellement désignés sous l'appellation « d'enfants victimes ».

Le petit monsieur chauve se leva, resta un instant incliné sur sa canne, devant M. le substitut qui souriait, puis il dit :
— Mes honneurs ! monsieur le substitut.
Et tout raide, il se dirigea vers la porte...

— Je m'étais pourtant bien tracé de l'ouvrage, disait la mère Provost, mais je vais encore en faire comme quatre morts et un malade...

— Ah, dit-elle, voilà qui est nouveau comme la soupe à l'oignon...

— Il est gentil, délicat, charmant, il a beaucoup de talent...
— Allons ! venez-en tout de suite au « mais »...

... Tintin au nez de calumet, Marie des petits canards, vilaine comme les sept péchés mortels...

Mieux vaut sentir vent de fumée que vent de gelée...

... Quand il se releva, après le bombardement, il vit un homme collé comme une affiche sur le mur.

Un soir de noce. Les mégots sont dans la poche du marié. La belle-mère vole les mégots. Ensuite, on s'aperçoit qu'un collier en or a disparu. Mais le petit beau-frère a vu emmener les mégots.

Le collier renvoyé par la poste, quelques mois plus tard.

... et voilà : on vit, c'est bien simple, on va et on vient. On
bouge. On cause. Comment que ça va ? Pas mal et vous merci.
Quand ça va pas, on fait aller. Parbleu ! Le matin, on se réveille — on va à la selle. Faut toujours y aller à la même heure.
Après ça, on mange. Et puis on va travailler. Faut travailler.
Le jour est fait pour travailler, la nuit pour dormir. On travaille donc, heureusement ! On vit, quoi ! On va, on vient, on
s'occupe. Pas plus difficile que ça ! Si par déveine on n'a rien à
foutre, y a les bricoles qui attendent toujours. Faut pas s'en
faire. On arrive toujours au bout de la journée. On mange et on
se couche. On dort. Ça aide. À condition de ne pas rêver, de ne
pas se réveiller au milieu de la nuit pour écouter sonner les
heures. Celui qui dort bien est à moitié sauvé. Mais pour bien
dormir, il faut bien digérer. Du moment qu'on peut manger de
tout, ça va. Un bon estomac, ça aide aussi. Allons ! Il ne faut
pas trop en demander.

Ma sœur Marie et mon beau-frère Edmond ont dîné hier
soir à la maison ; c'était la fin de leurs vacances. Ils sont repartis ce matin pour Paris et Louvres, en voiture.
   ... Edmond parlait d'une Mme Sanscul, veuve Robinet... d'un
autre ou d'une autre pour qui le pape était le « Souverain trom-
pife ».
   ... et la serviette en peau de bazaine...
   Ce matin, les lettres de Gonzalez (de Beerblock[1] avant-
hier).

Fatigué. Mauvaise (s) nuit (s). Trop de café, peut-être. Mille
inquiétudes et...
   Il faudrait tout changer.

---

1. Maurice Beerblock, journaliste, traducteur et écrivain belge, était chef du service
étranger à *L'Intransigeant* quand Louis Guilloux y entra comme traducteur de journaux anglais (1er mai 1922 au 26 avril 1926). M. Beerblock qui fut toute sa vie l'ami
de Louis Guilloux, est mort en 1962.

... des liaisons mal t'a propos, comme un zanneton qu'a z'une paille t'au cul, disait l'instituteur en se moquant de son élève...

— Et comment s'appelait-il ?
— Il s'appelait Austrogisile, et le contrôleur des contributions lui a foutu une patente d'aubergiste ?...

Le père L... est adjoint au maire. Notable, s'il en fut. Tout à fait l'air d'un notable, avec sa belle prestance, son admirable barbe blanche, etc. Négociant en vins. Très à son aise, etc. Patriote, etc. Sa maîtresse, une employée, qu'il rejoint dans les combles de la mairie. A côté de lui — autre adjoint — le père C... jaune comme un coing, rondouillant. Requimpette, melon et parapluie. La femme du père L... Leur fille. Leur fils. Et la femme de chambre. C'est la femme de chambre qui serait mon personnage. La fille L... épouse L.B... : demi-fou. Deux filles naissent de ce mariage — et, bientôt, voilà que meurt la maman. Les grands-parents sont morts déjà depuis quelque temps. L.B... le père, incapable de s'occuper de ses filles. Elles sont recueillies par l'oncle. Mais : la femme de l'oncle. Terrible mégère. La femme de chambre vit dans une mansarde. Les deux filles viendront l'y rejoindre. Elles feront deux ouvrières. La femme de chambre leur avance de l'argent...

... La journée s'achève, et je n'ai point fait tout ce que je me proposais de faire, notamment je n'ai pas encore répondu aux lettres. Il est vrai qu'aussitôt après déjeuner je suis allé voir ma mère. Et que, rentré chez moi, est arrivé Goupil, le juge de paix de Lamballe (que j'ai d'ailleurs expédié) mais est venu, ensuite, l'abbé Maodez Glandour, qui m'a lu et commenté quelques fragments de l'Apocalypse de saint Jean...
Il est maintenant six heures...

... Les premiers temps de l'automne ont toujours été pour moi des temps de « reprise »...

L'encyclaque de N.S. Père le Pipe...

... des étoiles d'araignées.

Caresses de chat donnent des puces, dit-on...

... et une souris n'a qu'un trou...

Le monsieur s'extasiait que l'enfant eût grandi si vite.
— Oui, répond la mère, les enfants grandissent vite dans les bras des autres...

Quel sentiment, quelle volonté m'ont poussé ce matin à prendre ce carnet ? Je me dis souvent pourtant qu'il n'était pas si difficile de vivre sans son porte-plume pendu au bout du nez. Je pensais d'autant plus de cette manière, que, lorsqu'il m'est arrivé de considérer les carnets antérieurement noircis, et qui forment déjà un volume considérable, je n'ai jamais pu m'empêcher de me dire que c'était là beaucoup d'embarras pour pas grand-chose, et même pour rien. Moi seul, sans doute, puis mesurer à quel point ces carnets sont vides. Ils auraient pu ne pas l'être tout à fait si j'avais eu plus de courage. Mais il n'y a pas à revenir là-dessus. Ayant cessé de « rédiger » mes carnets, je m'étais mis à écrire à Jean des « lettres » — que je compte bien continuer d'ailleurs — si bien que...

... au fond, il n'y a qu'à écrire, il n'y a qu'à se mettre à son écritoire, ça n'est pas plus difficile que ça, pas beaucoup plus difficile, ça n'a pas beaucoup plus d'importance que ça...

Passé l'après-midi (18 octobre) à la cour de justice. On jugeait quatre résistants, dont un ancien déporté, accusés d'avoir à coups de grenade, tué une paysanne qui, ouvertement, n'avait pas caché sa satisfaction que le principal accusé, B..., ait été arrêté par les Allemands, et avait même ajouté qu'il était dommage que ces derniers n'eussent pas arrêté et déporté en même temps que lui toute sa famille. Le déporté, tuberculeux jusqu'aux moelles, et un comparse, ont été acquittés. Les deux autres — dont l'un avait lancé la grenade meurtrière — ont été condamnés chacun à cinq ans de réclusion.

Arrivé à un *certain âge* (comme on dit) il semble que rien ne devrait mieux aller de soi que de se mettre à dire ce que l'on sait, à raconter ce que l'on a vu, à enseigner ce que l'on a appris : *Jeu de patience* ! Il ne devrait y avoir à cela d'autres interruptions majeures que celles du boire et du manger, du sommeil. Un homme simple et sensé devrait toujours pouvoir reprendre, le matin à son réveil, après une bonne nuit de sommeil, le fil de son discours. Et pourtant la chose n'est pas simple du tout, mais au contraire des plus difficiles. Je doute qu'il y ait beaucoup d'hommes qui se « trouvent » tout de suite quand ils le veulent, qui s'aient toujours « sous la main ».

Voilà dix ans qu'Eugène Dabit est mort, seul, pour ne pas dire abandonné, dans un hôpital de Sébastopol, après trois jours de maladie. C'est au téléphone que j'appris la douloureuse nouvelle, de la bouche d'André Gide, à Saint-Brieuc, une quinzaine de jours environ après mon propre retour en France. J'avais, à Tiflis, abandonné le voyage. De Tiflis, nous devions aller à Batoum, de là à Sébastopol et à Odessa, Schiffrin, Dabit et moi nous serions rentrés en France par Constantinople, Athènes et l'Italie. C'était un splendide itinéraire en vue, dont nous attendions de grands bonheurs. Mais après une semaine passée à Tiflis où nous nous étions précipités avec tant de hâte, les choses tournèrent de telle sorte qu'il me parut plus convenable et plus sage d'y renoncer et de rentrer en France par Moscou, Varsovie et Berlin.

Je fis part de ma résolution à Schiffrin, et à Dabit, compagnons de voyage desquels je me sentais le plus près. Ma résolution entraîna celle de Schiffrin. Je ne convainquis malheureusement pas Dabit, et c'est ainsi que nous nous quittâmes, devant l'hôtel Intourist, à Tiflis, pour ne plus jamais nous revoir.

Notre connaissance remontait au début de l'année 1930,

année de la parution de son premier livre *Hôtel du Nord*. C'est
chez Jean Guéhenno, à Belleville, que nous nous rencontrâmes
pour la première fois. Depuis, nous nous étions souvent revus,
écrit. Dabit était un ami fidèle. Mais jusqu'à l'année 1935,
nous n'avions pas eu l'occasion de vivre un peu longuement
côte à côte. Cette occasion s'offrit à l'époque de Noël de cette
même année, où Dabit fit chez moi un séjour d'environ une
semaine — il revenait de chez Vlaminck, et il arriva portant
sous le bras une toile magnifique : un bouquet de fleurs. Elle se
renouvela l'année suivante, au cours du voyage en U.R.S.S. Ce
sont les images de ces temps-là qui me sont restées les plus
vivantes à l'esprit. Les ouvrages d'Eugène Dabit ont parfois un
ton de mélancolie d'ailleurs tendre, qui leur est propre, mais
que son compagnonnage donnait autrement. Ici, tout se ramenait à un certain sourire, à des gestes de la main, à une certaine façon de hocher la tête, par quoi tout se rétablissait dans un
équilibre ayant pour support une très rare capacité de joie et
de bonheur. C'était un compagnon très charmant, disponible,
curieux, enchanté, attendri, sensible au dessous des choses
comme à leur brillant, modeste, et parfois même trop modeste,
prudent, au sens où la prudence est fonction de l'honnêteté,
d'une connaissance des moyens dont on dispose en face des
choses qu'on voudrait faire — attentif. L'art n'était pas pour
lui une plaisanterie. Il y était engagé à fond mais ses dons
nombreux il ne les appliquait pas rien qu'à l'art, mais aussi et
peut-être bien davantage à la vie. Il avait su choisir. Il aurait
su, de plus en plus, se choisir, sans rien trahir des fidélités qui
entraient dans sa définition. Tous ceux qui l'ont approché
savent combien il s'entendait à vivre, sans éclat, mais à la
limite du possible. Peu d'hommes en tout cas m'ont donné
autant que lui le sentiment de posséder l'instinct du prix des
choses et l'art d'en savoir tirer tout le bon. Et en même temps,
par le fait même de ses dons et de ses aptitudes, il ne perdait
jamais de vue le sens de la fragilité. Je l'écoutais me parler de
ses voyages, de sa vie aux Baléares. Il rendait tout admirablement sensible et présent. Il était créature bien vivante, bien

participante à la beauté et à la joie du monde. Mais il en
connaissait aussi toute l'horreur, toute la honte, qui lui soule-
vaient le cœur de dégoût.

Les années 1935 et 1936, le début de celle-ci au moins,
furent les dernières où il fut encore un peu permis d'espérer,
de faire « comme si... », de ne pas croire, de croire qu'on n'y
croyait pas, bien que déjà contre toute évidence ; et Eugène
Dabit qui avait fait l'autre guerre, et qui en gardait les souvenirs les plus horribles, entrait en colère, à l'idée des prochai-
nes rechutes dans l'ordure. Une moue de nausée chassait de
son visage tout sourire, comme si effectivement il eût perçu la
putréfaction des charniers. Je le revois, je l'entends s'écrier :
Non ! Non ! avec l'accent des torturés...

... Sur le bateau qui de Londres nous emmenait à Leningrad
nous partageâmes pendant cinq jours la même cabine. C'est
donc que nous eûmes ensemble de très longues conversations.
Elles se continuèrent tout au long du voyage, qui d'une traite si
rapide nous emmena au Caucase, et, de ces conversations, de ces
confidences, le sentiment me demeure qu'Eugène Dabit, au moment où la mort solitaire est venue le prendre à Sébastopol, était
à la veille d'un renouvellement considérable de son art. Je ne puis
dire dans quel sens ce renouvellement l'eût poussé, mais ce qui
est certain, c'est qu'il se sentait désormais à l'étroit dans les formes qu'il s'était choisies jusqu'alors — ou que diverses conditions lui avaient imposées — et que, s'il eût vécu, nous eussions
vu s'élaborer dans la suite de son œuvre, une autre expression de
son univers. Me référant à ces conversations, il me semble que ce
qu'on a publié de lui depuis sa mort, ne rend pas compte des
nouveautés qu'il me laissait entrevoir.

Mais, quand la mort a opéré, il se dégage toujours d'une
œuvre vivante, un mot qu'on n'y avait pas encore trouvé. La
mort ne l'y introduit pas mais elle le révèle. C'est à ce mot-là
qu'il nous faut être attentifs en relisant l'œuvre interrompue
de Dabit. Il peut nous aider à vivre.

1947

9 janvier 1947 — Enterrement de Gérard (Pablo)[1].

Avril 47, Paris — (Petit Palais, chez Chamson.) La conversation avec le professeur M... la veille de mon départ pour Paris. M... membre du Parti en est aujourd'hui au faux témoignage. Mais pourquoi est-il venu me confesser qu'ayant la « conviction » que tel accusé était coupable — il s'agit de faits de collaboration — mais craignant que le procureur de la République à la cour de justice ne fît pas tout son « boulot » — le Parti n'avait pas hésité à envoyer au tribunal un de ses membres en le chargeant de témoigner de manière à emporter une condamnation sévère. M... ajoutait qu'il avait lui-même, dans une autre affaire, produit, en personne, un autre faux témoignage.

Arrivé hier soir à six heures et demie. Passé à la N.R.F. pour voir Camus. Il était à *Combat* où je suis allé un instant.
Ensuite, dîné au Petit Palais. Les Suisses : M. Charles Veillon, Géa Augsbourg[2]. Il est question de fonder un prix littéraire.

Petit m'a conté de bien étranges histoires à propos d'une

1. Pablo, personnage du *Jeu de patience*.
2. Géa Augsbourg, peintre, lithographe, dessinateur à Lausanne.

voyante, amie de la femme d'André Lhote. Ceci aurait du rapport avec Lambert[1]. Lui demander copie des notes qu'il a prises sous la dictée de la voyante.

J'espérais hier, au *Mercure*, trouver des lettres de Palante[2]. On a cherché — mais il paraît qu'il n'y a pas de « dossier » Palante au *Mercure*. Bien surprenant ?

Matinée à Montmartre pour voir Beerblock qui n'y était pas, mais j'ai passé l'après-midi avec lui, au quartier Latin. Le soir, chez Grasset, je me suis fait donner une avance de cinq mille francs sur les droits de la traduction allemande de *Compagnons* parue en Suisse dans la *National Zeitung*.

Mercredi matin : Chamson est parti hier soir pour la Suisse. Beerblock viendra avec moi sans doute à Saint-Brieuc.

Déjeuné avec Malraux et sa femme Madeleine. Il a dû nous quitter de bonne heure. Il avait rendez-vous avec le Général. « J'en ai assez de ne pouvoir écrire la psychologie de l'art qu'à la sauvette. Je ne reste que par fidélité », dit-il.

Samedi — Quitté Paris jeudi soir, avec Beerblock, dont j'attendais depuis longtemps la venue à Saint-Brieuc.

11 mai 1947 — Ces jours derniers, rangements, paperasseries et autres fadaises qui m'ont assombri, mais le pire est arrivé hier soir, m'étant fourvoyé dans un cinéma où sous prétexte de charité et de relèvement on avait fait venir un certain

---

1. Edmond Lambert est mort en 1940 sans avoir rien publié. Louis Guilloux, qui lui a dédié *Le Jeu de patience*, parle de lui dans *Absent de Paris* et dans le tome 1 de ses *Carnets*.
2. Georges Palante, né en 1862, professeur de philosophie au lycée de Saint-Brieuc où Louis Guilloux le connut en 1917. Il est l'auteur de plusieurs ouvrages dont *Combat pour l'individu* (1904), *La Sensibilité individualiste* (1909), *Les Antinomies entre l'individu et la société* (1913), *Pessimisme et Individualisme* (1914). Il s'est tué en 1925. Louis Guilloux lui consacra en 1926 une plaquette *Souvenirs sur Georges Palante* (rééditée en 1980, chez Calligrammes) ; il s'est souvenu de lui pour créer le personnage de Cripure dans *Le Sang noir*.

nombre de petits « délinquants » — histoire de les faire chanter. Il est vrai qu'on donnait à cette occasion un film très moral et très « joli » qui est *La Cage aux rossignols.* Qu'allais-je faire dans cette galère ? Je dois avoir très peu de gouvernement de moi-même. C'était dans le plus grand cinéma de la ville, le Splendid, tout était bondé, craquant, gavé d'une humanité chaude et odorante accourue là pour ou par des raisons diverses et de grands faux semblants « progressistes » — en réalité, pour « s'envoyer » la douleur, le malheur, l'humiliation d'autrui. C'est tellement plus délectable quand ce sont des enfants qui souffrent et qu'on humilie. Gala. On a donc fait chanter les enfants. Ils étaient une vingtaine sur la scène, dans leur habits de petits prisonniers — bien sages. Des gosses dont certains n'avaient pas dix ans. On leur a fait chanter des chœurs où il était question de la joie, d'une route droite, du soleil levant, du bonheur... Ensuite est arrivé un monsieur éducateur. Une manière de monsieur désossé qui parlait très bien, d'une voix, d'un ton qui étaient ma foi ceux de la bonne compagnie, un petit monsieur fluet, très propre, sans couilles, très gentil, un vrai fumier mais qui croyait bien faire, et il a écarté les bras devant le groupe des petits enfants, dans un grand geste protecteur, en disant que ces mêmes enfants devaient « oublier » les mauvaises choses du passé, qu'ils les avaient d'ailleurs oubliées, qu'on les leur avait fait oublier et que même on avait obtenu d'eux ce miracle de les rassembler sous une discipline aussi délicate que celle de la musique. Ce que voyant et entendant, je n'ai pu y tenir et je suis parti.

Dimanche 14 ou 15 juin 47 — J'attendais Camus (depuis longtemps). Aujourd'hui, un télégramme, disant qu'il ne peut venir. Mon désappointement est immense.

Lettre de Jean, 2 juillet — qui m'annonce son arrivée à Marseille pour le 4 — dans deux jours — et, vers le 10, à Paris.

Le côté « leçon de choses » du paysage, avec son usine à gaz, son viaduc, sa rivière...

Ce visage désert...

L'humour (selon Vaché) « dérive trop d'une sensation pour ne pas être difficilement exprimable. Je crois que c'est une sensation, j'allais dire un sens de l'inutilité théâtrale (et sans joie) de tout ».

Descendant l'escalier à la gare Montparnasse, un vieillard que soutiennent deux personnes :
« C'est l'talon qui accroche... »

... Un grand échalas tout maigre, deux grands yeux éberlués derrière des lunettes, un grand nez, une grande bouche et pas de menton, des épaules en portemanteau, un pantalon flottant sur pas de cul et des panards comme des raquettes de tennis...

— Ah, jeune homme, dit la concierge en soupirant, vous savez bien, Mlle Marceline, la vieille demoiselle du cinquième, si seulement vous vouliez lui passer ses sens vous auriez encore de l'argent de poche...

B... m'a dit avoir connu au Maroc un capitaine de gendarmerie grand amateur de farces et attrapes. Ce capitaine lui avait montré un de ces petits appareils que l'on trouve dans les boutiques spécialisées, qui se cache au creux de la main et qui, sous la pression de la main d'une autre personne, provoque chez cette personne une secousse analogue à ce qu'on appelle un coup de jus, ou, plus familièrement, une « châtaigne ». Ce capitaine de gendarmerie se servait de cet appareil de préférence dans les grandes cérémonies : le 11 novembre, le 14 juillet...

Il ne pleut pas, et les légumes ne peuvent pas arriver à maternité.

Ce chat a été sevré trop tôt. On lui a donné trop vite un tas de cruautés.

Dans cette petite chambre d'auberge tout près de Saint-Brieuc, à Cesson, vivait depuis quelque temps avec son enfant de deux ans, cette jeune et belle réfugiée juive, « eine Südländerin », disait Frau Meierhof. Elle avait la beauté des femmes roumaines, le visage large au teint doré, de grands yeux doux. L'enfant, dans son berceau, ressemblait à un angelot. Et voilà que maintenant je me promène au marché de Trouville, et que je rencontre le mari de cette femme, que j'avais vu bien des fois chez moi, il faisait le métier de forain. Il est là, devant son étalage — bas, chaussettes, etc. Lui, il s'est tiré d'affaire. Mais la belle Südländerin et son petit angelot ont péri dans les chambres à gaz d'Auschwitz.

Dans le salon d'attente chez le docteur Bouguen, j'avais trouvé sur la table parmi de nombreuses revues et journaux, le *Waterloo* d'Erkmann-Chatrian que je m'étais mis à relire avec une curiosité très vive. C'est que je venais de trouver dans ces premiers chapitres le sens, l'odeur de la soupe. Ce sens-là s'exprimait d'une manière si forte, si simple et si carrée, comme la table elle-même faite pour porter la soupière. Après tout, que les rois et les empereurs s'arrangent entre eux comme des larrons qu'ils sont, pourvu qu'ils laissent bouillir notre marmite, partager notre pot avec nos femmes et nos enfants, nos amis. La paix, c'est la soupe. La paix, c'est Catherine. Tout irait mieux s'il n'y avait pas tant de curés, de processions, de prédications, si l'on ne parlait pas tant de la rébellion de vingt-cinq ans, s'il n'était pas tant question d'expier, comme si d'avoir si longtemps fait la guerre n'était pas une assez grande pénitence. Mais on passerait encore là-dessus en se moquant pas mal du curé si fier depuis que l'Empereur est à l'île d'Elbe, si l'on ne voyait rentrer les émigrés avec leurs perruques d'antan, si les pauvres prisonniers qui reviennent d'Allemagne si misérables ne trouvaient encore le moyen de se faire rouer de coups au point qu'on les laisse pour morts sur le carreau de la place sous prétexte qu'à leurs schakos ils portent encore la glorieuse cocarde tricolore.

Bonheur tranquille. Tranquillement bourgeois. Ils avaient leur univers à eux, fait de silence, d'habitudes, de sécurité. Certains avaient beau dire que ça n'allait pas très loin, ce bonheur-là, qu'au fond, il n'y avait pas entre eux autre chose qu'un accord sentimental des plus ordinaires, ce débinage n'allait pas sans jalousie. Leur paix faisait envie à beaucoup qui semblaient ne croire qu'aux actrices, aux boîtes de nuit, aux aventures. Ils n'avaient pas d'enfant. Peut-être n'espéraient-ils plus en avoir. En souffraient-ils ? Il devait avoir dans les quarante ans. Elle était dans la trentaine. Leur liaison durait depuis une dizaine d'années. Elle avait survécu à la guerre, qu'il avait faite du commencement à la fin. C'était un homme robuste, un journaliste modèle, mais sans ambition. Il faisait son travail avec le plus grand soin. Mais « percer », comme certains disaient, il n'y pensait pas. Il avait trouvé la forme de vie qui « collait » le mieux avec son idée du bonheur. Il ne désirait pas en changer. Elle non plus.

Tous les soirs, vers cinq heures, ils arrivaient ensemble au journal. Pendant qu'il écrivait son « papier » elle lisait, assise dans un coin de la salle de rédaction. Parfois même, elle tricotait. Au bout d'une heure, en général, le papier était achevé. Ils partaient ensemble. Souvent, ils n'avaient échangé de paroles avec personne. Il est vrai qu'ils en échangeaient fort peu entre eux.

... Il fut aussitôt accueilli par un « pas possible ! » joyeux en même temps que deux mains serraient les siennes avec vigueur.

— Ça alors ! Tu n'as pas changé !

Devant lui, un grand jeune homme blond, très soigné, par-
fumé même, très beau garçon, le regardait avec un mélange de
joyeuse surprise, d'affection, ouvrait de grands yeux d'un bleu
léger, souriait. Il portait une petite moustache blonde très
jolie.

— Tu ne me reconnais pas ? Sans blague ! Ernest ! Ernest
Mercier...

Il avait l'air au comble de la joie. Nicolas, bien sûr, l'avait
reconnu tout de suite : le vieux copain de lycée ! Et il entrait
dans le rôle, très surpris de sentir que cela n'était pas difficile,
que, même, il éprouvait une certaine joie à retrouver le vieux
copain pas revu depuis tant d'années. Il répondit fort joyeusement à son tour.

— Mais si... mais comment donc... mais qu'est-ce que tu
crois ! Mon vieil Ernest ! Si jamais je pensais te rencontrer
dans ce train ! Qu'est-ce que tu deviens ?

— Oh, moi, ça va ! dit Ernest. Je me défends. Tu sais que
j'étais marié ?

— Non !

— Seulement, j'étais plutôt mal tombé. J'ai tout plaqué.

— Ah ?

— Maintenant, ça va... J'ai trouvé une femme gentille, com-
préhensive...

Ils parlaient debout dans le couloir.

— Moi, dit Ernest, j'ai compris, tu sais.

— Ah ?

— Dans la vie, tu sais, il faut savoir ce qu'on veut. Je suis
courtier. Ça te dit quelque chose ?

— Financier ?

— Ben... je suis à la Bourse.

A quinze ans, Ernest courait déjà les filles. Séduisant du
reste, pas bête, curieux même, et facilement le premier de la
classe. Bon cœur aussi. Il avait l'air heureux, l'animal !

— Si tu as un jour besoin d'un conseil question placement
d'argent, tu peux t'adresser à moi, tu sais. Viens me voir un de
ces soirs à La Rotonde, pas à Montparnasse, je te parle de La

Rotonde du boulevard Haussmann... Je vais là tous les soirs à
six heures... Viens prendre l'apéritif !

... Jusqu'à leur arrivée à Paris, Ernest avait continué à parler de « choses et d'autres », de rappeler des souvenirs, de
demander des nouvelles des copains.

— C'est drôle, ce que devenaient les copains ! On a des surprises. Tu trouves pas ? Tu aurais jamais pensé, toi, que Maurice entrerait dans la police ?

— Bien sûr que non.

— Et que Marcel deviendrait une sorte de grand acteur ?

— Mais c'est la vie.

— Et ton père ?

— Ça va !

— Et ta tante ?

— Ça va aussi...

— Moi, reprend Ernest, tu sais, mon vieux, ah là la ! Faudrait que je te revoie... Viens prendre l'apéritif... J'en aurai
long à te raconter. Tu sais que j'ai un fils ?

— Ah ? Non. De ta première femme ?

— Non. Mais pas de la seconde non plus. La vie est compli-
quée, tu sais... D'une autre. Seulement, c'est un grand secret, je
ne dis ça qu'à toi.

Bien tranquille dans sa caisse comme une grosse robe de
paysanne qui lui tombe jusqu'aux pieds, la grand-mère horloge
renvoyait les heures comme elle eût donné la fessée, en riant
sous cape, pour ainsi dire. « Au trot ! Au trot ! Au galop ! » en
jouant avec son balancier comme avec la baguette d'un cer-
ceau.

— Tiens, disait-on, déjà quatre heures ! Déjà cinq heures !
Bientôt la nuit ! Comme elle vous expédie cela !

Drôle de grand-mère horloge ! Comme elle était sèche et
nerveuse encore, malgré son grand âge ! Comme elle avait le
verbe dur ! On aurait dit qu'elle distribuait des punitions à ses
petits-enfants.

— Et ne répliquez pas !

Mais qui songeait à répliquer ? Qui ? celui-là peut-être, la mauvaise tête, le gros bougon de grand-père.

— Et maintenant, dit-il, en se tournant vers elle d'un air provocant, te voilà bien contente, n'est-ce pas ? Bien fière ! Tu nous as expédié cela si allégrement ! On dirait que ça te fait plaisir. Tu y mets sûrement de la malice. Hein, continua-t-il, en se retournant vers les invités, vous avez vu ça ?

Ma parole ! On aurait dit un jeune chien qui gratte la terre, et fait sauter autour de lui avec ses pattes de derrière les cailloux du Petit Poucet...

J'entendais Reggie. Il n'était pas difficile d'imaginer comment les choses se passaient. Bien entendu, il marchait de long en large à travers la pièce. Et elle ? Elle devait être prostrée dans un coin — peut-être sur le fauteuil — comme je les avais surpris une fois.

— Très bien, disait Reggie, d'une petite voix blanche. Ce monsieur prend du grade. Tu sais ce qu'on m'a dit ?

— Voilà que tu interroges sur son compte, à présent ?

— Moi ? Interroger ? Tu crois que je voudrais m'abaisser... Ça ne serait pas s'abaisser que de s'occuper seulement d'un pareil... crevé ? Ça te fait rire ?

— Mais puisque je ne te connaissais pas encore !

Reggie appartient, vous savez, à cette race d'incendiaires, la race des démons aux yeux verts dont parle Shakespeare : les Othello. Il n'a pas les yeux verts, mais café au lait — comme un peu brûlés, on dirait des yeux de métis. Le démon aux yeux verts ! Ce démon même, qui poussa récemment un lord anglais jaloux à mettre le feu à son propre château.

— Barbare.

— Barbare, mais grandiose...

Reggie vient de partir pour un petit voyage en Angleterre — un drôle de petit voyage. Tout seul. Parce qu'il ne pouvait plus supporter... Bref, écoutez : il y a une huitaine de jours, le rencontrant dans ce petit café de la porte d'Orléans, où, depuis un certain temps il a pris l'habitude de faire des séjours prolongés

— et remarquez qu'il ne s'enivre pas le moins du monde —
une fois de plus, il s'est mis à me parler de la « vieille histoire ». Depuis le jour où il est entré avec moi dans la « voie des
confidences », je dois dire qu'il n'y a guère eu entre nous d'autre sujet de conversation. Il était, il y a huit jours, plus exaspé-
ré que jamais. Je compris qu'il en venait à un point de crise
qui allait exiger de sa part quelque chose de nouveau. Il répétait, avec plus d'entêtement que jamais, que Winifred aurait
dû savoir... qu'elle aurait dû attendre... qu'il était inadmissible
que... qu'il ne pouvait absolument pas comprendre comment...
Vous savez, comme moi, qu'il n'y a rien à répondre à cela. Il
aurait même un penchant, dès que vous ouvrez la bouche, à
vous soupçonner de prendre le parti de Winifred. Mais Winifred est une femme silencieuse. Dès qu'on l'interrompt on
devient aux yeux de Reggie suspect. Je n'ai pas dit ouf, même
quand il m'a dit qu'en vue de ce voyage il venait de faire l'em-
plette... savez-vous de quoi ?

— Eh bien, dites ?

— D'un fouet... Il ne s'agit pas d'un fouet quelconque, mais
d'un fouet à chien. Il m'en a fait la description. Il s'agit d'une
lanière très solidement tressée, au bout d'un manche court,
garni de cuir, quelque chose de très solide, un article de grand
luxe qui se met très bien dans la poche. Alors voilà : il va
parcourir ainsi les quelques villes d'Angleterre où il pense *le*
rencontrer... Il *sait* que la rencontre se fera dans un restaurant. L'odieux personnage sera là en train de dîner. Il ira droit
à sa table, il sortira son fouet à chien. Et là... Flash ! Flash !
Flash ! En pleine figure — en disant : « Vous avez p... ma femme. Voilà pour vous !... »

— Vous avez quoi ?

— Cherchez, dans la liste des mots les plus obscènes que
vous pouvez connaître.

— Ensuite ?

— Il dit qu'il aura enfin la paix...
Pauvre Winifred ! elle toujours si souriante !

La malle à quatre nœuds : c'est le baluchon serré dans les quatre nœuds d'un mouchoir qu'on emporte au bout d'un bâton.

— Je ne pouvais plus « arquer » me dit Petit Pierre, en me
racontant comment il a été fait prisonnier en 40 et voulant
dire par là qu'il était épuisé de fatigue.

— L'espoir, dit Blaise.
Ernst sourit.
— La patience, répondit-il.

Faire « essayer » au personnage, et même parfois lui faire
« endosser »...

Renseignements pris, le vieux chansonnier était même d'une
dizaine d'années plus vieux que la tour Eiffel, laquelle, comme
Clément aurait dû le savoir, est de 1889.
Clément avait toujours eu quelque peine à croire que son
vieux Gilbert eût jamais été soldat, d'autant que le vieux Gilbert, faut-il le dire, avait toujours été fort loin de jouer les
anciens combattants. Il aurait eu horreur de cela. Mais qu'il
eût été soldat, c'était pourtant là un fait indubitable, contrôla-
ble, et les circonstances de l'histoire avaient voulu que ce sol-
dat-là, le soldat Desbois, car bien entendu il ne s'agissait plus
sous l'uniforme de porter le nom glorieux de Gilbert de l'Ile —
qui, de l'avis général, n'aurait jamais dû être qu'un soldat
d'opérette, ou un tourlourou de café-concert —, était devenu
soldat pour de vrai, et même un bon soldat courageux et
patriote. « On est bien différent dans la guerre, mon cher Clément, tu dois en savoir quelque chose. » Clément en savait
quelque chose en effet, pour avoir trempé dans l'affaire dès sa
dix-huitième année, à peine sorti du lycée. Et, bien que l'affaire fût alors sur le point de s'achever, il avait eu le temps de se
rendre compte. « Mais si je t'en parle encore, ajoutait le vieux
chansonnier — car ce sont là des choses qu'il faut oublier et,

en tout cas, je ne veux jamais revoir ça — c'est à cause de cette histoire qui m'est arrivée en ce temps-là et que je t'ai déjà racontée bien souvent. Cette histoire, tu sais, après le passage de la frontière. »

C'était une histoire assez confuse, pour commencer, mais d'une éblouissante clarté à la fin. Clément se demandait si jamais le vieux Gilbert avait dit au juste quand cela était arrivé, si c'était en 1915 ou en 1916, ni dans quelles circonstances le soldat Desbois avait été fait prisonnier, avec pas mal d'autres du reste, ni où il avait été emmené en Allemagne, ni comment, ni après combien de temps de captivité il s'était évadé. Toutes ces choses-là, aux yeux du vieux chansonnier, ne méritaient pas d'être racontées. Jamais Clément, malgré parfois une certaine insistance, n'avait pu obtenir de lui le récit de son évasion, pas plus que celui du passage de la frontière ! Quant à savoir comment le soldat Desbois s'était procuré des habits civils, c'était là une chose qui semblait tellement aller d'elle-même, qu'il n'y aurait même pas eu besoin d'en faire mention, cette mention n'eût-elle été nécessaire à l'intelligence du récit qui allait suivre. Il avait donc fallu que Clément se résignât à ne jamais rien savoir de l'évasion du soldat Desbois, sauf que ça n'avait pas été trop dur. Quant au passage de la frontière, là, le soldat Desbois avait eu plutôt, comme on dit, un peu chaud. Ce n'était pas la première fois qu'il entendait des balles lui siffler aux oreilles, mais ces balles-là n'étaient pas comme les autres. Tout s'était passé la nuit, naturellement. Au début de la nuit. Il n'était pas dix heures du soir quand il était arrivé de l'autre côté. Et l'autre côté, c'était la Hollande. Il faisait beau. Les choses se passaient à la fin de l'été. Dans la première ville où il était arrivé (il ne disait pas comment, il ne disait même pas le nom de cette ville, il n'était pas question le moins du monde, dans son récit, des gardes-frontières hollandais, il n'était pas non plus question de la distance qu'il avait dû parcourir avant d'arriver dans une ville, tout cela semblait n'avoir pas la moindre importance à ses yeux), donc, dans la première ville où il était arrivé, la première chose qu'il avait

faite avait été de s'asseoir à une terrasse et de se faire apporter
un pot de bière. Il était mort de fatigue et crevait de faim.
Maigre comme un hareng, jaune comme un coing, la figure
toute salie de barbe, sale et en guenilles, il avait l'air d'un
vagabond. Il possédait tout juste quelques pièces de monnaie, de
quoi payer sa bière, et ne les eût-il pas possédées que, sûrement, il n'eût jamais eu l'audace de s'asseoir à cette terrasse,
tant il était honnête et tant il avait toujours répugné à rien
demander à personne. Les premières gorgées de bière l'avaient
tout de suite étourdi. C'est comme dans un rêve qu'il contem-
plait les lumières dont ce lieu paisible était baigné, qu'il savou-
rait, sans y croire encore tout à fait, ce premier instant du
retour à la liberté dans le silence et dans la paix. Il ne s'était
pas jusqu'alors aperçu qu'il n'était pas seul, à cette terrasse. Il
y avait là en effet quelques personnes qui achevaient la soirée
en buvant, comme lui, de la bière, mais à l'exception de l'une
d'elles, un gros homme un peu rouge de figure, encore jeune,
qui avait l'air d'un gros commerçant, ou d'un employé supérieur, aucune des autres ne faisait attention à lui. Gilbert se
sentait s'endormir sur sa chaise. Peut-être même s'endormit-il
pour de bon pendant quelques instants. Il avait gardé le souvenir qu'en effet ses yeux s'étaient fermés malgré lui, et, quand il
les avait rouverts, il s'était aperçu que les gens étaient partis,
sauf le gros homme, qui le regardait avec une attention profonde. Il ne disait rien. Il ne bougeait pas. Mais le regard de ses
gros yeux bleus, dans son visage un peu rougeaud et soigneusement rasé, ne quittait pas un instant Gilbert, si bien que, tout
à coup, celui-ci se sentit pris de panique. Il n'y avait, naturellement, aucun bon sens à cela. Mais dans l'état où il se trouvait, et après les épreuves qu'il venait de traverser, la faim et la
fatigue aidant, et les quelques gorgées de bière en plus, on pouvait bien comprendre que, sous ce regard obstiné, toutes sortes
d'idées bizarres lui étaient venues en tête. Cet homme était un
Boche, ou, pour le moins, un agent des Boches, sûrement un
policier, et Gilbert allait être repris et rendu à la captivité, jeté
en prison, pour commencer. Bien sûr, cela n'avait aucun bon

sens et ces choses-là ne pouvaient pas arriver dans un pays
libre, mais... A ce moment de mon récit, Gilbert avouait qu'il
avait toujours eu peur des hommes, et bien plus des civils que
des militaires. Pourquoi ? Il n'en savait rien. C'était comme ça.
Et sa rencontre avec ce gros homme était sa première rencontre avec un civil depuis des mois et des mois. En plus, il était
gros... Et il s'obstinait à ne rien dire. Oui, pourquoi ne disait-il
rien ? Et, comme il continuait à le regarder et à ne rien dire,
Gilbert avait sorti de sa poche tout ce qu'il avait de monnaie, il
avait posé cette monnaie sur la table auprès du pot de bière
qu'il n'avait même pas achevé, et il s'était levé pour partir, non
sans un long frisson dans le dos à l'instant de s'éloigner. Or, sa
panique redoubla, quand il vit que le gros homme, à son tour,
posait une pièce de monnaie sur la table, et se levait. Il pressa
le pas. Le gros homme en fit autant. Gilbert pressa le pas encore davantage, et le gros homme l'imita. Certain, cette fois, que
le gros homme était un Boche, ou un flic, et qu'il voulait l'arrêter, Gilbert rassembla ses dernières forces et se mit à courir.
Le gros homme courut derrière lui. A un moment, il cria :
« Hep ! Hep ! Arrêtez-vous ! » Gilbert courut de plus belle,
épouvanté par l'idée qu'il n'allait pas pouvoir courir ainsi
longtemps, car le souffle commençait à lui manquer. Il ne
savait où se cacher. L'autre courait toujours, quoique, lui aussi, presque à bout de souffle, et gêné par son bedon. « Mais,
n'ayez donc pas peur ! cria le gros homme, d'une voix entre-
coupée, et arrêtez-vous, que diable ! » Au ton de cette voix, à la
manière haletante dont cet appel quasiment désespéré fut lancé, Gilbert comprit que son poursuivant n'en pouvait plus et
qu'il allait lâcher prise. Il fit un dernier effort pour courir
encore plus vite, mais il n'en trouva pas la force. Il cessa de
courir, continua à marcher le long du trottoir désert, il vacil-
lait comme un homme ivre. L'autre, aussi, avait cessé de courir, mais il continuait aussi à marcher, plus vite que Gilbert,
qui, bientôt, entendit tout près de lui la grosse respiration du
gros homme, qui, finalement, le rejoignit. Ils étaient l'un et
l'autre épuisés, aussi incapables l'un que l'autre de prononcer

le moindre mot, et il est probable que Gilbert se fût écroulé sur
le trottoir, le gros homme ne l'eût-il retenu à temps en lui
entourant les épaules de son bras. Il se pourrait aussi que Gilbert n'eût-il pas été là, le gros homme eût été contraint de
s'appuyer contre le mur ou de s'asseoir sur une marche en
attendant que le souffle lui revînt. Quoi qu'il en soit, ils
restèrent ainsi un bon moment accrochés l'un à l'autre, se sou-
tenant l'un l'autre — ce qui était, disait plus tard le vieux
chansonnier, une situation bien pitoyable et assez grotesque.
Au point où il en était, Gilbert se résignait à tout. Il était
repris. C'était un malheur mais il fallait l'accepter avec le
reste, et du moins aurait-il la consolation de se dire qu'il avait
tout fait pour réussir. Mais ce sont là, disait-il encore, des idées
d'après. Il n'était pas bien sûr de ce qu'il avait pensé à ce
moment-là, s'il avait eu la moindre pensée. Tout ce qu'il pouvait assurer c'est qu'il s'était trouvé bien éberlué, quand l'autre reprenant souffle, l'avait traité d'imbécile. Imbécile ? Pourquoi ?

    — Mais, dit l'autre, vous n'avez donc pas compris ?

Compris ? Mais si, justement, il avait très bien compris.

    — Alors, je vous emmène...

Et voilà ! C'était bien ce qu'il avait craint !

    — Eh bien, emmenez-moi ! Et que ce soit fini. Et où m'em-
menez-vous comme ça ?

    — Mais chez moi, imbécile !

    — Comment chez vous ?

    — Chez moi. Si vous croyez que je n'ai pas compris, moi !
Vous êtes français, vous venez de vous évader d'Allemagne,
vous n'en pouvez plus, vous n'avez pas mangé, vous n'avez pas
un sou, et vous ne savez pas où aller ! Alors bon, je vous emmène chez moi. Vous auriez bien pu le comprendre tout de suite,
au lieu de me faire courir comme ça...

1948

Bien que le roman ne soit pas achevé je vais partir pour la Suisse (prix Veillon), ensuite pour l'Algérie[1] — je suis heureux de cette occasion de « suspendre » mon travail dont je suis pour le moment excédé.

Ma santé n'est pas très bonne. Je partirai cependant. Il me faut à tout prix quitter pour un temps ma Bretagne.

Aujourd'hui 1er janvier, j'achève la journée satisfait d'avoir travaillé après avoir été voir ma mère (qui fêtera ses quatre-vingts ans le 23 de ce mois).

Pas mis le pied dehors de toute la journée (3 janvier). Travaillé. Je voudrais « avancer » mon travail avant de partir, ce qui n'a aucun bon sens, puisque je suis décidé à « mettre en panne ». Mais il m'arrive aussi d'appréhender cette interruption. Je sais trop à quel point les interruptions peuvent être fatales. Quoi qu'il en soit, il reste encore beaucoup à faire et il ne peut être question de rien brusquer.

Dimanche — Cet après-midi, au meeting Duclos (Maison du peuple) ensuite rentré et paperassé. Je pense partir à la fin du mois.

1. À l'initiative de Charles Aguesse, le service des Mouvements de Jeunesse et d'Éducation populaire, qui disposait d'un hôtel à 60 kilomètres au sud d'Alger, près du village de Sidi-Madani, avait invité des artistes de la métropole à y faire un séjour.

Hier, fort contrarié par des visites. Qu'ils aillent tous au diable ! Aujourd'hui, journée médiocre, quoique fort heureusement commencée par une lettre de Camus. Espoir de le retrouver en Algérie.

Ce soir, visite à Victor Rault. Médaillon en bronze de notre abbé Vallée[1]. J'ai appris qu'il avait été incinéré, Rault ne sait pas si l'abbé était encore vivant.

Il y aura un an, dans deux jours, de l'enterrement de Gerardo (9 janvier 1947).

J'ai lu la correspondance Gorki-Tchekhov — Gorki : hum ! Chez ma mère, au début de l'après-midi. Je l'ai trouvée couchée, mais bien.

8 janvier — J'ai enfin expédié les épreuves de ma traduction du Steinbeck (*Pastures of Heaven*). Passé à la préfecture, pour mon passeport. Puis au palais de justice voir Lemarié et Cavella.

10 janvier — Lettre de Malraux qui me fait envoyer la *Psychologie de l'art*.

Vers cinq heures, visite de l'abbé Chéruel[2] dont les affaires ne s'arrangent pas. Je l'engage fort à en écrire, mais...

Lundi 12 janvier — Déjeuné au restaurant. Ensuite à la poste, puis à la préfecture, pour le passeport. Restera le visa suisse.

Ma mère m'a fait cadeau de la montre de mon père ; c'est pour marquer mon anniversaire, dans trois jours j'aurai quarante-neuf ans accomplis.

---

1. Victor Rault était alors maire de Saint-Brieuc.
  L'abbé Armand Vallée avait fait la connaissance de Louis Guilloux après la publication du *Sang noir*. Il est présent dans *Le Jeu de patience* sous le nom de l'abbé Clair. Résistant, il fut déporté en Allemagne où il mourut en 1945 à Mauthausen.
2. Son engagement dans la Résistance et le rôle qu'il joua après la Libération avaient valu à l'abbé Jules Chéruel l'hostilité de l'évêque de Saint-Brieuc et de l'archevêque de Rennes.

13 janvier — Je reçois mon billet Marseille-Alger. Je m'embarquerai le 17 à bord du *Ville d'Oran*. Hier, télégramme de Budry. Le rendez-vous à Lausanne (prix Veillon) est pour le 7 février. Aujourd'hui je suis allé prendre mon passeport.

Les manuscrits pour le prix Veillon sont entre les mains de Martin-Chauffier[1].

15 janvier : Quarante-neuf ans — J'ai trouvé ma mère seule, assise dans un coin de fenêtre, assez bien portante pour ses quatre-vingts ans qu'elle accomplira le 23 de ce mois. Ensuite, je suis allé voir notre préfet Tonton comme nous continuons à l'appeler, Tonton était son nom dans la clandestinité. Il m'avait fait prévenir à midi, qu'il m'attendrait à six heures. Nous avons longuement bavardé. Il m'a raconté qu'il avait eu, en 14-18, Pierre Mac Orlan, et Louis de Gonzague Frick comme agents de liaison. Il dit le plus grand bien du courage de Mac Orlan. Quant à Louis de Gonzague Frick, très poète dans la lune, dit-il, on l'avait chargé de surveiller les émissions de gaz et, pour cette raison, nanti d'un cor de chasse. Au moindre soupçon que les Allemands lançaient des gaz il devait sonner du cor. ·Si bien qu'un général en inspection tombant sur ce curieux soldat assez débraillé, l'aborde et lui dit : « Et vous, mon ami, qu'est-ce que vous foutez là ? » Le poète se met au garde-à-vous et répond : « Mon général, je sonne de l'olifant ! »

Reçu un peu tard deux manuscrits pour le prix Veillon.

Jeudi 22 — Aujourd'hui, chez ma mère pour fêter ses quatre-vingts ans.

---

1. Louis Martin-Chauffier (1894-1980), journaliste et écrivain. Entré dans la Résistance en 1941, il fut arrêté en 1944, déporté et libéré en mai 1945. En 1948, il publie *L'Homme et la bête* où il relate son expérience de la vie concentrationnaire.

Lettre de Louis Parrot : Oui, nous nous embarquons le 17 par le *Ville d'Oran*, nous ferons route ensemble avec M. et Mme Tortel[1]. D'abord nous allons à Sidi-Madani. Il faut partir le 15 au soir pour pouvoir faire quelques formalités à Marseille la veille de l'embarquement.

16 février 1948, Marseille — Ma journée marseillaise s'achève. Elle a été excellente. J'ai retrouvé les Parrot, hébergés par des amis à eux et nous avons passé tout le temps ensemble. Nous nous embarquons demain matin à neuf heures. Le bateau ne partira guère que vers onze heures et nous arriverons le lendemain matin à Alger.

Alger - Excellente traversée malgré une assez forte houle, et malheureusement par un temps couvert et parfois pluvieux si bien que l'arrivée devant Alger la Blanche n'a pas été aussi radieuse qu'on l'avait espéré, mais tout de même fort belle et joyeuse. La rencontre avec M. Aguesse et Christiane Faure[2] a été des plus heureuses, et les premiers pas dans Alger où le beau temps était revenu m'ont laissé ébloui. Nous y avons passé ce qui restait de la matinée et nous sommes partis pour Sidi-Madani en voiture, traversant Boufarik et Blida, où nous nous sommes arrêtés au marché « indigène ». Aguesse parle de rencontres avec des musulmans, avec des étudiants, il a de nombreux projets.

J'étais arrivé à Marseille vers sept heures du matin, après un voyage de nuit pas trop mauvais mais assez fatigant, et, après avoir erré jusqu'à huit heures sous un mistral assez froid. Après avoir passé à la Compagnie Transatlantique, l'idée m'est venue de téléphoner au directeur des *Cahiers du Sud,* M. Ballard, par qui j'ai appris que les Parrot étaient à Marseille, chez

1. Jean Tortel, poète, critique, l'un des animateurs des *Cahiers du Sud.*
2. Christiane Faure, sœur de Francine Camus, inspectrice départementale du service algérien des Mouvements de Jeunesse, collaboratrice de Charles Aguesse, inspecteur principal.

M. Cahier, président de la chambre de commerce de Marseille et beau-père de l'éditeur Laffont, l'éditeur de Parrot. J'ai été invité chez ce M. Cahier. J'ai passé là le restant de la journée, dîné là, ensuite on m'a conduit à un hôtel où j'ai fort bien dormi et où, le lendemain, on est venu me chercher en voiture pour me conduire au bateau.

Nous sommes ici dans un très bel hôtel qui me rappelle l'Espagne — en pleine campagne, au bord d'un oued, à deux kilomètres du plus proche village, à 60 kilomètres d'Alger. Camus arrivera après le 22 — peut-être Éluard.

20 février 1948, Sidi-Madani — Hier, il ne s'est rien passé de bien remarquable. Nous sommes restés à l'hôtel. Il faisait d'ailleurs assez mauvais temps, et même il a plu. Mais ce matin tout est changé, il fait très beau. À midi, doivent venir ici un certain nombre de musiciens avec lesquels nous devons aller à Blida.

La Suisse. Définition du Suisse d'après Camus : honnête, mais intéressé. Font des complexes à l'égard des Français. Gens sérieux, bien informés, très cordiaux. Au prix Veillon tout s'est admirablement passé à la satisfaction générale. La veille de mon départ j'ai dîné avec Chamson chez M. Veillon avec toute sa famille. M. Veillon agit surtout par esprit religieux. Mais il le fait avec une grande discrétion. L'idée de son prix a fait un grand pas et peut se développer largement, puisqu'il peut s'agir désormais d'en étendre l'idée à tout le domaine français dans le monde : Canada, Syrie, Haïti, etc... Algérie.

21 février — Sidi-Madani. Des musiciens sont venus ici, trois messieurs et une dame tout ce qu'il y a de plus européens, avec qui nous sommes allés à Blida pour assister à un concert-conférence du genre tournée pour les écoles primaires supérieures. Mais avant de retourner à Blida, nous avons fait une petite pointe en auto à quelques kilomètres de Sidi-Madani, le long des gorges de la Chiffa, vers un lieu qu'on appelle la montagne aux Singes. On m'avait dit que les singes y vivaient en

liberté, qu'on les voyait aisément, qu'ils arrivaient à votre appel. Mais les premiers singes que nous avons vus, au nombre de cinq, étaient attachés sous un grand hangar, dans l'entrée d'un hôtel — de petits singes, du genre ouistiti, très gentils, qui prenaient avec beaucoup de vivacité mais de délicatesse les morceaux de pain que nous leur avions portés. L'un d'eux m'a fauché ma pipe. Au moment où je me penchais vers lui pour lui donner un morceau de pain, il m'a tout simplement soufflé la pipe du bec, et il s'est mis aussitôt à faire celui qui veut fumer à son tour. Mais il a fallu user de beaucoup de diplomatie pour récupérer ladite pipe. Là-dessus nous avons quitté l'endroit, et nous avons poursuivi un peu plus loin sur la route toujours le long des gorges, et nous avons alors vu les singes en liberté. Certains étaient assis sur le remblai, d'autres folâtraient sur la route, se donnaient des tapes, se culbutaient, ils étaient au moins une dizaine. Il paraît que si nous étions venus un peu plus tôt nous en aurions vu davantage, mais que c'était l'heure où ils étaient déjà pour la plupart remontés dans la montagne pour dormir. Après la visite aux singes, nous sommes retournés à Blida qui se trouve à une quinzaine de kilomètres de Sidi-Madani. Avant le concert, nous avons eu très largement le temps d'errer dans la ville et de retourner au marché indigène, que nous avions déjà vu en passant l'autre jour pour venir ici. Je pourrais en faire toute une description si je croyais au pittoresque, la couleur ne manquerait pas, ni le grouillement autour des étals chargés de toutes sortes de fruits, de gâteaux, de légumes, dans des couffins, sur des planchers, dans des baraques qui seraient un luxe dans la zone parisienne. La pauvreté des Arabes est celle des clochards. Le nombre de gens en haillons est immense. Beaucoup portent d'anciennes capotes militaires plus que hors d'usage. Les souliers sont une rareté et encore ne peut-on guère parler de souliers, mais de savates, de chaussures innommables. Les femmes, les enfants, les gosses vont pieds nus, on me dit que les Arabes sont heureux, qu'ils n'ont besoin de rien, qu'il leur suffit d'avoir à manger pour aujourd'hui et qu'ils ne s'inquiètent pas du lendemain, que leur religion le veut ainsi. Je ne sais si cela est vrai mais ce qui est sûr, c'est que nous, Européens, nous pensons différemment, et que nos principes en tout cas voudraient que nous fassions quelque chose pour les tirer de cet état de misère qui est, à proprement parler, une honte. Je n'ai jamais été colonialiste mais après cette expérience, je le suis moins que jamais. Je me sens ici une mauvaise conscience. Dans les rues de Blida, c'est un agent de ville portant exactement le même uniforme que les agents de ville de Saint-Brieuc qui règle la circulation, et le spectacle de cet agent, entouré d'une foule très bariolée d'hommes à turbans et à gandouras, de femmes voilées, de têtes coiffées du fez rouge, est une belle expression de ce qu'il y a à la fois d'absurde et d'humoristique au sens humour noir, et de salaud, dans la situation. Je ne suis pas à l'aise. Je me sens parfaitement étranger, occupant. À ce concert, est arrivé le capitaine de gendarmerie. C'était le feld-kommandant. Il paraît, nous a dit Aguesse, que nous aurons des rencontres avec des musulmans « évolués », c'est-à-dire avec des bourgeois riches. Bon. Ce sont les collaborateurs. Je reviens ce matin d'un village arabe qui s'appelle la Chiffa. On ne peut imaginer l'ennui que c'est. Des maisons très pauvrement européennes de part et d'autre d'une route, de pauvres boutiques, c'est très ennuyeux. Mais attendons de voir plus loin, et de retourner à Alger, où nous n'avons encore passé que quelques heures. Ici, nous sommes en pleine campagne, sur la grand-route du Sud. On voit passer des cars portant : Route du Hoggar. Et, toute la journée, des Arabes, soit à pied, soit montés sur leurs petits bourricots. À quelque cent mètres d'ici, il y a une épicerie et un café maure où nous sommes déjà allés plusieurs fois. On y trouve toujours une bonne dizaine d'Arabes, vieux et jeunes, assis en train de bavarder, ou de tresser des couffins, mais, jusqu'à présent, pas de chanteurs, pas de conteurs. L'épicerie est minable d'apparence, mais l'épicier riche à millions. Il est vêtu à l'européenne. Mais il porte un fez. C'est un homme très obligeant. Chaque fois qu'on va le voir, il vous offre le café, ou le thé à la menthe. Il ne demande qu'à vous rendre service. C'est lui aussi un collaborateur. J'ai attendu bien tard pour quitter l'Europe, et je m'aperçois que bien des choses qui peut-être m'auraient enthousiasmé il y a vingt ou vingt-cinq ans, ne m'intéressent plus que médiocrement. Je me sens surtout étranger. Mais attendons. L'expérience ne fait que commencer. Il y aura demain dimanche tout juste huit jours de mon départ de Genève, et je n'en suis encore qu'à mon quatrième jour d'Algérie. En principe, Camus doit arriver ici dans deux ou trois jours.

Dimanche 22 février — Sidi-Madani. On attend des visiteurs venant d'Alger pour midi. Ces visiteurs seront un docteur, ami des Lettres, et un peintre. Avec leurs épouses. Demain lundi il y aura d'autres visites, je ne sais encore lesquelles, puis, jeudi, la venue des écrivains algériens. Demain lundi doivent arriver ici Brice Parain et Cayrol[1]. Quant à l'arrivée de Camus, elle n'est encore pas fixée. En principe, il doit quitter la France aujourd'hui. À part cela, il pleut sur l'Atlas. Et cette nuit, il a fait un vent exceptionnel qui aura peut-être valu une assez mauvaise traversée à Parain et Cayrol. Je lis dans les journaux qu'il fait froid à Paris mais je ne vois rien sur la Bretagne.

Hier nous n'avons pas quitté l'hôtel. Il y aura bientôt un mois que j'aurai quitté Saint-Brieuc.

Voici les visiteurs qui arrivent. Je viens de voir entrer leur auto.

Lundi 23 février — Sidi-Madani. Nous revenons d'une visite à un village arabe.

24 février, Alger — Après la visite de la casbah qui a duré tout l'après-midi, je suis mort de fatigue. Que de choses extraordinaires vues en trop peu de temps !

---

1. Brice Parain (1897-1971), romancier, essayiste, auteur de plusieurs ouvrages sur la philosophie du langage. Il était depuis 1927 secrétaire aux éditions de la N.R.F., puis membre du Comité de lecture pour les littératures russe et allemande.
Jean Cayrol, poète, essayiste et romancier.

Hier nous avons visité un refuge arabe dans la montagne.
Nous allons rentrer à Sidi-Madani en voiture, manger et
dormir, ensuite de quoi j'espère trouver le temps de noter un
peu... Mais il faudra sans doute attendre pour cela d'être un
peu mieux rendu à moi-même.

Nous sommes ici au café, Kermadec[1] fait mon portrait.

Pas question de portrait, Kermadec a trouvé le crayon trop
mince.

Mercredi 25 février, Sidi-Madani — Au café où nous nous
reposions après la visite de la casbah — quelle chose extraordinaire ! Toutes les idées qu'on avait pu se faire là-dessus,
même d'après les films, ne sont pas grand-chose. C'est un
mélange inouï, une atmosphère unique. J'y retournerai sûrement avant de quitter ce pays. Nous étions partis de Sidi-
Madani de bonne heure pour assister dans la matinée à la présentation d'un film sur le pèlerinage de La Mecque. Bien que
contenant des parties intéressantes, le film était loin d'être
bon. Mais l'instruction réelle a été l'après-midi, dans la casbah. La veille, nous avions fait une visite au village même de
Sidi-Madani qui se trouve tout près d'ici, mais dans la montagne ; on y accède par des sentiers étroits et escarpés. La première chose que nous avons vue en arrivant dans le village a
été l'école coranique, en plein air, c'est-à-dire sous une grange
ouverte. Il faut imaginer une vingtaine de petits enfants, garçons, d'une douzaine d'années, coiffés de calottes rouges, vêtus
d'oripeaux blancs ou bleus, assis en tailleur par terre chacun
tenant devant soi un carton rectangulaire grand comme une
feuille à dessin, sur lequel sont inscrits des versets du Coran.
Le maître, dans son burnous blanc, est assis au milieu des
élèves. Il tient une baguette. Et les élèves, se balançant d'avant
en arrière, récitent sur un ton de mélopée, les versets corani-
ques, tous ensemble. Nous sommes restés là un bon moment à
les regarder, à parler avec le maître, puis nous sommes allés

1. Le peintre de Kermadec.

dans le village même, où nous avons été très bien reçus et fait de grands efforts pour réparer la machine à coudre d'une femme arabe. Aujourd'hui, il fait très chaud, le sirocco souffle depuis ce matin, et personne ne se sent très à l'aise. Les journaux disent qu'il fait très froid en France. Les journaux d'hier, car ce matin, il n'y en a pas eu, ni de courrier pour personne. De sorte que nous nous demandons s'il ne fait pas mauvais au point que les avions ne partiraient plus ? Demain, il doit y avoir ici une grande réception d'écrivains algériens. Depuis deux jours, sont arrivés à Sidi-Madani deux musulmans de Tlemcen, dont l'un surtout, un poète de vingt-huit ans, Mohammed Dib, est de premier ordre. Je me suis énormément instruit sur les mœurs musulmanes, notamment sur la condition des femmes. Camus n'est encore pas là. Il n'a dû quitter Paris qu'aujourd'hui.

Voilà aujourd'hui une semaine que je suis à Sidi-Madani.

26 février, Alger — La journée s'étant passée à recevoir de vieux écrivains algériens envers lesquels nous étions tenus à une certaine courtoisie, me voici de nouveau à Alger avec Aguesse qui voulait me conduire à une réunion d'étudiants auxquels je devais parler, mais vu le retard sur l'horaire, les étudiants avaient foutu le camp et nous en sommes pour nos frais. Il est tout près de sept heures. Demain je passerai la journée à Alger et samedi je retournerai à Sidi-Madani. Il est maintenant question d'aller à Oran et à Tlemcen, mais il n'y a rien encore de fixé là-dessus. La date prévue pour le retour serait environ le 30 mars.

27 février, Alger (Bab-el-Oued) — Sept heures et demie. Journée chargée. Il est tard. J'écris ceci au café. Quelle surprise ce matin, à la radio Alger, d'avoir rencontré Thomas, le musicien, et ce soir, dans une grande librairie, de trouver là une *Maison du peuple* dédicacée à... José-Maria Schroeder (l'homme de cœur)[1].

---

1. José-Maria Schroeder, peintre allemand que Jean Grenier avait rencontré à Naples et dont il fit faire la connaissance à Louis Guilloux en 1927, à Paris.

J'ai passé l'après-midi dans un centre de jeunesse. Demain à Sidi-Madani.

Dimanche 29 février, Sidi-Madani — Hier après-midi, en rentrant d'Alger (sous la pluie) j'ai trouvé des nouvelles de Saint-Brieuc. Hier, je ne sais par quelle suite de hasards je n'ai pas trouvé le temps d'une ligne. J'étais, depuis la veille, chez Aguesse, puis chez Roblès[1], chez qui j'ai déjeuné hier midi. Puis nous sommes partis en car pour Sidi-Madani, où il y avait réception. Aujourd'hui encore, il doit venir des gens et comme la pluie a cessé, qu'il fait un très beau soleil, il en viendra sûrement plus qu'hier. Hier, il y avait des professeurs. Il paraît qu'aujourd'hui nous devons voir des étudiants.

Camus est attendu pour demain ou après-demain.

Je ne sais pas bien raconter les paysages, mais je n'y suis pas du tout insensible. La Chiffa, qui est une rivière, un oued, à travers Boufarik et Blida. Bou, en arabe, veut dit père. Je suis donc, tout compte fait, un bou. Et « farik » veut dire blé. C'est de là — par les militaires — qu'est venu notre mot d'argot « fric » — la paye, ou la solde, étant assimilée à une mesure de blé. Après Boufarik et Blida, on arrive aux pieds de l'Atlas, longeant l'oued de la Chiffa. Sidi-Madani est à 12 kilomètres de Blida. L'hôtel est dans un cirque. Nous sommes entourés de montagnes pas très hautes, 300 mètres environ, très vertes, très boisées. Devant ma fenêtre, passe la grand-route du Sud. C'est un des rares passages à travers la montagne. Ensuite viennent les hauts plateaux. À 500 kilomètres d'ici, l'oasis — et le désert. Brice Parain et Cayrol ont décidé d'y aller. Ils passeront trois jours à Lhargouat (je ne suis pas sûr de l'orthographe). Je me suis demandé un instant si je ne les accompagnerais pas, mais toute réflexion faite, non : je ne me sens pas un goût bien vif pour les Sables. Devant moi, j'ai donc ces coteaux verts et ocres, avec les quelques petites maisons blanches du village de Sidi-Madani, et, au-dessus du village, la cou-

---

1. Emmanuel Roblès, né à Oran. Romancier, auteur dramatique.

pole, blanche aussi, du marabout, lieu saint. Des figuiers de
Barbarie sur les bords de la route. Les singes ne sont pas derrière l'hôtel, mais à 400 ou 500 mètres d'ici, vers les gorges de
la Chiffa. Mohammed Dib, qui est pour moi la grande rencontre dans ce voyage algérien, a fait beaucoup de photos. Grâce à
ces photos, on connaîtra les personnages de la comédie, qui
sont tous gentils : les Parrot, bien entendu, Tortel et sa femme,
Cayrol. C'est un jeune homme d'une trentaine d'années, catholique, sympathique. Comme il s'appelle Cayrol, je l'ai baptisé
Christmas. À quoi il m'a répondu qu'il s'appelait d'ailleurs
Noël. Il a été déporté. Aguesse est un homme très fin. Je me
plais beaucoup avec lui.

Demain commence le mois de mars qui sera celui du retour.

Lundi 1er mars, Sidi-Madani — Camus arrive demain matin. Mohammed Dib est là et attend pour m'emmener.

Mardi 2 mars 1948, Sidi-Madani — Il y aura demain mercredi quinze jours de mon arrivée à Sidi-Madani. Cela me semble assez étrange. Le temps me semble à la fois long et court,
l'éloignement facile et difficile, tout est mêlé, surprenant, il me
semble un peu que je vis sur un rêve.

Ce matin, de bonne heure, Brice Parain, Cayrol, et Mohammed Dib, sont partis pour le Sud, où ils verront des Sables et
des chameaux dans l'oasis. Leur randonnée durera trois jours.
D'un autre côté, les Tortel et les Parrot sont partis pour une
excursion à un lieu dit le Tombeau de la Chrétienne, et je suis
resté seul avec Nathalie Parain, un jeune poète algérien du
nom de Sénac, et un écrivain musulman, dont je ne parviens
pas à retenir le nom, pour attendre Albert et Francine Camus,
qui sont effectivement arrivés, conduits en voiture par Aguesse, vers les dix heures du matin. Grande joie de la rencontre,
des bonnes nouvelles que m'a données Camus de Paris. Grand
déjeuner qui a suivi pour fêter cette arrivée, chose bien digne
d'être fêtée. Si bien qu'ensuite la sieste est apparue à tout le
monde comme la seule chose restant à faire. Je n'y ai pas man-

qué pour ma part. Et maintenant, je me réveille à peine. Les Camus habitent la chambre toute voisine de la mienne. Projets nombreux. Celui d'aller à Oran se précise. Ensuite, Tlemcen. Cela voudrait dire que je rentrerais en France par Oran et Port-Vendres, je ne sais au juste à quelle date, mais sans doute aux environs du 20 de ce mois. Rien n'est fixé encore sur ce point. Après-demain jeudi, je dois aller à Alger voir des étudiants.

3 mars, Sidi-Madani — Quinzième jour de Sidi-Madani. Je ne pense pas que rien de grave vienne contrarier les projets faits avec Albert pour la fin du séjour en Algérie. Cependant les nouvelles politiques ne me paraissent pas excellentes. Je ne sais pas du tout ce qui va se passer et personne ne le sait bien entendu, mais il y a des signes annonçant que pas mal d'événements sérieux sont possibles, peut-être proches. Mon retour en France dans une quinzaine de jours.

Quand j'en aurai fini avec *Le Jeu de patience*, je voudrais voyager un peu, retourner en Italie, mais il faudrait pour cela que les événements ne se soient pas compliqués. Aussi en Angleterre. Comment, dans l'état actuel des choses, faire des projets ? Ce qui se passe ressemble malheureusement beaucoup trop à ce qui s'est passé, et si les voyages ont beaucoup d'attraits, il me semble que cela ne vient qu'en second. Les conditions peuvent devenir très difficiles. Il paraît que la période des grands froids est passée.

Albert n'est pas encore sorti de sa chambre, il doit dormir encore, ayant voyagé toute la nuit avant-hier pour venir d'Oran à Alger.

Aujourd'hui nous n'avons pas de programme, mais demain je dois aller à Alger trouver de jeunes amis d'un groupe culturel fondé par Aguesse. Vendredi, probablement irai-je avec Albert déjeuner chez sa mère.

Vendredi 5 mars, Alger — Il est quatre heures et demie. J'ai déjeuné avec Camus et Francine chez la mère de Camus. Tout à l'heure, nous allons repartir en auto pour Sidi-Madani, où il y aura à dîner le secrétaire du gouverneur. C'est dire toute l'importance de cette réception. Ce matin, nous sommes partis de Sidi-Madani avant l'arrivée du courrier, si bien que je n'ai aucune nouvelle.

Dimanche 7 mars — Il faut savoir que le samedi et le dimanche sont des jours de grande réception à Sidi-Madani, et qu'hier il est venu peut-être cinquante personnes. Cela recommence aujourd'hui. C'est plein d'Algériens, de musulmans et de musulmanes, il y a même le préfet, et nous sommes tenus à beaucoup de présence, de conversations, etc.

Mardi 9 mars, Sidi-Madani — Hier à Tipasa, puis revenus à Alger dans l'après-midi. Causerie chez les étudiants — ensuite de quoi nous sommes rentrés très tard, assez fatigués, si bien qu'aujourd'hui je me suis reposé presque toute la journée. Les Parain sont partis ce matin. Les Camus partiront sans doute vendredi prochain. Ils iront à Oran. Je ne sais pas encore si j'irai moi-même à Oran et à Tlemcen comme je l'avais d'abord pensé, il y a des questions un peu compliquées pour la conférence que je devais faire à Oran, et je ne serai fixé là-dessus que dans un jour ou deux.

Vendredi 12 mars 1948, Sidi-Madani — Les journées se passent en allées et venues, conversations, visites, si bien qu'il ne me reste aucun temps pour, je ne dis même pas pour travailler, mais pour penser un instant à ce *Jeu de patience*...
Hier nous sommes allés à Alger. J'ai déjeuné chez la tante de Camus, ensuite, j'ai passé l'après-midi à visiter une magnifique villa mauresque, anciennement la propriété d'un grand chef pirate, puis je me suis rendu à la faculté où Albert parlait aux étudiants. C'était plus que réussi. Nous sommes revenus en voiture, dans la nuit, à Sidi-Madani et, dès l'arrivée, la discussion a continué très tard pour reprendre dès ce matin. Il fait un soleil extraordinaire. Je suis parfaitement content de me trouver ici et je n'ai pas de souci, en dehors de ceux que me donne la situation politique.

On va et on vient sans cesse dans ma chambre où est installé le téléphone depuis deux jours. Demain samedi, et après-demain dimanche, seront encore des journées de réception. Dimanche dernier nous avons été invités par un riche musulman de Blida, qui nous a fait visiter sa demeure, où, dans le style mauresque le plus récent, se trouvaient des lits et des armoires Dufayel. Naturellement les femmes étaient enfermées et nous ne les avons pas vues mais on nous a invités à prendre du thé à la menthe et à manger des gâteaux, d'ailleurs fort bons, puis, à visiter le jardin, qui voulait s'inspirer de la Cour des Lions de Grenade.

J'espère que Cayrol viendra à Saint-Brieuc. Je l'aime beaucoup.

15 mars, Boghari — Nous sommes ici dans le Sud, aux portes, aux balcons du Sud, en plein bled. Je quitterai Sidi-Madani mercredi pour Oran et Tlemcen. Départ d'Oran le 23 par le *Marigot*. Marseille le 24.

Mardi 16 mars, Sidi-Madani — Je quitte Sidi-Madani demain matin, pour Alger. Ensuite ou bien Oran, ou bien pas. Question pas encore réglée.

Si je vais à Oran, je ne quitterai l'Algérie que le 23.

Sinon, je partirai le 20.

Oran, chez Faure, 65, rue Arzew.

Mai 1948 — Visite à la prison cellulaire de Saint-Brieuc en compagnie de M. Lemarié, substitut. Sur la porte : *Maison d'arrêt.*

Nombre de résistants arrêtés avaient été transférés au Quartier des femmes.

On n'a pas pu me montrer la cellule du pasteur Crespin[1]. Le surveillant en chef « n'allait pas beaucoup de ce côté-là ».

1. Le pasteur Briand du *Jeu de patience*. Yves Crespin, pasteur à Saint-Brieuc, fut arrêté au début du mois de novembre 1943 et déporté à Dora où il mourut en mars

J'ai vu les grandes salles, en haut, où étaient les lycéens : atelier, salle de désencombrement. Le nombre des cellules est très restreint.

La chapelle : Deux rangs de stalles, l'un en bas pour les hommes, l'autre en haut pour les femmes. L'escabeau pour la communion. Le confessionnal avec, sur la porte, la grille et les clés, œuvre, sans doute, d'un détenu.

Les cagoules : la prison étant cellulaire, les prisonniers ne devaient même pas se voir. Pour cette raison, quand on les sortait de leur cellule, on leur cachait la tête sous une cagoule. Le surveillant chef me dit avoir encore vu cette pratique avant 1939. Il m'a montré une photo d'Emil, le « bon gardien » allemand. (Véritable nom d'Emil : Kleinvogel, de Kiel.)

La pièce où a lieu la « visite » à Gautier[1], c'est le « bureau du médecin ».

Le condamné à mort a les pieds enchaînés jour et nuit, les mains seulement pendant la nuit.

... Je croyais, dit-elle, que, parfois, les écrivains avaient plus d'esprit que les voyageurs de commerce ?

— Alors, dit-il, et les Soviets ?
— Quels sont ces oiseaux ?

... les deux alliances au doigt de la veuve.

— Tu vois, dit le jeune homme à sa tante (il n'avait pas vingt ans), si je me mariais, quelles économies on ferait !

Il ne lavait jamais la casserole, ni l'assiette, pour ne pas user de gaz en faisant chauffer de l'eau.

La méchanceté joyeuse : l'homme aux lunettes dormait dans

1944. Dans le tome I des *Carnets*, en février 1944, sa femme raconte comment elle parvint à le retrouver à Compiègne au milieu d'un convoi qui partait pour l'Allemagne.

1. Gautier, arrêté et jugé pour collaboration, personnage du *Jeu de patience*.

le wagon. Son voisin et ami prend dans son carnet deux feuilles de papier à cigarette, en mouille un coin et, délicatement, les colle sur les verres de lunettes, puis craque une allumette, enflamme les feuilles... Réveil terrorisé...

... J'ai vu, dit M., une chose qui m'a fait plaisir : deux vieillards qui pleuraient.

— Les magistrats ? Ils sont comme ça ! dit le greffier, en tapant sur le bois de la table...

— Va-t-il se marier ? demandait-on de quelque barbon.
— Mais oui : il a donné son chien.

Maxime : « Les esprits qui entreprennent sont communs, les esprits achevant ne le sont pas. »

On n'écrit presque jamais qu'en laissant de côté certains domaines de l'expérience que pour des raisons de pudeur, de personnes, d'opportunité, etc. on ne songe même pas à aborder.

Comment expliquer que le patois se prête toujours facilement à une expression comique, et, au contraire, jamais ou presque jamais, à une expression tragique ? Les chansons patoises que je connais sont comiques, mais dans la vie ? Le patois à l'hôpital ? Au tribunal ?

Il y avait longtemps que Robert faisait la cour à Marie.
— Marie, lui dit-il un jour, ça va faire deux ans que ma mère est morte et les rideaux n'ont pas été changés.
C'était la demande en mariage.

Un homme cultivé c'est souvent un homme qui a appris l'art de se dissimuler à lui-même et de dissimuler aux autres ses ignorances.

On dit : qu'il fait clair de belle, que bouche qui rit ne blesse jamais... qu'il vaut mieux des puces que des dettes...

(Roman) : S'en veut du rendez-vous avec Mariette. Pas disposé à l'écouter. Ne veut rien dire. Espérait qu'elle ne serait pas venue. Elle est là. Quel beau temps ! Si on marchait à pied. Chercher une insolence à lui dire. Pourquoi ? On verrait. Lui en veut à cause de son assurance. Tous les mêmes. Pourquoi est-elle si mal habillée ? Si laid son chapeau. Et ce caoutchouc. Pour se mortifier ? Il ne remarque pas tout de suite qu'elle tient dans sa main les Évangiles. Ah ! cesse. Pourquoi ne pas être tout à fait franc ? Pourquoi ne pas lui dire la vérité ? Parce que comme toujours. Au reste, on peut penser à autre chose, même en l'écoutant. Même en comprenant ce qu'elle dit. Saint François mêlait des ordures à ses aliments. Un cas. Faite pour la solitude, la contemplation et la prière. Qu'est-ce que ça cache. Oui, je sais hélas, je sais. Ça n'en est pas plus drôle. Le temps de traverser le Luxembourg, voilà midi. Eh bien, au revoir, téléphonez-moi un de ces jours. Très bien, mais... en somme : rien. Tout n'est que malentendu. Pas même envie de la regarder partir. Tout de suite séduit par les autres qui traînassent sur leurs chaises en faisant semblant de lire. Platon, sans doute. Toutes de luxe, aurait-on dit, certaines remarquables. Mais toutes quand même des garces. Rien à faire. Exemple Antoinette, qui lui versait du café dans son orangeade pendant qu'il était au téléphone l'autre jour. Il l'avait fort bien vue dans la glace. Elle faisait ça avec beaucoup de soin comme on verse une potion dans une eau. Elle avait l'air de savoir le compte. Quelle idée de derrière la tête ? Encore une qui s'entend à être heureuse ! « Je tuerai la vie ! » Il aime mieux ça. Juive, bien entendu. Ils ont eu une drôle de minute, l'autre soir, quand elle l'a accompagné. « On ne s'embrasse pas ? » En lui caressant la joue. Sa petite moue. Sa tête qui dit non. La retrouver ? Pourquoi ? Histoires... Et pourtant... Mais pas à cause du café dans l'orangeade — drôle de signe cependant. Très drôle de signe, à la réflexion. Ah oui, pourquoi lui a-t-elle demandé s'il se piquait, quand il est revenu du téléphone ? Il a eu envie de l'envoyer au bain, de lui dire qu'elle ferait mieux de lui expliquer le drôle de mélange qu'elle venait d'inventer avec le café, dans l'orangeade. Mais cette question l'a tellement flatté. Non, bien sûr, il ne se pique pas. Quelle idée ! « Ma chère Antoinette, je n'ai même jamais vu ce qui s'appelle de la coco. Et pourquoi me demandez-vous ça ? — C'est que vous avez tellement changé de figure ! » Voilà. C'est bien ce qu'il avait cru et qui le flattait. Il a changé de figure. Radieux à cause du rendez-vous que Monique venait de lui donner au téléphone. Et avant il faisait une drôle de gueule parce qu'il n'avait pas de nouvelles depuis huit jours. Tout de même content d'apprendre qu'il avait l'air heureux — extasié, a dit Antoinette. Est-ce qu'elle serait jalouse ? Non. Elles ne devinent pas tout, ni toujours. Heureusement.

4 octobre 1948, Saint-Brieuc — J'étais à Paris depuis lundi dernier (il y a eu huit jours hier) pour voir Jean[1] avant son départ pour Le Caire. A pris l'avion jeudi, avec sa femme et sa fille. Son fils, mon filleul Alain, est resté à Fontenay-aux-Roses, chez le docteur Pommier. Lettre d'Alain hier matin. Il avait reçu un télégramme disant que ses parents et sœur étaient bien arrivés. Au cours de mon séjour : vu Camus. Déjeuner avec lui et les Grenier le mercredi et, le lendemain, avec lui et Christiane Faure, plus une amie oranaise de cette dernière. On répète *L'État de siège*. Camus était en pleine euphorie. À la suite d'une lettre de l'abbé Chéruel, me demandant un service urgent, je suis allé, le vendredi, voir Malraux, à son bureau du boulevard des Capucines. Il revenait de la conférence de presse du Général. Nous avons bavardé pendant une heure environ. La chose la plus intéressante qu'il m'ait dite est que, en Espagne, pendant le combat en avion, il n'avait plus de tics.

1. Jean Grenier.

— Il y a, me dit-il, les gens qui font l'histoire. Staline en est, le Général aussi. D'ailleurs, ils se reconnaissent...

— Et vous, lui ai-je demandé, qu'est-ce que vous êtes, là-dedans ?

— Moi ? Un amateur distingué...

Avec ce charmant sourire adolescent dont sa fille a hérité, ce même sourire qu'il y a un peu plus d'un mois il a eu, alors que, chez lui à Boulogne, je venais de découvrir qu'une des vitres de la fenêtre de son bureau avait été trouée par une balle. La balle de quelqu'un de très bien renseigné. La fenêtre en question se trouve en effet à un mètre de la table de travail d'André...

Toutefois, le deuxième tome de la *Psychologie de l'art* est paru, et il a refait son *Goya*.

... Passé la soirée de jeudi au Petit Palais avec Lilette Chamson. André était en Hollande avec sa fille. N'est revenu que le lendemain. Vu Petit chez Chamson, vendredi soir. Ne fait plus rien. Accablé par le journal.

1949

Septembre 1949 — Congrès du Pen Club à Venise.

16 octobre, Saint-Brieuc — Je suis rentré dans mon pays
barbare et pluvieux, venteux ; j'y suis bien et mal, je voudrais y
rester et partir. Je ne sais pas : tout est difficile et à mesure
qu'on vit, plus difficile. Il y a pourtant des recours. Je ne les
vois que dans certaines choses délicates, dans certaines présences, dans l'émotion — dans le sens du possible, dont je parlais
un jour sur la terrasse de la Villa Valmarana, mais d'un possible dont il ne suffit pas de contempler les perspectives, mais
qu'il faut vouloir, vers lequel il faut *faire* quelque chose. En
général, nous sommes trop paresseux quand il s'agit de notre
propre bonheur, et d'une activité *dévorante,* au contraire,
quand il s'agit de l'inverse.

Depuis que je suis rentré de Venise — à travers la pénitence
de la Suisse — j'ai fait deux séjours à Paris, et je vais sans
doute y retourner bientôt. A Paris, tout est plus facile. Mais
c'est aussi une grande duperie.

J'y étais pour la publication du *Jeu de patience.* Quelqu'un, à
qui j'ai envoyé mes livres, m'écrit : « C'est votre monde qui va
s'ouvrir pour moi. » Je suis inquiet. Ce n'est pas là *tout* mon
univers. Je crois, depuis longtemps, qu'on écrit en effet parce
qu'on veut dire quelque chose, mais surtout parce qu'il y a
beaucoup plus de choses qu'on ne veut ou qu'on ne sait pas
dire.

Décembre, Paris — Prix Renaudot.

Le 12 décembre — Je suis très fatigué par ces derniers jours
d'interviews, de visites, etc. J'écris à la fin d'une journée où, si
je n'écoutais que mon sentiment intime, je quitterais Paris
tout de suite — mais je ne puis le faire, je n'en ai pas le droit.
Je souffre pourtant de cette dépossession de soi-même que
Paris m'inflige.
Je serai encore ici pour toute la semaine et environ la moitié
de la suivante. Ensuite à Saint-Brieuc.

Décembre — Les choses commencèrent avec la mauvaise
saison, quand le problème se posa de faire un peu de feu dans
l'âtre et qu'il ne resta plus la moindre bûche dans le cellier.
On a beau dire, il faut pouvoir se chauffer, surtout quand on
arrive un peu sur l'âge. Il faut aussi faire bouillir son pot,
même si l'on n'a pas grand-chose à mettre dedans. Et,
justement, il n'y avait plus de bois, et guère à manger. Cela se
passait au temps de nos grands malheurs, et nos deux vieux
grelottaient, le ventre à moitié vide, dans leur petite maison de
retraités. Vieux ? C'est trop dire. Ils avaient, l'un et l'autre,
dans la soixantaine. Si les temps n'avaient pas été si durs, ils
auraient pu s'avouer encore à peu près heureux, à condition,
bien entendu, de ne pas trop penser à Madeleine, leur fille, qui
les avait quittés depuis si longtemps. On a beau répéter que
c'est la vie, qu'il est tout naturel que les enfants vous quittent
un jour pour se marier, qu'on en a fait autant soi-même, ce
n'est pas une consolation. Bref, nos deux vieux étaient au village, et Madeleine à Paris. Voilà ce que c'est que de se faire fonctionnaire. Mais là encore, les deux vieux n'avaient rien à dire.
Fonctionnaires, ils l'avaient été eux-mêmes toute leur vie. Ils
avaient depuis quelque temps pris leur retraite, mais la guerre
était arrivée, l'invasion, la famine, et, maintenant, c'était l'hiver, le froid, la peur. Il allait falloir vieillir comme ça, deux
fois plus vite...

Lui, M. Goulven, avait encore la chance d'être revenu dans son village natal. Il avait là tous ses souvenirs, ses morts. Ça l'aidait un peu. Mais Catherine, sa femme ! Elle n'était pas ici chez elle et, pourtant, elle aurait bien voulu, elle aussi, vieillir là où elle avait commencé sa vie. Mais elle n'était qu'une femme. Elle avait obéi à la volonté de son mari, comme toujours. Seulement, elle rêvait sans cesse à son village natal, sans rien dire.

Ils ne parlaient pas beaucoup, nos deux vieux. A quoi bon ? Après toute une vie ensemble, on s'est tout dit depuis longtemps. Ils ne se plaignaient pas. Ils supportaient courageusement de n'avoir pas trop à manger et de grelotter de froid. Ils trouvaient même le moyen de faire, de temps en temps, un petit colis pour Madeleine. Noël approchait. Pour cette grande occasion, il allait falloir trouver quelque chose d'un peu sérieux à lui envoyer, un peu de lard par exemple, ou un grand bout de saucisse. Ce ne serait pas facile...

Voilà donc comment était la vie, au début de cet hiver-là. Et, un jour, un voisin s'arrêta devant leur porte. Auguste, le menuisier. Il portait, sur l'épaule, un très gros sac. Il posa le sac par terre et dit : « C'est de la sciure de bois. A l'atelier, on ne manque pas de sciure. Avec cela, vous pourrez faire de bons feux dans l'âtre. » Ils l'avaient remercié, désolés de n'avoir même pas de quoi lui offrir un verre ou une pipe de tabac. Mais Auguste n'en demandait pas tant.

Pour la première fois de l'hiver, les deux vieux avaient passé la veillée devant un bon feu. Ils s'étaient trouvés heureux, et en même temps coupables de se sentir si bien, ce soir-là, alors que dans le monde il y avait tant de malheureux, et parmi ceux-là, Madeleine, qui, à Paris, grelottait dans son petit appartement. Fasse le ciel qu'au temps de Noël ils fussent en état de lui envoyer le bon colis auquel ils pensaient ! On avait encore le temps, on n'était qu'en novembre. Mais il faisait déjà bien froid et les nouvelles n'étaient pas toujours bonnes !...

Auguste revint, apportant un autre sac, que Catherine vida dans le cellier. Quelques jours plus tard, il revint encore, avec encore un sac. Cela fit une petite provision. Auguste parti,

Catherine se mit à regarder son trésor pensivement, tendrement. Cela représentait du feu pour longtemps. Elle se baissa, pour plonger sa main dans la sciure, comme dans du grain. Elle réfléchissait, et l'idée confuse lui venait que les hommes et les femmes d'autrefois — il y avait bien longtemps, aux origines des âges peut-être, dans les cavernes — avaient dû éprouver quelque chose de semblable quand, pour les premières fois, ils avaient découvert le feu et le moyen de l'entretenir. A quel degré de malheur étions-nous tombés pour que de tels sentiments nous vinssent et était-il possible que, même le feu, nous fussions en passe de le perdre ?

Elle rêvait ainsi, et soudain, sous ses doigts, elle sentit quelque chose de dur : c'était un morceau de bois. Elle le prit dans sa main, le sortit de l'amas de sciure. C'était un petit morceau de bois carré, comme il en traîne dans tous les ateliers de menuiserie. Elle replongea sa main dans la sciure et trouva un second morceau de bois, elle recommença encore et encore. Elle en tira plusieurs, les uns pointus, les autres ronds, des gros, des petits, des longs, des courts. Elle les mit de côté soigneusement, puis les rassembla dans son tablier et les emporta dans sa cuisine. Son mari n'était pas là.

Pourquoi fut-elle si heureuse de se trouver seule à ce moment ? Elle posa les morceaux de bois sur une chaise, elle les jeta dans un panier et les couvrit avec un journal. Elle ne voulait pas les brûler. Pourquoi ?

Le soir, elle fit un grand feu de sciure dans l'âtre. Elle ne dit pas un mot de sa découverte à son mari, mais elle lui parla de Madeleine, et du temps où Madeleine était une toute petite fille. Pour Noël, on lui avait une fois offert un jeu de construction. Il était fait de morceaux de bois carrés et peinturlurés, que dans son langage d'enfant elle appelait des « cahiers de bois ». Cela voulait dire des carrés de bois. Il y avait de cela vingt ans, plus même. Toute une vie. Les « cahiers de bois » étaient loin, et par le fait, tout proches, puisqu'il y en avait aussi dans le panier, cachés par une feuille de journal.

Quand le lendemain, M. Goulven alla faire un tour, Mme

Catherine sortit son trésor de sa cachette. Elle débarrassa la table de sa cuisine et posa dessus les « cahiers » de bois. Puis elle rêva, et, tout en rêvant, elle commença à les prendre un à un, à les regarder avec attention, à les comparer, à les juger pour ainsi dire, à les assembler ; et c'est ainsi que naquit une première petite maison.

Il y avait tout juste de quoi en faire une seconde, avec ce qui restait, et quand les deux maisons furent bâties, elle se dit qu'elle les laisserait là, on verrait bien ce que dirait son mari, s'il disait quelque chose. Mais il ne dit rien. Et ils passèrent leur soirée au coin du feu de sciure, sans qu'il fût entre eux le moindrement question de ce qui était arrivé, si l'on peut dire qu'il était arrivé quelque chose...

Le lendemain, Auguste reparut, porteur d'un autre gros sac, qu'on vida dans le cellier, et une fois Auguste parti, Catherine découvrit encore d'autres « cahiers » de bois dont elle fit aussitôt une école et une mairie.

Elle aurait bien voulu bâtir une église — que dis-je, une église ! — l'église même du petit village où elle était née. Comme elle aimait son village ! Comme elle en avait aimé l'église, surtout à Noël, dans son enfance, quand elle allait à la messe de minuit ! Mais sous la sciure, elle n'avait pas trouvé de quoi dresser le clocher...

Elle ajouta encore une maison, et justement, c'était celle d'un de ses cousins. Elle y avait passé les plus belles heures de son enfance. Maintenant, la maison était sur la table, une maison en « cahiers » de bois, comme en construisait autrefois la petite Madeleine. Cela faisait déjà tout un quartier du village, qui prenait pas mal de place sur la table de la cuisine. Il fallait désormais faire attention, quand on préparait quelque chose, ou qu'on faisait la vaisselle (M. Goulven mettait bien volontiers la main à la pâte), il fallait, dis-je, bien prendre garde à ne rien démolir. M. Goulven le savait bien. Et pourtant, ayant un jour, par malheur, fait tomber le mur de l'école (grâce à Dieu, sa femme n'était pas là quand la catastrophe se produisit), c'est d'une main tremblante, et l'oreille aux aguets, qu'il remit tout en place. Et le soir, tandis qu'ils se chauffaient devant leur feu de sciure, il ne parla naturellement de rien, sinon de l'approche de Noël et du fameux colis qu'ils devaient envoyer à Madeleine, mais dont ils n'avaient pas encore le moindre petit élément...

Les temps approchaient. La neige et la glace étant apparues, le feu de sciure devenait bien maigre et n'empêchait guère M. Goulven de grelotter. Catherine ne semblait pas s'en apercevoir. On aurait dit qu'elle ne souffrait pas du froid. Elle ne pensait qu'à son enfant, et à son village, qui s'élargissait peu à peu sur la table de la cuisine. Elle avait enfin trouvé sous la sciure un magnifique morceau de bois long et bien pointu, pour faire le clocher de l'église, et de grandes larmes de bonheur lui étaient venues en faisant cette découverte, de grandes larmes qu'elle avait cachées à son mari. Elle était d'autant plus heureuse qu'elle avait tant craint de ne jamais découvrir le clocher avant le jour de Noël. Et voilà que justement dans quelques jours à peine, ce serait Noël ! Elle bâtit l'église et, devant l'église, la crèche, comme eût fait Madeleine dans le temps de sa petite enfance. M. Goulven assistait à tout ce travail en silence, et parfois en claquant des dents...

Quand vint Noël, le village natal de Catherine était entièrement reconstruit sur la table de la cuisine, mais dans l'âtre, il n'y avait pas grand feu, et M. Goulven grelottait.

Il aurait peut-être aimé, pour le jour de Noël, voir flamber dans la cheminée de hautes flammes bien claires, comme cela arrivait autrefois, au temps de la jeunesse et du bonheur. Mais quoi ! Jeter le village au feu ! Quelle pensée basse et affreuse ! Oh ! de quel amour Catherine s'était prise pour ses petites constructions, où tout se mêlait, depuis les souvenirs de sa propre enfance jusqu'à ceux de sa maternité ! Comme il la comprenait, l'aimait !

Il ne dirait rien.

Il ne dit rien. Le jour de Noël arriva, plus glacé que les autres, et il ne dit rien, devant le feu si maigre ce soir-là (Auguste n'était pas reparu depuis longtemps) qu'on en sentait à peine la tiédeur, comme une faible haleine, quand on se penchait pour le ranimer du bout d'un tisonnier. Pour supplément de malheur, on n'enverrait pas de colis à Madeleine. Rien trouvé. Pas la moindre miette. Oh ! les temps maudits ! On parlait de gens pourchassés, enlevés, déportés. Et dire que, dans cette nuit, comme depuis près de deux mille ans, on célébrerait la naissance du Sauveur ! La messe de minuit serait interdite cette année. Même le soir de Noël, il faudrait rentrer chez soi à cinq heures et tout fermer, ne point laisser passer un seul petit filet de lumière...

... Et voilà que la soirée était déjà bien avancée, il était plus de onze heures du soir, il allait bientôt sonner minuit, quand des rumeurs leur parvinrent, venant du dehors, des cris, des aboiements, un coup de feu et, bientôt, quelqu'un frappa à la porte. M. Goulven se leva pour ouvrir. Il y avait sur le seuil une toute jeune femme qui tenait dans ses bras un enfant, une jeune mère effarée.

Elle était belle comme on ne l'est que dans les grandes légendes, ses yeux brillaient de tendresse et de terreur, l'enfant qu'elle serrait sur son cœur dormait et, dans la nuit, des coups de feu éclataient en divers points, comme si les soldats avaient entouré leur maison. M. Goulven retrouva la souplesse de ses vingt ans pour se jeter sur la porte et la fermer. Catherine s'était approchée de la jeune maman pour la conduire auprès du feu et la soulager en lui prenant l'enfant des bras. Comme la jeune femme ouvrait son manteau, ils virent qu'elle portait sur le cœur une grande étoile (il s'agit de l'étoile jaune imposée aux juifs par les nazis). On aurait dit que cette étoile brillait.

Il semblait, depuis l'arrivée de la mère et de l'enfant, que la pièce fût remplie d'une autre lumière, mais il faisait toujours aussi froid, et la jeune et belle maman grelottait au coin de l'âtre. Alors Catherine et Goulven échangèrent un long regard, puis Catherine se rendit à la cuisine, d'où elle revint, au bout d'un instant, tenant dans son tablier tous les « cahiers » de bois qui avaient formé son cher village. Goulven la regarda avec inquiétude, mais le visage de Catherine rayonnait. Elle ne dit rien. Personne ne dit rien. Ils se serrèrent tous les quatre devant l'âtre où bientôt s'élevèrent de grandes flammes, belles, vivantes, de belles flammes lumineuses qui les réchauffaient, mais faisaient mieux encore que les réchauffer, qui les éclairaient jusqu'au fond du cœur. Il y avait encore, dans la nuit, des rumeurs et des coups de feu isolés, mais tout semblait devoir s'apaiser bientôt. La jeune maman donnait le sein à l'enfant qui s'était réveillé. Catherine pleurait doucement, mais ce n'était pas de la peine d'avoir jeté son village au feu, mais du bonheur qu'elle avait plein l'âme et qui lui faisait répéter tout bas : « Nous avons sauvé, réchauffé l'enfant ! » Goulven écoutait les bruits du dehors. Plus rien. Le silence. Oui, l'enfant était sauvé. Pour cette nuit, du moins, pour cette fois, encore. Le feu, le grand feu de l'amour et de l'espoir brûlait en hautes flammes au fond de l'âtre. Qu'il puisse brûler encore et encore, répandre partout sa chaleur et sa lumière. Ah ! se disait-il, si les hommes savaient !...

(Il faudrait ajouter que les bombardements ont rasé le village natal.)

1950

7 janvier — A Paris depuis hier soir. J'y resterai jusqu'au 24 ; ensuite, Lausanne, et le 27, Venise.

27 janvier-1ᵉʳ février, Venise — Il neige.

2 et 3 février, Milan — Bagutta.

4 février, Lausanne — Prix Veillon. C'est ici le pays de la pénitence et pour moi de la dérision.

9 février, Liège.

14 février, Amsterdam.

17 février, Copenhague — Je suis ici dans la contrariété, une vie plus que jamais parallèle qui ne me laisse point de répit et où tout est brouillé, même dans les heures de solitude. Je me suis mis dans un mauvais cas, mais volontairement et je n'ai qu'à expier jusqu'au bout ma faute et par conséquent à aller à Stockholm.

Le 20 février — Je romps tous les engagements qui devaient m'amener à Stockholm, etc., et je rentre à Paris.

Tout ce voyage : les veaux et les vaches, le froid, les brumes, la connerie, les smokings, les décorations des messieurs. Ils

voulaient me faire parler en smoking ! Pourquoi me suis-je
mis dans ce cas-là ? Parce que j'y voyais la possibilité d'autre
chose. Et je l'y vois encore, d'ailleurs. Mais peut-être faudra-
t-il agir autrement ? Non, non, le « là-bas » n'a pas été détruit,
ni piétiné, et ne le sera pas, mais rendu plus introuvable ; ce
sont les chemins du « là-bas » qui sont devenus difficiles, il
faut pour le retrouver, rentrer dans le silence, vivre sous un
regard, retrouver dans l'échange toute la fertilité.

Il est une forme de veille qui chasse les présences, et j'en
éprouve un sentiment de remords.

Il ne fallait pas s'exposer à la banalité des histoires d'Alliance française.

A Paris, du 25 février au 3 mars, puis du 3 au 6 à Joigny —
Il n'est pas possible d'écrire, à peine de réfléchir aux choses
qu'on sait et qu'on voudrait dire si longuement.

6-9 mars, Paris.

Le 10 mars, Saint-Brieuc — J'ai eu, pendant des années,
l'habitude et pour ainsi dire la manie de la note quotidienne ;
c'est là ce qu'on appelle tenir son « journal ». Il me reste des
carnets, des papiers nombreux et fort en désordre que je me
promets d'examiner un jour, bien que, pour le moment, cette
seule pensée m'inspire la répugnance la plus vive. Brûler vaudrait mieux. Cependant, depuis quelques jours, je pense que je
ne le ferai pas. Loin de là : je mettrai ces papiers en ordre, sans
y rien changer. Que s'ils doivent tomber sous d'autres yeux que
les miens, je veux y paraître tel que je fus, et que je suis. Point
de ruse. J'ai renoncé à la pratique du journal depuis, je crois,
l'année 47 ; peut-être même 46. Je ne voyais plus là qu'une
vanité des plus tristes et, en outre, je ne savais plus pour qui
j'écrivais ces pages. De plus, j'en avais assez de moi-même, et
de mon reflet. Aussi, tout en continuant d'aimer passionnément vivre, assez de cet univers au ciel bas. Enfin, il y avait ce
gros livre à finir. Ces puissantes raisons ne l'auraient cepen-

dant pas été assez si je n'avais depuis longtemps su que le journal ne me servait pas à grand-chose en tant que moyen de
saisir de moi-même le plus intime ; il me semblait parfois plus
facile d'en dire plus sous la couverture de la fiction. Il y aurait
bien à dire sur ce point, mais je n'en ai pas envie pour le
moment. Il s'agit bien davantage de savoir pourquoi aujourd'hui je reviens au « journal ». C'est pour sortir du silence,
c'est-à-dire d'une certaine peur, pour ré-apprendre la parole.
Je n'ai que trop tendance à la régression en moi-même. Il faut
vouloir accomplir le mouvement inverse, le mouvement même
de la délivrance, ce que me disait Max Jacob : « Ouvre les
mains, tu y verras pousser des roses. » Et, l'autre soir, tandis
que nous dînions ensemble, Marc Chagall : « L'arbre ne pleure
pas parce que le ciel est noir, il ne rit pas au printemps, comme Mozart, parce qu'il est plein de soleil. » C'était dans sa
vieille maison de la place Dauphine ; il y avait là Ida Chagall et
Géa. Le soir, avec Liliana, nous sommes allés au théâtre juif de
la rue Guy-Patin, voir les marionnettes.

Je suis rentré hier de mon voyage de Copenhague. Le vague
des images. Pas pris une note. Au fond, je n'y crois pas. Le
Danemark est loin, Paris et Joigny : tout proches. Je ne me
plais plus ici, à Saint-Brieuc, et, désormais, je crois bien que je
quitterais Saint-Brieuc sans regrets, et sans retour, avec la dernière facilité. J'ai vécu la journée qui s'achève dans la contra-
diction, contre moi-même, contre mon secret. Il faut choisir.
Jamais je ne me suis senti plus vivant, jamais mon cœur n'a
mieux bondi, mais c'est pour se jeter sans cesse aux grilles.
Jamais je n'ai mieux su ce que c'est que l'impatience. Je ne suis
pas toujours le maître de le cacher aux gens que je rencontre,
comme par exemple ce matin, à M. L..., ce magistrat auquel je
pensais l'autre soir, chez Chamson, pendant cette conversation
si pénible à propos des voyous. Je lui ai parlé durement. Mais il
ne me suffit pas de dire à de tels gens la vérité, il faudrait que
j'aie le courage de ne plus les voir. Rompre, avec ce que je
condamne. J'aurai ce courage. C'est d'ailleurs la moindre des
choses. Je n'ai, depuis longtemps, accepté de tels rapports que

par désespoir. Mais c'est fini. Il faut naître. Renaître. Naître
une seconde fois. Je ne veux plus supporter, je ne veux plus
subir. Il reste, sans doute, très peu de temps à vivre et je voudrais, enfin, choisir, ne plus avoir honte. Heureux ou malheureux, cela a sans doute beaucoup d'importance, mais il faut
avant tout savoir pourquoi. Dire un mot à soi : il est temps.
Lundi, je quitterai Saint-Brieuc et le 18, je m'embarquerai à
Venise pour Alexandrie. Je n'attends de ce voyage que des ins-
tructions parallèles, comme des voyages en général, et j'y
renoncerais avec joie si, seulement... Mais il y a toujours des
contraintes et des limites, une façon de se laisser aller au plus
facile et, même, contre le sacré, ce qui est confondant. Il faudra, aussi, changer cela, tout repenser, apprendre à mieux vouloir. Pour cela, j'aurai besoin d'aide.

Samedi le 18 mars — A Venise depuis hier soir pour
apprendre que l'*Esperia* ne partira pas samedi, mais lundi seulement. J'enrage. Mais de quoi ne faut-il pas enrager : à peu
près de tout. Je suis sur la place Saint-Marc, assis en face du
Campanile au café. Il est onze heures. Je suis fort distrait, je
n'ai pas toute la légèreté qu'il faudrait, non plus tout le « là-
bas ».

Le 21 mars — Voilà que tout est dit et, dans quelques heures
(exactement à une heure de l'après-midi, et il n'en est pas
encore dix du matin), je quitterai une Venise brumeuse et fraîche, à bord de l'*Esperia*.

Le 22 mars — Nous venons d'arriver à Bari. J'ai repris le
journal, je travaille sur le bateau.

Mardi le 28 mars, Louxor — Plus de journal : cela est bien
impossible, ne serait-ce que par la difficulté de trouver le
temps même de l'écriture, sans parler des difficultés intérieu-
res, de la distraction constante imposée par la découverte, de
l'émotion où m'ont jeté les visites que j'ai faites au musée du

Caire. Je crois bien n'avoir jamais rien vu de plus adorablement beau, nulle part.

Me voici à Louxor pour trois jours (arrivé ce matin après une nuit de chemin de fer). J'ai donc parcouru ce matin les ruines du temple de Karnak. C'est toujours, en moi, le même sentiment d'exaltation. Je n'oublierai pas cela.

J'écris ces notes dans le jardin de l'hôtel ; je suis descendu là après une sieste. Tout à l'heure je retournerai parmi les pierres. On aurait dit que ce petit Arabe me guettait. A peine avais-je fait quelques pas dans le jardin, qu'il est arrivé vers moi avec un petit bouquet de fleurs (mais en réclamant — il est vrai — d'une voix basse et presque honteuse — un « bakchich »...)

Je ne pense pas une seconde à ces maudites conférences que j'ai promis de faire, je suis trop occupé, trop préoccupé d'autre chose et, surtout, je voudrais me remettre au travail, mais comment faire ? Je ne puis plus supporter même l'idée de retourner en Bretagne. Mais alors quoi ? Il faudrait que les choses se puissent arranger de telle sorte que je puisse rester au moins pour quelque temps à la campagne, en Italie par exemple, pour m'y reposer vraiment et attendre que se refassent en moi les choses.

On vient me chercher pour la promenade. Je voulais écrire quelques lettres, mais impossible. Le vieux complexe. Je commence, j'écris trois phrases, et je déchire, je recommence et je déchire encore, quatre, cinq fois de suite. Alors je renonce, très malheureux de cela.

Le 3 (?) avril, Port-Saïd — Je suis à Port-Saïd depuis une demi-heure, par un soleil tropical et un vent des dieux. J'ai fait, dans une admirable tempête de sable, deux heures de traversée du désert en voiture. Admirable : oui.

Je rentrerai à Venise par l'*Esperia*, qui partira d'Alexandrie le 8.

11-30 avril, Venise — Dîner R.A.I. à Torcello. Conférence

chez Mme Couvreux. Première rencontre avec Campagnolo[1].
Les Giotto à Padoue.

Le 1er mai, dans le train — Je suis entré dans un demi-
sommeil de l'âme (et sommeil n'est pas le mot, stupéfaction,
c'est encore celui-là qu'il faut répéter) qui dure encore.
Demain, à deux heures de l'après-midi, je serai chez moi.
Ma résolution très ferme est de me mettre tout de suite au
travail.

Mercredi le 3 mai, Saint-Brieuc — L'étrange stupéfaction où
j'étais tombé dure encore. Et même le Martini-gin n'arrange
rien. Voilà trois jours que je suis rentré ; et pas un mot neuf, il
me semble que je suis paralysé. J'ai tout juste été bon à ranger
des papiers en vue du travail futur, mais je n'ai pas encore pu
écrire le moindre mot. Ceci est mon premier essai d'écriture.
Je ne sais encore si je peux seulement aller jusqu'au bout de la
page. Mais il fallait au moins rompre le silence, si je ne suis,
encore une fois, pas capable d'en sortir.

Il faut avoir du courage. Non pas du courage pour *supporter*,
mais pour *vaincre*. L'instinct de la victoire, c'est cette lumière
qui fait vivre les choses qu'on a en vue, et vous porte à les
conquérir. Peut-être faut-il, pour cela, se plier à certaines choses, à certaines règles, mais qu'est-ce que cela ?

J'ai rencontré ici notre ministre de la Défense nationale[2] qui
m'invite à assister aux manœuvres navales qui vont avoir lieu
dans quelques jours dans l'Atlantique — vers le 10 mai, je
pense. Je serai donc avec la flotte de guerre, ce qui m'intéresse
énormément pour des raisons de mer et autres.

Aussitôt après, j'irai à Paris, et ensuite à Venise pour le
congrès de la S.E.C.[3].

1. Umberto Campagnolo, qui est mort en 1976, était secrétaire général de la Société
européenne de Culture dont le siège était à Venise.
2. René Pleven.
3. Société européenne de Culture.

Le 8 mai, Saint-Brieuc — Je ne sais ce qui se passe. Ce pays dont j'ai si longtemps cru que je ne pourrais vivre sans lui, je ne peux plus le supporter, je vais le quitter de nouveau. Peut-être même est-ce que je souhaite dans le fond de mon cœur de n'y point revenir. Il ne me parle plus. Non seulement il ne me parle plus mais, ce qui est bien pire, il me porte à un étrange sommeil de l'âme qui m'inquiète (qui m'inquiéterait si je devais y rester longtemps encore). Mais vendredi prochain, samedi au plus tard, je reprendrai le train, pour l'Allemagne cette fois. En principe, je devrais être près de Munich le 15, c'est-à-dire lundi prochain : je suis invité là par un groupe d'écrivains allemands, du 15 au 18. Ensuite, je ne sais. Peut-être, quelques jours à Nuremberg. Peut-être la Suisse. Sûrement l'Italie : en tout cas, à ce congrès à Venise.

J'ai passé mes journées entières depuis mon retour à rassembler des papiers pour travailler en route. Je suis exténué, et quasi incapable de tenir la plume, par crispation, mais assez content de voir que j'ai pas mal de textes et que je vais pouvoir mettre en état plusieurs choses à publier.

Le 10 mai, Saint-Brieuc — Je suis assez fatigué et désorienté : cela tient aussi aux vieux papiers remués, et aux choses à faire que j'entrevois.

Samedi le 13 mai, Paris — Je suis à Paris depuis hier soir et j'en repartirai cette nuit pour l'Allemagne.

Le 15 mai — Extraits d'une lettre à un jeune écrivain : « ... Ce qui me fait croire au talent de quelqu'un, c'est tout d'abord ce que sa personne même, sa seule présence, dégage en valeur *d'existence*, c'est-à-dire, qu'il soit *vivant*. Mais on peut être vivant et ne pas avoir certains dons, certaines qualités sans lesquelles on s'efforcerait en vain dans les arts. Il ne suffit pas d'avoir l'existence, il faut avoir aussi ce que moi j'appelle "de l'âme", avec la conscience de la différence, de la séparation, en un mot de la

« tragique infortune d'être né homme ». Ces mots sont empruntés à mon ami Lambert. Chaque être doit rendre un *son*. C'est
aussi ce que j'appelais le "là-bas". Bref, l'intelligence, mais tempé-
rée par une certaine tendresse de pitié pour la créature, trempée
d'une certaine lumière adorable malgré la détresse, et d'autant
plus adorable, d'autant plus aimée que cette détresse est mieux
choisie. Il faut s'accorder aux choses dans l'amour.

« ... On sent, dans vos phrases, quelque chose de votre régime
respiratoire, ce qui est toujours une grande chose, mais, de plus,
quelque chose de très mystérieux qui est l'allusion à un son intérieur, qui donne comme un écho de l'existence la plus cachée en
vous. Ces deux points constituent l'essentiel d'un *style*.

« ... Je crois qu'il faut passer au besoin volontairement à un
ouvrage, autrement dit, il faut cesser provisoirement de *chercher* ;
il faut décider et entreprendre. Pour cela, se donner un thème,
faire un plan, et travailler tous les jours, qu'on ait ou non l'inspiration. Il faudrait même se donner une limite dans le temps. Je
crois sérieusement que c'est le meilleur moyen de sortir d'inquiétude, de faire des progrès, de trouver un peu de paix. »

19 mai-11 juin, Venise — Congrès S.E.C.

Le 14 juin, Lausanne — J'ai revu hier Lauer avec sa femme.
Lauer veut faire un film de *Compagnons*. Je vais revoir à Paris
la jeune Danièle Delorme, dont le frère serait le metteur en
scène de ce film.
J'ai parlé de la S.E.C. à mes Suisses ; ils sont naturellement
très enthousiastes.
Je suis dans un jardin près d'une vasque, j'écoute retomber l'eau
d'un jet. Tout cela n'est rien, tout est sans couleur et sans goût.

15-19 juin, Joigny.

Le 20 juin, Paris — Il s'est passé pour moi des choses difficiles, depuis mon départ de Venise. De plus, je me sentais vide,
étranger à moi-même, dépossédé, mort vivant sauf par la

conscience de la séparation, incapable de saisir une plume, de prononcer un mot, de retrouver un peu de l'élan et de la solitude qu'il aurait fallu.

Ce soir, après une journée pourtant bien harassante, stérile et vaine si l'on ne tient pas compte de la réussite dans certaines affaires de métier, rentré chez Claude[1] je vais tenter d'écrire, s'il reste assez d'encre dans mon stylo vénitien.

... Il faudrait entreprendre le choix de la construction de soi-même d'une manière volontaire et hardie. Une fois pour toutes, il faut en finir avec les fantômes. Bien sûr, il restera toujours des choses auxquelles il n'y aura pas de réponses, sinon dans une commune et très humaine pitié. Vivre n'est jamais facile, il est bien banal de le dire, assez cruel parfois de l'apprendre — autre banalité. Mais quoi ! les grandes vérités sont banales, les grandes expériences très simples au fond. Et cela aussi est connu. Mais ce soir, je suis dans un état d'esprit simplificateur, mettons.

Le 22 juin, Paris — Mon séjour à Paris va se prolonger, car il se trouve que j'ai ici pas mal de choses en train qui sont loin d'être réglées. Ceci n'est peut-être pas très excellent pour le travail, sauf que je dispose momentanément du bureau de Camus (où j'écris en ce moment) et que cela me donne une certaine possibilité de retraite et de silence, malgré le téléphone (mais aussi le téléphone est une nécessité du moment). Tout cela n'est pas très intéressant à dire, c'est la monnaie courante d'une existence qui se subit sans se choisir. J'aurais besoin de vrai retour au « là-bas » si difficile à atteindre en ce moment. Je suis à ce point dépossédé de moi-même qu'aucune de ces images annonciatrices des bonnes périodes d'entreprise ne reparaît à la surface de la conscience, et je vis dans l'attente, dans la distraction mais qui ne m'amuse pas, dans le va-et-vient des choses à faire ou à dire, les rendez-vous, les téléphones, et, demain midi, un déjeuner avec les curés. Pas les curés

---

1. Claude Gallimard.

de ce déjeuner à Torcello, que je n'ai plus revus. Il s'agit des Frères Prêcheurs, dont l'un, le révérend père Lelong, a répondu par un article de *Témoignage chrétien,* à mes pages de *La Table Ronde*[1]. J'ai accepté, je ne sais pas bien pourquoi, je suis sûr de m'ennuyer, j'ai à peine de curiosité pour ce qui se passera et se dira. Ce sera du temps perdu — mais quoi ! N'en parlons plus. Mon Dieu que tout cela est bête !

Je m'attendais d'ailleurs à un temps de paralysie, et c'est le cas : mais pour un temps seulement. Je dois sortir de cet état vague et contrarié. Il se peut d'ailleurs que tout change d'un moment à l'autre.

Une peur me gouverne mais je ne sais laquelle, je me sens comme sous une menace, mais je ne sais pas de quoi. Etrange.

Le 29 juin — Je voudrais bien quitter Paris où je me sens très mal, surmené, fatigué, incapable d'une pensée et à peine d'un sentiment.

Tout à l'heure j'irai à ce cocktail Gallimard. Il y aura beaucoup de monde, et je m'y ennuierai cependant d'une manière mortelle.

Je ne travaille guère. Je ne pourrais y songer que dans le repos, je ne sais où ni quand. Il faudra que ce soit, cette fois, quelque chose de très grand.

Demain, je déjeune chez Moussia. Il y aura peut-être Danièle Delorme. Ensuite, je verrai Lescure. L'émission que j'ai faite à Venise avec Amrouche et Lescure[2] passera après-demain samedi. Je me suis occupé de la S.E.C. Il y a dix ans, j'aurais pu m'enthousiasmer, mais aujourd'hui je ne fais plus rien de ce genre que par raison.

1. Dans son numéro de mai 1950, *La Table Ronde* avait publié un texte intitulé *De Saint-Brieuc* qui, pour la plus grande partie, est repris dans *Absent de Paris* (Gallimard, 1952, pp. 212-239). Le passage auquel le Père M.-H. Lelong répond, sous le titre *Ne pas témoigner en vain (Témoignage chrétien,* 2 juin 1950), se trouve pp. 225 à 226 *(Absent de Paris).*

2. Jean Lescure, poète et critique d'art. Le poète Jean Amrouche (1906-1962). Les entretiens radiophoniques qu'il eut avec André Gide, Paul Claudel, etc., sont restés célèbres.

Le 1ᵉʳ juillet, Paris — Rien n'est facile. Il n'est pas facile de résoudre la question de la « fuite » pas plus que de dire sérieusement ce que je pense de la question d'une certaine mystique de la mort. J'ai toujours pensé qu'il ne fallait pas rater sa mort, que la mort devait être regardée comme une réussite, le grand point d'achèvement ou de rassemblement de soi-même. Cependant, un certain désespoir qui m'est de bonne heure entré dans l'âme m'a empêché de regarder la mort elle-même comme une réalité suffisante. Il s'est trouvé que toute croyance a disparu de mon univers, même la croyance à la mort, et c'est pourquoi je ne l'ai pas recherchée plus qu'autre chose, tout en envisageant que le moment venu pendant, peut-être, quelques courts instants, je n'existerai que là, je veux dire : à plein, à la limite de ce que la notion d'existence peut signifier.

C'est peut-être parce que je n'ai jamais eu de la mort une idée assez forte que je me suis, au long de ma vie, assez facilement laissé aller. Rien ne m'a jamais semblé en valoir assez la peine. C'est aussi pourquoi je ne me suis pas révolté plus activement, je veux dire : plus ouvertement.

3 juillet, Saint-Brieuc — Je suis ici depuis avant-hier samedi avec Claude Gallimard et sa famille ; je repartirai demain avec un immense soulagement. Je ne puis plus rien supporter de cette ville, ni de ce pays. Je ne m'y trouve d'ailleurs pas tellement bien et je crois que je n'y pourrai plus jamais travailler. Vendredi, à Paris, j'ai déjeuné chez Moussia et Gino. Il y avait Dominique Aury et une Anglaise dont j'ai oublié le nom.

J'ai la tête cassée par des visites assommantes, dont celle de deux curés qui se sont beaucoup plaints de mon texte de *La Table Ronde*. Je leur ai répondu très clairement.

Je rassemble des papiers, je remets en ordre le manuscrit de mes lettres, celui d'un roman abandonné.

Le 7 juillet, Paris — C'était hier le dernier cocktail Gallimard, où j'ai vu Moussia longuement.

Dimanche 9 juillet — Le travail. Tout est déjà, de soi-même, si ardu. Mais si la vie est brouillée aux sources, c'est une situation affreuse qu'on ne peut pas pardonner. Cependant, il faut passer outre. On doit, il faut en trouver la force. Il faut savoir que même certaines choses douloureuses et difficiles sont *parallèles* aux préoccupations essentielles d'où se tirent la volonté dans le choix et la matière des œuvres à créer.

Je suis rentré à Paris mercredi, après le week-end à Saint-Brieuc. Il s'agissait pour moi de régler quelques affaires importantes de cinéma et de radio (il s'agit d'une quinzaine d'émissions). Mais l'affaire de cinéma traîne, celle de radio n'est pas encore réglée. Aussitôt délivré de cela, je compte faire à Albert Camus une visite que je lui ai promise. Il est actuellement à Cabris, au-dessus de Grasse, dans les Alpes-Maritimes.

Saint-Germain m'horripile.

Le 11 juillet — Je suis aux Magots. Il est plus de minuit. La journée n'a pas été bonne, mais dans quelques instants j'irai dormir. Rien ne vaut le sommeil. En vérité, je devrais fuir Paris — mais je ne sais plus très bien où j'en suis. Et rien dans l'âme. Oui, il faudrait que je me remettre au travail, ou du moins dans les conditions qui permettraient d'y croire encore. Cela viendra peut-être bientôt. Je n'ai pas perdu tout espoir, mais il est grand temps de changer de vie. Du reste, c'est ce que je vais faire. Je ne suis pas décidé le moins du monde à me laisser aller. J'écris des propos bien amers. Tout a raté aujourd'hui. Trop de médiocrité, d'idiots, de faux amis, d'intrigants.

Trop de temps perdu aussi. Mais là, je suis seul responsable.

J'ai déjeuné avec Guy Dumur[1]. Pourquoi pas ? Ensuite je suis allé voir Clara Malraux et sa fille, Florence. Ensuite à la

---

1. Guy Dumur, poète, romancier, critique littéraire.

N.R.F. Des rendez-vous. Des paroles. Etc. Mais je n'ai point envie de continuer.

19 juillet — Je suis désemparé pour bien des raisons : c'est un très mauvais moment. Mais je ne veux rien dire qui puisse donner à croire que je me sers de cette douleur pour agir sur les autres.

À mon compte, hélas ! Nous verrons bien ce qu'il en adviendra.

20 juillet — Je viens à l'instant de voir Camus.

Je ne sais pas encore si j'irai ou non en Suisse. Si j'y vais, je quitterai sans doute Paris dimanche.

27 juillet — À Venise, pendant les journées de la S.E.C., j'avais échangé quelques propos avec un envoyé de l'Unesco, Jacques Havet. Il m'a écrit il y a quelques jours et hier nous avons déjeuné ensemble, dans un petit bistrot tunisien tout près de Notre-Dame. J'ai trouvé un homme jeune et cordial, ouvert à toutes sortes de projets même audacieux (il s'agit ici surtout des projets que je lui exposais sur le thème de la culture populaire : c'était pour m'interroger là-dessus qu'il voulait me voir), plein de souvenirs de Venise et tout près de Campagnolo. Nous avons naturellement beaucoup parlé de Campagnolo, de la S.E.C., et des perspectives offertes par ladite S.E.C. Je lui ai suggéré l'idée de faire venir Campagnolo à Paris pour une nouvelle réunion peut-être plus limitée où il exposerait de nouveau ses thèmes et ses buts. Je crois qu'il en avait plus ou moins le désir ou l'intention. Je lui ai dit tout ce que je pensais à ce sujet, en insistant sur le caractère sérieux de la chose, sur la qualité de la personne de Campagnolo. En tout cas, je garderai personnellement un contact avec Havet.

Toujours dans cet ordre d'idées (de choses parallèles) je suis invité à prendre part aux Rencontres internationales de Genève, du 6 au 16 septembre prochain. J'ai accepté d'y aller. Enfin, il est probable aussi qu'un peu plus tard on me demandera de passer un mois ou deux à l'Unesco pour m'occuper précisément des questions de culture populaire dont nous avons parlé Havet et moi.

Je vais prendre le train demain ou peut-être ce soir pour la Suisse. Je n'y resterai que très peu de temps. Ce sera un voyage d'aller et retour. Ensuite je brûlerai Paris et je rentrerai en Bretagne, d'où je ne bougerai plus jusqu'aux rencontres de Genève.

J'ai hâte d'en avoir fini avec ce voyage et d'entrer dans une période de repos et de travail. Paris me tue. Mais j'ai voulu cela, provisoirement. Il est temps, désormais, de rentrer tout à fait en soi-même et de retrouver le « là-bas », mais dans un éclairage nouveau. Le philosophe parle de ceux qui sont nés *deux fois*. C'est cette aspiration à une deuxième naissance qui est la cause de tout pour moi.

Je viens de lire le dernier livre paru de Camus[1]. Il contient à mon avis des choses très importantes. J'ai vu Camus à son passage. Nous avons eu ensemble une longue conversation sur le thème de la révolte, qui fait l'objet de l'essai auquel il travaille pour le moment.

J'ai ici une photo de Palante, bouleversante. J'étais allé il y a quelques jours à la petite maison au bord de la mer où il venait en vacances et où il s'est suicidé — avec un revolver que je lui avais donné. Il y avait là une nièce de sa femme. C'est elle qui m'a donné cette photo que j'ai fait agrandir.

Le 28 juillet — Je ne suis pas encore parti pour la Suisse. Hier, j'ai passé la soirée chez les Chamson, que je n'avais plus revus depuis le soir où j'ai dîné chez eux avec L., Moussia et Gino.

Le 29 juillet, Lausanne — Je pense rester en Suisse jusqu'à mardi prochain, et sans doute même mercredi. Nouvelles complications.

---

1. *Actuelles I*, chroniques 1944-1948.

Lundi 31, Lausanne — Je quitte Lausanne dans une heure. Demain, Paris.

Jeudi 3 août, Saint-Brieuc — Je suis à Saint-Brieuc depuis hier, assez fatigué. Je vais me remettre au travail.

Mardi 9 août — Je suis rentré dans une période de travail. Je sens beaucoup de choses nouvelles à dire, mais je ne puis les dire qu'à la condition d'être entendu. Voilà où j'en suis.

Le 17 août, Saint-Brieuc — J'ai passé pas mal de temps à rassembler les « chutes » du *Jeu de patience* et du *Sang noir*. J'ai été surpris de retrouver dans mes papiers une telle quantité d'inédits. Je vais remettre tout cela en état. Mais revoir de vieux papiers me jette dans une mélancolie noire, une grande fureur. Le mieux serait évidemment de tout brûler. Je ne le fais pas, je ne sais pourquoi. En somme, je fais du nettoyage. J'appelle cela « raser le cadavre ».

Pour le reste, ayant reçu une lettre de Jouvet qui me demande de penser au théâtre et de venir le voir à mon prochain séjour à Paris, je me suis remis à rêver à une pièce de laquelle je parlais avec J... La notion a fait des progrès.

Si j'étais organisé pour le travail fructueux, je ferais beaucoup de choses. Je tirerais une pièce du *Sang noir* et même deux, une pour la scène, l'autre pour la radio. Mais... Du reste, on verra.

À mon dernier séjour à Paris, en revenant de ce Lausanne de malheur où je voudrais ne jamais retourner (à propos, j'ai lu récemment dans les journaux qu'un « amateur » avait perdu dans le lac un crocodile. C'est la chose la plus dostoïevskienne du monde !), donc, en revenant de ce Lausanne, j'ai rencontré à Paris M. Joseph Rovan, personnage très important aux affaires culturelles françaises en Allemagne. Il m'a invité à retourner en Allemagne pour des conférences. Je lui ai parlé de la S.E.C. Parlant avec Rovan de la possibilité de rencontres internationales auxquelles

les membres de la S.E.C. pourraient être conviés, je lui ai
signalé l'existence, à Vézelay, d'une grande et très belle maison appartenant à l'un de mes plus vieux amis, Henri Petit,
laquelle maison pourrait servir admirablement de lieu de
rencontres. J'en avais aussi parlé à Havet. Il était d'accord.
Depuis, j'ai vu Petit : entièrement disposé. Ainsi pourrait-on
organiser quelque chose de sensationnel, en un des grands
lieux de l'Europe.

J'ai entendu parler de Campagnolo comme d'un homme
tranchant. J'avais vu ce côté chez lui. Tranchant, il a tenté de
l'être une fois avec moi. Il appartient à cette catégorie d'hommes à idées qui peuvent être très purs et par certains côtés très
sympathiques, mais avec lesquels je n'aurai pas de rapports
profonds, parce qu'ils sont étrangers aux véritables préoccupations de l'âme.

Le 18 septembre, Sambughè — Venise jusqu'au début du
mois d'octobre.

Le travail du roman ne marche pas très fort ce matin, comme il est bien naturel après le voyage, etc., je reviens à ce journal très volontairement, pour ne pas laisser la plume en chômage ou en peine, autrement dit pour ne pas quitter l'ornière.
Je vois de plus en plus qu'il faut que le travail soit quotidien,
qu'il faut, jusqu'au bout, faire des exercices volontaires. Hier
donc, un peu après dix heures, j'ai quitté Genève où j'étais
depuis une dizaine de jours à l'occasion des Rencontres internationales. J'étais venu de Paris avec Jacques Havet, en voiture,
et j'ai vu avec grand bonheur qu'une amitié naissante avait, en
quelques jours, accompli des pas définitifs. Je suis très heureux
de cela, je ne puis le dire assez. Cette amitié toute nouvelle,
mais entrevue, sera pour moi la grande acquisition que j'aurai
faite dans ces Rencontres. Je ne puis pas parler d'amitié à propos d'Éric Weil et de Cohen-Séat[1], mais d'un intérêt puissant.

---

1. Éric Weil et Gilbert Cohen-Séat, tous deux membres de la Société européenne de
Culture.

Naturellement, j'aurais dû prendre des notes pendant mon séjour à Genève, je me l'étais promis — autrement dit, j'aurais dû tenir ce journal à jour. Je ne l'ai pas fait parce que j'ai pas mal travaillé sur mes autres carnets à roman, et puis, aussi, par la dispersion, l'ennui, la contrariété, etc. J'aime de moins en moins cette Suisse honnête et puérile, je m'y sens très mal à tous égards et j'étais bien entendu plus qu'heureux de la quitter surtout pour aller en Italie.

Le 4 octobre, Paris — Je me suis arrêté à Joigny. Le séjour a été bien plus heureux que le précédent.

Je voudrais tant être à ce petit café aux Zattere.

Il faut que j'arrête d'écrire, on va venir me chercher à l'instant pour dîner. Je suis chez Claude Gallimard. Demain, je verrai Camus.

Que les jours sont longs... Il ne faut plus jamais dire que le bonheur est difficile. Je puis avoir beaucoup de gaieté.

Le 10 octobre, Saint-Brieuc — Je cherche, très difficilement, à rentrer en moi-même : cela demande des conditions que je n'ai pas. Une étrange langueur est tombée sur moi depuis le retour en ce pays, mais je sais ce que c'est, et j'attends dans une confiance totale. Dans quelques jours, tout à l'heure peut-être, cette singulière paralysie où je suis sera vaincue et tout s'élancera. Mais pour l'instant, je ne puis rien qu'écrire ce mot qui n'en est pas un, après avoir longuement écrit à Campagnolo, ce qui m'était à vrai dire plus facile : et pourtant on connaît « mes matinées de correspondance » !

Ma Bretagne est dramatique en ce moment sous le ciel d'octobre, d'une beauté menaçante et pathétique.

Le 13 octobre — Je puis me sentir capable de consentir au suicide d'un être que j'aime, et même de lui fournir les moyens de mettre son projet à exécution s'il en manquait ; mais y consentir voulant dire ici l'aider, seulement après avoir examiné à fond le problème avec lui, et qu'il puisse me convaincre

qu'il n'y a pour lui d'autre issue, que c'est de sa part une
volonté bien nette et le dernier point d'une démarche spiri-
tuelle ; qu'il ne s'agit, enfin, ni d'un échec ni d'une mystification. Naturellement j'ai eu et j'ai encore mes propres problèmes à cet égard. Mais sur ce point comme sur tant d'autres, je
veux savoir pourquoi. Au nom de quoi. Il est toujours très difficile de le savoir. Une certaine forme de l'intelligence peut ne
pas servir à grand-chose en cette matière. Même les êtres les
mieux doués ont leur part d'ombre et de fatalité. Ce qu'on
appelle le caractère est constitué d'éléments souvent et presque
toujours insoupçonnés de qui les porte en soi, et nos détermi-
nations les plus graves sont toujours, ou presque toujours,
issues de volontés obscures, incontrôlées, subies par conséquent, ce qui constitue à proprement parler la « fatalité des
caractères », grand ressort des romanciers.

Le 19 octobre — Il ne faut jamais perdre de vue, quand on
écrit, qu'il ne s'agit point de penser pour la beauté du fait,
mais pour s'éclairer soi-même, se guider, se tirer d'affaire.

Le 21 octobre — Quels sont les grands livres qui ont beaucoup compté pour moi depuis mon adolescence ? Rousseau,
naturellement : *Les Confessions*, c'est le premier des grands
livres qui me soit tombé entre les mains. Ensuite *Jean-Christo-
phe*, mais c'est oublié, ensuite Jules Vallès. Ensuite quoi ? Gorki, mais c'est oublié ; ensuite Dostoïevski. Mais je ne vais pas
continuer ce jeu.

Le 22 octobre — J'ai un carnet qui ne quitte jamais ma
poche, et dans lequel je puis écrire partout où je me trouve, ne
fût-ce que quelques notes, mais qui trouveront plus tard leur
emploi, et leur justification. Trop de choses, dans le train ordinaire des jours, viennent à la traverse de mes intentions les
plus constantes, de mes désirs les plus chers. Les journées sont
si brèves, si pleines de contrariétés, de choses à faire, de visites,
de travaux, de courses, d'ennuis, pour tout dire ? Je n'ai le

temps de rien, et surtout pas celui du silence, de l'incubation, de l'élaboration, du repos fertile.

Il fait un temps gris et humide sous un ciel opaque et bouché, où par endroits cependant on sent comme un effort de la lumière, un effort tranquille, au-dessus d'une ville inerte, entourée de frondaisons jaunissantes. Des cheminées, dans le ciel silencieux, montent les premières et paisibles fumées de l'automne. Quelques oiseaux pépient dans le jardin ; non loin un homme pique la pierre, une voiture roule quelque part ; mais tous ces bruits ne me parviennent qu'atténués comme si, déjà, il y avait dans l'air une vague idée de neige.

La nuit n'a pas été très bonne.

Je me souviens comment, avec quel accent, J. a résumé un jour une conversation que nous avions eue ensemble, par ces mots : « Puisque nous mourons... » Il y avait là, de sa part, bien du regret, un accent tendre et poignant, celui de la lucidité et de la connaissance inscrite au fond du cœur mais non acceptée, pas désirée en tout cas. La manière dont J. parle (dont nous avons parlé ensemble) de la mort comme d'une construction, signifie bien justement tout autre chose qu'un goût de l'anéantissement ou qu'une démission quelconque : une volonté d'éprouver la vie dans sa plus haute expression, dans sa forme la plus sérieuse et la plus grave. En réalité, construire sa propre mort veut dire, pour J. et pour moi, pousser le sentiment de la vie à son point extrême. Qui peut se soucier d'une mort à laquelle on donnera tout son sens, si d'abord on n'a voulu donner à sa vie tout le sens dont on est capable ? La rigueur a toujours été la grande exigence de J. Il ne s'est et ne peut jamais se contenter d'à-peu-près, de demi-mesures, de demi-bonheurs. Pour cette même raison, il n'a jamais été non plus un être à se contenter d'un demi-malheur. Une certaine dignité, un sens intime de la vie en train de se faire, de la vie proposée non pas comme un consentement à des formes qu'on juge, mais comme une entreprise toujours offerte, toujours ouverte, comme une chose à conquérir, comme une œuvre à édifier, comme un mot à découvrir, comme une autonomie à préserver, peuvent faire choisir *sans autre raison* ce qu'on appelle l'indépendance. Renier un amour, renier un passé, renier une fraternité : non, jamais, il faudrait avoir l'âme basse. Mais sans renier, loin de là, de ce qui a pu être, faut-il que la pesée de ce qui n'est plus empêche ce qui doit être ? La fidélité aux morts n'exige pas le refus des vivants. Là encore il faut distinguer les ordres, appliquer aux choses toute la rigueur de l'esprit, toujours savoir ce que l'on fait, au nom de quoi, et à quel prix. Autrement dit passer d'une expérience propre à une *pensée*. C'est à partir d'une pensée sur la vie, très chèrement acquise naturellement, que les choses peuvent se resituer dans leur ordre exact, que les choses seraient à leur place, celle de la tendresse comme celle de la cruauté s'il fallait avoir recours à la cruauté, mais du moins est-ce une cruauté qui ne se tromperait pas d'adresse, humaine par conséquent, si elle était reconnue comme inévitable et justifiée. Mesurée par conséquent et faut-il ajouter : saine ?

On peut découvrir un jour qu'on est réellement étranger au monde où l'on a vécu jusque-là. Rien que de très facile, de pas étonnant, comme un voyageur endormi se réveillant soudain et découvrant qu'il s'est trompé de train, que le train où il est le conduit à sa perte, prend tous ses risques, toutes ses chances — et saute résolument par la portière. Au risque de se rompre les jambes, mais pour sauver une vie dont il reste encore tout à faire.

Le 24 octobre — Il faut avoir de la patience. Vivre un peu les yeux fermés en attendant. Je travaille. J'écris beaucoup dans les carnets.

Je serai à Paris avant la fin de la semaine. Ensuite, en Allemagne, d'où il est possible que je revienne en Suisse. J'écris cela sur des feuillets de carnets, dans le café où venait autrefois Cripure. Je ne sais pas pourquoi j'ai voulu revenir aujourd'hui dans ce café : c'est une chose que je ne fais guère.

Le 28 octobre, Paris — Je puis pénétrer très loin dans la situation où se trouve S., par une expérience propre dont je ne puis parler qu'en tremblant. Je sais ce que c'est que cette tendresse, ce fond de compassion et de fraternité envers un autre, mais je sais aussi de quel prix il faut le payer si on y cède. C'est l'enfer.

Je voudrais être dans le grand travail silencieux et ininterrompu, dans une campagne. J'ai beaucoup de choses en vue, oui, beaucoup de choses à dire. Rien ne vaut le travail, faire un livre, à cela il faut tout subordonner. Hélas, ce n'est plus possible à Saint-Brieuc. Il faut trouver autre chose absolument.

Dimanche 29 octobre, Paris — Je quitterai Paris lundi matin. Je serai à Mayence, ensuite à Brême, Ulm et Berlin. Je sais bien pourquoi je voyage tant. Mais c'est la dernière fois, je l'espère, où je me mettrai dans un cas pareil. Il va falloir mettre un terme à ce genre de vie vagabonde, s'arrêter quelque part, pour mieux rentrer en soi-même et dans le travail.

Cependant, à travers tous mes voyages, et la contrariété qui me vient toujours d'être à Paris, je ne perds pas le travail de vue. Je ne cherche qu'à me maintenir dans une certaine voix, qui est ma *vraie* voix. Il faut que je sois rendu à moi-même, à la limite, que je me retrouve tel que j'*étais* et que je me suis perdu : il me faut me reconnaître. C'est la vie *rendue*.

Je vais tâcher de voir Moussia aujourd'hui, mais il faut aussi que j'aille à Fontainebleau voir Mlle Sicard[1], secrétaire de Pleven (le président du Conseil) ; j'ai à lui parler de plusieurs choses dont la S.E.C.

À l'instant téléphone Camus. Je déjeune avec lui tout à l'heure.

1. Jeanne Sicard, d'origine oranaise, avait connu Albert Camus en Algérie où elle appartint à la même cellule communiste que lui et joua dans la troupe du Théâtre du Travail, puis du Théâtre de l'Équipe. Engagée du côté de De Gaulle pendant la guerre, elle rencontra René Pleven dont elle devint le chef de cabinet lors de ses nominations ministérielles successives.

Que voilà donc des notes hâtives et brisées ! Ah, il faudrait le silence, le temps, tout laisser se recomposer en soi-même, *lentement*. J'ai soif de ce repos-là où je pourrai enfin tout laisser naître et renaître. Être dans le travail, la découverte, la perfectibilité, la conquête, et tout ce qu'il y a de bon.

Mardi 31 octobre — Je ne suis pas encore parti pour l'Allemagne parce que je n'arrive pas à me faire donner le visa, ce qui m'exaspère. À cause de la Toussaint, je n'espère plus que cela soit possible avant vendredi prochain.

Samedi 4 novembre, dans le train allant vers l'Allemagne. Journées confuses, journées d'absence. Pourquoi se résout-on à cela ? Je ne l'ai jamais compris et aujourd'hui encore moins. Se laisser *déposséder* de soi-même, c'est la grande faute, et même le grand crime. Rien ne vaut le silence créateur, je suis sûr de cela, et j'aspire à cette conversion. Il faudra bien que cela soit.

Lundi, le 6 novembre, Mayence — Fatigue du voyage, dispersion, présences, obligation de penser aux conférences que je vais faire.

Avant de quitter Paris, j'ai dîné avec Moussia et Gino au restaurant de la rue des Canettes. Vendredi je partirai pour Berlin : j'y resterai jusqu'à dimanche soir, ensuite je reviendrai à Mayence. Le 15 je serai en Suisse, puis à Venise, une semaine après. Il se peut que j'aie à aller à Paris pour quarante-huit heures.

Me voilà de nouveau interrompu. C'est affreux.

Le 16 novembre, La Chaux-de-Fonds — Je suis en Suisse depuis hier. Ce soir, je parle ici, demain au Locle, cité voisine. Ensuite, soit samedi, je pars pour Paris où j'ai rendez-vous avec Mlle Sicard. Aussitôt après, je reprends le train pour l'Italie.

Ma fille est restée à Lausanne avec son fiancé et rentrera seule.

Du 22 novembre au 1er décembre, Venise.

Dimanche 3 décembre, Paris — Malgré la fatigue, j'ai beaucoup pensé au travail, dans le chemin de fer et depuis. Il ne
faut pas trop attendre, sans rien précipiter cependant, sans
rien hâter. Il faut savoir prendre tout son temps, c'est la meilleure manière d'aller vite.
J'ai un programme très chargé. Si chargé que momentanément j'ai renoncé à la Bretagne. C'était trop court. Et je dois,
dès demain lundi, présider à ce repas Renaudot qui me vieilli-
ra d'un an.
J'ai vu Havet et je le revois tout à l'heure. J'entre à l'Unesco
lundi. J'ai vu hier Mme Romain Rolland, qui va adhérer à la
S.E.C.

Mardi, le 5 décembre — Il n'est pas facile d'écrire comme je
le voudrais dans ce journal, après la journée d'hier (le prix), le
déjeuner Renaudot, les cocktails, un article à écrire pour *Les
Nouvelles littéraires,* un dîner avec les Gallimard et ensuite au
théâtre avec les mêmes, à la générale d'une très mauvaise pièce
de Sartre, puis encore, une longue station pour souper, et ren-
trée vers deux heures du matin. Aujourd'hui, les affaires *Caliban,* et mon installation à l'Unesco[1] où j'écris ces lignes absur-
des. Je suis *hors* de moi, mais résolu à rentrer en moi-même,
et, dès demain matin, revenu ici dans un très somptueux
bureau, à me mettre très sérieusement au travail, j'entends par
là : le *roman,* et tout ce qui est entendu en fonction de la S.E.C.
Je suis sûr d'y parvenir.

Le 7 décembre — Demain vendredi je partirai pour Saint-
Brieuc d'où je reviendrai lundi. Je suis à l'Unesco dans l'ancien bureau de Piovene parti pour les Amériques. Malgré tout,
hier, j'ai un peu travaillé au *roman.*

---

1. Louis Guilloux avait été chargé par le directeur de l'Unesco d'une étude sur les
problèmes relatifs à la diffusion de la culture.

Le 12 décembre — Je suis rentré de Saint-Brieuc hier. J'ai un travail fou et des rendez-vous innombrables.

Le 14 décembre — Je viens de déjeuner chez Florence Gould. Ensuite, je suis allé au Pen Club, où c'était la vente annuelle. J'y suis peu resté et me voilà à l'Unesco. Tout à l'heure, ce sera le cocktail Gallimard. La vie est donc bien remplie : n'insistons pas. J'attends le soir et la retraite dans ma chambre, mon travail.

Le 18 décembre — Il y a tant de choses à faire, de questions auxquelles je devrais répondre, et la vie que je mène ici est si encombrée de toutes sortes d'affaires, qui ne souffrent pas de délai, que vraiment, je me sens dépossédé et coupable, dépossédé de moi-même, et que je ne sais pas si je pourrai sans dommage continuer longtemps ce train.

Hier dimanche, pour une fois, j'ai pu passer toute une journée à ne penser qu'à mon travail. Je suis resté toute la journée enfermé dans ma chambre, chez Claude[1], j'ai déjeuné chez lui, dîné au Vieux Paris, et suis rentré aussitôt pour travailler encore.

Quelqu'un vient de me dire que malgré les voyages, toutes mes lettres semblent écrites à partir d'une chambre. Cela m'a bouleversé et profondément instruit. Je ne cesse d'y réfléchir.

Il faut que je quitte ce bureau en hâte pour aller à la N.R.F. et de là aller dîner chez Jaujard[2].

Mardi 19 décembre — Je n'ai plus le moindre repos ni le moindre silence, sauf le soir et la nuit. Cependant, je trouve quand même quelques instants heureux pour penser un peu au roman.

Demain, je verrai Florence Gould.

1. Claude Gallimard.
2. Jacques Jaujard était directeur général des Arts et Lettres.

Mercredi 20 décembre — J'ai eu hier soir une longue conversation avec Louis Jouvet au sujet d'une pièce à tirer du *Sang noir*. Jouvet m'encourage à entreprendre la chose. Je dois le revoir prochainement.

J'ai passé un long moment chez Florence Gould ; il y avait beaucoup de monde comme toujours, dont Amrouche, et elle était d'ailleurs comme toujours assez ivre, mais d'une manière très sympathique.

C'est un kaléidoscope perpétuel d'où il me semble qu'il ne reste jamais grand-chose pourtant, peut-être parce que je ne suis pas assez attentif, ou trop préoccupé d'autre chose, ou trop nostalgique des vraies choses que je voudrais vivre et faire, assez étranger, voilà le mot, et plus qu'assez — ou bien encore assez paresseux, peut-être, bien que d'une activité peu ordinaire —, du moins : peu ordinaire pour moi. Je pense de nouveau à ce qu'on me disait récemment au sujet de l'absence presque totale du monde extérieur dans mes lettres, comme si je traversais le monde en aveugle. Cette remarque m'occupe beaucoup l'esprit, assez péniblement d'ailleurs, je dois le dire, et porte à la réflexion. Je me suis rendu compte que c'était parfaitement vrai, constant, et que, en même temps, cela n'était de ma part ni la conséquence d'une cécité volontaire ni celle d'un choix. En réalité, je suis très sensible aux choses, à la beauté des reflets de l'eau sur la chaussée, des brouillards légers d'un bleu si tendre sur la ville, comme l'autre matin, brouillards traversés d'un gros jet de fumée noire montant lentement de la cheminée d'un remorqueur sur la Seine ou du vol blanc de céruse des mouettes, le même jour. Je cherche pour le moment en vain d'autres exemples que je pourrais donner de ma présence aux choses, je n'en trouve pas, elle est grande pourtant, mais je ne sais comment il se fait qu'il me soit toujours si difficile d'en transmettre les témoignages, comme le prouvent en effet mes lettres, et mes livres. Je me rappelle qu'un peintre m'a dit qu'il n'y a qu'une seule couleur dans tout *Le Sang noir*, et que c'était celle des pantoufles de Cripure : des pantoufles marron. Tout cela va dans le même sens, et

met l'accent sur le même mystère. Je cherche en vain le pourquoi. Je ne trouve un commencement d'explication que dans
un sentiment très sourd, permanent, très romantique peut-
être, et peut-être très breton, du malheur de l'homme mortel.
Voilà à quoi aboutit la réflexion sur ce sujet. Je veux dire par là
une certaine pensée de la mort, ou, plus exactement, une certaine manière de se savoir et de se sentir mortel, si confusé-
ment que ce soit, aboutit à une sorte de *refus* du monde, qui
s'exprime constamment par une destruction persévérante de ce
qu'il contient de plus affirmé en tant que preuve de son existence vivante, de plus immédiat en tout cas : le monde des
objets, des formes, des couleurs. Cette méditation est peut-être
très mal commencée mais elle contient, j'en suis sûr, quelque
chose de vrai, pour moi en tout cas. Le monde qui nous entoure est un monde *solide :* la pierre, le ciment, le marbre, le fer,
l'ardoise ou la tuile, ou la brique, un monde d'objets *durs*, et
quelles que soient les combinaisons de formes et de couleurs
auxquelles il se prête, il reste toujours la tragique opposition
entre cette solidité, cette dureté, *et* la *chair.* On ne peut nier
cela. C'est peut-être ce que je ne cesse de sentir en marchant
dans la rue, et je me demande si les formes et les couleurs ne
m'apparaissent pas, sans que je me le dise, comme des *mensonges* dissimulant la *méchanceté* des objets, qui ferait que, par
instinct, je les refuserais. Je sais que je pense ici avec toute la
naïveté imaginable. Je puis continuer en avouant une chose
pénible, qui est que la sensibilité aux formes et aux couleurs
telles que les donne un paysage, qu'il soit de ville ou de campagne, implique une disposition au *repos* et c'est une chose que
je n'ai jamais. J'en souffre beaucoup. C'est peut-être aussi
romantique, mais je suis toujours à la gêne, et c'est là encore
une explication, la plus malheureuse de toutes peut-être, du
sujet qui m'occupe. Je donnerais beaucoup pour être capable,
comme je le vois faire à certains, de m'accouder à la balustrade
d'un pont, ou de m'asseoir sur un banc, et de rester là une
heure sans rien faire d'autre que regarder. Je donnerais vraiment beaucoup pour cela, mais hélas, j'en suis devenu incapa-

ble. Je parlais de repos tout à l'heure, et il s'agissait de repos de
l'âme, mais cette autre forme de repos qui consiste à s'asseoir
et à laisser venir vers soi un paysage, je ne l'ai pas non plus et,
pire que tout, je me sens très particulièrement malheureux si
j'essaye de me mettre dans le cas. Autrement dit, il m'arrive de
m'accouder à la balustrade d'un pont ou de m'asseoir sur un
banc : cela ne dure jamais plus de quelques minutes, je me lève
aussitôt et je repars, *comme si j'étais coupable d'une trahison
quelconque ou rejeté par les dieux,* autrement dit : comme si je
n'étais pas, ou plus, digne. Pendant toute mon adolescence et
une partie de ma jeunesse, les choses ne se passaient pas du
tout ainsi, loin de là. J'avais avec le monde des objets, formes,
couleurs, le monde des végétaux, arbres, fleurs, étangs, colli-
nes, un rapport tendre, et même amoureux. Nous nous parlions. J'ai aimé des arbres, je sais encore très bien quelles
échappées de paysage de terre silencieux, dans mon pays, me
remplissaient le cœur d'une émotion vivante quand j'avais dix-
huit ans, mais tout cela s'est perdu je ne sais comment, ou je
ne veux pas le savoir, et tout s'est retourné contre moi, c'est ce
que je veux dire quand je parle de coupable. J'aurais encore
mille choses à dire, au sujet des visages, cette fois. Mais il faut
que je m'arrête.

Jeudi 21 décembre — On m'a téléphoné de Londres pour
me demander trois conférences : Londres, Cambridge, Oxford.

Samedi 23 décembre — Je partirai ce soir pour la Bretagne
où je resterai jusqu'à mercredi. Je dois être en effet à Paris
mercredi 27 pour le rendez-vous avec le grand financier. À
Saint-Brieuc, je travaillerai très sérieusement à mon rapport
Unesco.

Mardi 26 décembre — J'ai retrouvé à Saint-Brieuc, parmi
d'anciens papiers, un fragment inédit du *Jeu de patience,* qui
exprime la joie (un aspect de la joie) du commencement du

travail. Je ne sais plus pourquoi je l'avais supprimé du livre, en grande partie par amour-propre, ou par pudeur, ou par crainte du ridicule.

Je rentre à l'instant à Paris, sous la neige.

Cette vie est difficile, on le sait, mais on ne le sait jamais assez. Ça ne va pas très bien ce soir. Rien de grave du reste, peu de chose : la conscience. Ça ira mieux demain.

Vendredi 29 décembre — Il est bientôt quatre heures de l'après-midi, et, depuis un peu avant dix heures ce matin, je suis dans ce bureau de l'Unesco, lisant des textes, prenant des notes, rédigeant des morceaux de mon rapport sur la culture populaire. J'en ai assez et plus qu'assez. Je n'ai fait qu'une très courte interruption, vers une heure, pour aller déjeuner, seul, dans un petit restaurant de chauffeurs de taxi, rue Wagram. Il faisait un froid de chien, ou de canard, au choix, et partout la neige déjà vieille, sale, jaune, durcie par endroits, et un vent coupant, un ciel gris-vert, et bas. On peut se représenter mon enthousiasme. Le bistrot était bondé, tumultueux, il y avait à côté de moi un petit vieux bien propre qui mangeait en réfléchissant, le cou bien enfoncé dans le col de son pardessus — et maladroitement, la servante a renversé la bouteille de vin. Il est tombé du vin sur la table, sur la manche du petit vieux, dans son fromage. Mon Dieu pourquoi est-ce que je raconte tout cela ? Mais je suis dans un jour où tout me poigne, m'émeut, m'attriste et en même temps me rapproche. Que se passe-t-il ? Je voudrais être ailleurs. Mais je suis là à écrire dans ce bureau trop chauffé, et si obscur, où à cette heure-ci de la journée, on n'y verrait pas pour lire, sans la lampe. Et pas un bruit. Pas le moindre signe vivant. J'ai une grande fenêtre, à droite. Elle donne sur une cour très vaste, carrée, entourée de murs de briques vernies, blancs et les entourages des fenêtres verts et, dans les fenêtres qui sont les fenêtres d'autres bureaux que l'Unesco, de grosses lampes rondes pendues aux plafonds, qui donnent de vagues idées de lunes. Voilà. C'est très triste, très négatif, j'en ai assez. Il va faire très froid quand je sortirai d'ici, je prendrai un taxi pour aller au café de Cluny où j'ai donné rendez-vous à Jean Grenier. Nous dînerons ensemble je ne sais où, ensuite nous irons chez le père Maydieu[1] où nous retrouverons Amrouche et Lescure. C'est une réunion de la S.E.C. Oui : après l'Unesco, la S.E.C. Il faut pourtant savoir ce qu'on veut, et le faire même contre soi-même. Mais que c'est difficile parfois ! Le rendez-vous avec le grand financier n'a pas encore eu lieu.

Le 31 décembre, Joigny — Je suis à Joigny pour un jour auprès de ma vieille amie qui, récemment, a été dangereusement malade. Je repartirai ce soir pour Paris et, sans doute, pour la Bretagne, jusqu'au 3 janvier au plus tard.

Je suis venu ici hier en voiture, par la neige et le verglas, il faisait terriblement froid, mais tout était très beau.

Je veux *ouvrir les yeux*.

1. Le Père A.J. Maydieu, directeur de la revue *La Vie intellectuelle*, membre de la S.E.C.

1951

Le 1ᵉʳ janvier, Paris — C'est à Joigny que j'ai commencé l'année ; j'y suis resté un peu plus longtemps que je ne pensais le faire, j'y ai trouvé ma vieille amie bien mieux que les nouvelles apprises récemment ne me l'avaient laissé supposer. Je suis rentré de Joigny ce matin. Me voici à Paris, au buffet de la gare Montparnasse, où j'attends de prendre (de reprendre) le train pour Saint-Brieuc, où je serai ce soir à huit heures.

Le 4 janvier, Paris — C'est une course incessante, entre les chemins de fer, les téléphones, les rendez-vous, etc.

...Les matins de brume, à Venise, où les piliers de San Giovanni et Paolo prenaient des formes indécises dans leur blancheur, enveloppées de vapeurs légères. J'ai vu ces lieux sous toutes les lumières. Pour l'instant ici, c'est la nuit presque noire ; il est six heures et demie du soir et j'ai vu beaucoup de monde.

Samedi 6 janvier — Le cher Campagnolo ne me laisse pas une seconde de repos. Il ne me parle que de la S.E.C, du rapport pour l'Unesco, etc.
Je retournerai à Venise juste après le 15.

Le 8 janvier — Quelqu'un pourrait-il comprendre à quel

point l'excellent. Campagnolo peut excéder un homme ? Seigneur ! Il ne me quitte plus d'un instant, il est partout où je suis, il s'est installé dans mon bureau, il vient avec moi au restaurant, il ne songe absolument pas une seconde que je puisse avoir autre chose à faire — bref, c'est une épreuve, un nouvel apprentissage de la patience.

Je quitterai Paris pour Venise sans doute le 17, si rien d'ici là...

Le 13 janvier — L'excellent moine a quitté Paris ce matin à destination de la Suisse. Je suis épuisé après ces journées excessives en sa compagnie. Rien n'est changé quant à mes sentiments à son égard, mais la vérité m'oblige à dire qu'il est d'un maniement difficile. Il s'est fait ici une solide réputation de lourdaud. Tout cela d'ailleurs est futile ; le sérieux est que j'ai profondément souffert d'une contrariété de premier ordre, sa présence tyrannique et l'abondance des choses à faire m'ayant complètement détourné de moi-même. À présent, il faut se refaire une âme.

Je compte partir cette nuit pour la Bretagne. Lundi soir je serai à Paris : mardi j'aurai un rendez-vous avec Mlle Sicard. Pour l'Unesco c'est fini, mais le rapport n'est pas écrit.

Je compte sur le voyage pour rentrer en moi-même et pour retrouver ce qui me donnait tant envie, il y a quelques jours, de rompre avec toute obligation étrangère au vrai travail. J'apporterai à Venise beaucoup de papiers, et j'y travaillerai. J'aurai une chambre près de la tour de l'horloge. Cela m'enchante.

Il faut seulement que je ne me laisse pas tyranniser par le moine : il prendrait à chacun jusqu'à la dernière minute de temps, y compris celle du plus grand bonheur comme celle de l'agonie, pour sa réussite.

Du 21 janvier au 20 mars, Venise (Pensione dei Dogi). *Parpagnacco.*
Rome, Sienne. Mantoue, le 19 et le 20 mars.

Février — *L'homme et son image*. Pourquoi écrire ? Pour s'équilibrer (à un monde absurde, etc.). Pour transmettre.
Donner au personnage sa valeur de signe.
On *tue* le domaine qu'on s'emploie à fixer.
Entre le *connu* et le *signifié*. Faire bouger nos ignorances : nous amener à l'évidence.
Tout grand roman suppose une sensation (ou idée) du monde.
On ne *fait* pas de grands livres : *ils se font*.
Montrer.
Le *sentiment* de l'ignorance. Un grand problème : celui du temps.
Il ne s'agit pas de répondre mais de *s'interroger*.

Dimanche de Pâques, le 25 mars — Je suis arrivé à Lausanne ayant complètement oublié que c'était le vendredi saint, et que par conséquent tout serait fermé, les gens à la campagne, etc. Je comptais sur le samedi, mais les vacances ont continué : de plus, grève des chemins de fer en France. Bref, de fil en aiguille, me voilà en un lieu dit La Pelouse, près de Bex.
J'ignore quand et par quel moyen je rentrerai en France. Les nouvelles sont contradictoires, on me dit que les trains partent mais on ne me garantit pas qu'ils arrivent.

Le 27 mars, Bâle — Je rentre à Paris par Bâle. J'ai déjeuné à Bern, au buffet de la gare, au milieu de tristes Allemands.
Je vais travailler. Le roman malgré tout progresse.

Le 29 mars, Paris — Je quitte Paris dans une heure. Ce soir à huit heures je serai à Saint-Brieuc.

Le 31 mars, Saint-Brieuc — Pas facile. Je prévoyais bien des difficultés, mais... Tant de choses à faire. À quoi ai-je passé mon temps ? À tout, sauf au travail.

Le 2 avril — Les dispositions restent toujours aussi mauvaises. Le voyage en Suisse, et tout ce qui s'en est suivi, voilà qui
n'a pas arrangé les choses. Ah, cessons nos plaintes. Je ne suis
pas tel qu'il me faille toujours gémir.

Mardi 3 avril — Mes papiers sur ma table, grosses piles, je
vois l'immensité des choses à faire.

Il est onze heures du matin. Ciel très gris, vent qui souffle
avec grande violence autour de la maison. Vent de mer. C'est le
vent de la mer qui nous tourmente. Ce qui n'empêche pas un
oiseau de chanter sur la plus haute branche du cerisier en
fleur.

Dire qu'il va falloir partir pour l'Angleterre ! C'est absurde.

6 avril 51 — Il est encore très tôt, pas huit heures du matin,
depuis un bon moment je suis à ma fenêtre, celle qui ouvre sur
la campagne et sur la mer, je regarde se lever le jour. Il me
semble que la journée sera très belle et limpide, chaude, peut-
être ; le vent, qui tous ces jours derniers nous harcelait s'est
calmé, et il n'en reste plus qu'un léger souffle qui parcourt
l'air en faisant à peine frémir les branches des arbres, et sur
les fils de fer, le linge qui sèche dans les jardins. C'est la première fois, depuis mon retour ici, que je puis rester un peu
devant une fenêtre ouverte sans geler. Tout est très beau, ce
matin, paisible et frais, jeune, vivace, comme dit le poète. C'est
la naissance du jour. Bien sûr, parce que j'ai été trop paresseux,
j'ai raté le lever du soleil : puis-je me promettre de ne pas le
rater demain ? Non. Je ne promettrai rien. Il ne faut pas trop
faire les choses exprès. C'est la lumière qui m'a attiré. Je me
suis approché et je suis resté ébloui. La lumière, et le chant des
oiseaux. On dirait qu'ils sont partout et pourtant je n'en vois
pas un seul. Comme ils ont des voix puissantes ! Il y en a un
surtout, quelque part, qui pépie, ce sont deux notes stridentes,
je ne sais pas de quelle sorte d'oiseau il s'agit — mais je l'entends, et un autre lui répond. Qu'est-ce que j'entends encore ?
Des voix humaines. Il y a un homme qui bêche, et il a dit

quelque chose à une femme qui venait prendre quelques carot-
tes, je pense, ou quelques poireaux, dans un jardin. Elle lui a
répondu. Je n'ai pas compris ce qu'ils se disaient — mais leurs
voix avaient quelque chose de très innocent. Un coq s'est mis à
chanter, un peu bêtement. On a ouvert des volets quelque part
en les faisant claquer contre le mur. Tout à l'heure j'entendais
le petit train haleter et souffler et, à présent, c'est le klaxon
d'une auto qui passe sur le boulevard. Mais ce que je ne puis
exprimer, c'est la rumeur qui semble provenir de la vie des
choses elles-mêmes, de la vie de la terre, de l'ensemble, et courir d'un bout à l'autre du paysage. Tiens ! Un chien qui jappe.
Mais il s'est rendormi. Deux petits jappements, et c'est tout. Je
voudrais raconter ce paysage une bonne fois, bien qu'il me
semble l'avoir déjà fait dans mes livres. C'est difficile parce
que je ne sais pas par quel bout le prendre, si je dois descendre
du ciel sur la terre ou monter de la terre au ciel, parler d'abord
de la mer qui est au fond, ou de mon jardin, que j'ai en bas
sous les yeux. Restent aussi l'est et l'ouest : c'est aussi vaste
qu'on peut l'imaginer. Devant moi, l'infini — la mer au loin,
la route du large. Je sais bien, et je vois mieux encore que les
côtes de la baie ferment le paysage et pourraient faire ressembler ce que je vois de mer à un lac — mais les côtes elles-
mêmes ont ici quelque chose de si libre ! Et, au-delà, un tel
appel ! J'ai toujours senti cet appel, j'y ai parfois répondu. En
vérité, j'étais un vagabond. Je comprends parfaitement les
hommes qui partent sur les routes, à pied et sans rien en
poche. (Deux pies traversent les jardins.) Les cheminées fu-
ment. Très ménagères. La soupe. J'ai cent fois essayé, depuis
que je le connais, de dessiner ce paysage, au sens exact du mot,
avec le crayon et la couleur, et j'ai naturellement cent fois
échoué, pas seulement à cause de mon manque d'habileté, ce
manque est très grand, mais aussi parce que ce paysage est très
étalé, très dispersé, mais gâché par des maisons qui d'ailleurs
me tournent le dos, et qui sont fort laides. Non seulement elles
sont fort laides, mais elles ont détruit certaines lignes harmo-
nieuses du lieu. Ce sont les maisons qu'on voit d'abord ; elles

tiennent une place considérable dans cette immensité. J'aime
les maisons, mais les maisons — même si elles n'ont pas un
grand style — pourvu qu'elles soient humaines, comme le
vêtement est humain, qu'elles aient quelque chose de tendre et
de charnel, comme si souvent les maisons italiennes, celles par
exemple que je voyais de ma fenêtre à Sienne, je les revois très
bien, leurs toits rouges, leurs volets verts — des maisons-
habits. Celles-ci sont de vraies boîtes de bazar, grises, avec des
airs de mauvaise humeur et des toits d'ardoises tout neufs, des
murs crépis, muettes, têtues, assez fantastiques en un sens —
mais le mauvais — et, de plus, disposées dans un ordre chaoti-
que que rien n'explique. Mais il y a d'abord, au premier plan,
les jardins, dont le mien, qui est fort mal tenu. La seule beauté
qu'il possède lui vient du grand cerisier pas encore tout à fait
en fleur mais en bourgeons ; il est très branchu et très gai,
c'est tout ce qu'on peut dire de lui pour le moment — mais
dans le jardin du voisin, à gauche, il y a des pêchers en fleur.
Que j'aime ce rose lumineux et si léger, cette qualité de rose
des pêchers ! Il y a des pêchers et des poiriers chez le voisin, et
des choux et des salades, et des artichauts, quelques fleurs dans
le jardin du voisin de droite, et puis d'autres jardins, à droite
et à gauche, de la terre fraîchement bêchée, un peu lourde,
assez mouillée, des murs de clôture en aggloméré ou des simples grillages, et puis toujours devant moi, une grande et longue haie, un buisson de charmille, je crois, d'un vert très doux,
comme du velours, avec une grande variété de teintes foncées
et claires sur la crête de la haie, deux grands tas de paille
derrière la haie, et puis les maisons et, derrière les maisons,
au-dessus, un vieux moulin sans ailes. Après cela, les côtes et la
mer. À gauche, c'est un coteau, tout à fait charmant, avec des
petits hameaux, de petites routes, des arbres sur la frange
contre le ciel, très légers et très lointains, un clocher — c'est le
clocher du village de Saint-Laurent — et la maison de Lambert que je vois très bien. C'est donc dans le cimetière de Saint-
Laurent qu'il a été enterré. C'est dans l'église de Saint-Laurent
qu'a eu lieu le service funèbre. J'y repense souvent — toujours

quand j'entends la cloche de cette église, une sale petite cloche au son maigre, comme un jappement de roquet. Ce coteau, que je connais par cœur, dont je connais tous les sentiers, où il n'est pas un endroit qui ne me rappelle quelque chose. Ce coteau très tendre est du point de vue des couleurs un méli-mélo de brun, de vert, de noir et de blanc, de rose un peu, sous un ciel devenu un peu nuageux, mais très lumineux encore, un ciel lent, un peu éteint au-dessus de la mer sans un pli de ce côté, vide, et, aussitôt après le vert un peu cru de la côte gris-bleu, mais à peine de bleu, gris-acier peut-être, ce qui fait paraître presque blanc le ciel à l'horizon. Tout change au fur et à mesure que le jour se lève. Depuis un instant, tout s'est foncé d'un côté, éclairé de l'autre. On dirait qu'il va pleuvoir sur la mer, à gauche du moulin, tandis qu'à droite, tout s'est irisé...

Mardi 10 avril — Je travaille jour et nuit, pour ainsi dire, d'abord à la remise en état des lettres sous le titre *Absent de Paris*. J'espère en avoir terminé avant la fin de la semaine. Ensuite, je me suis remis au roman, le vrai, auquel je donne provisoirement le titre jeté en l'air : *Les Idiots*. Tout à fait par hasard, j'ai écrit le premier chapitre du roman vénitien, sous le titre *Parpagnacco*. En recopiant le premier chapitre de *Parpagnacco*, j'ai éprouvé que c'était un grand bien et que tout s'améliorait. Il faudrait pouvoir faire cela sinon tous les jours, du moins très souvent, ne jamais perdre le train. En somme, il faut écrire comme on parle, ou à peu près.

Jeudi 12 avril — J'achève la mise en ordre d'*Absent de Paris*.
Je travaille aux *Idiots*. Je ne voudrais faire que cela. Et continuer un peu *Parpagnacco*. Je ne crois pas que je garderai comme titre *Les Idiots*, j'aimerais mieux *La Délivrance*.

Le 18 avril — Hier soir, est arrivée Mme Magrini. Ce matin je vais lui montrer la ville, plus tard la mer, et demain nous irons quelque part en pleine Bretagne.

Le 20 avril — Je pars dans quelques minutes pour Carnac, c'est le bout du monde.

Le 22 avril — Je ne puis travailler, bien qu'en crevant d'envie. C'est une question de temps et de possibilités concrètes. Ce soir viendront ici Pleven et Sicard.

Lundi 23 avril — Hier soir, dimanche, sont venus dîner à la maison le président et sa secrétaire. Mon Dieu que ces hommes politiques sont des grossiers personnages ! Quelle absence de manières, quel manque d'esprit ! Il revenait de la campagne, où sans doute il avait dû rencontrer un grand nombre de ses électeurs, et trinqué avec eux. Sa secrétaire, fille pourtant fine et cultivée, était presque muette. Nous avons fait le dîner le plus difficile du monde, sans une idée, sans un mot drôle ou un peu instructif. Le seul moment où nous ayons ri, mais de bien bon cœur je dois le dire, c'est quand le président, s'étant aventuré à parler de Venise, a appelé « pirogues » les gondoles. Que tout cela est fatigant et quelle contrariété ! Pourquoi supporter ce qu'on refuse, par quelle faiblesse, ou dans quel espoir, je me le demande assez honteux de moi-même. Il était tard quand ils sont partis. Leur départ a donné à tout le monde le sentiment d'une corvée qui s'achève enfin. J'étais rompu. Il n'y avait plus qu'à dormir, le cœur chaviré, l'esprit en désordre, le travail pas fait, les lettres pas écrites, les romans épars. Je me suis rapatrié en lisant quelques pages de *L'Idiot*. Là, oui. Mais c'est là qu'il faut être. La question n'est pas d'un arrangement quelconque avec ce dont on ne veut pas, mais d'une rupture absolue. Je l'ai dit cent fois, maintenant je le veux et je le ferai. Il ne peut plus être question d'argumenter mais de décider.

Après un assez mauvais sommeil, j'avais la tête lourde, ce matin. J'ai cependant travaillé toute la journée, assez bien, mais je ne suis pas encore calmé. Il faut trouver la continuité dans un ordre qu'on a choisi, cela est évident. Rien ne peut tenir contre cette notion.

Demain, nous allons à Brest. La voiture viendra nous chercher à huit heures. Ce sera une grande journée de côtes breton-
nes et de calvaires. Si le soleil est aussi beau qu'il l'a été
aujourd'hui depuis le matin jusqu'au soir (il est près de huit
heures et nous allons dîner dans un instant) ce sera une
grande journée en effet.

... Comme le cœur me battait, en lisant L'*Idiot*, en retrouvant Nastasia Philippovna que j'ai toujours aimée, mais que,
pour la première fois, il me semble comprendre. J'ai, sans doute, fait des progrès. Il est vrai que... Et voilà pourquoi Nastasia
Philippovna m'est devenue tellement proche. C'est une nouvelle méditation qu'il me faut entreprendre, Dieu sait où elle me
conduira. Il est déjà tard (onze heures) et tout le monde s'apprête à dormir, sauf moi. Je suis seul dans ma chambre, en
train d'écrire. Nous avons fait un dîner léger, sans le moindre
président, fût-il du Conseil, sans la moindre secrétaire : nous
étions occupés de savoir où nous irions demain, si ce serait à
Brest, ou à la Pointe du Raz, ou ailleurs, et, finalement, nous
n'avons pris aucune décision dont nous risquerions d'être les
prisonniers.

Tous ces jours, je suis hanté par l'idée d'écrire dans la solitude, gravement. Les héros de ce récit seraient un lieutenant
et, mettons, un capitaine. Les hasards - et les malheurs — du
combat, où ils auraient sans cesse lutté côte à côte comme de
vrais frères d'armes, les auraient momentanément séparés. Ils
se connaîtraient l'un et l'autre, comme prisonniers. Voilà tout.
C'est tout le thème. Peut-être écrirai-je l'histoire. Je le voudrais beaucoup. Laissons aussi, pour le moment. Hélas, il faut
tout *remettre* et je serais si heureux de ne pas bouger de ma
chambre, et de travailler, d'écrire. Il va y avoir l'Angleterre et
il faut penser à ces conférences. Cela n'est pas facile. Rien n'est
facile pour le moment, mais tout changera aussitôt après l'Angleterre, j'y suis bien résolu. Il faudra changer tout à fait la
vie. Il n'est pas possible de continuer ainsi. J'ai beaucoup de
choses à faire, à dire, des œuvres à accomplir. Ça doit passer en
tout premier lieu et commander le choix même contre les

êtres. Il n'y a pas de question. Le « héros » doit sortir de prison
(le capitaine et le lieutenant aussi). La prison, c'est la honte
encore bien plus que la contrainte.

Mercredi 25 avril — Nous avons fait une très grande et belle
promenade jusqu'à Pleyben — et nous avons vu de très beaux
calvaires. Aujourd'hui, travail. Le jour se lève : tout semble
dire qu'il sera radieux.

... Dans la voiture, entre deux visites à des calvaires, j'étais
occupé à bien des choses particulières et j'ai voulu prendre
quelques notes. Mais j'ai dû y renoncer bien vite : il est plus
difficile d'écrire dans une voiture que dans un chemin de fer.
Le paysage était presque toujours d'une grande beauté et d'une
grande variété, très coloré, du jaune si lumineux de la fleur
d'ajonc partout répandue sur les landes et au long des chemins, du gris tendre et parfois un peu rosé des maisons, du
vert — des verts et des bruns des terres et des prés, du jaune
presque vert des champs de colza ; et que de pâquerettes, que
de violettes le long des haies, je n'en avais jamais vu autant à
la fois ! Du matin jusqu'au soir, le ciel est demeuré absolument
sans un nuage, d'un bleu léger, très doux, j'allais dire : au toucher, presque blanc au fond des terres, très loin, et il y avait
partout, le matin, des quantités d'oiseaux. C'était d'une fraîcheur et d'une jeunesse incomparables. Je m'étais levé de très
bonne heure — six heures et le ciel était alors tout rose, mais
d'un rose un peu fade — et la lune comme à minuit. Il est de
nouveau minuit, mais la nuit est parfaitement noire : noire à
ne plus retrouver son chemin : c'est ce que nous avons presque
éprouvé en revenant du cinéma, plus exactement : du ciné-
club, où l'on projetait cette rareté : *L'Opéra de quat'sous* — que
je n'avais jamais vu, dont j'ai entendu parler depuis 1931 où il
fit son apparition, comme d'un film très important — et que
j'ai vu sans y éprouver un très grand plaisir. Je crois qu'il n'y a
pas lieu de s'étendre là-dessus. Il vaudrait mieux se rappeler
qu'il n'y a pas de fleur qui retienne mieux la lumière et qui la
renvoie mieux que la fleur d'ajonc. Elle a l'air toute gonflée de

lumière. Et, aussi, qu'il y a du mauve et du violet dans les
terres fraîchement remuées. La lumière est presque toujours
ici une lumière brisée, les couleurs ne sont jamais très éclatan-
tes mais elles sont d'une diversité extrême. Malgré tout, on a,
en général, une impression de gris, là où la fleur d'ajonc n'apparaît pas — ce qui d'ailleurs est rare en cette saison. Je ne
raconte tout cela que pour suivre les bons conseils qu'on m'a
donnés, et travailler à l'éducation de mon œil. Il se peut que je
commette de lourdes fautes d'ailleurs, mais je fais de mon
mieux.

Le 26 avril — Mme Magrini est partie ce matin. Il me reste
moins de huit jours avant mon départ pour l'Angleterre.

Le 1ᵉʳ mai — Je quitterai Saint-Brieuc vendredi à minuit.
Samedi, je serai à Londres. Je parlerai lundi à Oxford. J'ai
grand sommeil : et il faut que je me remette à cette conférence
sur l'absurde et le possible.

8 mai 1951 — Sur le pont de Waterloo, appuyé à une ram-
barde en fer comme si on était, déjà, sur le pont d'un navire. Il
est environ cinq heures de l'après-midi. Je reviens de Ludgate
Hill. Je voulais revoir la City, et Saint-Paul. J'ai parcouru Fleet
Street et le Strand, et suis entré dans Saint-Paul et resté là un
long moment pendant qu'on célébrait un office : tous les cafés
sont fermés à partir de trois heures de l'après-midi jusqu'à
sept heures. Il n'était pas question de trouver le moindre
« pub » pour s'y asseoir et s'y reposer en buvant un verre de
bière. Et d'y ouvrir son carnet, pour noter dedans une petite
pensée, un petit souvenir, une couleur... Et pas un banc. J'ai
fait le tour de Saint-Paul à travers les destructions. Mais de ces
destructions, je ne parlerai pas. Il y a quelques mois à peine,
j'étais à Berlin. Ensuite, j'ai vu Milan, Florence... On m'avait
dit qu'à Florence les dommages étaient peu considérables et
qu'on avait épargné le Ponte Vecchio. C'est vrai. Le Ponte Vecchio est toujours debout, mais il ne reste rien des autres, et

Florence est défigurée. Comme j'avais le cœur serré, devant ces ponts sur l'Arno, avec leurs béquilles de bois noir, comme des infirmes !... Les ruines de la colère, les ruines sans beauté, froides, qui ne sont que des gravats à emporter. Ce ne sont pas des ruines, ce sont à proprement parler des ordures. On n'y touche guère. Elles tomberont en poussière et le vent les emportera, ou bien, comme derrière Saint-Paul, on les déblaiera pour construire des jardins, c'est tout ce qui reste à faire.

Le temps, depuis ce matin, est extrêmement brumeux et froid. Hier, c'était le vent d'est. Un très mauvais vent coupant et glacé. Aujourd'hui, je ne sais pas d'où il souffle, mais il devient franchement désagréable.

Les rouges sang de bœuf des autobus, les jaunes presque dorés mais éteints des enseignes, le bronze, le cuivre — le gros camion bariolé tiré par de gros chevaux poilus dont les fers claquent sur le pavé (et j'ai vu un abreuvoir en pleine rue, pas loin de là où j'habite, tout près des Boltons gardens, c'est-à-dire tout près d'Old Brampton Road), le vert des vêtements, des toilettes des femmes, tout cela baigne dans un brouillard léger qui se résout en gouttelettes partout où il y a un fil, une barre — le pavé est gras, parfois mouillé.

Les grandes réclames aux couleurs criardes.

Il y a aussi les pigeons de Trafalgar Square, autour des fontaines, au pied de la Colonne Nelson — mais quels pauvres petits pigeons comparés à ceux de Saint-Marc !

Le lion de Saint-Marc n'effraie pas les pigeons. Les lions de Trafalgar Square non plus.

On a pitié des pigeons de Trafalgar. C'est la tristesse et la pauvreté.

On se console en écoutant le très beau carillon de Saint-Martin-in-the-fields...

... Et la réception du roi et de la reine de Danemark ; la foule à Waterloo Station. Les gens qui avaient une glace.

Les gardes à cheval (horse guards) aux cuirasses dorées étincelantes, les hommes de la police à cheval, en noir, ou bleu

foncé, avec leurs casquettes, qui ressemblaient aux pelotons de policiers conduits par le shérif à la poursuite du noir bandit dans les films américains.
La sentinelle à la veste rouge et au bonnet à poil noir devant le palais.

Middle Temple Lane. On entre par Fleet Street. C'est le vieux quartier des avocats. Balzac anglais. L'horloge de Westminster sonne midi.
La tour du Law Courts surmontée du drapeau.

Threadneedle St. où est la Bank of England, juste derrière Saint-Paul. C'est le début de l'East End, c'est-à-dire du quartier juif et du quartier chinois, berceau des cockneys.

The Three Nuns — c'est le début de Whitechapel.
Le port de Londres — les grues, les cheminées.

L'orgue de Barbarie que manœuvrait un vieil homme, ancien combattant (et le groupe de trois anciens combattants aperçus dans la rue le matin, ils jouaient du trombone à coulisse, un quatrième faisait la quête — c'est une organisation, me dit-on).

And happy as a King, believe me
As we are rolling home...

... L'orgue de Barbarie bien fatigué lui rappelait les pianos mécaniques des maisons d'autrefois. La boîte couverte d'inscriptions, la toile cirée roulée sur le toit. Une croix rouge. Ce devait être un drapeau, l'Union-Jack. Une inscription sur une pancarte. Lettres blanches. Fond bleu. Les brancards verts. L'homme avec ses trois médailles, la Victoria Cross peut-être. Son pardessus noir, sa casquette marron, ses souliers jaunes bien cirés, sa petite bourse en toile verte à la main, son œil rouge, sa gueule de travers, son abcès. Son foulard gris-bleu. Dans la lumière très grise de Londres.

Les femmes indiennes qui passent.
Les belles étudiantes qui vont au British.

À deux pas, la *telephone-box* en rouge vif, comme le rouge des autobus et des beefeaters.

À la sortie de Londres (par Victoria) un train absolument vert cru sur le paysage de ville grisâtre, bleuâtre dans la brume légère du matin.

Les chevaux sont couchés dans le pré (je crois n'avoir jamais vu de chevaux couchés), si innocents sous les pommiers et les cerisiers en fleur. Une grande pancarte : News of the World.

Près de la porte, la maison du chat, avec ses deux lumières.

The Band devant Saint-Paul. Rouge et noir. Les colonnes noires, les vestes rouges.

> *Hearts of oak are our ships*
> *Hearts of oak are our men.*

À Oxford, on aurait dit (dans le quartier où nous étions) qu'il n'y avait pas de ville, mais des maisons dans la campagne.
Parfois un peu plus nombreuses.
Il y a tant d'arbres partout...
Le téléphone dans le taxi...

Moi qui n'avais jamais vu le nom de Newcastle que sur les bateaux.

La mer, après le pays noir de Newcastle, les « crassiers » comme en Belgique, comme dans le nord de la France et dans la Ruhr, les mines et les hautes cheminées fumantes.
Les *oast-houses* avec leurs petits bonnets de métal (dans le Kent), elles ont l'air fantastiques.

Couleurs : La brique noircie, parfois belle, entourée de son jointoiement blanc.

Il y avait quelques maisons de briques assez belles, mais qui faisaient trop penser à des églises et à des temples.

Les taxis, avec leur voyant lumineux (rouge) au front — *For Hire.*

La mer toute bleue après les pâturages, toute calme sous un ciel tendre et soyeux, bleu, blanc, à peine taché sur l'horizon de quelques petits nuages rosâtres. Les wagons pleins de charbon, les crassiers encore, les bennes, et puis, de nouveau, l'herbe vert cru, les arbres presque sans feuilles aux troncs noirâtres, aux branches verdies de mousse.

L'ombre de la fumée du train sur les champs de luzerne.

Dans un champ autrefois terrain d'aviation des centaines et des centaines de tanks, sous leurs bâches, en train de rouiller là depuis trois ans.

Le rêve extraordinaire, la main sur la bouche, la main insistait pour le faire mourir.

Les cochons noirs, et ceux, de Russie, que G. voulut voir — il fit arrêter la voiture.

Le bateau naufragé, sa coque bleue, ses mâts blancs, couché comme un malade, la mer très calme.

Berwick. Les toits rouges de Berwick. Ses ponts sur la Tweed. La mer. Le phare.

Les maisons entièrement en briques, le toit en tuiles. D'autres toutes en briques, toit d'ardoises.

Les terres inondées en arrivant près de York.

On crache sur le cœur en pavé là où se tenait le lieu d'exécution.

Please do not spit on the pavement.

Édimbourg : Calton Hill, où les gens d'Édimbourg à vingt ans viennent avec leur amie et à soixante avec leur chien.

Dryburgh Abbey, où Walter Scott et Lockhart, son biographe, sont enterrés — pas loin de Lord Haig, qui a beaucoup de couronnes rouges.

... et, comme on dit en Écosse, saint Michel est bon pour les étrangers.

Mardi 15 mai, Édimbourg — Jeudi, je repartirai pour Londres. Voici un petit conte intitulé *Le plus bête* :

« C'est bête comme chou », disait un jour une oie on ne sait à propos de quoi. Le chou entendit cela. « Vous n'avez pas honte ? répondit-il. Attaquer des gens sans défense ! Toi, l'oie, tu es plus bête que le dindon. » Le dindon avait l'ouïe très fine. « Chou, tu me le payeras ! » dit-il. Et il le piqua d'un coup de bec. Comme il était très orgueilleux, il se retourna vers les autres et dit : « Le plus bête, ce n'est pas moi ; tout le monde sait que le cochon est le plus bête. — Non, dit le cochon, c'est le bœuf. Voyez son front célèbre ! — Pas du tout, répliqua le bœuf, c'est la vache, vous parlez si je la connais ! » La vache éclata de rire. « Et l'âne ? » fit-elle. Puis elle se remit à paître. Vint à passer justement un âne. « Voilà le plus bête ! » s'écrièrent tous les animaux en chœur. (Et aussi le chou.) « Ouais, dit l'âne en clignant de l'œil, je suis le plus bête, on le raconte, mais je sais une chose : demain, le roi marie sa fille : il y aura un festin de tous les diables, et vous irez tous à la casserole ! »

Chez Odile de Laprade, en pleine campagne, dans le Sussex, à deux pas de la célèbre Pevensey Bay où le 20 septembre 1066 débarqua Guillaume le Conquérant, qui battit Harold à Hastings le 14 octobre suivant. Prenons une carte et cherchons sur la côte Sud, Eastbourne. L'endroit où je suis est à quelques kilomètres de là, vers l'est, pas loin de Newhaven. La ville la

plus proche est Battle. A ma « conférence » de Londres, se trouvait Odile, amie d'Albert, rencontrée chez lui naguère et qui,
depuis, s'est mariée en Angleterre. C'est à une heure et demie
de Londres.

Au *pub* villageois où je suis allé l'autre soir avec Odile, les
femmes buvaient de la bière sans dire grand-chose pendant
que les hommes jouaient aux fléchettes. La maison où je suis :
une belle maison victorienne, au milieu d'un vaste jardin rempli de fleurs et d'oiseaux — de merles surtout ; il y en a un, je
ne sais comment il fait, qui n'arrête pas un instant de chanter.
Quelle puissance ! On me raconte ce qui s'est passé dans cette
maison à la fin du siècle dernier. La conteuse : une vieille voisine en visite. Aux précautions et au ton de mystère de la
conteuse, j'ai tout de suite pensé qu'il allait s'agir d'une maison hantée ou de quelque chose comme cela. On a commencé
par me parler de certains vieux originaux de l'époque victorienne, et justement, le propriétaire de cette maison, en ce
temps-là, en était un. Il avait toujours espéré que sa femme lui
donnerait un fils, et entra dans la plus violente colère de sa vie,
le jour où elle lui donna une fille. Mais comme il était ce qu'il
était, et n'admettait pas que la volonté des dieux vînt contrarier la sienne, il décida que cette fille serait un fils, *était* un
fils. Il l'éleva comme un garçon, lui parla et exigea qu'on lui
parlât comme à un garçon, l'envoya à l'école chez les garçons,
etc., jusqu'au jour où la malheureuse créature atteignit sa sei-
zième année. En sortant de la chambre que j'occupe, je n'aurais que quelques marches à descendre pour arriver à un
demi-palier, et trouver une autre chambre, tout près de la salle
de bains (qui n'en était sans doute pas une à l'époque), une
chambre très banale, mais dont le plancher ne ressemble pas à
celui des autres. Pas tout à fait. Il est du même bois, mais on
dirait que le bois a souffert, qu'il s'est usé *autrement*, qu'on l'a
par endroits gratté. Il porte comme une longue trace en son
milieu et la vieille bonne vous dira que cela peut bien arriver
dans les chambres qu'on abandonne aux enfants. Ces chères et
charmantes créatures abîment tout. Mais dans cette chambre-

là, il n'y a jamais eu d'enfants. La chambre des enfants se trouve aujourd'hui et depuis longtemps à l'étage supérieur. C'est maintenant la chambre de la charmante petite Olivia et du turbulent Andrew. La charmante petite Olivia — si gracieuse ! — c'est elle qui a tout changé, quand elle est née, il y a deux ans, parce qu'elle était la première petite fille à naître dans cette maison depuis un siècle. Mais tant qu'Olivia n'avait pas montré son gracieux visage, le fantôme de Rebecca hantait la maison. Ne me dites surtout pas que ce n'est pas vrai. A coup sûr c'est le fantôme de Rebecca, la malheureuse, qui hantait la maison. Celle qui était restée si longtemps enfermée dans cette chambre-là. Et les traces sur le plancher sont les traces de ses pas. Pas du tout l'œuvre des enfants. L'usure de ses pas de prisonnière. Voyez, monsieur, comme on était dur autrefois. Naturellement, je n'ai connu aucun des personnages de cette horrible histoire, mais mon grand-père les a connus et, même, il avait entendu le cri. Le cri de Rebecca, dans une certaine circonstance. Des cris — oh, ces hommes de Dieu sont terribles ! Vous ne saviez pas qu'autrefois cette maison avait été le presbytère ? Mais si — on l'a un peu modifiée depuis, agrandie — ce n'est plus un presbytère. Mais du temps de Mister Penfold, c'était le presbytère. Et Mister Penfold était le pasteur. Il était grand et beau, terrible. Il avait une femme qu'il avait rendue muette, et trois filles : Rebecca la malheureuse, et plus tard Rachel et Marthe, je crois qu'elles s'appelaient ainsi. Pour Rebecca, je suis sûr ; pour les autres, non. M. Penfold était, en plus, un gentilhomme. Il en avait toutes les manières. Peut-être même plus un gentilhomme qu'un pasteur. Deux des filles se marièrent, pas Rebecca. Elle n'était pas comme les autres. Un jour, elle avait dépassé sa vingtième année, elle tomba amoureuse d'un paysan. Quand son père le pasteur sut cela, il enferma Rebecca dans cette chambre. C'est alors qu'elle commença à user le plancher. Il la tint enfermée longtemps, un an, deux ans. Elle se sauva un jour et alla se jeter dans l'étang. Le père la retira de l'étang et la ramena chez lui à coups de fouet. C'est alors qu'elle poussa les cris que mon grand-père entendit.

Il l'enferma de nouveau, et elle continua à user le plancher pendant des mois et des mois, puis elle s'empoisonna.

Vendredi 25 mai, Londres, Paddington Station — Je vais pour la journée à Taunton, dans le Somerset. C'est là que j'ai passé mes premières grandes vacances de jeune lycéen, en 1914 et je ne veux point quitter l'Angleterre sans être retourné à Taunton, ne serait-ce que pour quelques heures. Il se pourrait que tout le monde ne soit pas mort... Mon intention est de revenir ce soir à Londres, d'y rester encore toute la journée de samedi et, si aucune raison particulière ne survient, de rentrer en France dimanche. Je serais donc à Paris lundi pour quelques jours.

Hier soir, surprise de rencontrer, chez Bernard Wall, Angioletti[1]. Il était là, avec une secrétaire de la radio italienne, pour une tournée de reportages. Il arrivait de France, où il avait vu beaucoup de monde et m'avait cherché sans me trouver.

Il y avait aussi chez Bernard Wall la marquise Claudia Patrizi qui m'a invité à dîner chez elle demain soir.

Samedi 9 juin — J'ai perdu mon stylo hier. Cela se passe de tout commentaire.

Jeudi 14 juin — A la terrasse du Rouquet (onze heures du soir). Jamais de ma vie encore je n'ai assisté à un aussi furieux orage que celui qui m'entoure. Tout tremble et fume, gronde, fulgure. L'eau ruisselle, gicle et rebondit de partout, les bruits sont infinis dans leur variété, la terrasse est bondée de gens qui pépient comme des oiseaux : les taxis courent sous le déluge, les éclairs crèvent le ciel, on siffle, on crie, on sue, personne ne sait si ça va durer dix minutes ou dix heures ou jusqu'à la fin du monde et pendant l'éternité. Personne ne sait comment

---

1. Giovanni Battista Angioletti, écrivain, rédacteur en chef des services littéraires à la Radio italienne (RAI).

rentrer, moi je m'en fous. Ça gronde toujours, la pluie redouble...

J'ai vu ce matin un médecin, il paraît que je vivrai cent ans.
Allons-y !

Le 17 juin — Je pars à l'instant pour Saint-Brieuc d'où je
reviendrai dans deux jours pour repartir aussitôt pour la Suisse. Ma fille est à Lausanne.

Samedi 23 juin, Lausanne — Lausanne Palace. Palace grotesque, où, pourtant, un certain « confort »...

Le 9 juillet, Paris — Je suis resté hier encore à Paris pour
voir Grenier, que j'ai trouvé très ami. Je n'ai malheureusement pas vu Albert, et pas pu le joindre au téléphone. Je vais
encore essayer de le voir ce matin. Je pars pour la Bretagne à
deux heures.

Le 14 juillet, matin — Hier soir, 13 juillet, j'étais en ville,
étant sorti pour mettre une lettre à la poste et ne pensant qu'à
rentrer chez moi au plus tôt, mais j'ai été retenu par le spectacle d'une grande retraite aux flambeaux, et, un peu plus tard,
je suis entré un instant au café, y ayant aperçu le docteur Péri-
gois que j'aime beaucoup. Il était là malheureusement avec M.
M..., procureur de la République, qui m'a demandé à quoi je
travaillais. Je lui ai répondu, comme c'est la vérité, que je travaillais à un écrit sur la peine de mort. « Contre, j'espère ! »
s'est-il récrié. Cela m'a fâché, et je lui ai répondu : « D'abord
contre ceux qui la requièrent. » Il s'est mis à rire. Là-dessus,
est arrivé un troisième fratellini qui s'est mis à parler des
impôts, et je suis parti.

Je me suis résolu, ce matin, à employer la méthode que voici, laquelle consiste à écrire à peu près n'importe quoi et je
dirais presque à écrire pour écrire, mais avec l'espoir que la
préoccupation fondamentale, qui est celle du deuxième chapitre de *La Délivrance*, apparaîtra d'elle-même au bout d'un cer-

tain temps, entraînée par le flot, et qu'il n'y aura plus qu'à suivre dans le mouvement qu'on aura soi-même créé. Du reste, le fait d'écrire pour écrire comme je le fais en ce moment porte en soi sa propre vertu, ne serait-ce que par le fait de l'apaisement qu'il procure ; c'est aussi là un moyen de sortir de la crispation ou, du moins, de lutter contre elle, et, ce matin, je le trouve bon. Je trouve aussi qu'il n'est pas mauvais, pour moi, d'écrire plus lentement, de veiller à mieux former les lettres, etc. Ce ne sont pas là des bêtises. Si l'on veut faire une longue route, il faut trouver son pas, et il est raisonnable de penser que le meilleur pas est le plus égal, et le plus régulier, et qu'il n'est pas bon de sautiller si l'on veut marcher. Il n'est pas bon, non plus, de songer à se mettre en route quand on a les pieds malades ou les chaussures qui vous font mal, comme c'était le cas de mon héros, une fois sorti de prison, et par une nuit de neige, pour plus de difficulté. C'est avec cette nuit de neige que je ne parvenais pas à m'arranger hier soir. Je voulais peindre une nuit de neige, une vraie nuit de Noël, et je butais sur mes phrases que je ne parvenais pas à boucler, tout comme le pauvre héros de mon ami Albert : « Par une belle matinée du mois de mai, une élégante amazone parcourait, sur une superbe jument alezane, les allées fleuries du Bois de Boulogne. » C'est pourquoi, ce matin, redoutant d'en arriver là encore, j'ai pris un chemin détourné.

Une autre difficulté me venait du fait que je ne suis pas satisfait du nom que j'ai donné à mon personnage. Je ne l'ai jamais été jusqu'à présent. Je l'ai appelé Michel, mais chaque fois que j'écris le nom de Michel, je sens que ce n'est pas *lui*, et j'éprouve un sentiment bizarre de gêne, sachant très bien, d'ailleurs, que les choses n'iront jamais tout à fait bien tant que je n'aurai pas trouvé son vrai nom. Cela ne sera sans doute pas encore aujourd'hui. Mais il faut savoir différer.

Il faut se placer à l'égard des choses auxquelles on tient dans une attitude de modestie. Il est donné davantage, je crois, à celui qui n'exige pas et qui, sans soumission, mais de bonne volonté et de bonne foi, laisse faire. Nous ne sommes que le théâtre des choses. Il nous appartient de faire en sorte que, par le propre bruit que nous faisons, nous n'allions pas troubler la pièce. La première règle est le silence. C'est une règle très difficile à observer, mais il faut faire silence, et imposer silence à toutes les voix étrangères à ce qui se passe, et si bizarrement, ou diaboliquement acharnées à recouvrir de leurs cris les voix réelles. Que signifie une solitude dans laquelle on emporte avec soi tous les bruits du monde ? C'est une fausse solitude, elle mérite à peine le nom de retraite, elle serait mieux qualifiée encore d'éloignement ou de fuite.

N'arrivant donc à rien, hier soir, je me suis mis à la lecture (comme ce matin à l'écriture) ce qui m'a occupé une grande partie de la nuit. J'avais pris Rousseau, que j'ai toujours aimé, que j'ai lu toute ma vie avec beaucoup de bonheur et de profit, je dirai plus : il me console, ce qui paraîtra peut-être étrange. Hier, c'étaient *Les Rêveries*. Ces pages douloureuses et tendres me ramenaient à moi-même, je n'étais plus un étranger, il me semblait entrevoir quelque part un recours ; malgré tout ce qu'elles contiennent de désolé, malgré toute la douleur d'où elles s'inspirent, elles contiennent je ne sais par quoi, par le génie sans doute, une grande vertu de paix. Cette lecture m'a fait du bien. Je veux y revenir, y noter des choses, m'en pénétrer. Accidentellement, j'ai été très frappé par cette phrase dans la troisième promenade : « J'en ai vu beaucoup qui philosophent beaucoup plus doctement que moi, mais leur philosophie leur était pour ainsi dire étrangère. » Cette phrase me paraît applicable à quantité de gens que je connais, elle règle pour moi la question et m'explique, mais je le savais déjà, un certain malaise.

Ma lecture précédente (la veille) avait été un passage de la Bible (Genèse). J'y avais été conduit par ma préoccupation au sujet de la peine de mort. Je voulais relire l'histoire d'Abel et de Caïn. Si l'on doit réfléchir sur la peine de mort, il faut d'abord réfléchir sur le meurtre. Le chapitre IV de la Genèse dit : « Or, Adam connut Eve sa femme, et elle conçut et enfanta Caïn, et elle dit : J'ai acquis un homme avec l'aide de l'Eternel. Elle enfanta encore son frère Abel ; et Abel fut berger, et Caïn fut laboureur. Or, au bout de quelque temps, Caïn offrit des fruits de la terre une oblation à l'Eternel ; et Abel offrit, lui aussi, des premiers nés de son troupeau, et de leur graisse. Et l'Eternel eut égard à Abel, et à son oblation, mais il n'eut point égard à Caïn, ni à son oblation ; et Caïn fut fort irrité, et son visage fut abattu. Et l'Eternel dit à Caïn : Pourquoi es-tu irrité, et pourquoi ton visage est-il abattu ? Si tu fais bien, ne relève-ras-tu pas ton visage ? Mais si tu ne fais pas bien, le péché te guette à la porte, et ses désirs se tournent vers toi ; mais toi, domine-le. » Sans être théologien, il me paraît bien clair que Caïn a tué Abel à cause de la douleur qu'il a ressentie en voyant son oblation refusée, et il est aussi bien clair qu'aucune explication n'est donnée de ce refus. Je vois là un sérieux point de méditation. Je laisserai cela en suspens pour le moment. Mais non, toutefois, sans noter que le premier couteau au mon-de se lève et s'abat non par méchanceté.

Le juge d'instruction auquel notre héros avait eu affaire s'était laissé aller, un après-midi, à « bavarder » avec son client. La vie des magistrats est monotone, c'est au fond une vie de paperasses et de bureau, et la clientèle est généralement médiocre, aussi l'excellent juge d'instruction qui avait interro-gé Michel avait-il considéré comme une aubaine d'avoir, pour une fois, en face de lui, un homme d'esprit. Le plaisir eût été parfait, si cet homme d'esprit avait « consenti » à passer des aveux, mais à cet égard, Michel s'était montré absolument rétif. Depuis le premier instant, il n'avait cessé de nier et même, avec un accent de vérité qui, parfois, avait réussi à inquiéter l'honnête magistrat : oh, pas longtemps ! M. le juge d'instruction était bien trop malin pour se laisser avoir à l'in-fluence, il avait, pour cela, une trop longue habitude du métier. Et puis, dans le cas de Michel, les circonstances, les présomptions, les données de l'enquête étaient telles qu'on pouvait presque sans risques parler de preuves. « Allons ! avouez ! Vous serez soulagé. Vous l'avez tué. Mais c'est trop clair. Pourquoi vous obstinez-vous ? Votre thèse de l'accident est puérile. — C'est un accident. — Comme vous voudrez. Je vous préviens que le jury n'y croira jamais. — C'est un accident. — Bon. » Et un après-midi, toujours fâché, pourtant, que l'aveu ne soit pas venu, car M. le juge d'instruction prétendait que l'instant de l'aveu est *toujours* un instant *sublime* où les âmes se confondent, où, pour une minute il est vrai, mais quelle minute, il n'y a plus ni juge ni coupable, mais seulement des frères (en Dieu) — il éprouvait alors un très grand bonheur —, fâché, une fois de plus, que son client lui eût refusé ce bonheur-là, monsieur le juge d'instruction s'était mis à parler d'autre chose, c'est-à-dire du crime en général, et pour bien montrer à Michel qu'il lui proposait un instant de détente, il lui avait offert une cigarette. D'après le juge, le vrai crime était toujours un crime de sang, et l'instrument même du crime, le couteau. « Il faut se souiller du sang de sa victime. »

Voilà où j'en suis de mes efforts pour entrer dans le travail.

Le 16 juillet — Conseils à un jeune écrivain :

« Je vous l'ai déjà dit d'autres fois, il y a toujours un moment difficile et même désespéré dans le cours d'une œuvre. Il ne faut donc pas prendre parti d'après cela, je veux dire dans un pareil moment, il ne faut prendre aucune résolution dans un état d'esprit destiné à changer. Les difficultés ne viennent pas toutes du métier, beaucoup viennent d'ailleurs, il faut séparer les genres et dominer ce qui doit l'être pour choisir ce qui vaut le plus et le mieux. Il faut *laisser faire*. Avoir confiance. Nous sommes libres à l'égard de la confiance et de son contraire, nous devons le savoir, nous pouvons choisir, et il n'est pas plus difficile ni plus bête de parier pour le sourire et le travail et la réussite et même pour le bonheur, que de se laisser obscurément dominer par tous leurs contraires. »

Je travaille, pas à *La Délivrance* aujourd'hui, mais à mes lettres (*Absent de Paris*) que je mets enfin en état.

« A la guerre comme à la guerre, les batailles sont longues et sanglantes et parfois la fatigue est immense, mais le commencement et la fin des choses, c'est la victoire. »

Lundi 23 juillet — Il faudra penser à un portrait du chat Parpagnacco, pas le Parpagnacco de la pension dei Dogi bien sûr, le vrai Parpagnacco, un très beau Parpagnacco, plutôt un peu gras, dodu, etc., enfin qui *aille* avec monsieur Gino Montini. J'en ai écrit quelques pages hier soir. Je songe aussi au vieux couple de paille brûlé sur le Campo Santa Maria Formosa.

Le 26 juillet — *La Délivrance* (chapitre II) : A vrai dire, on ne saurait sortir d'une prison et s'en aller ensuite bien tranquillement, les mains dans les poches, comme un bon bourgeois qui s'en va faire un tour en ville. Il est d'usage que le prisonnier évadé soit, une fois dehors, la proie d'inquiétudes encore plus vives que celles où il était avant d'avoir franchi la porte. Il doit regarder à droite et à gauche, se glisser le long des murs, se cacher le plus qu'il pourra, éviter les villes et les villages. Bref, il doit se conformer au modèle du genre, et obéir au plan depuis longtemps mûri, connaître son itinéraire, et le mot convenu qui le fera reconnaître des complices qui l'hébergeront chez eux pour la nuit, lui donneront de nouveaux habits.

Voilà où j'en suis. Je suis dans un violent état d'exaspération à l'égard de ce roman, état que je connais très bien et qui précède la mise réelle au travail. Je n'ai réussi que quelques pages de *Parpagnacco*. En plus, hier, télégramme de Marguerite Caetani[1] pour me réclamer une nouvelle que je lui ai promise sans avoir la moindre idée de ce qu'elle pourra être.

J'étais tout tendu vers le roman.

Le 1er août — Il faudrait relire le premier chapitre de *La Délivrance* et les pages de *Parpagnacco* dans un esprit de res-

---

1. Marguerite Caetani, fondatrice de la revue *Botteghe Oscure* (1948-1960) dont le rédacteur était l'écrivain Giorgio Bassani. Louis Guilloux lui donna en 1951 *Le Muet mélodieux*, en 1953 *Le Chercheur et la servante* et en 1956 *Hameau 1935*.

serrement et d'économie. Je sais que j'en mets toujours trop. Hélas, j'ai une très fâcheuse tendance à l'excès et, dans l'écriture, même à la prolixité.

L'homme muet : on peut l'être par beaucoup de raisons et de façons très différentes. On peut l'être parce que les évidences vous rendent muet, c'est une conséquence, mais aussi parce qu'on *veut* l'être — parce qu'on ne *veut* plus dire ce qu'on sait, estimant que cela ne mène à rien, et il faudrait alors pouvoir accéder à certains états spirituels (peut-être même mystiques) ou fumer l'opium. On peut devenir muet, aussi, parce qu'on n'a pas de *réponse*. C'est le pire des cas.

... Alors quoi ? Qu'est-ce que tu veux que je te raconte ? Tu fais une enquête ? Farceur ! Les souvenirs des années vingt à trente, l'air du temps, ou quoi ? J'ai l'âge du siècle, et un peu plus. Un très mauvais âge, un très mauvais siècle. Je m'intéresse de moins en moins, ou autrement. Alors, des vues, des philosophies ? Dis donc ! Il y en aurait long à dire si on voulait s'appliquer, mais justement, je ne veux pas. Nous nous sommes trop appliqués, justement, quand nous étions jeunes. Ça n'a pas toujours donné de très bons résultats. Que je te parle de la fin de l'autre guerre, de l'Armistice, de la Victoire, du défilé des troupes sous l'Arc de Triomphe, et de l'air si léger qu'on respirait à Paris le dimanche matin, au printemps de cette année 1920 ? Ou que je te chante la Madelon ? Ah, mon bon, relis les numéros spéciaux du *Crapouillot*. Le 1er mai 1919, j'y étais, place de la République. Laisse tomber. Ça me donne la nausée, rien que d'y repenser, ça me fout en colère. C'était la fin des bêtises, on avait les soviets et la S.D.N. Les ouvriers mangeaient du poulet. Pierre Benoit publiait *L'Atlantide*. La corde, à Berlin, coûtait trop cher pour se pendre.

Lundi 20 août — Les visites n'ont point cessé depuis environ huit jours : des jeunes garçons, amis de ma fille, une assez curieuse personne rencontrée au Pen à Lausanne : Estelle

Goldstein, une autre rencontrée à Edimbourg : Elisabeth Rat-
cliff, destinée à faire une vieille érudite, sans intérêt pour moi.
La Goldstein ne m'attire pas beaucoup non plus. Pas du tout
même, en dépit de certains problèmes qu'elle pose, notamment
sur la mort. Je n'irai sûrement pas la voir à Bruxelles, comme
elle m'y invite. Non. Une troisième personne a été une jeune
Canadienne. C'est autre chose. Il s'agit de l'auteur d'une thèse
sur mes livres. C'est une fille d'un peu plus de trente ans, très
anglaise d'aspect, avec le visage et le rire de Florence Gould. Sa
thèse, que j'avais reçue après la guerre et qui avait été écrite en
41 ou 42, contenait des points de vue intelligents et sensibles
que la conversation n'a point démentis. Elisabeth Bertram est
une personne pour qui j'ai beaucoup de sympathie et pour qui
je pourrais avoir de l'amitié. Nous devons nous revoir à Paris
au début de septembre.

Toutes ces visites dont je parle non seulement m'ont pris
tout mon temps, mais elles m'ont démobilisé de moi-même,
dans un moment où j'ai besoin de toutes mes forces rien que
pour *durer*.

A l'instant où le dernier visiteur venait de quitter la maison,
mon vieil ami Léopold est arrivé à son tour, très inattendu,
après des années d'absence et de silence. Léopold, c'est Yves de
Lancieux[1]. Et j'ai tout laissé pour lui, pendant deux jours. Sa
présence me faisait beaucoup de bien ; elle m'apaisait. J'allais
même jusqu'à m'oublier pendant quelques secondes, en l'écoutant. Comme cela me soulageait ! Comme je lui étais reconnaissant d'être si fin, si intelligent, d'une intelligence toute travaillée d'expérience et, après de si grandes douleurs, surtout celle
qui lui est venue pour toute sa vie après l'accusation injuste
portée contre lui dans sa jeunesse et les autres malheurs qui
ont suivi, d'une intelligence si séreine. Il faut, pour cela, avoir
beaucoup de cœur, et peu (ou pas) de vanité. Autrement dit, il

---

1. Léopold Le Gouaille (Léo). Son nom apparaît à plusieurs reprises dans le tome I
des *Carnets*. Louis Guilloux s'était lié d'amitié avec lui vers 1940. Yves de Lancieux est
un personnage du *Jeu de patience*.

faut savoir aimer et savoir souffrir. Savoir souffrir ne voulant
pas seulement dire : se bien tenir devant la souffrance, mais
surtout *souffrir juste* comme on dit qu'on *chante juste*. Mon
vieil ami Léopold souffre juste, c'est pourquoi il n'est pas
désespéré. Bien qu'il sache à quoi s'en tenir, bien qu'il soit
sans illusions, il est raccordé au monde parce qu'il aime et
qu'il ne cherche pas à s'en faire accroire — parce qu'il *aime
juste*. Il m'a raconté ses dernières amours. Elles ont été mal-
heureuses, bien sûr, mais... Je ne sais plus ce qui allait suivre
ce mais : je me suis interrompu un instant pour écouter le
bruit d'un train dans la nuit. Il est près d'une heure du matin.
Pourtant, à un moment donné, il a connu un vrai désespoir. Et
il a songé à se tuer. Il n'y a pas très longtemps de cela. Sérieusement, le suicide est une très grande préoccupation chez beaucoup de gens que je rencontre. Cette question avait fait l'objet
de mes conversations les plus sérieuses avec Estelle Goldstein.
C'est même parce qu'elle m'avait parlé de ce sujet à Lausanne
qu'elle m'avait intéressé et, de son côté, c'est pour continuer
cette conversation qu'elle est venue me voir ici. Elle me disait
qu'elle se tuerait un jour ou l'autre, que c'était une chose bien
résolue et que, d'ailleurs, la mort ne l'effrayait pas du tout.
Elle est sûre qu'il ne se passera rien. Je me méfie, en général,
de ce genre de déclarations. Elles font la preuve, pour moi,
d'un esprit borné. « Il se pourrait, m'écrivait Lambert, que les
yeux des démons me poursuivent éternellement : je dis bien
éternellement. » Laissons Estelle Goldstein.

Hier soir, mon vieux Léopold m'a dit : « Veux-tu que je te raconte le suicide de M. de Lancieux ? » Il me l'a raconté. Voici :

Mais il faut d'abord savoir que Léopold a été professeur, que,
depuis qu'il est à la retraite, il est précepteur. Il va de maison
en maison (parfois de château en château) s'occupant de can-
cres qui ont raté leur bachot.

L'an dernier, se trouvant dans le Nord de la France, et au
comble du désespoir, il se promenait un soir à la nuit tombée,
avec son élève, un garçon de quatorze à quinze ans. Traversant
un passage à niveau, il entend arriver un train.

— C'était une occasion, me dit-il.

Il développa (un peu) cette idée : on a peur du suicide, mais on *profite* d'une occasion.

— Je me suis dit : Et si je restais sur les rails ?

Mais le difficile était de *voir* le train.

— Alors, je me suis retourné.

— Mais tu l'entendais, lui dis-je.

— Oui. Mais je savais qu'on est assommé sur le coup.

Il savait aussi (il me l'a dit) qu'il sauterait au dernier moment.

— Mais qu'est-ce que vous faites ! s'écria l'élève. Vous êtes fou !

— Il m'a sauvé la vie, me dit Léopold.

Il ajouta que cela valait mieux à cause de sa fille cadette, qui est malade, et qui a besoin de lui. C'est un homme bon. Et plein d'expérience. Moi qui avais toujours cru que la pire affaire de sa vie avait été cette fausse accusation, j'ai découvert qu'il y avait pire, du point de vue de la douleur (méritée et imméritée) quand il m'a dit : « La grande faute de ma vie a été d'avoir, sans amour, épousé Germaine. »

Il dit faute, et peut-être *crime.*

Il y avait dans la simplicité de son attitude et jusque dans le choix des mots et le timbre de la voix une sorte de lumière tendre qui lui venait de ce que, bien qu'étant un homme très seul, et ayant une expérience très à lui, il n'est pas un homme *séparé,* qu'il n'est pas, non plus, un homme *fébrile.* Ce qui lui permet, tout en éprouvant les choses profondément en tant que lui-même, de les connaître aussi en tant qu'il est un homme, c'est-à-dire de réunir le particulier et le général ; du moins est-ce là l'idée que je me fais et que, à un degré bien supérieur encore, je me faisais de Lambert.

Le 25 août — J'ai fort à penser aujourd'hui avec le texte à envoyer à *Botteghe Oscure* (promis pour la fin du mois).

L'art est toujours la chose qui a compté *d'abord* pour moi. *Numéro un.* Même avant l'amour, et de loin.

Il ne faut pas se proposer de terminer pour telle ou telle date. En ces matières, je le sais, se fixer des dates pour terminer c'est de la folie, et cela ne fait qu'entraîner une crispation nuisible au travail, très nuisible. (On peut dire le contraire.)

Le 30 août — Je suis plongé dans le roman, je travaille du matin au soir, parfaitement à mon affaire et ne souhaitant que de pouvoir continuer. Pourquoi désespérer ? C'est *idiot*. Il est une heure du matin ; j'écoute le vent de tempête qui tournoie autour de la maison et le fracas de la grande pluie qui continue depuis hier, avant-hier, avant avant-hier, est-ce que je sais, à gicler contre les vitres. Tout est balayé, il y a une espèce de joie dans cette fureur aveugle et un peu bête de l'eau sous le vent qui ne tient compte de rien, et répond à tout de la seule manière qui vaille.

Le 31 août — Il pleut de manière définitive.

Le 1er octobre — Lorsqu'il m'arrive de songer à mes ouvrages passés, j'éprouve une sorte de *honte*. Tous mes ouvrages participent de l'ombre, c'est une idée difficile à supporter, mais elle est vraie, hélas, et j'ai toujours su qu'il y avait quelque part une lumière : quelque part, c'est-à-dire tout près, à portée de la main et bien plus : sous le regard. Je dois donc m'accuser de mensonge, ou d'impuissance. Comment accepter cela ? Comment, aujourd'hui que je sais mieux, que je suis plus lucide, plus courageux, mieux armé, comment ne voudrais-je pas aller outre, c'est-à-dire me trouver enfin, *naître*, approcher du plus près qu'il se pourra une vérité que je sais, une vérité joyeuse ? Il faut changer de vie. Il faut entrer résolument dans une voie sans mensonge. Cela n'est pas facile, je le sais. Il faudra encore lutter et combattre, mais non plus combattre en accusant et en se plaignant comme je l'ai fait jusqu'ici, mais combattre pour *rejoindre*.

Quoique je n'aie pas travaillé au roman, je ne suis pas demeuré sans rien faire depuis mon retour ici. Mais c'est désormais au roman que je vais penser et travailler le plus que je pourrai. La délivrance est aussi de l'autre. Il est temps de le savoir. En vérité, je n'ai rien fait de bon jusqu'à présent, par une certaine lâcheté, et même quand j'écrivais *Le Sang noir*. Mais peut-être maintenant puis-je courir ma dernière chance, pas une chance de gloire, mais une chance de destinée. Il y a toujours en moi un grand désir que je ne puis nommer autrement que par ces mots : le désir de Dieu. Faisons la part des choses, changeons le vocabulaire, et on sait de quoi il s'agit. C'est de ce côté-ci des choses qu'il faut se délivrer. Il ne faut pas attendre que Dieu nous délivre, il faut arriver à Dieu délivré. C'est cela la tâche, et le *devoir*. C'est parce que nous sommes coupables de ne pas travailler tous les jours à cette tâche, à ce devoir, que nous sommes si tristes et que le Dyable toujours à l'œuvre en prend tant à son aise avec nous...

Le 2 octobre — Cette nuit, ne dormant pas, je pensais à mon roman et, soudain, il m'est venu une lumière. J'ai vu comment je pouvais m'y prendre. Cela a été pour moi un instant de très grande joie et j'espère que dans les jours qui vont venir je vais enfin entreprendre cette chose devant laquelle, jusqu'à présent, j'ai toujours reculé, pour de mauvaises raisons. J'ai la plus grande confiance. Ce livre exprimera de ma part un changement complet. Je passerai ma soirée à réfléchir au sujet du livre. J'y veux consacrer toutes mes forces, et que ce soit, enfin, un livre que je puisse, moi, aimer sans réticences. Oui : il y a une délivrance de l'autre, aussi, je le sais. Je suis dans un moment de grand espoir. L'homme *sortira* de prison.

Le 5 octobre — Lisant les Mémoires de Mme de Genlis, j'y trouve le récit suivant qui m'a fort amusé. Se trouvant à Berlin, on lui conte des anecdotes sur Frédéric, ami de Voltaire.

Je recopie :

« On nous conta du monarque et de sa cour plusieurs traits... Lorsque le roi faisait de petits voyages, il avait coutume d'emmener avec lui Voltaire. Dans une de ces courses, Voltaire, seul dans une chaise de poste, suivit le roi. Un jeune page, que Voltaire avait fait gronder avec sévérité, s'était promis de s'en venger. En conséquence, comme il allait en avant pour faire préparer les chevaux, il prévint tous les maîtres de poste et les postillons que le roi avait un vieux singe qu'il aimait passionnément, qu'il se plaisait à faire habiller à peu près comme un seigneur de la cour, et qu'il s'en faisait suivre dans ses voyages ; que cet animal ne respectait que le roi et qu'il était fort méchant ; que s'il voulait sortir de la voiture on se gardât bien de le souffrir. D'après cet avertissement, lorsque aux postes Voltaire voulut descendre de sa voiture, tous les valets d'hôtellerie s'y opposaient formellement ; et lorsqu'il étendait sa main pour ouvrir la portière, on ne manquait jamais de donner sur cette main deux ou trois coups de canne, et toujours en faisant de longs éclats de rire. Voltaire, ne sachant pas un mot d'allemand, ne pouvait demander l'explication de ces étranges procédés ; sa fureur devint extrême et ne servit qu'à redoubler la gaieté des maîtres de poste, et, d'après les rapports du petit page, tout le monde accourait pour voir le singe du roi et le huer. Ce voyage se passa de la sorte ; et ce qui mit le comble à la fureur de Voltaire, c'est que le roi trouva le tour si plaisant qu'il ne voulut point en punir l'inventeur. »

Le 20 octobre — Tous les clochers de la Bretagne s'épuiseraient à carillonner ma joie. Je travaille.

Mardi 23 octobre — Je ne sais plus où j'en suis, sinon au milieu d'un invraisemblable travail, sans arrêt, sauf pour manger et dormir (à peine d'ailleurs) entouré de toutes sortes de paperasses ; j'ai tout entrepris à la fois et il faudra bien que je vienne à bout de tout. Je passe des journées très heureuses, voyant les choses s'éclaircir, un ordre intérieur s'instituer dans ce qui n'était que la plus entière confusion.

Le 30 octobre (à côté d'une image de don Quichotte) — En remuant de vieux papiers pour en détruire le plus possible, j'ai

trouvé des images, et comme depuis quelque temps je lis tous
les jours (avec bonheur) quelques pages du *Don Quichotte*, dans
l'édition de la Pléiade qui est fort bonne, je n'ai pas voulu jeter
au panier cette image du chevalier, et je l'ai collée ici. J'ai
renoncé à relire la suite d'*Episode au village* ; cela me prend
trop de temps et me distrait trop de *La Délivrance*, qui progresse. Quant à *Episode au village*, je ne veux pas renier ces pages,
mais je ne peux pas, non plus, dire que c'est là ce que j'aime.
Enfin, il s'agit surtout d'*ordre* et de *rassemblement*. Rien de
plus à dire. Le vrai travail n'est pas dans les choses déjà faites,
mais dans celles à faire. Là, je suis plein d'espoir.

Le 3 novembre — J'ai achevé ce matin la première partie de
La Délivrance.

Le 4 novembre — Je recopie ce passage de Nietzsche que je
voudrais faire insérer dans mon article sur l'art pour *Comprendre*[1].

« Rien n'est plus rare parmi les moralistes et les saints que
la probité ; peut-être disent-ils le contraire, peut-être le
croient-ils eux-mêmes. Car lorsqu'une foi est plus utile, plus
convaincante, lorsqu'elle fait plus d'effet que l'hypocrisie
consciente, d'instinct l'hypocrisie devient aussitôt innocente :
premier principe pour la compréhension des grands saints. De
même pour les philosophes, autre espèce de saints, c'est une
conséquence du métier de n'autoriser que certaines vérités : je
veux dire celles par quoi leur métier obtient la sanction *publique* — pour parler la langue de Kant, les vérités de la raison
pratique. Ils savent qu'ils *doivent* démontrer, en quoi ils sont
pratiques — ils se reconnaissent entre eux parce qu'ils sont
d'accord sur les "vérités". "Tu ne dois pas mentir", autrement
dit : "*Gardez-vous bien*, monsieur le philosophe, de dire la
vérité" » *(Le Crépuscule des idoles).*

---

1. *Comprendre*, revue de la Société européenne de Culture. L'article est intitulé « Le
mensonge ne crée rien ».

Le 10 novembre — Il faut prier et supplier tous les dieux de l'Olympe réunis en congrès spécial, les prier et les supplier pour que ça dure, pour que tout s'organise et s'ouvre et que le travail soit quotidien. Pour le moment je ne cherche rien que le mouvement et l'ouverture. Le reste viendra plus tard, en relisant, en écrivant dans les marges, etc. Ces pages sont encore informes. Je ne les ai même pas relues parce que, en ce moment, la relecture contrarierait l'élan, et que ce que je veux avant tout, comme je l'ai dit, c'est le mouvement et l'ouverture.

Le 24 novembre — Il s'est fait en moi de grands changements ; si je ne craignais le ridicule je dirais de très grands progrès. Je vois les choses autrement, et d'une manière plus sérieuse. Le travail y est pour beaucoup, à moins qu'il ne soit une conséquence. Il faut faire ce pour quoi on est fait. C'est déjà un grand élément de paix même si on ne réussit pas toujours. Je l'éprouve. Bien que j'en sois aujourd'hui à la page 230 (pages écrites en un mois) je m'aperçois que tout ce que j'ai fait jusqu'à présent n'est qu'un prologue, et que la vraie difficulté, l'épreuve réelle va venir.

Le 30 novembre — La dactylo m'a remis le texte de la première partie, achevée ce matin. Je ne sais ce qui suivra, et je suis dans une très grande inquiétude. Pas du tout satisfait d'ailleurs de ce premier texte — mais je voulais aller au bout d'une course. Pratiquement, sur le manuscrit il n'y a pas une rature, c'est dire qu'en effet j'ai écrit cela comme un feuilleton. Mais comme c'est grossier ! Il faut tenir compte qu'en matière de *Délivrance,* il fallait commencer par *l'Evasion.* Tel sera (ou devrait être) le titre de cette première partie. La délivrance n'est pas une chose qui se donne mais qui s'achète. Il ne faut pas juger du livre sur cette première partie. Il faut savoir s'abandonner et ne pas craindre le ridicule. On reviendra ensuite sur la page. Ne pas craindre le *gros,* non plus.

Le 1ᵉʳ décembre — Je travaille beaucoup et je suis absolument résolu à continuer. Depuis mon retour de Venise, j'ai enfin mis en ordre les lettres à Grenier *(Absent de Paris),* revu le texte d'*Episode au village,* prêt à servir au travail, rassemblé les chutes du *Sang noir,* et écrit 265 pages, bonnes ou mauvaises, de *La Délivrance.* Sans compter beaucoup de papiers remis en ordre, de scènes de roman éparses, revues et rassemblées, et *Pas moi* en train. Tout cela pour le travail futur, c'est-à-dire prochain. Tout cela n'est pas pour me vanter, mais simplement pour faire le point des choses et me dire que si on *veut* entrer dans la continuité, on le *peut,* et que cela porte des fruits. En plus de tout cela, j'ai pu ajouter aux *Cahiers du Sang noir,* sous le titre *Pièces jointes,* des textes : une lettre de Gide sur mon livre, un article de Malraux, un texte d'Eugène Dabit lu à une conférence à propos de mon livre en décembre 35 à Paris (où Gide avait lu des pages du *Sang noir*), certains extraits de presse, etc. qui complètent le recueil. Je n'ai pas du tout l'intention de publier pour le moment ce recueil, ni de le publier jamais *tel qu'il est,* mais j'ai l'intention de le mettre en état de paraître (fût-ce posthume) et de le déposer au plus tôt chez Gaston. De même pour le *Journal,* mais ça, c'est un truc très long.

Au mois d'août prochain, il y aura vingt-cinq ans que j'aurai publié mon premier livre *La Maison du peuple.* Je voudrais que *La Délivrance* fût prête à ce moment-là, et que Gaston s'empare de ce thème en lui-même idiot, mais pas du tout idiot d'un point de vue concret. Il faut que l'année qui vient soit une année de travail, de clarté, de fertilité. Il faut en finir avec les complications et mettre les choses *au jour.* Il faut tout *simplifier,* et alors, tout *croîtra.*

Le 3 décembre — Je viens d'envoyer par exprès à Campagnolo, qui m'avait télégraphié, l'article pour *Comprendre* refait très à la hâte sur mes notes : c'est la dernière concession que je fais à ce genre de choses.

J'ai vendu une très grande quantité de mes livres. Ils ne me servaient à rien.

J'ai reçu un mot idiot de C... Elle parle de moi avec M... Cela
ne me fait aucun plaisir, loin de là. Si on pouvait ne jamais
parler de moi. A propos : il y a deux ans aujourd'hui j'étais
dans la gloire du Renaudot.

Le 4 décembre — Il faut que je demande à Campagnolo
d'ajouter à mon article la citation de Nietzsche. Il faudrait
aussi trouver le moyen de dire, dans le même article, que l'art
est *ivresse* (c'est aussi un mot de Nietzsche)... et que les *buveurs
d'eau* n'ont pas qualité pour juger de l'ivresse.

— Eh bien donc, il y avait une souris.
« Ah ! que je voudrais être un chat ! se dit-elle. Au moins, je
n'aurais plus peur d'être mangée ! » Aussitôt, elle devint chat.
Un chien courut après elle. « Ah ! se dit-elle, que je voudrais
être un chien ! Au moins, je n'aurais plus peur d'être mor-
due. » A l'instant même, elle devint chien. Et aussitôt, elle
reçut un grand coup de pied dans le derrière et quelqu'un lui
dit, d'une grosse voix : « Allons, ôte-toi de là, sale bête !... »
« Hélas ! » se dit la petite souris. Elle était très intelligente. Elle
observa le monde. « Voyons, se demanda-t-elle, que vaudrait-il
mieux être ? Un cheval ? Comme il peine dans les brancards !
Une chèvre ? Mais elle est attachée par le cou ! Un oiseau ? On
le prendra à la glu... Ah ! j'y suis ! Qui donc attelle le cheval,
qui donc attache la chèvre, qui donc attrape les oiseaux ? C'est
l'homme, le roi de l'univers ! Je voudrais être un homme !... »
Et la voilà changée en homme. « Ah ! enfin, je respire ! Je
n'aurai plus peur ! » A peine avait-elle dit, qu'elle se sentit saisie par les épaules et entraînée malgré elle... « Où donc te
cachais-tu ? Ne sais-tu pas que c'est la guerre ? On te cherchait
partout ! Allons, ouste ! » On lui donna un habit, un fusil, on
l'envoya à l'ennemi, les balles sifflaient, le canon crachait. Elle
tremblait, n'y comprenait rien. « Je n'ai jamais eu tant peur, se
disait-elle, en sanglotant. Si j'étais restée souris ! Ah ! que je
voudrais redevenir souris ! Quel bon petit trou je trouverais où
me cacher ! — Trop tard, lui répondirent les fées des souris, tu

l'as voulu ! » Une balle lui traversa la tête. Elle tomba en
disant : « Je meurs ! » Mais, au lieu de mourir, elle redevint
souris et se faufila à travers la cohue de la bataille jusqu'à son
trou, où elle retrouva les fées.

— Eh bien, lui dirent-elles, c'est une leçon ! Voudras-tu
encore changer de peau ?

DAGORNE

Dagorne était boucher. Honni soit qui mal y pense : les bou-
chers sont d'honnêtes gens. Ouvre la bouche et ferme les
yeux.

Allons-y ! poursuivit le conteur, je n'en ai qu'à Dagorne.

Un fort grand gros gars costaud, avec des yeux gros, bleus,
genre boules de Bleu, à fleur de gueule écarlate. Pas de différence, ma foi, avec l'écarlate du sang giclé sur son tablier.
Triomphales bacchantes noires goudron en guidon vélo de
course.

Signes particuliers : néant — comme vous voyez.

Marié, des enfants. Elle tenait la caisse. Femme comme une
femme, vous savez. La battait. La gifla un jour devant tout le
monde. Fatigué de la battre, pour changer, battait ses gosses.
Buvait comme un trou. Plein, se bagarrait. Courait les femmes.
Les baisait et les battait. Les clients qui lui plaisaient pas les
envoyait dinguer. Pas contents ? N'avaient qu'à le dire ! Et
quand même la clientèle affluait. Donnait il est vrai bon poids,
et des os pour le toutou, et du mou pour le minet. Gagnait
largement sa croûte. Villa *Sam Suffy* en vue !...

Un klebs lui vola un rôti : le tua sur place, d'un grand vache
de coutelas.

Son fils barbota un sifflet dans un bazar. Battit le fils et
l'estropia. Sa demoiselle déjà grandette — quatorze ans, comme le temps passe ! —, au retour d'une virée champêtre avec
un loupiot de son gabarit, fut si tant rouée qu'elle en garda le
lit des mois.

Battre et battre et battre.

Une nuit, un crime fut commis en ville. Que dis-je ? Mieux que ça : trois crimes. Dans la même maison. Du même assassin. Trois enfants égorgés dans leurs lits. Nom de l'assassin ? Devinez : Dagorne.

Pas mon Dagorne. Un autre Dagorne. N'avaient rien de commun. Pas même cousins. Dagorne l'assassin venait le diable sait d'où ! Dagorne le boucher fit passer une petite note dans la presse : dont acte.

Dagorne l'assassin fut jugé, condamné à mort et guillotiné. Dagorne le boucher alla voir ça. Ce qu'il en pensa personne ne l'a jamais su. N'était pas très causant.

La clientèle ne le quitta pas d'un coup, non, mais petit à petit, en douce, quoi. Devint encore plus méchant. Battit doublement sa femme, et ses gosses à proportion. Ne dessoûla plus. Se bagarra tous les jours. Et le jupon, oh la la ! Tant et si bien qu'un beau coup, femme et gosses le plaquèrent. Ferma la boutique.

De la femme et des gosses, n'avons plus jamais rien su. Quant à Dagorne, voici : quitta le pays, acheta une ferme. Un matin, labourait son champ. Savait tenir le manche d'une charrue, conduire des chevaux : son premier métier. Mais pas sans les battre !

Battit si bien les siens ce matin-là qu'ils s'emportèrent, le culbutèrent, le traînèrent. Le soc de la charrue le décapita à moitié. Et mourut sur place Dagorne.

Paix à son âme, trouvez pas ?

PAGES RETRANCHÉES
D'« ABSENT DE PARIS »

Nous sommes tous extrêmement routiniers. Il faut des occasions exceptionnelles pour que nous nous en apercevions. Il y a de quoi avoir le vertige quand l'espace d'un éclair nous prenons conscience de la quantité d'idées reçues, d'habitudes conformistes, d'attitudes apprises nous gouvernant. Je viens d'avoir la visite d'un jeune garçon ancien élève du lycée, déporté en Allemagne depuis la fin de 1943. Aussitôt après cette visite, comme j'avais à écrire à Elisabeth Merrell, je lui en ai fait le récit en anglais. Je n'écris jamais en anglais depuis que j'ai quitté le lycée. Ecrivant mon récit, je découvris avec surprise qu'usant d'une langue étrangère, certaines de mes entraves habituelles tombaient. Je ne me sentais pas *plus libre*, mais libre *autrement*, c'est-à-dire que, utilisant une autre langue, je me trouvais rompre du même coup avec certaines *habitudes* (ou routines) dont je n'ai plus conscience, et dont il est à craindre que je subisse ordinairement tout le poids. Ainsi m'est-il apparu que l'emploi d'une langue étrangère permet de se mieux *cacher* d'une part, de se mieux libérer de l'autre, dans la mesure où l'on puise, par là, dans un domaine habituellement en sommeil.

Me trouvant dans un camp de réfugiés espagnols et m'adressant à eux dans leur langue, quelqu'un me dit ensuite : « C'est très curieux d'observer que quand vous parlez espagnol, vous n'avez plus la même voix. » Je découvris en réfléchissant là-dessus que c'était vrai, et vrai encore quand je parlais anglais, ou allemand. Il faut donc que l'emploi de ces différents langages entraîne des références à certains domaines différents puisque la voix elle-même varie. Me trouvant dans un état-major américain comme interprète, un officier me demanda de lui enseigner un peu de français. Nous passâmes quelques soirées ensemble. Quand il lisait du français, il n'avait plus du tout l'accent de l'anglais, mais un autre qu'il me semblait reconnaître comme une sorte d'accent d'Europe centrale. J'appris qu'il était d'origine tchèque. Même chose avec un autre officier qui, en lisant du français, prenait un accent espagnol. Sa lointaine origine, je l'appris, était castillane...

I had never seen him before, but I very well knew who he was. He was one of the twenty-seven boys, belonging to the Lycée, who had been arrested by the Gestapo in November 1943, kept in the prison of this town for some time, and later taken to Germany. Here he was, standing on my threshold, a tall boy, with blond hair and blue eyes, rosy faced and apparently in good health. You could not tell he was a « déporté » unless you knew it. You could not even guess. Except for something in his look, a shyness in some way. Let us call that shyness. Many young men have that sort of shyness in their look. It means nothing particular or it means that they are young and that you are growing old. He wore good clothes, good shoes. It was about six p.m. and he was back from the shore where he had spent the afternoon, playing with others, swimming, lying on the sand. That is what he said before anything else. Then, he added that he had met my wife a few days before. My wife is a professor. He had been her pupil. On their meeting, she had told him that I would be very much interested to see him. I answered that I had been waiting for him. He was welcome. Then, we shook hands and he came in. I had him in my working-room. I found it was not easy to begin the talk. So did he. He knew what he was supposed to speak about and he did not like it. Still he would speak. I knew that. He considered it a duty. Now, I sat behind my table. He sat in front of me, and began to talk about a boy named, let us say, Peter, who had given him and the others to the Gestapo. That boy, he knew, was still free. There was no proof against him. I knew that too. We all knew that. I knew a great deal of details about the affair, but still, that was not much, not enough for a real understanding of it. A few weeks before, I had seen that Peter. He appeared as a witness in the case of another ex-pupil of the Lycée, a nineteen-year-old slender saucy chap, called Robert let us say, who was convinced to have been an agent of the Gestapo. Peter had given a list to Robert. And all the pupils who were on the list had been arrested. Robert had been sentenced to twenty years hard labour. But Peter was let free. There was no proof. He had confessed about the list. But, he said, he had never known that Robert was an agent of the Gestapo, and he believed the list was to be used for some « resistance » business. One could plainly see the lie. And why had he kept the list for more than two weeks in his pocket ? Why

had he told nothing to his comrades ? Why had he done all
this in secret ? There was no answer to these questions. He
said he did not know. And he was let free. There was no action
against him. This is what my visitor could not understand.
Well, his name was Maurice, let us say. I asked him whether
he was to bring any action against Peter. He said he did not
know. As to him, he would probably do nothing. He would
have very much liked to meet the fellow, he said. And perhaps
he would meet him. He had not to consider things from his
own point of view only. He had to remember that many of his
comrades were dead. He was not supposed to forget that.
Never. And among the dead, one of his best friends killed by
the Germans, just a few days before the « délivrance » when the
American troops arrived. They had killed him through an
injection of « essence », that means gas. Death was instanta-
neous. The deed had been accomplished in the lazaret. And
that boy was his best friend. One day, that boy had shared
with him a lump of sugar. Where he had drawn that lump of
sugar from, nobody knew. But he had it. And he had kept it in
his pocket all the day long, without touching it, waiting until
his friend would be back from work. And then, he had broken
the lump into two pieces, and given one piece to his friend.
« At the time, said Maurice, I did not pay great attention to
that. I would have done so myself. It seemed natural. But since,
I have thought of it again. Especially since he is dead. »
— « Why did they kill him ? » I asked. — « He was sick. He had
been taken to the lazaret. » — « Did they kill many others in
that way ? » — « Very many. » — « You saw that, did you ? » —
« I saw that. » Maurice spoke very slowly. From the way he
spoke, one could understand that he was a very sensible and
honest young man. He knew what he meant, and thought before he spoke. And there was always in his looks that shyness. I
ought not to call this shyness. Perhaps, there is no other word.
— « How long were you in Germany ? » — « More than a
year, » he said. — « And always in a camp ? » — « Yes. Mauthausen. » There was a pause. I had to speak slowly myself. He

was becoming fidgety. — « You do not like to talk about that, do you ? » — « No, he said. I cannot stand it very long. » — « Then, I said, let us drop it. » — « No, he said. You must know. You have to know. You are a writer. » — « Yes, » I said. He was still shy, but he looked at me in the face. We said nothing. I wondered whether he knew about the shooting of three of his comrades. That shooting happened before the boys were taken to Germany. A week or so before they had been arrested, a German officer had been killed in a small village near this town. He was quite alone at a station, waiting for his train. He had been slaughtered with a knife and his weapon had been stolen from him. That killing had no aim but to secure the weapon. The Gestapo made an inquiry, that led to the conclusion that the German officer had been involved in some love affair, and killed by a rival. They dropped the inquiry until the boys were arrested and one of them, we never knew who he was, told them he knew the authors of that killing. The Germans resumed their inquiry and happened to find out that the weapon was in the possession of one of their prisoners, a boy named C. They found the weapon, a revolver. The boy also had a carbine. It was hidden in the house of one of his relatives, in a village on the coast. They found the carbine. They took the boy to the village, and they compelled him to walk all through the village with his carbine on his shoulder. After that, they took him back to the prison and, a few weeks later, they shot him together with two others. I wondered whether Maurice knew that. I very slightly hinted to the facts. I knew very well. He had been in the same prison with the three boys for a long time, and he knew how they had been tortured. — « Yes, he said, I know all that. And the other fellow was also in the same prison with us. That Peter. » — « Did you know about the list he had given ? » — « We did. » — « And what did you do ? » — «Nothing. Insult him. Keep him aloof » — «Were you all together ? » — « For some time. »— « And what did he say ? » — « He said that was not true. He said he had not meant that. » — « And he was turned free by

the Germans ? » — « Yes. After a month or so » — « You had
confidence in him before, had you ? » — « Not much. For a
long time, he had been a member of the Breton Autonomist
Party. Pro-Germans were numerous in that party. He had
recently left that Party and now he was for De Gaulle, he said »
— « And why did he do that, do you know ? » — « I do not. »
— « Money ? » — « I do not know. I do not believe so. » —
Then he said nothing, and kept on saying nothing for a while.
— « Perhaps you want me to tell you about the camps in Germany ? » he resumed. And from that question, I guessed he
was eager to get through, and I said : — « Yes. If you please. »
But once more, I told him we could drop the talk, and resume
it another day. If he wanted. He said no. And asked me whether I knew what that meant to fall in and keep in a very
straight file, the Nazi being at one end of the file aiming with
his rifle at any head that might have been just a little in or
out. — « But did he ever shoot ? » I asked. — « Yes. » — « Did
he ever kill anyone in that way ? » — « Many. » There were
tears in the eyes of Maurice. So in mine. We said nothing.
After a while, he resumed. One of the prisoners tried to escape
one night. Could not. Came back to the camp. — « The sentry
who caught him might have said nothing. It was night. It
would have been very easy to let him get back to his block.
Instead of that, the sentry called for help, although the priso-
ner was not fighting him. And how could he have ? There
came a party of Nazis. They killed the man on the spot, bea-
ting him to death with sticks. His skull was widely split. One
of the Nazis took the brain with his own hands and threw it
on the belly of the dead. On the next morning, we were all
ordered to pass before the corpse. I have seen that. » Then
came silence again. I heard Maurice breathe. All that was very
oppressive. Then I asked : « Who was that man they killed ? »
— « A Russian, » he said. After that, we said nothing. None of
us could speak. I thought he would speak no more about it and
leave. The shyness was gone from his looks, but instead, there
was something strange in them, I could find no name for it. I

had seen some other « déportés » before, and spoken with
them, and there always was something strange in the way they
looked at you, but not that sort of strangeness. I had met one
on the train recently, also a young man, and that one always
smiled while talking about Buchenwald. A strange smile too.
But a smile. Even when he talked to me about human meat. He
did not use the word « meat », he used a slang word for that,
the French slang word « bidoche », still more colloquial than
real slang, meaning a poor quality of meat, that sort of meat
they give you in the army. Someone in Buchenwald had offe-
red to him « de la bidoche humaine », that means human
meat, if he had some cigarettes to give instead. He refused.
Some of his companions did not. He said the thing was not so
rare and added : « We all know that ! » And always smiling.
Maurice did not smile — « Well, I said, that is enough. » —
« No, » he answered. « I have something more to tell you. » — I
wish he had not had. But I said : « Tell it then. » He said that
one day, the Germans had taken them to a station. They were
to travel. Before they were hoisted in the waggons, they had to
leave all their clothes. They entered the waggons entirely
naked ; one hundred and forty of them per waggon, and each
waggon could contain forty bodies. These were closed goods
waggons. Doors and windows were shut or blinded. And the
train left. They did not know where to. « After a short while,
we were all choking, crushed more than sprats in a tin, the
heat, the smell, were awful. No latrines. Besides, you could not
even move. We were a jam. We had bread to eat, but not a
drop of water. I suppose this was done on purpose. We felt
hungry. We always felt hungry of course, but we could not
swallow our bread. There was no water. And water was much
more wanted than any solid. But no. Not even a drop. Some
began to get crazy. We could not breathe. We were choking
more and more and growing awfully tired, from the fact we
could not sit even for a while. We had to keep standing. Any
one who fell was in great danger of getting tread upon to
death. What happened to some. Not long after we had left. And

some others getting more and more crazy began to fight their
neighbours, and strangle them if they could. Some could. And
when the train stopped for the first time, the Germans opened
the door and drew the corpses out. That gave room. And we
left again. The more corpses the Germans would draw out at
the next station, the more room there would be. So the killing
went on. Strangling mainly. And when the train came to the
next station, the Germans drew from the waggon some more
corpses. They said nothing. They did not care. Any "déporté"
could kill his mate, the Germans did not care. They did not
even notice. Murder was free. So, the killing went on more
that ever as soon as the train left. Out of the one hundred and
forty we were at the beginning, forty were still living when we
arrived after two days. »

He said no more. Our silence was the longest since we had
begun that talk. I experienced once more how any new contact
with « déportés » always brought you more than you thought.
There is no end, I said to myself. It always brings you more
than you thought or expected. I was oppressed. He too. Still I
wanted to know how he had escaped that on the train. —
« With my comrades from the Lycée, he said, we had formed a
very strong group in one corner of the waggon. We had to
fight for our lives. We fought, and won. ». Then came silence
again. After a while : « That is enough. Let us stop that. » I said.
— « Yes » he answered. « Now, I have enough. I cannot stand it
any longer. » He was shivering. — « All right, » I said, « we
won't talk any more about it. I know you cannot stand it
long. » — « Not more than a quarter of an hour, » he said. —
« We have had more than that. » — « Yes, » he said. « But I am
glad I told you. » — « Now, » I said, « you are very young. Nineteen years old. And you seem to have recovered your health. »
— « Not the health of my nerves. » — I could guess it. That
was obvious. — « What is it ? » — « Nerves, » he answered.
« Dreams. » — « And what do you do for it ? » — « Nothing. »
Of course. He does not, they do not believe in nerves. What is
that, nerves ? Fancy. When they come back, they get clothes,

good food. They are taken back in their families. That's all. People do not believe in nerves. Authorities do not either. Except if you are visibly frantic. Then, they lock you in. — « What do you mean, saying your nerves are not all right ? » I asked. « When I came back in France, I felt nothing, » he said. — « Felt ? » — « Yes. I had always thought it would be such a great joy. And it was no joy at all. » — « How is that ? » — « I could not feel. All was indifferent to me. » — « Even when you saw your mother and father again ? » He thought a little and said : « Yes. Even then. » — He hesitated and added : — « I thought and said to myself that I would never be able to love again. » His voice had lowered. There was a pause. I resumed : — « You said I thought. That means you do nothing any more that way, do you ? » — « No, » he said. « I begin to believe I will become able again... » My voice had lowered too. — « You will, » I said. « You are so young. » — « Nineteen years old. » — « You certainly will. » — « I hope, » he said. « But now, that is enough. I must leave. » He got up. So did I. « Will you call again ? » — « I don't know, » he said. — « Is that too much for you ? » He thought and said : — « Too much, no. Much. And I have some work to do. » — « What sort of work ? » — « School work. My memory has become very poor. I have no hatred, you know. I wish I had no hatred. But sometimes, I think we ought to kill them all. » We left the room. Now, he was standing on my threshold again, ready to leave, and not leaving. We said nothing. Of course, he did not mean what he had just said about killing them all. « Of course, I do not mean that. Of course not. But I do not know what to do. » — « To do ? » — « Ought to be done, » he corrected. I did not know either. — « Perhaps it is too soon, » I said. « Perhaps we have not thought the matter over yet. Not understood it. I don't know. » He did not answer. He was thinking. « Did any German act humanly towards you ? » I asked. — « Yes, » he said. « A sentry once threw me some bread. That was life. He sent the bread rolling over the ground like a ball and the bread came to my feet. But the sentry did not say a word, did not even look at me. » —

« Did the civilians know about it ? » — « That, I cannot tell.
We never saw them. We had no contact with them. I wish I
could forget all that. » Something of the shyness I had first
noticed in his look had come back. We shook hands. He left,
not telling whether he would call again or not. I thought he
would not, at least for some time, I felt somewhat ashamed, I
could not tell exactly why. Would he ? Would he not[1] ?

... Voici une confidence au psychologue : jusqu'à ma trente-
cinquième année, j'ai souffert de l'estomac d'une façon assez
violente. J'éprouvais ce qu'il est convenu d'appeler des « cram-
pes ». Ce mal n'était pas constant, il me prenait même assez
rarement et il ne durait en général que deux ou trois bons
jours. J'en avais toujours attribué l'origine au froid. Il n'y
avait donc qu'à se tenir patiemment au chaud en attendant que
ça passe.

En 1935 ou 1936, ayant fait à Paris la connaissance d'un
émigré viennois, Edmond Schlesinger, disciple d'Adler, il
m'arriva de lui parler de cette incommodité. Il me répondit
aussitôt : « Tu n'as certainement aucune maladie. Ce mal est
sûrement psychogène. Tâche de te rappeler quand il a commencé. » Cela ne me fut pas très difficile. La première fois où
j'avais éprouvé ce mal, c'était sur le chantier de la Maison du
Peuple. Vers l'année 1912, ou 1913, les ouvriers socialistes et
syndicalistes de Saint-Brieuc résolurent de bâtir eux-mêmes
leur Maison du Peuple. Ils achetèrent au pied du Tertre de la
Vierge un terrain où ils eurent tout juste le temps d'exécuter
les premiers terrassements avant le deux août 1914. Les travaux avaient lieu le dimanche matin. Mon père m'emmenait
au chantier. Cela me plaisait beaucoup. Mais j'ai la main gauche
estropiée. De ce fait, il m'était difficile de tenir longtemps le manche d'une pelle, ou le brancard d'une brouette. Je me fatiguais
très vite. Mais craignant de passer pour un paresseux et puisque
personne ne pensait à mon infirmité, je ne disais rien. C'est ainsi

---

1. L'épisode est raconté dans *Le Jeu de patience* (Gallimard, 1949), pp. 304-306.

qu'un dimanche matin je me sentis pris d'un mal d'estomac si violent que je dus en faire l'aveu, mal à l'estomac qui dans mon langage d'enfant était un « mal au ventre ». Il parut alors naturel à tout le monde que je ne prisse plus aucune part aux travaux et qu'on me renvoyât à la maison.

Dès que j'eus raconté cela à Schlesinger, il me répondit : « C'est bien simple. Tu ne voulais pas travailler, et tu as trouvé ce moyen-là et, depuis, chaque fois que tu as eu en vue une chose difficile, ou que tu ne voulais pas affronter, tu as reconstitué le "mal au ventre". » Depuis lors, je n'ai plus jamais souffert de ce mal.

J'ajoute que ce qui me paraît très frappant dans cette affaire, c'est qu'il a fallu que Schlesinger attirât mon attention sur un fait que j'aurais dû connaître, puisque je n'en étais pas tout à fait inconscient, mais que la guérison ne pouvait s'obtenir que par le *secours* d'un autre.

Racontant ceci à un médecin longtemps après, ce médecin me répondit qu'il était aussi très possible qu'après cette « révélation », mon « psychisme » ait agi dans le sens inverse.

Je serais un bien mauvais chroniqueur si j'omettais de te conter l'anecdote que j'ai apprise hier soir, de mon ami P... Anecdote à verser au chapitre de l'histoire du temps présent, bien que, à mon avis, ce qu'elle révèle soit de tous les temps. Il existe ici un patron du nom de C... que je n'ai jamais vu, mais qu'on me décrit comme un homme d'une cinquantaine d'années, plutôt fort et même sanguin, très intelligent, et un vrai bourreau de travail. Il possède une usine considérable, où l'on fabrique toutes sortes d'objets en bois. Il y emploie plusieurs centaines d'ouvriers. Et il n'est pas question de tirer au renard. Il faut travailler. Et bien travailler. Moyennant quoi on est d'ailleurs assez bien payé, et on bénéficie de divers avantages dont bien rares sont les patrons qui en fassent profiter leurs employés. Bref, c'est un patron qui se dit révolutionnaire, un patron social. Mais qui ne donnerait pas son usine pour un boulet de canon, car il l'aime. Il aime son affaire, il le dit, et

on le sait. Sous les Boches, il s'est très bien conduit. Il n'y a pas
de doute qu'il ait aussi peu que possible travaillé pour eux. De plus,
il a caché les « agissements » de ses ouvriers, égaré les enquêteurs
de Vichy venus fourrer le nez chez lui, couvert les communistes,
qui n'étaient pourtant point ses amis, et même il a continué à
payer leur plein salaire aux femmes dont les maris ne travaillaient
plus pour lui, ayant pris le maquis. Or, à la Libération, voilà que
les camarades de la C.G.T. reçoivent une lettre de dénonciation
contre M. C... La lettre, d'ailleurs signée, accusait C... d'avoir été un
grand collaborateur. Je dois te dire que mon ami P..., qui a joué
dans la Résistance un rôle important, est en même temps secrétaire de l'Union départementale. Et c'est en cette qualité que la lettre
en question lui fut remise, et qu'il fut chargé de cette affaire. « Tu
peux croire que j'étais pas mal surpris de cette dénonciation, me
dit-il, mais puisque dénonciation il y avait, et que la lettre était
signée, je n'avais pas trente-six choses à faire. Il me fallait absolument demander à M. C... des explications, et, un matin, accompagné d'un camarade, nous fûmes le trouver. Il nous reçut dans son
bureau. Je lui dis : "Monsieur C... voilà une lettre qui vous accuse
d'avoir collaboré avec les Boches. Nous sommes obligés de vous
demander des explications là-dessus. — D'accord, me répondit-il,
mais, est-ce que je puis savoir le nom de mon dénonciateur ? —
Vous en avez le droit, lui répondis-je. La lettre est d'ailleurs signée.
C'est... — D'accord, je m'en doutais. Mais je voulais en être sûr.
Voulez-vous me donner un instant ?" Et le voilà qui ouvre un
tiroir, fouille dans ses papiers et en tire une feuille qu'il nous montre : "Je reconnais avoir volé à M. C... la somme de deux cent mille
francs." Ce petit papier était signé du même nom que la lettre de
dénonciation. "Voilà, dit M. C... c'est tout. Notez que je ne l'ai
même pas fait arrêter. Je lui ai seulement demandé de me signer
ce petit papier. Il ne m'avait pas volé deux cent mille francs d'argent dans ma caisse, mais pour deux cent mille francs de marchandises, qui lui ont servi à s'installer à son compte. Vous savez
où, ce n'est pas loin d'ici. Allez le voir. En fait de collaboration,
aussitôt installé à son compte, il a embauché quarante compagnons
qui n'ont jamais cessé de travailler pour les Boches." »

Nous fûmes voir le type. Il ne nia pas. Le vol de deux cent mille francs de marchandises était bien vrai. Il dit seulement qu'il ne savait pas, qu'il n'aurait pas cru... un con. On aurait pu lui foutre des baffes. On s'est contenté de bien l'engueuler. À présent, il est à Saint-Malo. Il travaille à la reconstruction.

De K... vint chez moi la première fois, conduit par Roland[1]. Notre cher Roland ne manque jamais de m'amener les grands personnages de sa connaissance (il m'a bien amené un jour Marche-à-Terre en personne !). C'est là une chose que je me garderai bien d'oublier quand j'écrirai enfin, s'il plaît à Dieu, ce grand roman auquel parfois je songe qui se passerait en Bretagne sous l'occupation et dont le thème principal serait l'action des autonomistes à partir de 1940. C'est en 1937 ou 1938, que Roland me parla pour la première fois de M. de K... qui venait de s'installer en ville avec sa femme et ses enfants qui étaient déjà de grandes demoiselles. Aux yeux de Roland le principal intérêt que présentait de K... était d'avoir été moine pendant une bonne quinzaine d'années. Un après-midi d'été, Roland arriva chez moi comme il fait souvent, tout droit. Cette manière d'entrer dans les maisons sans sonner, de passer au besoin par la fenêtre, montre la familiarité où nous sommes, l'amitié bien sûr, mais aussi, du point de vue de Roland, qui ne le dit pas, prouve encore plus que nous sommes des Bretons et par conséquent des frères, et que nous agissons les uns envers les autres comme des frères un peu paysans, peut-être ? Cette fois, il était accompagné par un étrange personnage du genre que les enfants appelleraient un bonhomme et suivraient dans la rue en se moquant de lui. Il avait tout ce qu'il faut pour cela — en tout premier lieu une vraie figure de singe. Pas du tout la même figure de singe que celle d'Auguste Boncors, le grand couronné de Rostrenen. Boncors dont je fis la connaissance cette même année-là, toujours grâce à Roland, était une sorte

---

1. Roland, qu'on retrouve sous les traits d'Hubert dans *Le Jeu de patience*, est nommé dans *Absent de Paris* et dans le t. I des *Carnets*.

de chimpanzé lubrique et rasé, au poil court et presque chauve sur le sommet de la tête, la figure plutôt ronde. Il n'avait guère qu'une trentaine d'années, tandis que de K... était un cinquantenaire blanchissant, le visage long, les pommettes très rouges et saillantes, la barbe courte au creux des joues mais assez longue et pointue sous le menton. Un front bas, une très grande bouche, de petits yeux verts derrière des lunettes à monture d'acier et dans l'ensemble une expression plutôt espiègle, assez naïve, un regard très mobile. De K... et Boncors deux grands singes. Thomas (dont je parlerai plus tard, un petit singe ouistiti). De K... était pauvre, très pauvre, un clochard, pour ainsi dire. Bien que nous fussions en été, il était très lourdement vêtu de gros habits ravaudés, portait plusieurs gilets, une grosse veste noire, des pantalons gris usagés et lâches, tire-bouchonnant, lui tombant en accordéon sur des brodequins et je m'en aperçus quand il s'assit — de grosses chaussettes de laine rouge. Des poches gonflées d'objets, la poche intérieure de sa veste d'un gros carnet qui dépassait. Roland comme toujours était l'élégance même.

— Eh bien, me dit Roland, voilà M. de K..., mon petit Louis.

— Ma foi, dit M. de K..., nous sommes des amis, n'est-ce pas... de vieux amis...

Le timbre de sa voix était plutôt dans les notes basses, un peu nasillard. Il parlait d'une voix assez lente, avec un bel accent finistérien et comme un sourire derrière chaque mot. Il était assis sur le divan, ses grosses mains posées sur ses genoux, Roland à côté de lui. Quant à moi, je restai debout.

— Il paraît, lui dis-je, que vous habitez Saint-Brieuc ?

— Ma foi oui. À côté de la gare, n'est-ce pas.

Déclaration qu'il fit en ayant l'air de réprimer une joyeuse envie de rire.

— M. de K... habite du côté de la gare avec toute sa famille, précisa Roland.

— Ah ?

— Avec Mme de K... et ses quatre filles.

— Ah ?

— Ma foi oui, dit M. Deka, avec mon dragon, n'est-ce pas...

Et, cette fois, il éclata franchement de rire. Roland se contenta d'un petit sourire discret, gêné, et se prit un genou entre ses deux mains croisées, et se pencha légèrement en arrière de côté...

— C'est ma femme, ajouta M. de K..., un vrai dragon.

Toujours sur le ton de la bonne humeur.

— M. de K... a passé plusieurs années au monastère, dit Roland.

— Ah ?

— Ma foi, oui, dit M. de K...

— Où çà ?

— À la Trappe, dit Roland.

— Quinze ans, dit M. Deka.

On l'avait mis à la porte.

— Ma foi, reprit-il, moi je sonnais la cloche, n'est-ce pas. Oui, je sonnais la cloche...

— M. Deka était un frère sonneur, dit Roland.

— Je sonnais la cloche, reprit M. Deka.

— Oui. Mais il a gardé la foi.

— Oui, reprit M. de K..., moi, n'est-ce pas, après avoir sonné la cloche pendant quinze ans...

— Racontez comment vous avez quitté le monastère, demanda Roland.

— Un jour, n'est-ce pas, un matin, moi, n'est-ce pas, j'allais au travail dans les champs avec les autres frères, n'est-ce pas. Comme tous les jours, et on marchait à la queue leu leu dans le sentier, n'est-ce pas, chacun avec son outil sur l'épaule. Et moi, avant d'être moine, j'aimais beaucoup la chasse : voilà. Alors, comme ça, en allant au travail, j'ai vu deux perdrix, n'est-ce pas, j'ai pris mon outil comme on prend un fusil, j'ai visé les perdrix et j'ai fait : pan ! pan !.

Il imita pour nous le geste du chasseur qui vise et tire. Roland me fit un petit clin d'œil, me sourit, avec une certaine gêne, et se balança encore une fois en arrière, son genou toujours dans les mains.

— Pan ! Pan ! répéta M. de K.... Seulement, n'est-ce pas, les autres frères m'avaient vu, et entendu... comme ça... et ils ont dit au supérieur...

— Hiérarchie ! s'écria Roland, en riant comme une petite vieille fille.

Il cessa de se balancer et lâcha son genou.

— Et le supérieur me fit appeler ; il me dit que j'avais besoin de repos.

— Et voilà ! dit Roland ! Des supérieurs !

Il rit de nouveau. M. de K... lui, ne riait pas, mais il avait envie de rire.

— Pan ! Pan ! fit-il encore une fois, en ajustant un fusil imaginaire.

— C'est le supérieur qui a fait pan pan, dit Roland.

— Il a écrit à Rome.

Et quinze jours plus tard, M. de K... n'appartenait plus au monastère. Six mois plus tard, il était marié. Deux ans plus tard, naissait le premier enfant, une fille. Suivirent des détails sur les affaires de famille, la vente de certains bois, le conseil judiciaire. Il s'était produit là des choses assez malhonnêtes qu'il racontait toujours avec la même étonnante bonne humeur. M. de K... avait l'air d'un homme heureux.

— Monsieur de K..., lui dis-je, vous avez l'air d'un homme heureux ?

— Mais oui ! me répondit-il, en ayant l'air de sous-entendre que la chose allait d'elle-même et, même, en marquant une légère surprise de ma question. Oui, ma foi... — Il hésita un instant, puis, me regardant droit dans les yeux : — j'ai mis mon baromètre au beau fixe, dit-il. Je suis un singe à deux pattes comme tout le monde. Pas un sage : un singe.

Éclats de rire.

— Un singe à deux pattes : je m'en fous.

— Alors, les hommes sont des singes ?

— À deux pattes.

— Et les femmes ?

— Des guenons à deux pattes.

Roland se prit le genou dans les mains et recommença à se balancer.

— M. de K... veut dire... Il veut dire...

— Ah ! oui, interrompit M. de K..., c'est à cause de la manie... du modernisme : c'est pour cela que je les appelle des singes.

— Mais M. de K... croit en Dieu ! s'écria Roland.

— Le Patron ? Si je crois au Patron ?

— Vous avez la foi ?

— Bien sûr !

— Très bien. Et si on lui brûlait la plante des pieds, dit Roland.

M. de K... fit le geste de se déchausser. Éclats de rire. Roland, comme une petite fille, se tortillait. Toujours le genou.

— Laissez votre soulier tranquille.

— Bon, dit M. de K..., ce n'est rien. On n'a qu'à dire à Papa.

Les yeux au ciel.

— Papa ? fit Roland...Tiens !

— Oui, reprit M. de K..., si on vous donne un coup de pied dans le cul, il n'y a qu'à dire à Papa...

... Mais j'oublie de te mander la grande nouvelle du jour ! Moi qui ne t'écrivais ce matin que pour cela ! Mon cher Jean, je suis bien désolé de t'apprendre qu'on vient d'arrêter M. Pépé, le fils. Et si je dis désolé, crois-moi, car je ne suis pas homme à me réjouir du malheur d'autrui, ce malheur fût-il, comme on dit, cent fois mérité. Non. Je suis désolé. Je me dis que de telles choses ne devraient pas arriver, mais aussi que M. Pépé n'aurait pas dû se mettre dans le cas d'aller en prison et d'y voir traîner avec lui sa femme...

Si vagues que soient devenus tes souvenirs briochins, tu ne peux pas avoir oublié complètement la famille Pépé, pas plus que tu n'auras oublié la famille Bégé, par exemple, qui présenta, avec la première, tant d'analogies. Et M. Bégé, lui aussi, a été arrêté, à la Libération, interné, jugé, frappé d'indignité nationale, d'interdiction de séjour. Et il s'est vu confisquer la plus grande partie de ses biens. C'est déjà de l'histoire ancienne. Tandis que l'histoire de M. Pépé est toute récente, toute chaude, pour lui encore toute « cuisante ».

L'origine de la famille Pépé, ou pour mieux dire, son apparition dans l'histoire de notre cité (dirait quelque savant chroniqueur) est toute récente. Elle ne remonte guère plus loin que la génération des grands-pères ou des arrière-grands-pères, et il en est de même de la famille Bégé.

En ce qui concerne la famille Bégé, tout commença selon la légende dans un parapluie. Entendons par là que le « fondateur » vendait de la pacotille sur le marché les mercredis et les samedis, que cette pacotille tenait dans le fond d'un parapluie et qu'il était tout juste un peu plus qu'un colporteur. En tombant dans l'oreille dudit colporteur le conseil d'un grand Ministre jocrisse : « Enrichissez-vous ! » n'était pas tombé dans l'oreille d'un sourd. Grand-père Bégé fut de ceux dont les petites gens disent avec admiration qu'ils ont su mener leur barque. Je te crois ! Ayant engendré des fils très dignes de lui, la barque continua de voguer sur mer belle encore pendant un assez long temps. On s'enrichissait de plus en plus. On ne songeait guère qu'à s'enrichir, de père en fils, et tout continuait d'aller si bien qu'on devenait même un peu imprudent, tant et si bien que la barque vient de chavirer, et que le petit-fils du grand Pépé est en prison... Et sa femme avec lui.

Je ne sais rien de précis quant à la responsabilité de cette femme dans l'affaire. Mais je pense au cas d'un autre actuellement en prison aussi pour fait de collaboration (condamné à cinq ans) et qui n'a jamais été coupable d'autre chose que d'avoir cédé à la folle ambition de sa femme. Mais c'est là toute une autre histoire...

... Le père Pépé, fondateur de la Maison — et de la dynastie —, prénommé Clément, était un petit bonhomme replet, dodu, toujours vêtu de marron clair et coiffé de paille blanche. Autant qu'il m'en souvienne, il avait le visage un peu gris, le regard un peu tombant, les joues un peu molles... Ai-je le droit de dire qu'il était muet ? Bien que nous fussions quasiment voisins, et que, par conséquent, j'eusse mille occasions pour une de me rencontrer avec lui dans la rue, je ne me souviens pas qu'il m'ait jamais adressé la parole, ni moi à lui. C'est que nous n'étions pas du même monde, au sens, bien entendu, où l'on entend par monde tout autre chose que notre mère commune la terre. Je ne me souviens pas, non plus, de l'avoir jamais vu autrement que seul. Le plus généralement, je le voyais aller et venir dans la rue où s'élevaient ses établissements, il avait toujours l'air préoccupé, comme un homme qui a beaucoup de grandes affaires en tête, et, par conséquent, de grosses responsabilités. Allait-il au café ? Aimait-il la pêche, la chasse ? Courait-il les filles ? Il ne me reste de lui que cette petite image silencieuse, comme arrachée à un bout de film des débuts du cinéma. C'était un patron. Il ne passait pas pour mauvais. Bref, c'était Clément Pépé, draps et tissus en gros et en détail. Il avait un frère nommé, je crois, Émile. Deux frères : l'autre s'appelait Ange. Émile vendait des vélos. Il aurait pu passer pour le frère jumeau de Clément. Comme Clément, il était plutôt bedonnant et court sur pattes. Mais autant Clément était mou, autant Émile était nerveux. Un sportif. Une autre grande différence entre les deux frères était qu'Émile s'habillait toujours en noir, et qu'il portait de grands chapeaux de feutre. Il était très populaire dans les milieux de jeunesse. Tous les ans, lors de la fête sportive, il offrait une prime pour certaines courses et il n'y avait pas chez nous de passage du Tour de France sans qu'il fût du jury d'accueil. Enfin il était célibataire...

Je revois encore son magasin, dans une partie aujourd'hui détruite de la vieille ville, derrière la cathédrale, à égale et très courte distance des établissements de son frère Clément, et de l'endroit où s'était tenue, naguère, la petite boutique de leurs parents. Rien ne me permet de dire que cet Émile-là n'ait pas été un très excellent homme. Reste le troisième frère, Ange, de beaucoup l'aîné des deux autres. Il ne leur ressemblait en rien ni par sa manière de vivre, ni par son apparence. Il vivait à l'hôpital. Comme il avait « les moyens » il était pensionnaire payant, et se promenait toute la journée en ville. C'était un homme vieillissant, à peu près aveugle, plus grand que ses deux frères, pas du tout bedonnant, habillé comme le sont les petits rentiers, et toujours coiffé d'un chapeau melon. À cause de ses mauvais yeux, il n'allait jamais sans une canne, marchant d'un pas brusque et hésitant, le menton levé, et, sur son visage à grosse moustache blanche, une expression de maussaderie fort pénible à contempler. Des bruits couraient sur son compte. On disait qu'il avait la manie d'attirer les petits garçons dans les coins...

Mais qui était l'épouse du fondateur ? Une grande femme brune et forte, très élégante, très soignée, la dignité même. La grande dignité bourgeoise, la « respectabilité » plutôt. L'honorabilité. On la rencontrait encore il y a quelques années dans les rues. Elle portait, avec une admirable fierté, le ruban de la Légion d'honneur obtenu pour ses bons services en 1914-1918.

Tout cela est très ennuyeux et plat. Bref, le père Clément mourut de bonne heure, aux environs de la soixantaine. Mon Dieu ! Mourir si tôt, juste au moment où on allait pouvoir profiter ! « *Mourir ! Moi ! Un homme si riche !* » Je ne dis pas que ce remarquable soupir soit du père Clément Pépé, je l'ai lu quelque part, je ne sais plus où. La veuve prit la tête de la maison, qu'elle ne laissa point « péricliter » — loin de là. Et pendant ce temps-là, les enfants grandirent. Deux fils. L'aîné, hélas, était né boiteux. Après la mort de la mère, ce fut lui qui hérita de l'affaire. Et c'est lui, hélas, qu'on vient d'arrêter.

... Voilà qu'on vient me chercher : il me faut abandonner mon récit, moi qui comptais en faire tout un roman ! Y reviendrai-je ? Je sens bien naturellement l'extraordinaire tristesse et la platitude de tout cela. Mais cette tristesse se sauve peut-être par la vérité qu'on doit préférer à tout et aimer, quand on ne peut pas faire autrement...

Un curé m'a raconté avoir reçu un jour la visite d'une jeune
femme venue de loin pour se confesser. L'aveu qu'elle venait
faire était celui d'un crime dont elle s'était rendue coupable.
Le remords qu'elle en avait l'étouffait. Dans les larmes et tout
le désordre que provoquait en elle une grande douleur, elle
confessa qu'elle avait tué son enfant. Cette femme était mariée
depuis trois ans. Elle en avait aujourd'hui vingt-huit, son
mari, dont elle n'avait jamais eu qu'à se louer, et qu'elle disait
aimer, menait un négoce de grains fort prospère. Elle était
heureuse avec lui. Les deux premières années de son mariage
avaient été deux années d'un bonheur qui eût été parfait, si de
leur union il était né un enfant. Malheureusement, malgré
leur désir et leurs prières, cela ne s'était pas produit. Ils commençaient à penser que ce bonheur ne leur arriverait jamais.

Vers la fin de la deuxième année, les affaires du mari se
développant, il engagea un gérant. Ce gérant était un homme
un peu plus âgé que le mari. Il pouvait avoir une trentaine
d'années. Un veuf. Il avait deux enfants en pension dans un
collège. Le gérant la séduisit. Elle découvrit bientôt avec horreur qu'elle était enceinte. La trahison dont elle s'était rendue
coupable l'épouvanta. Elle n'eut plus, pour son amant, que du
dégoût. Le pire était qu'il allait lui falloir pousser le mensonge
jusqu'à faire croire à son mari que l'enfant serait de lui. Elle
voulut rompre avec cet amant. Il la menaça de tout révéler au
mari si elle se refusait à lui. Longtemps encore elle fut sa maîtresse. Si bien qu'enfin elle en vint à penser qu'elle ne se défe-
rait de lui qu'en le tuant. En même temps elle employa tous les
moyens à sa portée pour se débarrasser de l'enfant. En vain.
Elle annonça à son mari qu'elle était enceinte. Celui-ci en
éprouva une grande joie. Or, le gérant était un excellent admi-
nistrateur, fort honnête quant à l'argent, travailleur, et, habituellement, agréable compagnon. Les deux hommes étaient
devenus amis et parfois le mari invitait le gérant à sa table. Ce
fut un grand supplice pour la jeune femme que d'entendre son
mari annoncer son bonheur au gérant. Sa résolution de tuer

son amant s'en affermit. Elle s'arrangea pour faire tomber du haut d'une grange un énorme billot de bois au moment où le gérant passait. Il s'en fallut de peu qu'il ne mourût écrasé. Il comprit la leçon et sous divers prétextes, malgré l'insistance du mari pour le garder, il quitta la maison.

L'enfant arriva au monde. C'était une fille. Les choses se passè-rent très bien et ce fut une grande fête. Le père était au comble de la joie, il découvrait que l'amour qu'il avait toujours eu pour sa femme se mêlait de reconnaissance et il le lui dit. Elle entendit ces propos sans rien laisser paraître de la douleur qu'elle en éprouvait, elle parvint même à lui sourire. Il est vrai que sa ten-dresse n'était pas feinte. Mais aurait-elle la force de mentir toute sa vie ? Elle n'éprouvait plus pour elle-même que de l'horreur. Elle ne se serait jamais crue capable d'une telle habileté qu'il lui fallait bien regarder comme naturelle dans l'hypocrisie. La seule pensée de l'avenir l'épouvantait. Mais le pire était encore à venir. Ce petit être qui vagissait dans son berceau elle le haïssait. Elle avait beau lutter contre ce sentiment, rien n'y faisait, et, quand elle se penchait sur le nouveau-né, c'était pour chercher ses points de ressemblance avec le visage de son amant. Elle croyait en trouver de nombreux et il ne lui semblait pas possible que les autres très bientôt ne tardent pas à les découvrir eux-mêmes. Tout se révélerait donc. Cela n'était pas supportable. Arrivée à ce moment de sa confession, le bon prêtre qui l'écoutait lui dit qu'il y aurait eu plus de courage à faire à un mari qu'elle décrivait elle-même comme un homme très bon l'aveu de sa faute et qu'en agissant ainsi, elle se fût sauvée. À quoi elle répondit que l'idée de tout avouer à son mari lui inspirait encore plus d'horreur que celle de tuer son enfant. Ce qu'elle fit par le poison et personne ne se douta de rien. Elle joua parfaitement la douleur, elle trouva des larmes et des mots pour consoler son mari en se demandant à elle-même avec plus d'horreur que jamais d'où lui venaient tant de ressources dans l'hypocrisie, et quelle était en cela la part de la nature et celle des circonstances. Cependant, une fois de plus, elle se disait que tout était fini, ce qui ne lui apportait aucun soulage-ment. Elle n'était pas quitte en effet. Autre chose commençait : le remords, l'approfondissement de soi-même. Elle savait désormais qu'elle ne se connaissait pas, qu'elle ne s'était jamais connue, qu'elle n'avait jamais su et ne saurait jamais de quoi elle était capable, qu'elle ne pourrait jamais répondre d'ellemême ni pour le bien ni pour le mal. Elle venait se confesser, parce qu'elle n'en pouvait plus mais elle ne savait pas si elle croyait en Dieu. Bien plus que de consolations elle avait besoin de conseils tout en sachant qu'elle ne les suivrait que par hasard. Avant tout, ce qui l'amenait à se confesser, c'était qu'elle ne voulait plus être seule à porter ce secret trop lourd. Mais aussi, qu'un nouveau sujet d'angoisse lui était venu : elle se disait que, d'une manière tout aussi fatale, cet aveu qu'elle n'avait pas eu le courage de faire à son mari, quand il en était encore temps, elle finirait par le faire un jour qu'elle ne pouvait prévoir, peut-être demain, peut-être dans vingt ans, mais elle le ferait. Cela la rendait folle. Elle le ferait malgré ellemême, contre sa volonté, comme elle avait fait tout le reste. Cet aveu lui échapperait. Elle ne penserait jamais à se pendre. L'idée d'en finir avec la vie lui avait toujours été étrangère, et le lui serait toujours.

J'ai demandé à l'abbé ce qu'il lui avait conseillé ?

— La prière, d'abord, m'a-t-il répondu. La patience. Et de faire en sorte de mettre un autre enfant au monde.

— Lui avez-vous conseillé l'aveu ?

— Non. Je l'ai même déconseillé. À quoi bon un nouveau désordre ?

— Elle reviendra vous voir ?

— Je ne le pense pas. Nous recevons parfois certains pénitents qui viennent de loin pour des confessions... difficiles. Il est rare que nous les revoyions. Pour ainsi dire jamais.

Quand les gens sont réunis autour de la table, qu'il fait bon et qu'ils ont du temps devant eux, ils racontent volontiers des histoires. Ils commencent généralement par dire que leur histoire est « authentique ». Tenez, par exemple, c'est comme l'histoire de la tante à héritage qui est morte pendant l'exode. Comme elle n'était pas bien épaisse on l'avait mise dans une boîte d'horloge. Seulement voilà que la boîte d'horloge s'est perdue en route et la tante à héritage avec, parbleu ! si bien que... « authentique » mes chers amis ! Rigoureusement authentique. Et alors comme il n'y a pas eu de déclaration de faite il faudra attendre je ne sais pas combien d'années avant que les héritiers puissent toucher un sou... « Ah ! continue un autre, eh bien moi, je vais vous en dire une autre que je sais. Elle n'est pas drôle, je vous en préviens, mais elle est authentique aussi. Eh ben ! figurez-vous qu'il y avait quelque part dans la région parisienne, je ne veux pas vous dire où, parce que l'histoire c'est le percepteur qui me l'a racontée, et que je ne veux pas commettre d'indiscrétions en disant des noms. C'est d'ailleurs inutile. Bref il y avait dans la région parisienne un petit ménage d'employés. Ils n'étaient pas bien riches. La belle-mère — la mère de madame — vivait avec le ménage. C'était une toute petite femme pas chicanière du tout, au contraire, et qui s'entendait très bien avec son gendre. Bon. Voilà que la belle-mère tombe malade. On la soigne, c'est bien la moindre des choses. Mais ça ne s'arrange pas, et il faut l'emmener à l'hôpital. Naturellement la fille et le gendre allaient la voir. Les premiers jours ils furent très inquiets, puis on leur dit que la malade était hors de danger, et qu'ils pouvaient la ramener à la maison. Bien, dit le gendre, on va la ramener. Seulement, comme il n'y avait pas de taxis, comme la belle-mère toute petite n'était pas encombrante, le gendre se dit qu'il pourrait aussi bien la ramener dans sa remorque. Il avait un vélo et une remorque. C'était pour aller au ravitaillement à la campagne. Il irait tout doucement. Ce petit voyage prendrait une demi-heure tout au plus. Bon. Il fit comme il avait dit. Il arriva à l'hôpital, il prit sa belle-mère dans ses bras, et il l'installa dans la remorque, sur des coussins. Il avait emporté des couvertures. La voilà bien calée. Elle était toute ravie, la belle-mère, de rentrer chez elle.

— Alors, ça ira comme ça ?
— Allez, allez ! ça va très bien. En route !

Et les voilà partis.

Il faisait beau. Il roulait doucement. Les gens les regardaient et souriaient un peu, mais pas trop, tout juste ce qu'il faut. De temps en temps, il se retournait pour demander :

— Ça va ?

— Ça va très bien. Continuez.

— Vous n'êtes pas trop secouée ?

— Non, non... continuez, ça va !

Quel bon gendre elle avait là ! Gentil, délicat, plein d'attention, quelle chance avait eue sa fille !

Comme il se retournait encore une fois pour demander si ça allait la belle-mère ne répondit pas. Tiens ! qu'est-ce qui se passe ? Elle penchait drôlement la tête. Il s'arrête, range son vélo le long du trottoir, descend, s'approche. Elle est morte ! Quel coup !...

Qu'auriez-vous fait à sa place ? Il ne perd pas le nord. Toute morte qu'elle est, il faut la ramener chez elle. Mais comme il ne peut pas promener à la vue du monde, dans une remorque, une pauvre morte, il la recouvre avec les couvertures, il s'arrange du mieux qu'il peut pour avoir l'air de transporter un ballot, il la tasse un peu, quoi, que voulez-vous ! Nécessité fait loi. Il remonte sur son vélo et accomplit le reste de son voyage de l'air le plus tranquille du monde. Le voilà à sa porte. Il saute de sa machine, grimpe bien vite chez lui. Comment va-t-il s'y prendre pour prévenir sa femme ? Quel coup pour elle ! Il va falloir qu'elle descende et qu'elle l'aide à monter le cadavre. Il aurait peut-être bien pu le monter tout seul, mais il ne se voyait pas arrivant chez lui avec le cadavre de sa belle-mère dans les bras. Il sonne. Sa femme ouvre. Il lui dit la nouvelle. Elle jette un grand cri et s'élance dans l'escalier. Il la suit. Elle arrive la première en bas et là, elle regarde partout comme une folle. Il arrive à son tour et : quoi, quoi... où ? Où, où ? Lui aussi se met à regarder partout comme un vrai cinglé et il gueule sans s'en rendre compte, qu'on lui a fauché son vélo avec la remorque. Ah ! Ah ! Fauché ! Vous entendez ça ? »

Je trouve ce texte dans le tome I des *Souvenirs* et *Correspondance* tirés des papiers de Mme Récamier (pp. 199, 200, 201) :

La laideur de M. Ballanche, résultat d'un accident qui avait défiguré ses traits, avait quelque chose d'étrange : d'horribles douleurs de tête, qu'un charlatan avait voulu faire disparaître par un remède violent, avaient amené une carie dans les os de la mâchoire, il devint nécessaire d'en enlever une partie, et, de plus, on dut faire subir à M. Ballanche l'opération du trépan. De toutes ces souffrances, il s'en était suivi une difformité dans l'une de ses joues.

Des yeux magnifiques, un front élevé, une expression de rare douceur, et je ne sais quoi d'inspiré à certains moments, compensaient la disgrâce et l'irrégularité de ses traits, et rendaient impossible, malgré la gaucherie et la timidité de toute la personne, de se méprendre sur ce que cette fâcheuse enveloppe renfermait de belles, de nobles, de divines facultés. David d'Angers, s'inspirant de la physionomie et saisissant avec justesse la grandeur empreinte dans cette tête, a pu faire de M. Ballanche (de profil, il est vrai) un très beau médaillon d'une ressemblance frappante.

Le lendemain de sa présentation chez Mme Récamier, M. Ballanche y revint seul, et se trouva tête à tête avec elle. Mme Récamier brodait à un métier de tapisserie ; la conversation, d'abord un peu languissante, prit bientôt un vif intérêt, car M. Ballanche, qui trouvait avec peine ses expressions lorsqu'il s'agissait des lieux communs ou des commérages du monde, parlait extrêmement bien, sitôt que la conversation se portait sur l'un des sujets de philosophie, de morale, de politique ou de littérature qui le préoccupaient.

Malheureusement, les souliers de M. Ballanche avaient été passés à je ne sais quel affreux cirage infect, dont l'odeur, d'abord très désagréable à Mme Récamier, finit par l'incommoder tout à fait. Surmontant, non sans difficulté, l'embarras qu'elle éprouvait à lui parler de ce prosaïque inconvénient, elle lui avoua timidement que l'odeur de ses souliers lui faisait mal.

M. Ballanche s'excusa humblement, en regrettant qu'elle ne l'eût pas averti plus tôt, et sortit ; au bout de deux minutes il rentrait sans souliers et reprenait sa place, et la conversation où elle avait été interrompue. Quelques personnes qui survinrent le trouvèrent dans cet équipage et lui demandèrent ce qui lui était arrivé. « L'odeur de mes souliers incommodait Mme Récamier, dit-il, je les ai quittés dans l'antichambre. »

Le vieux père Coudereau le jardinier dont Jean me disait que c'était un homme de Claudel, Daniel Halévy l'avait engagé pour son beau langage. Il est vrai que le langage de ce tourangeau illettré était un des plus beaux que j'aie jamais entendu. Daniel Halévy racontait que, quelqu'un ayant prononcé devant Coudereau le mot *horizontal*, le vieux jardinier avait éclaté de rire. Ce qui lui avait mis (à Daniel Halévy) la puce à l'oreille, et de fouiller le dictionnaire, pour découvrir que le mot « horizontal » n'était pas du tout du bon langage, et que le rire de Coudereau était parfaitement justifié.

Orphelin de très bonne heure, on l'avait envoyé à six ans garder les vaches, Coudereau n'avait jamais été à l'école. Jeune homme il s'était loué comme valet de ferme et à vingt ans il avait tiré au sort. Le sort l'avait épargné et l'année suivante, il s'était marié. Après plus de quarante ans de vie commune, la mère Coudereau se souvenait encore d'un ancien amoureux, garçon boulanger, devenu depuis patron, qu'elle eût bien préféré à celui qu'elle avait « pris ». « Est point Coudereau que je voulais. » Il était survenu je ne sais quoi, elle avait découvert une lettre, ou bien le garçon boulanger était parti ailleurs chercher du travail, toujours est-il qu'elle ne l'avait pas épousé. Coudereau avait été jaloux autrefois (ce n'est pas lui qui me le dit). « Ah, monsieur, me dit-il un jour, si c'est elle qui s'en va la première je ne ferai pas de vieux os ! » Il me raconta comment elle avait failli mourir, comme elle était restée impotente. « C'est la maladie qui fait l'amitié du ménage. » Je me souviens qu'il me dit aussi un matin : « Il n'y a jamais une heure plus longue que l'autre, ni dans la joie ni dans le chagrin. »

Il me parlait de ses petits-enfants, trois garçons, « trois brigands » qui devaient bientôt venir le voir. Coudereau comptait
les jours et faisait en secret des économies pour leur acheter
des amusettes...

Un matin que nous étions en train de bêcher, je le vis s'arrêter, croiser les bras sur le manche de son outil et réfléchir.
Cela dura un long moment. Enfin il se tourna vers moi et me
dit enfin : « Je voudrais vous demander quelque chose... Il y a
longtemps que je voulais vous demander... dites-moi donc,
qu'est-ce que c'est qu'une chose moderne ? »

Je m'en tirai comme je pus en parlant des avions, des autos.
Il hocha la tête, et nous en restâmes là.

Un matin, comme je descendais de ma chambre, je trouvai
le vieux Coudereau et sa femme très affairés. Bien qu'on fût
dans un jour de semaine, ils s'étaient endimanchés. Ils s'apprê-
taient à se rendre au village. La mère Coudereau dans une
grande robe noire qui la faisait paraître encore plus grosse, et
coiffée d'un chapeau qu'elle n'arrivait pas à faire tenir, se
tenait tout debout devant une glace, Coudereau déjà prêt
depuis longtemps l'attendait dehors. Dans sa cage, la perruche
jaquetait. Il faisait beau. Coudereau en jaquette et pantalon
noir bien repassé, rasé, les souliers cirés. Au lieu de sa casquette habituelle un chapeau melon. Une belle chemise blanche.
Comme il avait l'air désœuvré ! La cause de ce grand remue-
ménage c'était que, il y avait un peu plus d'un mois, son
alliance s'était cassée. Pas bien étonnant après plus de quarante-sept ans de mariage. Et il l'avait rapportée à sa femme dans
le creux de sa main. « Que voulez-vous ! On ne va pas contre le
temps... Mais quand nous avons vu ça, ma foi, ça nous a fait de
la peine à tous les deux. » Là-dessus, ils avaient décidé qu'ils
achèteraient une nouvelle alliance, et même deux, celle que la
mère Coudereau portait à son doigt ne valait guère mieux que
celle de son homme. Or, ce n'était pas le tout que de remplacer
les vieilles alliances : les premières avaient été bénies, il fallait
que les nouvelles le fussent aussi. Rendez-vous était pris avec
M. le curé pour ce matin à dix heures. Coudereau sortit de sa

poche la petite boîte où, sur un lit de coton blanc, reposaient les deux anneaux...

... Or, l'argent est roi en ce monde, et il est dans les usages de donner un peu d'argent au domestique qui vous a servi. Dans certains cas, l'argent n'est-il pas le seul moyen qu'ait un homme de montrer à un autre son affection et sa reconnaissance ? Qui tenait les cordons de la bourse dans le ménage Coudereau ? Faut-il le demander ! Mais il est probable que le père Coudereau avait son petit magot à lui, sa petite réserve, ses petits sous de poche, quelque petite monnaie pour aller prendre un verre de temps en temps en liberté, bien qu'il ne fût pas du tout buveur. Le soir où je quittai la Maison des Gardes pour aller prendre le train pour Paris, Coudereau m'accompagna à la gare. En bon domestique, il portait ma valise. Or, j'avais dans la poche un billet de cinquante francs. C'était tout l'argent que je possédais sur moi, bien sûr, mais j'en devais recevoir d'autre à Paris. Ce billet je le destinais à Coudereau. Or, je ne le lui donnai pas.

Je quittai Coudereau sans lui donner un sou, voilà le fait. Il ne manifesta aucune surprise, aucun étonnement. Il n'eut pas le moindre geste qui pût me laisser croire qu'il était déçu. Il me souhaita bon voyage et partit. Je le laissai partir. C'est là, de ma part, une action très noire, que je me suis toujours reprochée. J'ajoute, non pour me disculper, que c'est une affaire obscure, car je ne suis pas un avare. J'ai toujours eu au contraire un penchant très naturel à donner largement, et cette action, dans son genre, est la seule dont je sois coupable. Je ne sais pourquoi je ne donnai rien à Coudereau. Tout ce que je sais, c'est que je le laissai partir les mains vides et que, encore aujourd'hui, quand j'y repense, je ne puis supporter la pensée qu'il rentra chez lui en disant à sa femme : il ne m'a rien donné, et que sa femme, peut-être, ne le crut pas.

Je suis d'autant plus impardonnable que, dans les jours suivants, rien ne m'eût été plus facile que de lui envoyer par la poste ce que je n'avais pas su lui donner de la main à la main, mais, cela non plus, je ne le fis pas.

Autre aveu : Un jour, me trouvant chez Daniel Halévy, seul dans le petit salon, dont les fenêtres donnaient sur le quai de l'Horloge (je ne puis m'empêcher de faire ici une parenthèse, pour me souvenir comment, dans la saison d'été, quand les soirées se prolongeaient, Mme Halévy prenait la précaution de mettre au frais, derrière un volet d'une fenêtre, une bouteille d'orangeade), je vis passer, traversant le Pont-Neuf, mon ancien « patron » M. René Jeanne qui allait tranquillement à ses affaires comme il avait toujours fait. Pour une fois, son chien Vulcain n'était pas de la partie. René Jeanne, grand, mince, élégant, très parisien (il vaut surtout par ses souvenirs parisiens, m'avait dit un jour, je crois, Gabriel Boissy[1]), était loin de se douter de ma présence dans le salon de Daniel Halévy, et j'avais tout lieu de croire qu'il aurait fort envié d'être à ma place. N'avais-je pas, quelques années plus tôt, porté chez Grasset un manuscrit de sa main destiné au jury d'un certain prix Balzac, et ne connaissais-je pas assez René Jeanne pour bien savoir que sa plus profonde ambition eût été de devenir un écrivain connu, et jouant sur la scène parisienne un rôle qu'il eût bien volontiers troqué contre celui de journaliste et de critique cinématographique. Je savais cela tant par les bribes de confidences que par le spectacle même qu'il m'avait donné tous les jours pendant près de cinq années. Je savais que René Jeanne ne mettait rien au-dessus du destin d'un écrivain, qu'il eût voulu être un grand romancier, et même de l'Académie, jusqu'à me dire qu'il lui prenait parfois des envies de foutre le camp à la campagne pour y travailler à son aise, projet hélas sans cesse contrarié. C'est à lui que j'ai pensé le jour où j'ai lu, dans *Rivarol* je crois, que la jalousie des hommes de lettres ne vient pas de ce que l'un envie la gloire de l'autre,

1. Gabriel Boissy, journaliste ; il fut critique dramatique et rédacteur en chef de *Comoedia*.

mais bien la joie de la création. En le voyant sur le Pont-Neuf moi qui, pendant si longtemps, avais porté ses lettres en ville, fait la cuisine de sa page de cinéma au *Petit Journal*, revu ligne à ligne ses manuscrits, moi donc, qu'une fois il avait menacé de mettre à la porte et qui n'avais pas pris la porte (encore une couleuvre que j'avais bel et bien avalée !), je le regardais certain qu'il courait vers quelque *Cinémonde*, quelque *Ciné-Magazine*, porter sa copie, moi, dont je me disais en le voyant : s'il pouvait me voir ici ! s'il savait que je suis ici !

Je ne fais pas étalage de mes sentiments bas pour le plaisir de me grandir. A vrai dire, j'attache très peu d'importance à ces petits mouvements de vanité. Si je m'en souviens, c'est peut-être qu'il y a là une situation romanesque.

Une autre fois, chez Daniel Halévy encore, du temps où j'allais publier le *Dossier confidentiel*. A propos de quoi la question était de savoir dans quelle collection mon livre paraîtrait, soit dans les *Ecrits*, soit dans les *Cahiers verts*. Guéhenno me disait qu'il serait bien content de donner mon ouvrage dans sa série, mais il était évident qu'au point de vue des avantages de l'auteur, et du sort de ce livre, il eût mille fois mieux valu qu'il parût dans les *Cahiers verts*. C'était aussi l'avis de Malraux. Daniel Halévy ne disait rien. Or, il existait une troisième collection qui n'en était encore qu'à ses tout débuts, collection personnelle de M. Grasset : *Pour mon plaisir...* Je n'ai jamais eu un bien grand génie de l'intrigue. L'eussé-je eu qu'il m'eût encore manqué la patience. Les travaux de l'ambitieux sont trop longs, trop lents, il y faut trop d'application. Mon livre était prêt, il m'avait déjà donné bien du souci et j'attendis avec une tranquillité absolue que les choses se décidassent d'elles-mêmes. Elles en étaient là, les choses, quand Grasset, cédant je ne sais à quoi car je ne puis croire qu'il l'avait lu, déclara que mon livre l'avait ému, et même bouleversé, et qu'il allait le donner dans sa collection. Je fus extrêmement surpris de voir la colère dont fut pris Daniel Halévy quand il sut les intentions de Grasset. Daniel Halévy était un homme fort poli, toujours très mesuré dans son langage et qui ne se mettait jamais en

colère. Mais pour une fois il avait pris la mouche. Pourquoi ?
Pour faire échec à Grasset, sa résolution fut que mon livre ne
paraîtrait que sous le vert plumage de sa collection à lui. Il ne
consulta même pas Guéhenno, j'en eus ensuite la preuve.

Il m'annonça la chose entre deux portes à l'issue d'un dîner,
au moment où nous allions passer au salon pour le café. Mme
Halévy voulut que nous allions tout de suite ensemble à Belleville chez Guéhenno. Après le café nous sautâmes dans le premier taxi qui passait sur le Pont-Neuf. Nous trouvâmes Guéhenno qui travaillait à sa table. A l'annonce de la grande nouvelle, il ouvrit des yeux si grands qu'ils semblaient dépasser ses
grandes lunettes. « Il veut vous embrasser, mais il dit qu'il
n'est pas rasé », dit Mme Halévy. Et Guéhenno m'ouvrit tout
grand ses bras. Il était bien content...

Tels sont, mon cher Jean, les grands moments de l'existence !
Telles sont les roses, qu'on peut suspendre aux murs de nos pri-
sons. Mais je n'ai pas tout dit. Il y avait, à cette rose-là, une épine
que j'ai laissée jusqu'à présent cachée, tout en ne pensant qu'à
elle. De tous les hommes que j'ai connus, Halévy était bien sans
doute le plus courtois, le plus discret, le plus mesuré, celui dont
les manières étaient les meilleures. Or, il n'en est pas moins vrai
que dans la colère dont il s'était laissé surprendre à l'annonce des
intentions de Grasset, s'adressant je ne me souviens plus à qui,
peut-être était-ce à sa femme, et s'indignant des *prétentions* de
Grasset, il lui arriva, parlant de moi, de s'écrier : « Lui qui n'existe dans cette maison que par nous ! » Il n'aurait pas dû dire cela,
et je n'aurais pas dû le supporter.

Charles Michel, mon camarade de lycée, était, dès quinze seize
ans, très dessalé. Il fréquentait pas mal les filles. Très beau garçon
blond aux yeux bleus, séduisant, grand, gai, il réussissait très bien
en tout. Il eut donc, de très bonne heure, des maîtresses, ce qui ne
l'empêchait pas de fréquenter très assidûment les bordels. J'étais
pas mal lié avec lui, et il me faisait ses confidences. J'en ai surtout
retenu ceci que, pour compenser les fatigues de l'amour, il gobait,
tous les matins, des œufs crus.

Après le lycée je l'avais perdu de vue. J'appris qu'il était marié. Très mal marié. Il avait pris une femme beaucoup plus âgée que lui, jalouse, violente. La vie se passait en scènes. Il divorça. C'est ce qu'il m'apprit lui-même au cours d'une rencontre de hasard longtemps après. Il ne revenait au pays qu'à l'époque des vacances. Cette fois-là, tout en m'apprenant son divorce, il m'annonça qu'il venait de se remarier mais cette fois avec une femme « épatante », beaucoup plus jeune que lui, pas jalouse, etc. Et il me la présenta. C'était, en effet, une assez jeune femme, ni plus belle ni plus laide qu'une autre, une bonne petite-bourgeoise moyenne. Ils semblaient parfaitement heureux ensemble. Je restai longtemps sans le revoir et sans recevoir la moindre nouvelle de lui. Peu de temps avant la guerre, ayant vu que je venais de publier un livre, il m'écrivit. Mais nous ne nous revîmes pas. La guerre survint, l'invasion, l'occupation. Je ne savais plus rien de lui. Il y a un an environ, je reçus de lui une nouvelle lettre. Il serait, dit-il, heureux de me voir si j'avais un jour l'occasion d'aller à Paris, et cette occasion s'étant produite, je lui téléphonai, il y a quelque temps, en lui donnant rendez-vous dans un café. Il y vint. C'est toujours une surprise de voir comment les gens ont changé. J'avais en face de moi un grand fort homme de quarante-cinq ans un peu gras, un peu chauve, une grande personne, un homme d'affaires. Nous parlâmes de différentes choses qui avaient trait à des souvenirs communs ; il s'intéressait beaucoup à ce qu'étaient devenus certains de nos anciens camarades. A la fin, je lui demandai :

— Et toi, tu es toujours heureux en ménage ?

— Oui, me dit-il.

— Tu as des enfants ?

Il avait un fils mais... Mais pas de sa femme.

— Tu comprends, quand j'ai vu qu'elle ne pouvait pas avoir d'enfants... Naturellement, ce que je te dis là est secret. Je ne veux pas la quitter. Je ne veux pas lui faire de peine.

Il me pria de lui téléphoner « un de ces jours » à un numéro qu'il me donna, en ajoutant que c'était un numéro secret, et, avant de quitter Paris, je lui téléphonai en effet à ce numéro. Ce fut une femme qui me répondit. Il était environ trois heures de l'après-midi.

— Monsieur Michel ? Oui. Il vient tout de suite.

Un instant plus tard, en effet, j'entendis la voix de Michel.

— Excuse-moi, mon vieux, je piquais un petit roupillon...

A quel moment mes rapports avec Guéhenno ont-ils commencé à se gâter ? Je me souviens qu'un soir nous sortions de chez Grasset, il était tard. C'était en hiver, et il faisait déjà nuit. Nous devions dîner chez lui, à Belleville, il allait m'emmener dans sa voiture. Nous montâmes tous les deux dans sa voiture en station devant la maison Grasset, mais, pour une raison quelconque, il fut impossible de la faire démarrer. Ne connaissant rien aux voitures, j'assistai bien impuissant aux efforts de Guéhenno pour mettre celle-ci en marche. Il eut bientôt fait de se mettre en colère, il descendit, souleva le capot, regarda là-dedans de ses grands yeux écarquillés derrière les lunettes, et jurant le tonnerre de Dieu. J'étais resté assis. Qu'avais-je d'autre à faire qu'à attendre ? J'étais l'ignorant, l'impuissant, l'incapable, le profiteur, « l'inutile fardeau sur la terre », l'embusqué. La situation se prolongeait. Le malheureux Guéhenno avait beau faire et ne pas faire, jurer par tous les démons, tourner et virer, se mettre en nage, manœuvrer ceci, cela : rien, rien et rien. Je me sentis gêné. Que pouvais-je faire d'autre que de quitter mon siège, que de renoncer à un insolent confort, pour venir sur le trottoir et y rester debout. C'est ce que je fis. J'avais l'air d'un badaud. Pour mon malheur, je voulus risquer un mot d'encouragement, ce qui m'attira le conseil d'avoir à ne pas emmerder le monde. Or, je suis très sensible aux conseils de mes amis quand ils en valent la peine. Et je reconnus aussitôt la très grande valeur de celui-ci.

Cette valeur ne me serait pas apparue aussi nettement, le conseil eût-il été donné par un autre, et d'un autre ton. Mais ici je sentis que la colère, au lieu de servir d'excuse à ce qui aurait pu passer pour un simple écart, donnait aux choses un caractère de révélation inattendu. Je me donnai garde de rien répondre, et je restai là toujours aussi impuissant jusqu'au moment où la grande découverte se fit qu'il n'y avait plus d'essence dans le réservoir. Nous aurions pu en rire — mais pas du tout : les jurons allaient toujours aussi bon train.

Il se fit que par bonheur un garagiste de la rue de Grenelle n'avait pas encore fermé ses portes. Là, nous achetâmes un bidon d'essence et en avant la musique !

Une autre fois, j'étais chez lui, rue des Lilas, dans son bureau. Nous bavardions. J'étais debout devant les rayonnages chargés de livres dont je lisais distraitement les titres. Et voilà que j'avance la main pour prendre un livre, quand j'entends :

« Ne touche pas ! »

Comme tout est sujet à caution dans notre façon d'être, pour ne rien dire de notre façon de parler, et comme il faudrait sans cesse tout reprendre, tout corriger, tout rectifier, puisque jamais rien n'est comme il paraissait que c'était ! Je pense à ce que Lambert nous montrait de lui-même, dans sa manière de se comporter, soit avec nous, soit avec les gens, par exemple, dans la rue, et à tout ce qu'un esprit non averti aurait pu en conclure de bien nécessairement erroné. Rappelle-toi comment il avait une espèce de manie de dire tout haut ce qu'il pensait des gens en les voyant, de crier, par exemple : « Au mur ! au mur ! » à l'apparition de tel personnage, ou personne, et à bien haute et intelligible voix, et au beau milieu de la rue ; ou bien encore « Foutez-moi ça dans les tanks !... » Cette façon de se comporter participait de quelque chose en lui dont il n'était pas tout à fait le maître, et qui le portait, par exemple, à faire des grimaces aux enfants, pour les faire pleurer et emmerder un peu les parents. Pour les faire pleurer : ce *pour* n'est pas juste. Je ne crois pas qu'il y avait en lui cette intention délibérée, mais tout simplement, il ne pouvait pas s'empêcher de faire des grimaces, et il m'avoua une fois qu'étant un jour dans le train, il s'était beaucoup amusé à faire pleurer un poupon

sur les genoux de sa mère, et il avait ri comme un fou parce
que la mère, ne comprenant pas d'où venaient les larmes du
bébé, avait passé son temps à le déshabiller et rhabiller, pensant qu'une épingle le piquait. Et elle était désolée de ne rien
trouver. J'ai été témoin une fois d'une chose de ce genre assez
drôle. Cela devait se passer vers l'année 1937 ou 1938, et nous
étions sur la plage de la Grandville en compagnie de Schlesinger qui, cet été-là, faisait chez moi un séjour. Nous étions allés
à Hillion, sur la tombe de Palante — cette tombe toujours si
tragique, avec, à côté de Palante, la place toute prête pour
Maïa, qui n'y viendra pas, car comment y viendrait-elle, puisqu'elle est remariée — et de là nous étions allés à la Grandville. Cette année-là, la petite maison de Palante était louée à des
Parisiens. Ils nous permirent de la visiter. Le grand portrait de
la première femme de Palante y était encore à la place où je
l'avais toujours vu, sur la cheminée, dans la chambre du premier, à droite, là où il couchait avec Maïa durant ses séjours à
la Grandville. C'est la seule fois où je sois retourné dans cette
maison depuis le temps de mon amitié avec Palante. Je n'oublierai pas les quelques minutes que j'y passai. Mais ce n'est
pas là pour le moment mon propos. Sortis de là, nous étions
descendus sur la grève, toujours assez solitaire, bien qu'à
divers signes, on comprenne qu'elle ne le restera plus bien
longtemps, et nous nous promenions, allant vers l'embouchure
du Gouessant, lieu qui avait toujours été un lieu de prédilec-
tion pour Palante, qui aimait tant s'embusquer de ce côté-là,
surtout au petit matin, dans l'attente d'un passage de canards
sauvages. Or, tu n'as pas oublié la « configuration » du terrain.
Le Gouessant n'est qu'une rivière, mais qui s'élargit assez à
l'instant de communiquer avec la mer. Je ne saurais dire au
juste de combien elle peut être large, mais elle l'est assez pour
qu'il ne soit pas très commode de communiquer d'une rive à
l'autre. Et, sur la rive opposée à celle dont nous approchions,
d'ailleurs lentement, venant à mi-côte, à travers un petit sentier, qui doit mener à cette petite église dont j'oublie le nom,
mais que je revois très bien — c'est une chapelle collée sur un

rocher, à l'entrée de ce qu'il faut bien appeler l'estuaire —,
arrivait un homme, disons un promeneur, disons un Parisien,
un homme en vacances, qui faisait tranquillement et très
apparemment un petit tour de promenade. Un monsieur. Un
père de famille. Mettons, si tu veux, un petit-bourgeois, très
correctement vêtu d'un veston qui pouvait être d'alpaga, d'un
pantalon rayé, et coiffé d'un chapeau de paille. Lambert, lui,
portait un costume de plage : pantalon de flanelle, blouse de
marin, d'un ocre très beau, pas de chapeau, et les pieds nus
dans des sandales. Ces détails vestimentaires ont leur importance dans mon récit. Nous avancions donc. Autant qu'il me
souvienne, la conversation était entre Schlesinger et Lambert.
J'y prenais très peu de part. J'étais peut-être, encore une fois ce
jour-là, l'enfant qui écoute parler les grands et se plaît en leur
compagnie, mais qui, de lui-même, ne veut rien dire. Et nous
avancions toujours. Lambert marchait les mains dans les
poches, il écoutait surtout, répondait à ce que disait Schlesinger par des hochements de tête, et de son côté, le monsieur
avançait aussi, à la bourgeoise, à la papa, en petit bonhomme
bien tranquille, ma foi, qui ne cherche d'histoires à personne,
et profite du mieux qu'il peut d'un beau jour de vacances. Tant
et si bien que nous, avançant toujours, et le monsieur aussi,
nous finîmes par nous trouver face à face, la largeur du Gouessant toutefois mettant entre nous une assez jolie frontière. Et
c'est alors que se produisit une chose pour moi tout à fait inattendue, Lambert aperçut le monsieur, et il sembla qu'il le
découvrait. Il sortit aussitôt les mains des poches, et, levant les
bras au ciel, enflant ses joues, roulant des yeux, il se mit à
pousser des cris épouvantables, tout en agitant les bras, et les
manches de son ample blouse frémissaient comme des ailes
d'un oiseau prisonnier : « Ou ! Ou ! Ou ! Ou ! Ou ! » Et les manches faisaient Flac ! Flac ! Flac ! Flac !... Vraiment, il avait l'air
d'un monstrueux oiseau attaché par la patte à un piège et qui
cherche à s'en arracher... Le monsieur resta cloué sur place,
figé, autant dire, et nous observant tous les trois avec ce que tu
me permettras d'appeler pour le moins une assez belle curiosi-

té. Schlesinger et moi, nous ne savions que faire, et nous ne disions rien. Je me souviens que cela m'amusait beaucoup, et en même temps, j'en éprouvais une certaine angoisse. Or, voyant que le monsieur ne bougeait pas, Lambert recommença son manège, en y mettant encore plus de frénésie, et je te dis que cette fois-là, les manches de la blouse frémissaient et claquaient comme la voile par une bonne brise. Et les Ou ! Ou ! Ou ! ne manquaient pas. Foutre pas ! Le monsieur était toujours figé au beau milieu de son sentier, arrêté net comme par un fil magique. Nous ne distinguions guère l'expression de son visage, mais à tout le reste de son attitude, il était clair qu'il faisait de grands efforts pour chercher à se rendre compte, pour comprendre de quoi il retournait. Et, enfin, ayant compris quelque chose, mais je me demande encore quoi, il fit un pas en arrière. Alors, pour la troisième fois, Lambert recommença, crescendo. Et le petit monsieur fit un deuxième pas en arrière, puis un troisième. Et, enfin, il s'enfuit à reculons — c'est à peine croyable — mais à reculons, je dis bien, ce qui me paraît être la seule raison pour laquelle il ne s'enfuit pas en courant. Là-dessus, Lambert éclata d'un bon rire de gosse. Et, comme si rien ne s'était passé, comme s'il avait aussitôt oublié la farce qu'il venait de faire, il reprit sa conversation avec Schlesinger sans plus se soucier des pensées du petit monsieur, sans se demander quelles nouvelles le petit monsieur allait porter à son hôtel, sur les étranges rencontres qu'on pouvait faire dans ces lieux inhabités, et sur les dangers qu'il pouvait y avoir à s'y aventurer sans escorte...

Rien de ce qui touche à Lambert ne peut nous être indifférent, et c'est pourquoi j'ai voulu te rapporter ce trait, dont il ne faudrait cependant pas que s'emparent les profanes et les pharisiens, pour y inclure, ou en conclure, je ne sais quoi à leur mesure. Notre comportement est fait pour une grande partie de mille riens, dont nous avons parfaitement conscience, et que nous jugeons au fur et à mesure qu'ils apparaissent, mais auxquels nous restons soumis (du moins, je parle pour moi). Mais les autres nous jugent plus volontiers sur ces riens

que sur autre chose, et, dans la mesure, toujours très considérable, où nous attachons de l'importance aux jugements des
autres sur nous, nous voudrions parfois nous délivrer de ces
petites servitudes — et si nous ne le faisons pas, c'est parce
qu'elles nous sont commodes. Elles appartiennent à un certain
système de défense, entrent pour une part très grande dans les
éléments de notre comédie, et offrent l'avantage, auquel nous
avons toujours des raisons de vouloir recourir, de meubler les
creux, de faire pièce au plus difficile, d'éviter quelquefois le
pire. Lambert me disait, et je te l'ai déjà écrit, que j'avais pris à
Palante certains tics, et j'ajoutais que, tout en ne retrouvant
pas en moi quels tics j'avais bien pu emprunter à mon pauvre
vieux maître, je savais très bien, au contraire, lesquels me
venaient de Lambert. D'une façon un peu détournée, je lui ai
pris celui de crier : « Au mur ! » ou « Foutez-moi ça dans les
tanks ! » si j'aperçois dans la rue une figure particulièrement
laide et déplaisante. J'y ai ajouté autre chose, qui ne me vient
pas de Lambert, mais de la lecture d'une biographie de Rimbaud. C'est de m'écrier : « Un Noir ! » aussitôt que j'aperçois un
curé, ou : « Un prêtre ! » ou « Un boute-en-train ! » Je dois dire,
à la vérité, que je ne crie pas cela bien fort. Pas aussi fort que
le faisait Lambert. Il ne m'arrivera pas d'histoire. Mais enfin,
je le crie assez fort pour que la personne qui m'accompagne —
généralement ma fille — puisse m'entendre, et s'en amuser, ou
s'en scandaliser, ce qui est bien plutôt le cas quand il s'agit
d'Yvonne, qui trouve que je me tiens mal. J'ajouterai, pour
être complet, que cette manière de comportement est devenue,
dans mon esprit, éducative, en ce qui concerne ma fille. Trouvant qu'elle attache beaucoup trop d'importance à ce qui se fait
et à ce qui ne se fait pas, aux manières qu'on doit avoir et à
celles qu'il faut proscrire, je me suis mis en tête de lui apprendre un peu, par ce moyen léger, la liberté. Je ne sais si j'y
parviendrai. Je ne sais si ce moyen est le bon. Mais enfin, voilà
comment les choses se passent... Au reste, cela, au fond, l'amuse beaucoup. C'est un exercice qui fait partie des jeux.

1952

8 janvier 1952 — À Paris, j'ai déjeuné avec Camus.

16 janvier — Au dîner d'hier soir chez Claude[1], étaient conviés Gaston et Jeanne, Roger Martin du Gard, Gérard Bauer et Mme Nard, Paul-Émile Victor et sa femme, le professeur Mondor. Nous avons dîné au son de toutes les cloches des églises de Paris qui carillonnaient pour la mort du général de Lattre.

17 janvier — À Montmartre, rue Ravignan, voir mon vieux Beerblock qui travaille dans la même pièce où sa femme donne des leçons de piano.

Étrange « indifférence » depuis deux ou trois jours ; je ne sais si c'est bon ou mauvais.

Jean Daniel[2] me cite ce mot de Davenport, lors d'un débat à la S.E.C. à Venise : « Oui — mais l'art vit de ce que la culture condamne. »

---

1. Claude Gallimard.
2. Le journaliste Jean Daniel avait dirigé de 1947 à 1951 la revue *Caliban*. John Davenport, essayiste, critique littéraire et musical.

19 janvier — Toujours dans le même état à l'égard du travail.

J'habite chez Claude.

24 janvier — Je suis au café (Cyrnos) coin du boulevard Saint-Germain et de la rue du Bac, ayant fui la cohue N.R.F. Il est quatre heures. Roman lointain. J'attends.

J'ai déjeuné avec Jean[1].

24 janvier — Il ne m'est arrivé ces jours derniers rien de plus important que d'avoir retrouvé le colonel T... « Monsieur » T... de qui je n'avais plus rien su depuis décembre 1935. Or, j'ai reçu de lui une lettre. Il me demandait un rendez-vous. Nous nous sommes retrouvés dans un café : c'est un vieux colonel de soixante-sept ans. Il a fait les deux guerres, été deux fois prisonnier, il est couvert de blessures — et il a écrit un livre. Il compte sur moi pour l'aider à le publier. Je ferai naturellement tout pour cela.

Camus très contre la S.E.C. Pas du tout d'accord avec l'appel. Va donner sa démission[2].

Vu Dominique Rolin et Bernard Milleret[3], qui fait mon buste.

Traversant la rue du Four, j'ai rencontré Loize, le libraire, qui a sa boutique rue Bonaparte. Nous sommes entrés dans la boutique. Comme je m'apprêtais à le quitter, après quelques minutes de conversation, il a tiré de ses rayons un exemplaire du *Sang noir*, qu'en 1936 j'avais offert à Pierre Mauzé, ami du docteur Nédélec, d'Angers. Loize me demande d'ajouter un

---

1. Jean Grenier.
2. Albert Camus écrivit à Campagnolo le 6 mars 1952 pour lui dire son désaccord avec l'appel de la S.E.C. en faveur d'un dialogue Est-Ouest : « Pour bien comprendre à quoi vous dites oui dans les deux blocs, il faut (...) savoir à quoi vous dites non ». (Cité par Herbert R. Lottman, *Albert Camus*, Seuil, 1978, p. 508).
3. La romancière Dominique Rolin. Bernard Milleret, dessinateur et sculpteur.

mot sous la dédicace à Mauzé — ce que je fais —, un mot de reproche à Mauzé bien sûr, et d'encouragement au suivant. Une heure plus tard, comme j'achevais mon repas au Petit Saint-Benoît, quelqu'un s'approche de moi, personnage tout à fait inconnu. « Je suis Mauzé. » Je m'apprête à lui dire quoi ! Mais à peine ai-je dit trois mots qu'il me répond : « Mon appartement a été pillé par les Allemands. »

Gaston[1], avec qui j'étais seul l'autre dimanche, me parlait de lui-même, de sa jeunesse, de ses amours. À soixante et onze ans, il n'a renoncé à rien, etc. Il me disait avoir connu un vieil homme très riche, habitant une belle demeure où il recevait beaucoup. Il lui arrivait d'emmener des femmes dans sa salle de billard ; il prenait alors un sac rempli de perles précieuses qu'il faisait rouler sur le tapis vert sous la lumière du gaz. La seule vue de ses richesses lui gagnait les plus belles femmes auxquelles il ne donnait jamais rien.

27 janvier — Quelles que soient les difficultés du travail on ne doit pas vouloir autre chose, penser à autre chose, faire autre chose, même si la terre se met à trembler et même si l'inondation noie la ville. C'est pourquoi je dis très fermement que la pensée d'établir le texte dans le délai fixé n'est certes pas à rejeter, mais qu'elle ne doit pas non plus venir fausser le « mouvement ». On ne doit rien hâter jamais pour aucune raison. Tout ce qui n'est pas du travail est *contre*, on le paye toujours. Le curé peut-il dire la messe plus vite parce qu'il a été invité chez la châtelaine ?

Lundi 28 janvier — Je rentre du cocktail Denoël (il est près de onze heures) où j'ai retrouvé tous les Gallimard, toujours très affectueux à mon égard, Gaston particulièrement. Ensuite, dîné avec Bernard Milleret et Dominique Rolin toujours très gaie, vivante, et parlant de son premier mariage en avouant ne

1. Gaston Gallimard.

pas savoir elle-même pourquoi elle était restée dix ans avec cet homme...

Mercredi 30 janvier — Camus me montre des cahiers de notes, réflexions, etc., portant les dates 1935-51 et me demande, quand il aura fait faire copie de ces cahiers, d'en garder une chez moi. Il déposera les autres chez deux autres amis.

Jour d'emménagement dans ma mansarde.

L'après-midi, mon colonel. Il va me devenir difficile de continuer à le voir, malgré toutes les bonnes raisons que j'y veux mettre, et la patience.

2 février — J'achève de m'installer dans cette mansarde, d'y ranger mes papiers, etc. Elle est grande comme une cabine de bateau. Un lit, une table, une chaise. Deux grands placards. Un lavabo. C'est une cellule de moine très bien chauffée. Je me sens chez moi. Le silence. La petite fenêtre sur la cour. J'ai un très grand arbre sous les yeux, je ne sais pas encore son nom.

Ce soir chez Chamson.

5 février — Ce matin il me semble que je vais peut-être me remettre pour de bon au travail, reprendre les choses là où je les ai laissées samedi, ou peut-être même vendredi. N'est-ce pas vendredi dernier que je suis allé à cette vente du livre au Lutetia, où j'ai perdu mon temps, dans une société fort disparate où j'ai rencontré celle que les autonomistes appelaient la Vierge Rouge, une Bretonne monumentale.

J'attends avec impatience qu'une « ouverture » nouvelle me permette de rentrer tout à fait en moi-même. Rien n'est changé et pourtant il me semble que la vie est plus légère. Je voudrais tant qu'elle le soit pour tous.

En me promenant tout à l'heure le long des quais par une

très belle lumière du soir je me parlais longuement, mais à présent, arrivé au Cluny, je ne retrouve plus mes mots. J'ai quitté le café, aussitôt entré, chassé par le tintamarre, la chaleur, la vulgarité du spectacle et je me suis promené sur le boulevard toujours très seul.

Le soir très doux et bleu presque comme au printemps.

Le docteur Nédélec dont je viens de recevoir une lettre est depuis quelque temps atteint d'une maladie qui lui rend impossible l'usage de la main droite, pour le moment dans le plâtre. Il m'a dit que cette maladie serait très longue, et qu'il devrait, pendant un certain temps, se contenter de faire des leçons à ses étudiants puisqu'il ne pouvait plus opérer. Mais cette lettre est écrite de la main gauche. Je suis plein d'admiration.

Déjeuné chez Raymond Gallimard. À table, se trouvait la sœur de Nathalie[1], jeune fille de vingt-deux ans, fort belle : Irène Sevastopoulo.

Irène : « Je ne mens jamais. » À quoi Nathalie répond que cela n'est pas possible. Irène : « Je ne mens jamais. » Elle avait un peu haussé le ton. Nathalie : « Mais comment peut-on vivre si... » — Irène : « Je ne mens jamais. » J'ai cru qu'elle allait flanquer son assiette à la figure de Nathalie.

12 février — Je sors de chez Camus (Albert) que j'ai trouvé couché, grippé, mais de très bonne humeur et avec qui j'ai eu une conversation très intéressante à propos de la liberté, du choix d'une règle, etc. « N'ayant pas de quoi devenir un moine, me dit-il, j'aurais peut-être voulu être un officier dans le désert. C'est un malheur que je sois né antimilitariste. »

Nous avons parlé du très beau livre de Victor Serge, *Mémoi-*

1. Nathalie Gallimard.

res d'un révolutionnaire, d'une lecture souvent très amère, mais toujours instructive et belle par la vérité.

... Assez de ces bouts de papier à peine griffonnés, je ne puis faire autrement ces temps-ci.

14 février — Je suis chez Bernard Milleret qui fait mon buste. Drôle d'expérience !

Le 15 février, Lausanne — J'ai quitté Paris hier soir. Je compte rester à Lausanne quatre ou cinq jours.

16 février — De la Fédération Espagnole des Déportés et Internés Politiques. « Monsieur, Avec le concours de M. Albert Camus, qui nous a priés de vous contacter, nous organisons vendredi prochain, 22 février, à 20 h 30 salle Wagram, un meeting de protestation contre les persécutions politiques en Espagne franquiste et, plus particulièrement, contre les récents procès au cours desquels 11 militants de la C.N.T. ont été condamnés à mort. Nous vous serions reconnaissants si vous vouliez bien accepter d'y prendre la parole.

« L'importance de cette manifestation ne vous échappera certainement pas, aussi bien que son urgence. Tenant compte de la rapidité avec laquelle elle doit être organisée, nous vous serions obligés de bien vouloir nous faire connaître votre décision dès que possible. A cet effet, nous nous permettrons sans doute de vous téléphoner dès lundi après-midi 18 courant. Nous sommes, bien entendu, à votre disposition pour le cas où vous désireriez nous fixer un rendez-vous.

« Dans l'attente de votre réponse que nous espérons favorable, nous vous prions de croire, Monsieur, à l'expression de notre considération distinguée. José Ester. »

18 février — Ce jeune auteur voudrait se débarrasser d'un de ses personnages, il s'impatiente, il voudrait terminer — ou alors renoncer — voilà qui serait bien facile ! Mais pourquoi se

« crisper » ainsi ? Ce qui importe d'abord, c'est le « ton » et l'unité. Il faut mener une chose à son terme, et (peut-être) ensuite, tout reprendre, en vue du mouvement, pour mieux établir les proportions, de la distribution, du *poids* de chaque partie, rectifier l'articulation, enlever du poids, en ajouter... Il ne faut jamais *séjourner* trop longtemps. Il faut persévérer dans le travail quotidien, *ne pas quitter l'ornière* (Tolstoï).

22 février, Lausanne — Au lieu de continuer la lecture des manuscrits Veillon, j'ai continué cette nuit à lire le *Ainsi soit-il* de Gide. Je n'ai pas pu résister à cette lecture, me découvrant beaucoup plus de chaleur à l'égard de Gide que je ne pensais en avoir. A plusieurs reprises, je me suis senti remué par le ton qu'il emploie presque autant que par les choses qu'il dit et par son attitude à l'égard de la vie (dans les derniers jours), à son conseil : « Il ne tient qu'à vous. »

Avant de quitter Paris, j'ai fait une chose que, de ma vie, je n'avais encore faite : enveloppé certains papiers, lettres, carnets de notes, ébauches, etc. avec la recommandation de les remettre à Albert Camus, pour le cas où... Ceci, d'accord avec lui, bien sûr.

27 février, Lausanne — Le séjour de Lausanne touche à sa fin ; il a été, à certains égards, fort difficile. Demain à Joigny, où je resterai deux ou trois jours avant de rentrer à Paris. Je n'ai pas pu faire grand-chose ici, dans cette atmosphère de jury (réunions, dîners, etc.).

28 février — Je quitte Lausanne par une lumière comme de printemps.

1re mars, Joigny — Samedi, jour de marché. Il est dix heures et demie : je viens de sortir pour aller à la poste. Autour de la poste, le marché ; et même le marché aux fleurs. Quelle petite ville charmante et ce matin bien légère, dans cette lumière un peu bleutée d'avant printemps, je suis sûr que l'hiver est fini. Je marchais heureux tout près de la rivière. Pourquoi suis-je si obstiné ? Pourquoi « raisonner » ? — « Il ne tient qu'à vous. »

Voilà, aujourd'hui 3 mars, un peu plus de deux mois que je suis à Paris dans cette mansarde au 17 de la rue de l'Université, chez Claude Gallimard. « Etre à Paris dans une mansarde et y écrire un roman, c'est là une des formes du bonheur » (Stendhal). Il ne me manque que le roman.

Il est près de sept heures du soir et j'ai rendez-vous tout à l'heure aux Deux Magots avec Jacques Havet. Moi qui m'étais juré de ne plus jamais montrer mon bonnet à ce carrefour, j'y vais désormais avec indifférence. Non, ce n'est pas le mot, mais laissons. Mieux vaut songer au printemps dont à Joigny où j'étais encore hier, j'ai eu le baptême. Quelle légèreté ! Quel bonheur ! Il me semblait redécouvrir une certaine liberté toute jeune. Il faut « désenfouir » notre propre visage.

Ce matin, comme tous les jours depuis que je suis ici, j'ai passé une heure avec Albert, dans son bureau. Quel ami parfait, et quel homme pur ! Je l'aime tendrement et je l'admire, non seulement pour son grand talent, mais pour sa tenue dans la vie.

Comme j'ai aimé Paris, que je l'aime encore ! Dans ma jeunesse, je ne rêvais que de Paris et depuis, j'ai souvent pensé que je ne pourrais, voudrais jamais vivre ailleurs. J'y ai beaucoup vécu, tantôt bien et souvent mal, mais le seul fait d'en respirer l'air (« l'air de Paris est léger au cœur », m'écrivait Jean il y a bien des années), de participer à sa lumière, a toujours été pour moi un grand bonheur. Etre à Paris, c'est voir déjà réglés pour plus que de moitié certains problèmes. Tout en écrivant j'écoute la rumeur. Elle est faite d'un grondement très léger sur le fond duquel éclatent les roulements des voitures proches et des klaxons. C'est un accompagnement vivant, joyeux, jeune ; il y a aussi un très doux mouvement d'air à travers les branches de l'arbre que j'ai sous les yeux, et dont j'ignore toujours le nom (personne ici n'ayant encore été capable de me le dire). La journée commence. Je voudrais qu'elle soit au moins un peu ce que je désire en faire, une journée de présence aux choses, au travail, à la fidélité, à la conquête. Il faut vouloir se conquérir, mais pour les autres autant que pour moi-même et peut-être, finalement pour Dieu ? Hier soir comme je m'apprêtais à sortir, Camus est arrivé dans ma mansarde — chambre de bon —. Nous sommes allés ensemble aux Magots où Havet nous a rejoints, un peu plus tard. Camus m'a fait lire son mimodrame plus qu'excellent. Il l'intitule : *La Vie d'artiste*[1]. Ensuite, Havet étant venu, nous sommes allés tous les trois dîner à la Chope Danton, au carrefour de l'Odéon. La soirée s'est achevée chez Camus, devant une fine. Et voilà...

Je commence à m'habituer à ma chambre. Le plus difficile est de me mettre à écrire assis. J'écrivais debout, le plus souvent, ici c'est impossible. Il n'est pas non plus question de marcher en travaillant.

Vendredi 7 mars — Tout m'échappe. Il faudrait s'abandonner, faire davantage confiance.

J'étais, l'autre soir (mercredi), assis à la terrasse du Royal Saint-Germain, je regardais passer les gens, dont beaucoup m'apparaissaient comme des personnages de roman (ceux de Flaubert, de Balzac, de Dickens). C'était comme un jeu. Ensuite, je regardais les choses comme des allégories. Le vieux clochard mendiant n'était pas un pauvre : il était la pauvreté ; la jeune femme tenant dans ses bras un enfant, n'était pas une mère, mais la maternité. Et ainsi de suite. *Tout me semblait proclamé.* Evidences. Il faudrait devenir « voyant », c'est-à-dire voir ce qui nous crève les yeux.

Hier jeudi, j'ai déjeuné chez Malraux. Malraux me demande si j'ai lu : *Le Fil de l'épée.* Je lui dis que non. « Ah ? Il faudrait

---

1. *La Vie d'artiste*, mimodrame en deux parties, sera publié en 1953 dans la revue oranaise *Simoun* (A. Camus, *Théâtre, récits, nouvelles*, éd. Pléiade, p. 2054 et suiv.).

y regarder. C'est La Bruyère. Ça devrait s'appeler : *De l'homme.*
N'oubliez pas que le Général est un écrivain et un excellent
helléniste et latiniste... »

Bouffonneries à la N.R.F. Jacqueline[1] me montrant une lettre du contrôleur des contributions adressée à Kafka.

Samedi 8 mars — J'ai été autrefois sensible à une certaine
vanité dont je me crois depuis longtemps guéri. Avoir des amis
brillants, être vu en leur compagnie, briller soi-même à l'occasion, être reconnu au café, cité dans les journaux, etc. J'ai toujours su que c'était là un plaisir fort vain mais je le recher-
chais. Je ne sais pourquoi j'écris cela, après une journée solitaire, dure, et stérile. Quoi qu'il en soit j'ai toujours pris au
sérieux mon travail.

Deux manières de scandale « défrayent » pour le moment la
chronique : la publication du livre de Pierre Herbart sur Gide, et
la lettre de Martin-Chauffier contre le récent libelle de Jean Paulhan[2]. Troisième affaire : la publication par un certain Di Dio
d'un autre libelle intitulé *La Révolte en question* contre Albert
Camus. Di Dio a essayé d'entraîner là-dedans les amis de Camus.
Il y a réussi en en trompant quelques-uns[3]. C'est une entreprise
fort médiocre. En ce qui concerne Herbart, son livre est très plein
de choses révélatrices sur Gide, mais dans une triste lumière.

1. Jacqueline Bour travaillait au service de presse chez Gallimard.
2. La *Lettre aux directeurs de la Résistance* (éd. de Minuit) de Jean Paulhan. Louis
Martin-Chauffier lui répondit par une « Lettre à un transfuge de la Résistance » *(Le
Figaro littéraire*, 2 février 1952). La polémique se poursuivit dans *Le Figaro littéraire*,
dans *L'Observateur* et dans *Liberté de l'Esprit.*
3. François Di Dio et Charles Autrand avaient consacré le premier numéro de leur
revue *Le Soleil noir. Positions* (février 1952), intitulé *La Révolte en question*, à une
enquête sur la révolte et *L'Homme révolté.* Des amis de Camus, dont Jean Grenier,
Jean Daniel, avaient répondu à cette enquête. Mais un conflit avait opposé les responsables de la revue à Camus qui avait refusé d'y laisser reproduire le texte de sa polémique avec André Breton parue dans *Arts* au sujet de *L'Homme révolté* et de répondre
lui-même à l'enquête.

18 mars — La vie à Paris est si « prenante », etc. Potins. Voilà trois jours est arrivé ici Etiemble. Comme il habite chez Michel[1], il est mon voisin de chambre. Nous avons passé une grande partie de la soirée à bavarder ensemble. Etiemble s'étant fait traiter de « malhonnête » par Adamov (dans *Arts*) a provoqué Adamov en duel. Mais le duel n'aura pas lieu, Adamov faisant le mort...

20 mars — Il m'est venu depuis peu une sorte de brume de tête qui m'intrigue. Aurais-je besoin de repos ? Autrement dit : serait-il temps de mettre fin au « désordre » ?
Je devrais quitter Paris. Attendre devient dangereux.

Les hommes qui se laissent aller à parler sérieusement des choses courent le risque de passer pour d'assez grossiers personnages. Je ne sais pourquoi j'écris cela, peut-être que je me voudrais l'esprit léger ? Il faut être léger, mais avec légèreté et non avec embarras.
Je redeviens un apprenti. Cesse-t-on jamais de l'être ?

Le samedi, la « maison » est fermée, si bien qu'il n'est pas question d'y faire mon petit tour habituel pour aller saluer mes amis. Le samedi, le courrier qui m'arrive est déposé au 17 de la rue de l'Université. On me l'apporte ou bien, si le courrier est venu un peu tard, on me le glisse sous ma porte. Ce matin, je n'en avais point. Cela m'a donné de la mélancolie — mais je pouvais encore aller ouvrir le sac postal contenant tout le courrier de la maison, que, le samedi, on dépose dans un bureau voisin de celui de Gaston. C'est ainsi que j'opère tous les samedis, et c'est ce que j'ai fait ce matin. J'ai trouvé pour moi une lettre, mais ce n'était pas celle que j'aurais pu attendre et je suis parti faire un tour de quartier à travers la rue de Beaune jusqu'au quai Voltaire et la rue Bonaparte.
J'aime le quai, le matin, dans la lumière de neuf heures tous

3. Michel Gallimard.

ces jours-ci fraîche et belle sur le Louvre et vers Notre-Dame ;
j'aime la Seine et le ciel de Paris au début du jour, tout est si
allègre ; j'aime les gris perlés, les gris des plumes d'hirondelle,
l'espace sur le fleuve, le bruit encore enfantin à cette heure-là,
et les vitrines des antiquaires devant lesquelles je m'arrête toujours. Ce matin à regarder de très jolies cannes en verre qui
me rappelaient le soir où pour la seule fois de ma vie j'ai vu —
et entendu — la comtesse de Noailles à un dîner que Daniel
Halévy donnait en son honneur quai de l'Horloge, où la comtesse était arrivée dans une grande cape qui lui venait jusqu'aux pieds, tenant une canne en verre que venait de lui offrir
Colette.

Elle avait l'air d'une fée.

> *J'écris pour que, le jour où je ne serai plus,*
> *On sache comme l'air et le plaisir m'ont plu,*
> *Et que mon livre porte à la foule future*
> *Comme j'aimais la vie et l'heureuse nature.*

Ayant flâné une bonne demi-heure, je me suis décidé à
remonter dans ma mansarde. J'ai mis un peu d'ordre dans mes
papiers, écrit un peu et à midi, je suis sorti pour aller déjeuner
chez Albert. Sur le boulevard, j'ai rencontré Bloch-Michel[1]
accompagné d'un de ses amis (dont j'ai malheureusement
oublié le nom). Nous sommes allés boire un verre. On peut
toujours compter sur le hasard pour s'instruire : comment
aurais-je pu m'attendre à trouver, dans l'ami qui accompagnait Bloch, un ancien avocat, qui avait assisté au procès de
Madeleine[2], comme défenseur d'un co-accusé ? Madeleine savait très bien qu'elle serait condamnée à mort. « Elle traitait
les magistrats avec un parfait mépris », m'a dit cet homme.

1. Jean Bloch-Michel, membre de l'organisation « Combat » — il fut arrêté et
emprisonné jusqu'en juin 1944 —, puis journaliste, romancier et essayiste.
2. Madeleine Marzin, résistante. Condamnée à mort sur les ordres de Vichy, puis
graciée ; elle s'évada en août 1942, en gare Montparnasse, au cours du transfert de la
prison de Fresnes à la Centrale de Rennes.

... Je m'inquiète de voir Albert fatigué. Nous avons ensemble un certain projet de « fuite » en auto, je ne sais encore si oui ou non...

24 mars — Dans le bureau de Paulhan où j'étais vendredi soir, se trouvaient Dominique Aury, plus une jeune femme rousse très silencieuse, Supervielle, et un vieux journaliste pauvre, vieux visage à barbe courte, pardessus râpé, chapeau melon, très personnage de Tchekhov. Ce vieux journaliste venait de la part des *Nouvelles littéraires* pour une enquête. Il notait les réponses que des écrivains, des philosophes, des artistes, des hommes politiques lui donnaient à la question suivante : « Quel est le dernier mot que vous prononcerez en quittant cette terre ? » Paulhan était très intéressé. En fait, il était au comble de la joie. Il lisait les réponses à haute voix, tout le monde riait, sauf le vieux journaliste que Paulhan encourageait à pousser encore son enquête, à aller voir d'autres personnes. Qui avait déjà répondu ? Gabriel Marcel, Henri Bordeaux, Edouard Herriot. La réponse d'Edouart Herriot, très simple : son dernier mot sera : La France !

Traversant le carrefour Saint-Germain, j'ai rencontré (près du kiosque à journaux) Catherine Lambert, fille de Gide, avec qui j'ai échangé quelques mots. Je retrouvais dans la voix de Catherine Lambert certaines inflexions de Gide. Ayant laissé échapper quelques pièces de monnaie que lui rendait la marchande de journaux, et moi m'étant baissé pour les ramasser : « Oh, s'est-elle récriée, je suis consternée », tout à fait la voix, le mot de Gide.

Hier, Paris était de nouveau froid, gris et pluvieux, mais ce matin le soleil brille et la lumière est fort belle.

Il y a un peu plus d'un an, j'étais à Rome — et il est question d'y retourner ; je reçois en effet une lettre de Campagnolo, m'annonçant que le conseil de la S.E.C. se réunira à Rome le 15 avril, c'est-à-dire dans vingt jours.

30 mars — Je ne pars pas avec Camus. Il restera en voyage pendant quinze jours ou trois semaines. J'ai dit que j'avais des résolutions à prendre, et c'est vrai. Il faut faire très attention.

Rome, lundi 21 avril — Hier, Pierre de Lanux[1] parlait devant moi d'un peintre de cierges. Il s'agissait d'un excellent artiste, mais pauvre, et peut-être, déjà, un peu âgé, obligé pour vivre à décorer des cierges, lesquels, par définition, sont destinés à être brûlés. Je me suis mis à rêver là-dessus. Il faut que le vieil artiste, tout en sachant que ses œuvres seront détruites par le feu presque aussitôt qu'achevées, y mette quand même tout son talent, etc. Il peint des figures. Lesquelles ? Des figures, de martyrs naturellement, qui ont péri dans le feu. Le supplice se recommencera. Notre peintre peut avoir à lutter contre certaines tentations magiques. Il pourrait peut-être se souvenir de personnes qu'il n'aime pas, ou qui lui ont fait du mal et qu'il voudrait faire souffrir, etc. Ou, aussi, se laisser aller à l'inspiration, peindre les figures de ceux qu'il aime, ou être tenté de les peindre et devoir lutter contre cette tentation, etc. En dépit de lui-même, ses figures de madones emprunteront peut-être les traits d'une femme qu'il aura passionnément aimée et par qui il aura beaucoup souffert. Pour se punir, il se peint lui-même. Mais aucun des portraits ne brûlera. Arrivée au moment où elle devrait entamer l'un et l'autre portrait, la flamme s'éteindra et il sera impossible à quiconque de la rallumer.

Le séjour de Rome s'achève ; je partirai cet après-midi pour la maison de campagne de la princesse Caetani, où je resterai jusqu'à demain ; ensuite, Naples et peut-être Paestum.

---

1. Pierre de Lanux, ancien secrétaire d'André Gide, auteur d'ouvrages politiques et historiques ; il fut, de 1945 à 1949, commentateur politique à la Radiodiffusion française. Il faisait partie du Comité exécutif de la S.E.C.

Séjour à Rome, excessif dans les séances quotidiennes jusqu'à deux heures de l'après-midi, et les visites en groupe. J'ai eu, toutefois, quelques promenades solitaires fort heureuses dans la grande chaleur. J'attends Paola Masino[1] qui va arriver ici d'un moment à l'autre.

Mardi 22 avril — Doganella di Ninfa — chez Mme Caetani. En attendant de partir pour Naples. Le vieux président Castelnuovo très malade, ayant démissionné, les séances de la S.E.C. n'ont pas eu lieu à l'Academia dei Lincei comme l'année dernière mais à la Chambre des Députés. Tous les jours de neuf heures du matin à deux heures de l'après-midi.

Je me souvenais à peine de Pierre de Lanux, entrevu une fois à Venise. Tout à coup voilà qu'il sort de sa poche une série de photos de bateaux. C'était à l'hôtel Nazionale, au petit déjeuner. Il se disait désolé de n'avoir pas apporté plus de photos, il aurait voulu me montrer d'autres modèles de caravelles, de sirènes. Le mystère était que les bateaux photographiés sont de sa fabrication. Il reconstitue de petits modèles de bateaux, par exemple des premiers bateaux cuirassés dont on s'est servi pendant la guerre américaine des nordistes et sudistes. Parfois il ajoute sirène — très vague forme féminine, il vous montre cela avec le vague sourire et le grand sérieux de la passion. Il connaît tous les types de bateaux qui ont existé ; il aime aussi les petits soldats de plomb. « Vous viendrez chez moi à Paris, vous verrez ma collection de soldats de plomb. J'en ai dix mille. — Est-ce que vous avez aussi des casernes ? — Non, mais on peut les imaginer. On se débrouille avec les meubles. J'ai quelques très beaux étendards. Autrefois je faisais venir mes soldats de Nuremberg. Ils arrivaient dans de la sciure de bois qui sentait le sapin frais. J'en emporte toujours une boîte avec moi quand je voyage. Je vous montrerai celle que j'ai dans ma chambre. Ça me fait des compagnons... »

Ensuite, il était malheureux parce qu'il n'avait pas de let-

1. Paola Masino, écrivain.

tres. « On ne m'écrit plus, on ne m'aime plus. Est-ce que vous êtes comme ça, vous aussi ? » Je lui promettais un courrier pour tout à l'heure. Quel homme transformé quand il a reçu sa lettre ! « Le malheur, me dit-il, est que je suis vieux : maintenant on m'écoute avec respect, et pourtant je ne dis rien d'autre que ce que je disais il y a trente ans. »

... Avec le comte Morra[1], visite chez Mme Caetani et dîné là le lendemain, avec Silone et Ungaretti. La pièce de Goldoni à laquelle nous avons assisté au théâtre.

Toujours à Ninfa, jusqu'à la fin de la semaine, je pense. La princesse a insisté pour que je reste, elle me trouve fatigué et me conseille le repos. Pas trouvé Doria au téléphone. Lui ai écrit. L'idée d'arriver à Naples sans trouver personne de connaissance me cause une espèce de crainte. C'est une grande faiblesse de ma part. Si j'ai une réponse de Doria samedi, j'irai à Naples lundi, pour un jour ou deux, puis je reprendrai le train vers Rome. Cet après-midi (mercredi) je dois aller visiter le château de Sermoneta. Ici, je suis entièrement coupé du monde. Il n'y a même pas de téléphone. Ce matin, j'ai fait une excellente promenade, seul, jusqu'à Doganella di Ninfa, à deux kilomètres et demi de la maison, par un très beau temps, bien que le soleil ne se montrât guère — mais la chaleur n'en était que plus forte. J'ai longuement bavardé avec deux cantonniers. La princesse a eu la très gentille imprudence de laisser sur ma table la bouteille de vermouth et le verre qu'elle y a elle-même apportés... Au repas chez elle à Rome avec les Silone, Morra, Ungaretti, se trouvait une jeune romancière italienne, Alice Ceresa, auteur d'un roman inédit : *L'enlèvement des Sabines* dont un fragment vient de paraître dans *Botteghe Oscure*. Le prince a disparu aussitôt le repas terminé. Mme Silone est d'Irlande — moi de Bretagne. C'est tout ce que nous avons de commun. Il ne se passait rien du tout sinon que Silone me

---

1. Umberto Morra, traducteur, collaborateur de nombreux journaux italiens, secrétaire du Pen Club italien.

demandait des nouvelles d'Yvonne dont je crois il a été un peu
amoureux. La soirée s'est passée comme cela, Ungaretti ne
disant pas grand-chose.

Où en suis-je ? Je parlais de Pierre de Lanux et du comte
Morra. Ce dernier m'a toujours plu, c'est un homme de style.
Rien à lui reprocher que le mal qu'il se donne pour organiser
des rencontres, des dîners, etc. À l'un de ces déjeuners j'ai eu
l'honneur d'avoir à ma droite la Bellonci. Pas très loin, Bellonci lui-même[1]. Elle presque muette, lui très sonore. Ensuite
Angioletti, Mme Angioletti, ensuite... Pourquoi écrire tous ces
riens ? Par une triste bonne humeur sans doute.

J'ai passé une grande partie de la matinée avec Paola.
Ensemble nous avons fait une grande promenade très heureuse. J'aime Paola. Je l'ai trouvée très égale à elle-même, c'est-
à-dire toujours très vivante avec ce mélange si séduisant de
malice gracieuse, d'esprit et d'amertume. Elle a, me dit-elle,
toujours été très malheureuse en amour ; nous sommes allés
jusqu'à la Piazza di Spagna. Il n'y faisait malheureusement pas
le soleil de l'année dernière. Les marches étaient couvertes de
toute une jeunesse étudiante dont Paola disait qu'ils n'étaient
que des « zazous » mais...

— Et, me dit-elle, quelle est ma vie ? Je me lève de bonne
heure, et je me mets à ma machine à écrire, et comme cela
jusqu'au soir. Ensuite je fais une patience. Et vous allez
m'acheter un jeu de cartes à Paris et me le faire signer par les
écrivains. Vous, naturellement, vous signerez l'as de cœur. J'ai
déjà tous les écrivains italiens, à présent il me faut les français.
N'oubliez pas !

Samedi — Je serai lundi à Naples, quittant Latina à neuf
heures du matin.

Lundi 28 avril, Naples — Arrivé à midi.

---

1. Goffredo Bellonci, rédacteur du *Giornale d'Italia*. Maria Bellonci, écrivain, ani-
matrice d'un célèbre salon littéraire romain.

Je suis ivre de joie. Je sors du musée, où je n'ai voulu voir que les fresques de Pompéi. Ensuite, j'ai fait deux heures et demie de marche au hasard, à travers la ville, sous un soleil éclatant.

Mardi 29 avril — Retour de Pompéi où j'ai passé l'après-midi. Journée radieuse. J'ai laissé tous les soucis. Je n'ai rien fait d'autre, depuis hier, que me promener seul à travers les rues de Naples et, aujourd'hui, à Pompéi. Demain j'irai à Cuma, interroger la sibylle. Je renonce pour le moment à Paestum. Jeudi matin, je prendrai le train pour Rome. Il n'est que dix heures du soir, je m'en vais rôder dans les rues.

1er-8 mai — Fin du voyage — Rome, Venise, Lausanne...

Dimanche 11 mai, Paris — Je me suis réinstallé dans la chambre de bon. En mon absence, Gaston y avait fait installer des étagères qui me sont fort utiles. Dimanche morne, ciel gris...
Malraux est rentré.

Mardi 13 mai — Hier j'ai passé toute la journée avec Grenier.

Mercredi 14 mai — Je me suis remis au travail.
J'ai vu Camus.
En plus, j'ai mes épreuves d'*Absent de Paris*.

16 mai — J'ai été très contrarié ayant dû passer la moitié de l'après-midi avec mon vieux colonel et, ensuite, aller au cocktail Gallimard d'où je suis sorti fourbu.

Épreuves d'*Absent de Paris*.

Dimanche matin 8 heures — À la terrasse du café de
la Mairie, le 8 juin en attendant J. pour aller à l'Orangerie.
La journée sera sûrement très chaude et lumineuse. Les
grandes cloches de Saint-Sulpice viennent de se mettre en
branle.

Dîner avec Roger Martin du Gard et Gaston chez Claude. Il y
avait aussi Jeanne et Simone[1]. Martin du Gard est un homme
très attachant, par la simplicité bien réelle, la gentillesse, la
chaleur souriante. Il se plaignait de vieillir (soixante et onze
ans, je crois) mais il se plaignait en souriant, comme le faisait
de son côté Gaston, qui a le même âge que lui. « J'ai les yeux
pleins d'eau, disait Martin du Gard, en se frottant les yeux
par-dessous ses lunettes, c'est le larmoiement des vieillards.
Moi qui avais tant espéré... » Il n'a pas achevé la phrase. Le
mot vieillard ne lui va pas du tout ; non plus qu'à Gaston. Je
pensais au mot de Péguy : il y a ceux qui vieillissent *vieux*, et
ceux qui vieillissent *vieillards*.
— Désormais, dit Martin du Gard, à partir de cinq heures
après-midi, je ne suis plus bon à rien. Je laisse tout travail,
toute correspondance, je m'en vais au cinéma, ou bien je
prends un autobus, n'importe lequel, et je vais jusqu'au bout.
Je reste dans le quartier où l'autobus m'a amené, je m'y promène, je regarde, j'écoute... C'est souvent très intéressant. Je
bois un demi-litre de lait. On trouve maintenant dans les cafés
d'excellent lait glacé. À dix heures, je suis rentré chez moi. Si
je prenais encore des notes...
Plus tard, dans la soirée, les deux « vieux » ont échangé un
dialogue tranquille dont le sujet était la mort.

... Il était tard quand je suis rentré chez moi (une heure du
matin) après avoir passé la soirée chez Camus à écouter un
excellent enregistrement du *Don Juan* de Mozart. Il y avait là

---

1. Jeanne et Simone Gallimard.

Bloch-Michel et sa femme Vivette[1], un ami algérien d'Albert qui avait apporté les disques et le compositeur et chef d'orchestre Leibowitz et sa femme, une belle juive américaine...

25 juin — À la terrasse d'un café parmi la foule, sur les boulevards, j'attends Yvonne. Chaleur meurtrière. Dent de sagesse qui me fait souffrir. Avec Yvonne et Jacqueline Bour, nous sommes allés au Théâtre de Poche à Montparnasse voir l'*Oncle Vania*. La mise en scène était de Georges Pitoëff, ce très grand acteur que j'ai tant admiré autrefois dans *La Puissance des ténèbres* de Tolstoï, au Théâtre des Champs-Élysées. L'un des rôles principaux, dans la pièce de Tchekhov, était tenu par un des fils de Pitoëff, un autre par l'une de ses filles. Très beau spectacle, très émouvant. L'art de Tchekhov est si fin, si léger, suspendu, tellement baigné de tendresse et d'intelligence sensible, si plein d'écho et d'allusion, tout cela dans une réserve, une pudeur dans le regret et jusque dans la violence, une douceur de compassion.

J'avais passé la soirée avec Jean Bloch-Michel, nous avions dîné ensemble au Petit Saint-Benoît, bu ensuite un café à la Rhumerie, et, vers les dix heures et demie, je rentrais chez moi fort paisiblement, longeant le boulevard Saint-Germain, quand, arrivé presque à la rue du Bac, je vis apparaître une très vieille clocharde, qui parlait toute seule en marchant. Sur un ton de colère et d'invective : elle s'en prenait à tout le monde. C'était une petite vieille de bien quatre-vingts ans, mais droite, fort sèche, point du tout en haillons, coiffée d'un chapeau fort convenable, et traînant avec elle un cabas et une gamelle. Les traits décharnés, durcis, les pommettes saillantes, les yeux enfoncés, et plus une dent dans la bouche. L'indifférence des gens à ses cris passait en horreur le spectacle même. Me voyant approcher, elle s'en prit à moi : « Je vous connais, vous. » Je me suis arrêté. Je voulais la voir de plus près, lui

1. Vivette Perret fit partie de l'équipe de *Combat* ; elle publia entre 1953 et 1958 plusieurs romans chez Gallimard.

dire un mot (lequel ?), lui donner un peu d'argent. Tout près de là se trouvait un banc. Elle alla s'y asseoir et déposa à côté d'elle son cabas et sa gamelle. J'allais m'asseoir aussi. Je me mis à lui parler : elle m'écouta, puis sur un ton parfaitement calme, elle se mit à me conter ce qui venait de lui arriver : elle était entrée dans une maison car elle voulait se laver les pieds — mais on l'avait mise à la porte. Ce récit, très confus, dura assez longtemps. Je tenais dans ma main l'argent que je voulais lui donner et je me préparais à m'en aller, quand une nouvelle crise de colère la prit. Elle se tourna vers moi et m'injuria en me priant de la laisser et de partir. Me voilà donc debout, mon argent dans la main. Elle se leva aussi, je lui tendis l'argent que je tenais. Elle éclata d'un rire affreux, vrai rire de théâtre et s'écria, d'une voix qui pouvait s'entendre à cent mètres de là : « Je n'ai pas besoin d'amour, moi ! » Elle rit encore, en se pliant en deux. Elle rit, répéta qu'elle n'avait pas besoin d'amour. Les gens s'arrêtaient. Je n'avais pas bougé. Un jeune couple qui passait m'a demandé : « Qu'y a-t-il ? » J'ai essayé d'expliquer tandis que la vieille ayant repris sa gamelle et son cabas, s'en allait, toujours en criant des injures...

Les considérations sur les pigeons et les chats ne paraîtront frivoles qu'aux esprits légers. Et il y en a partout, des esprits légers, veux-je dire. Mais il y a partout des pigeons, et partout des chats, à Londres, à Paris, comme à Constantinople on dit qu'il y a des chiens, comme il y avait des chouettes à Athènes, comme il y a des mouettes à Copenhague. Il n'y a pas si longtemps que j'ai vu les pigeons de Londres. Ils sont tous, les dix, à Trafalgar Square, autour de la colonne Nelson, et de temps en temps ils vont boire dans un petit bassin grand comme une cuvette, qui se trouve là-bas. Les pauvres enfants ! Je n'irai pas jusqu'à dire qu'ils ressemblent à des corbeaux, ce serait bien méchant de ma part vu l'amour que je leur porte et le respect qu'il faut avoir et que j'ai toujours eu pour la pauvreté, mais le fait est que la suie dont l'air est chargé dans la plus grande cité du monde leur ternit bien les ailes, et, je ne sais pourquoi, en plus, ils m'ont paru maigres et faméliques, tristes comme des oiseaux de mauvais augure, de mauvaise humeur, pour ainsi dire, et quasiment sourds aux carillons pourtant bien charmants qui de temps en temps s'envolent des clochers de l'église de Saint-Martin-des-Champs. Il ne m'a pas semblé, non plus, que les quelques rêveurs rassemblés là, mais plutôt comme des passants sur un refuge au milieu du carrefour le plus bruyant du monde, ou comme des naufragés sur un radeau, fissent grand cas de leur présence. Les Anglais, m'avait-on dit, aiment les bêtes, mais peut-être ne les aiment-ils qu'à la campagne. Je mens : c'est la seule ville que je connaisse où j'ai vu en pleine rue des abreuvoirs pour les chevaux...

Non seulement je mens, mais j'oublie : comment ! Que n'ai-je pas observé un soir, une nuit veux-je dire, et même il était très tard, en rentrant à ma pension, du côté de South Kensington ? Près d'une porte, à gauche, au ras du sol étaient allumées deux petites lampes roses. Elles brillaient dans la nuit d'une faible et charmante lueur, charmante quoique un peu mièvre, un peu comme des lumières de Noël devant la crèche apprêtée pour les enfants, et quoique perdu dans mes pensées, comme on dit, fatigué de la soirée dont je ne me souviens plus du tout à quoi je l'avais employée, mais sûrement à n'être pas à moi-même, et pour ces raisons assez pressé de rentrer bien que la nuit fût très douce, ces deux petites lumières-là m'intriguèrent assez pour que je m'approchasse de la grille dressée devant la maison ; je vis alors qu'il s'agissait bien d'une crèche, mais c'était la crèche d'un chat, la très somptueuse crèche d'un Lord-Chat qui peut-être souffrait d'insomnies ou de frayeurs nocturnes, ou qui peut-être était un peu bête et ne savait pas très bien retrouver son chemin, si bien que ses maîtres avaient installé pour lui ces deux phares, de part et d'autre de sa demeure. Peut-on montrer à qui l'on aime une plus délicate tendresse, cela me paraît difficile. Que n'eussé-je pas donné pour apercevoir seulement un peu mieux qu'il n'était possible, étant donné les conditions où je me trouvais, le très cher animal objet de soins si singuliers ? Mais il resta sourd à mes appels.

La pensée de Parpagnacco n'étant jamais très loin de mon cœur, j'aurais voulu savoir si celui-ci lui ressemblait, du moins un peu. Mais le Parpagnacco londonien dormait d'un sommeil paisible et pesant, tranquille, entre ses deux petits fanaux, je n'avais plus qu'à aller dormir moi-même, en me répétant une fois de plus que j'allais bientôt devoir entreprendre de raconter toute l'histoire de Parpagnacco, qu'il y avait bien trop longtemps que je remettais à le faire, et que c'était coupable, et peu raisonnable de ma part, vu que nul ne sait le jour ni l'heure, que chaque jour passe comme une lettre à la poste, et que... On pourra s'étonner que je ne dise pas un mot des pigeons de Paris, mais la chose est sous-entendue, je ne leur fais point offense. Du reste, je préfère revenir aux chats, à cause d'une récente découverte et d'un vieux souvenir d'école, le vieux souvenir est une récitation des vers célèbres de Boileau.

> *Qui frappe l'air, bon Dieu ! de ces lugubres cris ?*
> *Est-ce donc pour veiller qu'on se couche à Paris ?*
> *Et quel fâcheux démon, durant les nuits entières,*
> *Rassemble ici les chats de toutes les gouttières ?.*

J'avais bien une dizaine d'années quand on me fit apprendre par cœur et réciter ce beau début des *Embarras de Paris*, et je me souviens que ma récitation me donna un grand succès. Le « bon Dieu » venait fort bien. Quant à la récente découverte, vous pouvez la faire comme moi, si vous avez le malheur de traîner à Saint-Germain-des-Prés et que, pour éviter la cohue du Flore ou des Magots, vous préférez aller vous asseoir à la terrasse du Royal, mais du côté de la rue de Rennes, en cherchant le coin le plus éloigné, tout au bout, là où la direction consentira à vous installer une table supplémentaire, tout contre une palissade couverte d'affiches et, en un point, béante. C'est par cette brèche dans la palissade qu'il faut regarder, c'est là que vous verrez les chats. Ils étaient bien une vingtaine, grands et petits, mâles et femelles, avec de belles gueules de hors-la-loi, efflanqués, bien sûr, plus efflanqués que ceux de Rome, galeux, comment donc, farouches, mauvais, on dit sau-

vages dans ce cas-là, des chats rebelles, pas des Parpagnacco
(faut-il dire Parpagnacci au pluriel, encore une question pour
mes amis vénitiens). C'étaient des chats entre les griffes desquels il n'eût pas été bon, me dis-je, que tombât *justement* M.
Parpagnacco de Venise, oh ! non, c'étaient des chats qui en
avaient plus gros sur le cœur que lourd dans le ventre, des
chats concentrationnaires, que je voyais errer à travers toutes
sortes de cailloux entassés, de ferrailles, d'objets de rebut,
vieilles boîtes de conserve, voiture d'enfant, pneu de vélo,
baleines de parapluie comme on en voit dans les terrains
vagues. Des mains fraternelles comme les mains des cantiniè-
res portant la soupe aux insurgés avaient passé à travers la
brèche et déposé sur une pierre des petites gamelles contenant
du lait, de la bouillie, des os, quelques déchets de poisson. Les
chats, prudents mais fiers, occupaient le terrain et s'approchaient pas à pas, sentant la proximité de l'ennemi, on aurait
dit qu'ils obéissaient à un plan d'attaque. Il ne devait pas y
avoir longtemps qu'on avait déposé là pour eux ces reliefs, et je
compris avec douleur, voyant qu'ils ne bougeaient pas, qu'ils se
méfiaient beaucoup de moi. Le bon sens était de les laisser en
paix, ce que je fis, la pauvreté n'aime pas qu'on la regarde, et je
me retournai vers mon verre, mais ce fut pour m'apercevoir
qu'à cette même terrasse et par ce beau jour d'été où nous
étions, se trouvait une pauvre clocharde en difficulté et je ne
songe à mentionner le fait qu'à cause de la coïncidence...

Jeudi 28 août — Je vais avoir à m'occuper du service de
presse d'*Absent de Paris*, dont on aura des exemplaires dans
huit jours. Si j'achève mon service assez vite j'irai peut-être à
Genève (Rencontres internationales).

Chez Bloch-Michel hier soir, la conversation était sinistre,
mais pleine d'éclats de rire quand même. Il n'était question
que de la guerre bactériologique, de l'accroissement de la
population, de la famine future, etc. Ces menus propos, mêlés
d'inquiétude métaphysique, faisaient suite à de bruyantes di-

gressions sur les conflits en cours à l'intérieur du parti communiste. Le tout, agrémenté de considérations sur les maladies. C'était complet.

Bloch raconte que, tombé en 1944 aux mains de la Gestapo à Lyon, la prison dans laquelle il se trouvait enfermé fut bombardée de bonne heure un matin. Les Allemands firent sortir leurs prisonniers et, sous la menace des mitraillettes, ils leur ordonnèrent de s'aligner sur le trottoir de droite.

— Tout le monde à droite !

Au bout de la rue, une maison flambait.

Nous étions passablement abrutis, dit-il. Tout près de moi, un type murmura :

— Ils vont nous fusiller.

— Quoi ? Peut-être... Mais attends.

— Si. Ils vont nous fusiller.

Le type était en bleu de travail. Il portait une casquette, et, au côté, une musette de laquelle dépassait le goulot d'une bouteille.

— Mais... d'où sors-tu, toi ?

— Ben ! Ils ont dit : tout le monde à droite !

— Tu n'es pas prisonnier ?

— Non.

— Alors... fous le camp !

— J'ose pas...

— Tu as des papiers sur toi ?

— Oui.

— Va les montrer à l'officier.

— J'ose pas...

... Il a fallu longtemps pour décider ce malchanceux à aller trouver l'officier, ce qu'il a fait enfin, et l'officier l'a laissé partir.

27 septembre — J'irai très prochainement en Suisse et de là en Italie.

Aujourd'hui chez Camus où se trouvait Char.

Pour Parpagnacco : J'ai devant moi les « burattini » achetés dans la calle Lunga S.M. Formosa. Mais je voudrais connaître leurs noms et leurs rôles. Je vois bien qu'il y a une reine, et sa dame d'honneur, un roi, des valets, un diable, un Pierrot, un homme d'armes : mais les autres ? Et tous ensemble, d'où viennent-ils ? À quelle tradition appartiennent-ils ? En plus il y a les deux autres grandes marionnettes : le Vénitien. Mais qui est-il, avec son étrange visage ? Et celui au chapeau rouge, quel est son nom ? Et les deux petites marionnettes orientales ?

Est-ce que la petite dont il sera question dans l'ouvrage n'a jamais assisté à un spectacle ? Aussi, n'est-elle jamais allée à la Fenice ? Les musiciens de Venise : Cimarosa, etc.

3 octobre — Je voudrais raconter des choses légères, des histoires spirituelles et décoratives, comme je le ferais et comme je l'ai fait en regardant un jet d'eau par une belle matinée au Palais-Royal, assis près du bassin, très innocent, très heureux et ne sachant même pas ce que je ferais dans l'heure suivante. Je voudrais aider, et il me semble que cela devrait être facile, que cela irait tellement de soi qu'il serait à peine besoin de le vouloir, qu'il n'y aurait qu'à se laisser faire, à se laisser aller, bien qu'en n'oubliant absolument rien de tout l'en-dessous des choses, des questions sans réponse, de tout le saint frusquin métaphysique et autre, de tout l'embrouillamini. Je voudrais trouver le mot qui fasse sourire, qui fasse qu'on se plaise et qu'on consente, qu'on soit heureux.

Lundi 13 octobre — *La Guerre et la paix*. Il faudrait s'abandonner à la lecture de ce grand livre qui possède, en lui-même, une grande vertu, si on le laisse agir, qui nous ramène à un ordre naturel, comme celui de la croissance des plantes. Il n'y a pas que les ciels d'orage qui vaillent la peine, l'orage est bref. Il y a les *saisons*. Pourquoi ne pas faire confiance aux saisons, se reposer en elles ? Tolstoï, dans *La Guerre et la paix*, c'est les saisons, c'est-à-dire *aussi* l'orage, mais à sa place.

20 octobre 52, Bellême (Orne) — De Roger Martin du Gard.
« Mon cher Louis Guilloux. Ne veux pas attendre de vous
revoir pour vous dire les délicieux moments que j'ai passés
avec vous et Jean Grenier, tous ces soirs-ci... Il y a si peu de
lectures, maintenant, qui éveillent en moi un élan amical, fra-
ternel, vers l'auteur ! (Cela m'a rappelé mes joies quand j'ai
mordu au *Pain des rêves*.)

« Et puis j'aime "causer métier" avec un qui en est, et qui
connaît la musique. Avec vous, j'ai l'impression qu'on pourrait
y aller, sans vergogne ! *Absent de Paris* fourmille d'observa-
tions de ce genre, qui me ravissent. Herbart était chez moi, je
lui lisais des pages, et cela déclenchait d'interminables cause-
ries — à vous faire tinter les oreilles !

« J'espère beaucoup qu'on se reverra cet hiver. Je vous serre
les deux mains. »

Du 20 octobre au 30 octobre : Venise, Pise, Florence.

On donne actuellement un film sur les J.3. inspiré d'une
récente affaire criminelle. On me demande (les animateurs du
magazine *Belles Lettres* : Robert Mallet et R. Sipriot) de dire ce
que j'en pense. J'en pense qu'il ne s'agit pas de savoir si ce film
est bon ou mauvais, en tout cas dans son principe il est impur.
Tout homme a le droit au respect, même le criminel une fois
jugé. Film odieux, en outre sans excuse, sans circonstances
atténuantes, les producteurs ayant choisi délibérément, pour
tourner plusieurs séquences, l'endroit même où fut abattu le
jeune Le Guyader. Construire un film sur une affaire criminelle récente c'est en quelque sorte faire comparaître indéfini-
ment le coupable devant ses juges. Mais le pire criminel ne
peut être jugé qu'une fois. Peut-on imaginer le supplice d'un
coupable si, sa peine terminée, il venait à assister à la projection de son propre crime. Enfin le criminel expiant sa faute
selon la loi demeure, comme les autres hommes, sous la protection de la loi. C'est donc de la loi qu'il faut attendre la mise

en accusation des auteurs de ce film. Mais il semble que le cas ne soit pas prévu. On veut espérer quand même qu'il se trouvera chez certains hommes assez de cœur pour refuser d'ajouter au malheur.

Du 15 au 19 novembre, à Lausanne, puis à Aigles.
Rentré à Paris exténué.

22 novembre — J'ai vécu à Lausanne des heures difficiles. Les perspectives qu'elles m'ont laissées le sont aussi, mais j'ai fort bien fait d'y aller. Mais je ne puis qu'accompagner, et j'accompagnerai aussi longtemps que je le pourrai.

En rentrant à Paris, j'ai été pris d'une grande fatigue. J'étais accablé de responsabilités, distrait au pire sens du mot, sans grand silence, sans guère de réflexion. Je voudrais laisser les choses se refaire en moi, dans le silence, presque dans l'immobilité.

27 novembre — On me demande de signer un télégramme au président de la république tchécoslovaque pour demander la grâce de Slansky et de dix autres condamnés à mort.

« Nous vous demandons si vous accepteriez de signer avec nous ce télégramme. La démarche que nous avons récemment effectuée en commun pour demander la grâce des Rosenberg donnera certainement plus de poids à notre intervention. Nous nous sommes alors adressés au président des États-Unis, sans avoir la certitude de l'innocence des Rosenberg, mais inquiets de ce que des considérations étrangères à la justice aient pu peser sur le verdict. Nous avons la même inquiétude à l'égard du procès qui vient de s'achever à Prague.

« Nous ne sommes pas en mesure de contester les attendus du jugement prononcé. Aussi bien n'est-ce pas de cela qu'il s'agit, mais du scandale que constitue *toujours* une mise à mort, en particulier lorsqu'elle survient au terme d'un procès politique. A. Beguin. J.-M. Domenach. »

Vendredi 28 novembre. Le mariage d'Yvonne approche. Je passe ma vie en courses et démarches.

J'ai déjeuné chez Jean[1].

Récemment, chez Claude, Gaston parlait du prix Nobel, et racontait comment, l'année où Martin du Gard reçut ce prix, il accompagna son vieil ami à Stockholm. La remise du prix au lauréat donne toujours lieu à une cérémonie solennelle. Or, les choses se passaient dans la mauvaise saison, par un temps de grosse neige. Gaston racontait très bien, comme toujours. Il avait de l'aisance, de la verve, et souriait d'une façon charmante en décrivant la chambre dans laquelle s'était installé Martin du Gard, cet homme corpulent, solide, rougeaud, avec son nez en trompette et son allure de vieux paysan, un bourgeois respectacle, quand même, cossu, décoré, et lauréat ! Mais dans sa chambre d'hôtel il redevenait un vieux garçon un peu maniaque, avec ses papiers et ses fiches, son porte-plume et ses crayons, tout son attirail d'écrivain méticuleux. Il s'habillait, pour se rendre à la cérémonie qui aura lieu au palais royal. C'est un instant solennel et Gaston se dit que le cœur du vieil écrivain doit tout de même battre un peu vite. Il le laisse pour aller se préparer lui-même ; ils conviennent de se retrouver au palais — mais voilà qu'une fois prêt et déjà dehors pour respirer un peu d'air frais, par provision, l'infortuné Martin du Gard pressé d'un besoin bien ordinaire se mit en quête d'un endroit qu'il trouva, mais, ensuite, il se perdit. Les choses devaient se passer sur la fin du jour, à moins que dans ces climats, le début, le milieu et la fin du jour ne soient toujours à peu près le même crépuscule : en tout cas et quoi qu'il en soit, l'excellent homme perd son chemin et tombe dans la neige où, avec ses beaux habits, il s'étale de tout son long...

Il est minuit. C'est une heure très romantique pour l'homme

---

1. Jean Grenier.

seul — et non moins romantique le bruit de la pluie « par
terre et sur les toits ». La journée a été grisâtre, la lumière
hivernale. Je l'ai passée dans la plus grande solitude, si j'excep-
te une heure chez les Bloch après le dîner. Le matin, j'ai écrit
une lettre, paperassé, noté un certain nombre de choses pour le
roman, rêvé à *Parpagnacco*, ensuite je suis allé au Saint-Benoît
où j'ai eu le malheur de déjeuner en face de deux vieilles femmes, fort pauvres l'une et l'autre, de toute évidence très seules.
Les petites paroles qu'elles échangeaient sur la difficulté de se
nourrir, sur la difficulté de se chauffer, sans parler des autres
difficultés qu'elles ont tous les jours à vaincre, me révélaient un
univers de douleur sans rémission, quotidienne, usée, mais qui
n'avait pas eu raison, pourtant, ni de leurs carcasses ni de leur
courage. L'une d'elles parla de son « fiancé » et posa sa main sur
la main de l'autre, qui retira la sienne aussitôt en s'écriant avec
horreur : « Oh, comme vous avez la main froide ! »

Le procès de Prague. Ce qui se passe là est bien affreux. Et
cette persécution des juifs qui revient ! Il paraît qu'il faut prendre le monde comme il est ?

Samedi 29 novembre — Dîné avec Camus. C'était presque
un dîner d'adieu puisqu'il part lundi pour l'Algérie et qu'il y
restera assez longtemps. Dîner fort gai cependant, qui s'est
prolongé fort tard.

Je devais ce matin me rendre de bonne heure à la salle
Wagram, où se tenait un meeting de prostestation contre l'entrée de Franco à l'Unesco (meeting au cours duquel Camus doit
prendre la parole) mais bien malheureusement j'ai été retardé,
et ne suis arrivé à la salle Wagram qu'à plus de onze heures.
Le meeting n'était pas achevé. Madariaga[1] parlait, mais
Albert avait déjà prononcé son discours. La salle était pleine de réfugiés espagnols parmi lesquels je me sentais heureux me souvenant de tout, parfaitement des leurs. Après

1. Salvador de Madariaga.

Madariaga, Cassou[1] a parlé, avec une belle véhémence. Très applaudi. Le meeting a pris fin. J'ai pu alors voir Albert, Martin-Chauffier, Cassou, Jean Daniel, Bloch-Michel, Flo[2] — que j'avais déjà revue, après longtemps, le dimanche précédent, et que j'ai retrouvée avec bonheur. Sortant de la salle Wagram, nous sommes allés boire un verre avec Albert, Bloch-Michel et Jean Daniel, dans un bistrot où nous attendait Suzanne Labiche[3].

Mardi 2 décembre. Soirée chez Duvignaud[4], où j'ai rencontré Clara[5] (où j'espérais revoir Flo qui n'est pas venue). Rentré très tard, raccompagné en voiture par Ristič[6], qui m'invite à me rendre en Yougoslavie, et appris qu'après *Le Sang noir*, on traduit *Le Jeu de patience*. Je pourrais faire ce voyage au printemps.

Au cours de la soirée, la conversation a porté presque uniquement sur le procès de Prague, qui épouvante tout le monde, dont personne ne parvient à pénétrer le mystère — et qui constitue, aux yeux de tous, une très sombre affaire et un très sinistre présage. D'autres procès sont attendus, à Varsovie, à Sofia. C'est ce qu'on a vu de pire depuis les camps de concentration allemands.

Lundi au cocktail Goncourt chez Gaston, après avoir passé un long début d'après-midi avec mon vieux colonel, j'ai retrouvé Mohammed Dib, qui m'a dit presque de but en blanc : « Vous devriez quitter Paris. Vous devriez rompre d'un coup. » Ce propos m'a fort touché. Il y a quatre ans, en Algérie déjà, Dib m'avait dit deux ou trois choses assez sérieuses.

1. Jean Cassou, critique d'art, écrivain, conservateur du musée d'Art Moderne de 1946 à 1965.
2. Florence, fille d'André et Clara Malraux.
3. Suzanne Labiche (Mme Agnély), secrétaire de Camus chez Gallimard de 1947 à 1960.
4. Jean Duvignaud, sociologue et écrivain.
5. Clara Malraux.
6. Marko Ristič (Ristitch), poète, essayiste et critique serbe. Il fut ambassadeur de Yougoslavie en France.

J'ai quitté ce cocktail pour aller retrouver Albert dans son bureau. Avec Suzanne Labiche il réglait les dernières affaires avant son départ. Nous avons laissé Labiche et nous sommes partis à pied, vers la rue Madame, où nous avons bu avec Francine, le coup de l'étrier. Albert partait à dix heures et demie pour Marseille, où il s'embarquera pour Alger. Nous nous sommes quittés fort amis en nous embrassant longuement. Il va me manquer beaucoup. Sans doute ne serai-je plus à Paris quand il reviendra, c'est-à-dire dans trois semaines ou un mois.

Aujourd'hui mardi à Bourg-la-Reine voir Jean.

Mercredi 3 décembre — Derniers préparatifs du mariage de ma fille, courses, invitations, etc.

Berl[1], rencontré à la N.R.F., me parle des juifs et veut m'entraîner à la radio pour me faire participer à une émission sur « l'art d'aimer ». Je ne puis accepter ayant un rendez-vous avec Petit[2]. Quant à ce qu'il me dit sur les juifs, il explique tout par l'orgueil et l'incapacité de se soumettre à une discipline, etc. Il était bien six heures et demie quand Berl m'a quitté, prenant un taxi et m'offrant encore de l'accompagner à la radio.

Cependant les onze condamnés de Prague vont être pendus.

Dimanche matin 7 décembre — Je voudrais un jour (peut-être) écrire une sorte de petit essai que j'appellerais « Méditation entre les clous ».

Ces jours derniers, Paris était d'un froid de loup — mais beau, d'une beauté grise et bleue avec de temps en temps des brumes légères au fond des rues. J'aime cette pureté des jours

1. Emmanuel Berl.
2. Henri Petit.

froids, la hauteur du ciel, la sonorité des rues le matin, avant
neuf heures, le regard des gens pour apprécier le temps, la
manière qu'ils ont de humer l'air tout en pressant le pas et
parfois même en courant pour ne pas arriver en retard au
bureau. Les privilégiés qui n'ont pas à se soucier d'exactitude
sont au bistrot en train de boire un café et de manger un
croissant, en lisant le journal. Les facteurs attendent au coin
de la rue le passage du car postal dans lequel ils monteront,
leur première tournée achevée. Il y a au commencement du
jour dans l'instant de la première sortie dans la rue quelques
minutes d'allégresse, un sentiment heureux venant de la présence des choses et de leur redécouverte, en même temps qu'on
se sent mouvoir à travers elles dans la bonne santé et d'un
même pas. J'aime sentir sous mon pied la pierre du trottoir le
matin.

Yvonne est partie hier pour Lausanne avec son mari (11
décembre).

Soirée chez Michel Gallimard dont l'amitié, ainsi que celle
de Janine, m'est très précieuse.

Pour la préparation du travail il me faut : rassembler tout ce
qui concerne *Parpagnacco*.

On va republier en un volume *La Maison du peuple* et *Compagnons* précédés du texte de Camus dans *Caliban*.

A propos de la réimpression de *La Maison du peuple* et *Compagnons* : dois-je ou ne dois-je pas, ainsi qu'on me le suggère
chez Grasset, donner en même temps que le texte d'Albert un
texte de moi pour expliquer ces ouvrages « historiquement » :
de la Maison du peuple au procès de Prague ?

Dimanche 21 décembre — La montagne. Tout est beau dans
le monde, et merveilleux. Nous sommes parfois bien bêtes. Si

je repense à certains réveils dans l'immense silence de la neige
devant les sommets, à certains vols de choucas, au petit train
qui m'a conduit un jour à Leysin où j'allais voir Michel[1] et
Albert, je me dis qu'il faut s'apaiser pour mieux sentir le précieux des choses. Je ne connaissais pas la montagne avant l'année 1927 (si je compte pour rien ce que j'avais vu des Pyré-
nées). Mais en 1927, quand les médecins me prétendirent
malade (ils se trompaient) et me conseillèrent le repos en
Savoie, et que Marianne Halévy m'emmena à Passy, c'est au
petit matin, après une nuit en chemin de fer, que je découvris
la montagne et en nous rendant en voiture à Passy, la mer de
nuages. Je me souviens très bien comment c'était, et quelle joie
de délivrance tranquille. Jamais je n'avais participé à une telle
lumière. Au-dessus des nuages, tout était floconneux, d'un
blanc doux à l'infini, et là-dessus se répandait en plein la
lumière même, sans aucun rapport avec celle d'en bas, une
lumière sereine, souriante, chantante. Plus tard, quand nous
arrivâmes au village, je découvris les champs de neige, la
proximité des glaciers, les cimes et les maisons en troncs d'arbres, avec leurs toits comme des coiffes, les gens, qui me plu-
rent tant. Un vieil artisan surtout, vieux sabotier, né dans l'endroit et ne l'ayant jamais quitté. Ensuite, plus tard encore,
quand je fus installé seul dans une pension, et que je passais de
longues heures allongé sur une chaise longue, sur un balcon, je
découvris une paix inconnue en moi. Je me laissais faire, je ne
résistais plus, je laissais mon esprit s'apaiser au spectacle
immense, abandonnant toute révolte. Je descendais quelquefois au village, j'allais voir le sabotier, je partais en promenade
dans la neige. J'aimais me trouver seul. La montagne ne
m'inspirait pas d'effroi.

Les amis de Camus se sont fort indignés de voir paraître
dans *Arts* que dirige actuellement Humo le texte intitulé
« L'artiste en prison » sans que la moindre note en expliquât la

1. Michel Gallimard.

présence et, du reste, sans que rien permît de savoir si Albert
était d'accord ou non. Le texte en question, que je connaissais
depuis longtemps et que j'admire beaucoup, est une préface à
la traduction de Jacques Bour de la *Ballade de Reading Gaol*
d'Oscar Wilde. Le petit livre vient de sortir aux Editions Falai-
ze — il a été envoyé au journal en service de presse, pour
compte rendu, et le nouveau directeur d'*Arts* a pris, dans le
texte d'Albert, huit pages sur les quinze qu'il comprend et dont
la publication en revue était réservée aux *Cahiers d'Art* qui ont
dû y renoncer. Voilà comment notre Albert, qui avait fui Paris
pour aller méditer au désert pendant qu'en même temps il
fuyait les ennuis, est tombé sur *Arts* en rentrant à Alger. Il a
aussitôt télégraphié à Jacques Bour pour exiger une rectifica-
tion dans *Arts,* journal qui tout récemment encore le « traînait
dans la boue ». Samedi matin avec Jacques Bour qui m'en
priait, voulant avec lui un témoin ami d'Albert, nous sommes
allés trouver Humo en qui, pour ma part, j'ai tout de suite vu
que nous avions affaire à un très faux bonhomme de directeur
qui, avec ses airs de séminariste, faisait de son mieux pour
nous convaincre qu'il n'avait jamais rien voulu que servir la
gloire d'Albert qu'il aime et admire. A quoi nous lui avons
répondu qu'à publier un texte d'Albert il fallait au moins lui
en demander l'autorisation, qu'il eût d'ailleurs sûrement refusée — mais M. Humo savait très bien qu'Albert n'était pas à
Paris — et que, en tout cas, on ne devait pas donner à penser
qu'Albert Camus n'hésitait pas à vendre sa prose à ses ennemis
et que cela était proprement déshonorant. Ce de quoi Humo a
convenu. Et il a fabriqué une lettre, qu'il publiera la semaine
prochaine dans son journal avec une autre de Jacques Bour,
pour remettre les choses au point.

L'entrevue avec Humo s'est passée dans un salon du Conseil
économique, auquel il appartient je ne sais comment, c'est-
à-dire au Palais-Royal. Tandis que nous parlions j'avais sous
les yeux la galerie d'Orléans où je me promenais au beau
temps. Bien que nous soyons en hiver, samedi matin, jour de

cette visite, était un jour d'une exceptionnelle douceur quoique un peu mouillée. Le Palais-Royal avait les couleurs de l'automne plutôt que celles de l'hiver et si l'idée de s'asseoir devant la grande vasque eût pu passer pour assez déraisonnable, celle de se promener dans les jardins en se livrant à la mélancolie ne l'eût point du tout été. En allant chez Francine pour lui raconter ce qui s'était dit chez Humo, j'ai traversé la place Saint-Sulpice où tout est changé. J'en étais resté à l'horreur des arbres arrachés et de cette belle place un peu bête de se voir toute nue. Mais les vieux arbres n'avaient été enlevés que pour faire place à des arbres nouveaux. Aujourd'hui les progrès permettent de transporter des arbres adultes et de les replanter, ce ne sont donc pas de maigres espoirs qu'on a remis là, mais de vrais arbres déjà bien branchus et qui seront très feuillus quand reviendra le beau temps.

Qu'ai-je fait de bon ou de bien au cours de ma journée, qu'ai-je appris de remarquable ? Voilà la question que je devrais me poser plus souvent, sinon tous les jours. En matière de bonnes choses accomplies par moi, je ne me souviens d'aucune.

On parle toujours beaucoup du procès de Prague. Chacun cherche une explication au grand mystère des aveux. A quoi certains font observer que les aveux, dans ce genre de procès, sont d'autant plus nécessaires à l'accusation qu'il ne s'agit jamais d'avouer des faits, mais d'avouer qu'on est un traître, d'une manière générale, pour pouvoir être condamné, ou, tout simplement, pour que le procès puisse avoir lieu.

24 décembre — Me promenant à travers les rues je pensais à Max, et je me souvenais comment avec Yvonne et des jeunes amis tout nouveaux nous sommes allés à Saint-Benoît-sur-Loire, quand on y a ramené ses restes en 1949, je crois, février ou mars. J'avais reçu un petit feuillet ronéotypé me conviant à cette solennité, je me souviens que ce texte portait une coquille

bien « ressemblante ». En effet, le mot « cérémonie » n'avait pas passé. A la place, on lisait « cérélonie ». Le plus étrange était que cette coquille se répétait deux et peut-être même trois fois. Je ne savais si j'irais ou non à Saint-Benoît. C'était un long voyage, difficile, la saison n'était pas bonne, je n'avais pas achevé mon *Jeu de patience,* bref, j'étais indécis, quand arriva Yves Jaigu[1] accompagné d'un ami de moi inconnu, mais qui m'intéressa tout de suite par les aventures de guerre qu'il me conta. Tous deux étaient en voiture. Ils étaient libres. La perspective d'aller à Saint-Benoît-sur-Loire les enthousiasma aussitôt. Yvonne se joignit à nous, et nous partîmes tous les quatre, vers les cinq heures du soir, bien décidés à atteindre Orléans le jour même. Nous y dormirions et, le lendemain, qui serait le jour de la « cérélonie », nous nous rendrions à Saint-Benoît.

Je voulais aussi parler d'une certaine clochette que dans mes promenades d'aujourd'hui j'ai entendu retentir à plus d'un carrefour : la clochette de l'Armée du Salut. Ici et là dans Paris, sur les trottoirs, parfois auprès d'un sapin, sont installés une femme, ou un homme, dans le hideux costume que l'on connaît, debout près d'une pancarte posée sur un chevalet et portant ces mots : Noël de l'Armée du Salut, et, près de cette pancarte, un tronc. Un préposé à la quête ne bouge pas, ne parle pas, il agite sa clochette dont le tintement solennel et ridicule perce à travers le tintamarre de la rue.

1. Yves Jaigu qui sera directeur des services de coproduction à la télévision, puis conseiller de Jacqueline Baudrier, puis directeur de France-Culture.

1953

Paris, 1er janvier 1953 — Eh bien, j'y suis allé, à cette réception. Je me doutais bien que les choses finiraient ainsi. J'y suis
allé par ennui, par paresse, par dépit de solitude, par toutes
sortes de mauvaises raisons desquelles la curiosité n'était pas
exclue et, dans une certaine mesure, un certain goût du plaisir
(bien que le plaisir que l'on peut espérer trouver dans ce genre
d'occasions ne soit pas d'une bien grande qualité). Jusqu'au
dernier moment, encore dans le taxi qui m'emmenait avenue
Montaigne, j'étais flottant. J'avais passé une journée fort solitaire, fait un déjeuner solitaire à la Chope Danton, un dîner
tout aussi solitaire au même endroit. Le travail s'était résumé
à quelques notes, je n'avais pas eu de courrier. Il neigeait. Il
faisait froid. L'idée après mon dîner de rentrer dans ma soupente m'était apparue comme une idée de bon sens. J'étais
donc rentré, je m'étais étendu et je lisais. Mais vers onze heures du soir, brusquement, malgré la neige et le froid, je suis
sorti, j'ai pris un taxi, et je me suis fait conduire au 43, avenue
Montaigne. Dans le taxi, je me disais que j'avais tort, qu'il était
encore temps de rentrer mais je savais très bien que je ne donnerais pas au chauffeur l'ordre de revenir rue de l'Université.
Depuis l'instant où Havet m'avait téléphoné pour m'inviter et
bien que lui ayant répondu des choses vagues tournées de telle
façon que je ne m'étais engagé à rien, j'avais fort bien su que je
me rendrais à son invitation. Pourtant, je n'ai pas la nostalgie

de la coupe de champagne que l'on boit à minuit au Nouvel
An. Donc, dans le taxi qui m'emmenait avenue Montaigne, un
peu avant minuit, je me sentais toujours assez fatigué et peu
séduit, mais je me laissais aller, sachant d'expérience que ce
sentiment de fatigue disparaîtrait dès que je serais entré dans
la « fête » et que tout se serait mis à briller autour de moi. Cette
misérable perspective m'était *aussi* indifférente.

2 janvier 1953 — Parlant des procès de Prague, Bloch-
Michel les compare aux procès en sorcellerie qu'au Moyen Age
on instruisait, dit-on, jusque contre certains animaux déclarés
« possédés ».

On dit que Gabriel Péri, arrêté en 1939 comme militant
communiste par le gouvernement français et interné au camp
de Châteaubriant et fusillé par les Allemands en 1940 avec
cinquante autres otages tous membres du Parti, était au moment de son arrestation, n'approuvant pas le pacte germano-
soviétique, sur le point de quitter le Parti. Qu'il ne l'avait pas
fait justement parce qu'on l'arrêtait et que, dès lors, il voulait
se montrer fidèle et solidaire. Peut-on imaginer plus complète
horreur que celle où il dut se trouver honni, peut-être, par ses
camarades qui allaient tomber comme lui sous les mêmes balles des Jeunesses hitlériennes arrivées sur le terrain en chan-
tant ?

Aux Magots le spectacle était comme toujours celui qu'il est
toujours... Eric Weil est passé par là. Nous avons échangé quelques mots. Il m'a dit à propos de Campagnolo des choses assez
dures. Parlant des ambitions de la Société européenne de Culture, Eric Weil prétend qu'il ne s'agit de rien moins « que de
mettre l'intelligence au service de la bêtise ».

Je n'ai jamais relu aucun de mes ouvrages. Il m'est arrivé de
les feuilleter, d'y chercher une page dont je voulais me souvenir, de vérifier si je n'avais pas dit telle ou telle chose déjà, ne

voulant pas courir le risque de me répéter — mais une lecture
de bout en bout de quelque ouvrage que j'ai fait, cela ne m'eût
pas été possible et jamais l'idée ne m'en est venue. Ce qui
revient à dire que mes livres ne m'ont jamais « soutenu »,
jamais « aidé à vivre », que je n'en ai jamais tiré avantage.

Mercredi 7 janvier — ... J'écoutais mon ami Henri Petit me
parler de son père qu'il est allé voir à Avallon pour les fêtes, et
du vieux Joseph, leur domestique. Je connais le père Petit
depuis très longtemps, c'est un homme exemplaire. Aujourd'hui vieux et veuf il vit dans sa grande maison d'Avallon,
avec son vieux domestique Joseph, que je connais bien aussi,
un homme tendre à peu près du même âge que le père Petit, ils
approchent l'un et l'autre de leurs quatre-vingts ans, et depuis
quelque temps, la vue du vieux Joseph s'est mise à baisser. Il
allait bientôt falloir renoncer à servir son vieux maître, si l'on
peut dire que le père Petit ait jamais été un « maître » pour lui :
les deux hommes ont vécu toute leur vie côte à côte.
Quoi qu'il en soit, le jour est venu où le vieux Joseph a dû
s'en aller habiter chez sa fille, un peu hors de la ville, et le
père Petit est resté tout seul dans sa grande maison autrefois si
vivante. Chez sa fille, le vieux Joseph n'est pas malheureux.
C'est une bonne fille, elle le soigne bien. Les premiers jours il
y reste assez tranquille, mais il pense à Monsieur Paul et, un
après-midi, retourne chez son vieux maître qu'il ne trouve pas
chez lui, s'en va faire un tour dans la grange où sont rassemblés toutes sortes d'outils, il les tâte, il les reconnaît en les
tâtant et découvre une vieille serpe dont le manche est tout
branlant. Il prend la serpe et retourne chez lui. Le voilà de
nouveau dans sa chambre, il s'arrange pour trouver un morceau de bois avec lequel il fera un manche neuf, ce travail
l'occupe pendant deux ou trois jours, mais il y réussit et
retourne chez le père Petit rapporter la serpe avec son beau
manche tout neuf.

Jeudi 8 janvier — Retour de Camus hier. Il m'a paru très

satisfait de son séjour en Afrique et de la pointe qu'il a poussée
dans le désert, infiniment plus « maître de lui-même » qu'il ne
l'était avant de partir. J'ai passé avec lui une heure hier soir
dans son bureau, où Francine est venue nous rejoindre. Nous
devons nous revoir aujourd'hui à la fin de la matinée.

Vendredi 9 janvier — Depuis quelques jours à Paris, on dit
que ce petit garçon de quinze ans qui, récemment, à Prague,
demandait la mort de son père, s'est suicidé. La nouvelle en
serait parvenue en France par l'ambassadeur d'Israël expulsé
de Tchécoslovaquie. On ajoute qu'elle n'est point confirmée et
qu'elle ne constituerait peut-être qu'une invention de la propa-
gande anticommuniste.

Prochainement s'ouvrira à Bordeaux le procès des tortion-
naires d'Oradour (après celui qui vient d'avoir lieu des médecins allemands qui pratiquaient des « expériences » sur des
déportés — procès dont la conclusion a si largement surpris
tout le monde).

Le 14 de ce mois (ou le 22) seront électrocutés à New York
les Rosenberg, accusés d'espionnage en faveur de la Russie
soviétique. De la conversation promise entre Staline et Eisen-
hower, on ne parle plus guère, du moins avec le même espoir
qu'au début. Et la guerre continue en Corée, et en Indochine,
etc.

À Paris, Catherine Dunham s'apprête à donner des ballets et
dans le dernier numéro de *La Table Ronde* le fils de François
Mauriac, Claude, donne de larges extraits de son journal dans
lequel il parle de son père. C'est un fameux morceau. Chamson
vient de poser officiellement sa candidature à l'Académie.

Ce soir, j'étais chez Albert, rue Madame (où Bloch-Michel
est venu nous rejoindre). Faut-il parler de notre stupéfaction
quand il nous a appris que, le jour même, il avait reçu de
Wildenstein, propriétaire d'*Arts*, l'offre de prendre la direction
de ce journal ? On trouvera un jour dans sa correspondance
générale la lettre que je suppose très belle par laquelle il a

refusé. Mais qui se fût attendu à pareille offre ? J'ai passé là, chez Albert et Francine, une soirée très heureuse.

23 janvier — Qu'ai-je fait, vu, voulu, senti, compris, etc., entendu depuis ces derniers jours dont je veuille me souvenir ? Je ne sais plus très bien où j'en suis. Le surlendemain du jour où j'étais chez Malraux, un mardi, se trouvait rue de Beaujolais, chez Raymond et Nathalie Gallimard, au déjeuner, le Père Bruckberger, saint homme, moine blanc (il était en noir, costume qu'il porte depuis qu'il habite l'Amérique d'où il revenait), grand et gros bel homme de foi, très libre à ce qu'il m'a semblé, fort enthousiaste de ses Américains qu'il regarde comme des enfants mal élevés et bourrés de complexes à l'égard des Européens, mais de qui on peut tout attendre, même le meilleur, si on sait leur expliquer, dit-il. Il parle d'une manière fort brillante de la femme de Saint-Exupéry, Consuelo — que j'ai autrefois aperçue à Paris, qui était, paraît-il, exigeante, difficile, etc. J'ai de nouveau aujourd'hui déjeuné chez Nathalie en compagnie de Sylvia Montfort, de Jacques Lemarchand[1] et de Bloch-Michel. J'étais arrivé là un peu après une heure, venant des Magots où j'étais entré tout à fait par hasard, entraîné par un ami rencontré sur le trottoir : on décernait un prix littéraire, le prix des Magots, ma foi. Café archibondé. Photographes, télévision, etc. Le prix proclamé — donné à un auteur de la Série Noire —, le patron des Magots a offert une coupe de champagne. L'atmosphère était celle des banquets, des journées d'élection, des courses à Auteuil, des championnats de tennis, des comices agricoles.

Albert présente ses enfants : Catherine, la Peste et Jean, le Choléra. L'autre jour, à table, il demandait à Jean qui venait de lire un livre :
— Est-ce que ce livre est beau ?

---

1. Jacques Lemarchand, écrivain, critique dramatique et membre du comité de lecture de Gallimard.

— Oui, dit l'enfant.

— L'histoire était intéressante ?

— Oui.

— Est-ce que tu as tout compris ?

— Non.

À ce « non », je vis le visage de Camus briller de douceur. Il posa, sur la tête de son fils, une main tendre et caressante, et, me regardant tout souriant :

— La voilà, dit-il, la véritable honnêteté intellectuelle !

Le prochain prix Veillon sera le 20 février prochain.

Vendredi 23 janvier — L'autre jour je suis allé voir Blanzat[1], chez Grasset. On me fit entrer dans son bureau où se trouvait déjà Privat, neveu de Grasset, et directeur de la maison. Blanzat et Privat avaient des airs assez tendus. Je me suis trouvé embarrassé.

Voilà bien vingt ans et plus que je connais Blanzat. Je l'ai rencontré chez Daniel Halévy. C'était un jeune homme d'une beauté exceptionnelle. (« Comment peut-on porter une pareille beauté ? » disait Marianne Halévy.) C'est aujourd'hui un colosse un peu rougeaud à forte crinière drue et blanchissante, avec des manières douces et des colères d'enfant. J'avais posé sur son bureau un manuscrit d'un jeune auteur, et je commençais à lui en parler, lui répétant des choses qu'il savait déjà puisque je les lui avais dites deux ou trois jours plus tôt en lui annonçant ma visite. Mais il ne m'écoutait guère, ne me répondait que du bout des lèvres. Privat se taisait. Il me regardait avec une espèce de tristesse. Eh, parbleu, je sentais bien qu'il y avait « quelque chose », mais ce n'était pas à moi à le demander et il m'était difficile de partir trop vite. Cependant, c'est ce que j'allais faire, quand Blanzat s'écria : « Mon fils a foutu le camp ! »

---

1. Jean Blanzat (1906-1977), écrivain. Il avait publié son premier livre, à vingt-cinq ans, dans *Europe* que dirigeait Jean Guéhenno. Il fut directeur littéraire des Éditions Grasset de 1945 à 1953, puis attaché aux Éditions de la N.R.F.

Pauvre Blanzat ! Il n'a que ce fils, un garçon de dix-neuf ans aujourd'hui, que je n'ai vu qu'une ou deux fois quand il en avait dix ou douze : gros garçon solide et roux, nommé Philippe.

— On a eu une dispute à table, à midi, et il est parti.

Le pire, c'est que Blanzat n'avait pas la moindre idée de là où pouvait se trouver son fils. Il pouvait bien croire qu'il était allé rejoindre ses camarades étudiants à la Faculté de médecine, ou dans un café du boulevard Saint-Michel — mais il n'était sûr de rien et il ne voulait pas se mettre à sa recherche, pensant que s'il apparaissait dans quelque lieu que ce fût où son fils se trouverait avec d'autres, ce serait de sa part une très grande maladresse et que le bon sens était d'attendre le soir, en espérant que Philippe rentrerait quand même à la maison. Il me demandait mon avis. J'étais de l'avis qu'il fallait en effet attendre. Pauvre Blanzat ! Il se plaignait et s'accusait.

— J'ai agi comme un salaud. Je suis un salaud. Je lui ai dit des grossièretés. Il m'en a dit aussi, mais je suis un salaud.

Ensuite, il accusait son fils de ne pas travailler.

— Du reste, il n'est pas intelligent.

La scène entre le père et le fils n'avait naturellement pas arrangé le rapport entre la femme et le mari. Pour comble une cousine de province qu'on n'attendait pas était survenue au plus fort de la dispute. Il dit cela en riant. On peut donc rire quand même ?

Il était cinq heures de l'après-midi. Le temps de l'attente allait être bien long. Je me mis à sa disposition pour l'aider, bien que ne sachant pas comment, pour me mettre à la recherche de son fils. Il accepta, puis refusa, tout en me disant : « Toi, tu saurais peut-être lui parler. »

Mais un instant plus tard, nous convînmes ensemble qu'il ne fallait rien faire, que le mieux était décidément d'attendre, si pénible que cela pût être.

On téléphona. J'entendis Blanzat répondre. Il avait affaire au téléphone à quelque personne de bonne humeur sans doute et je l'entendis répondre très joyeusement. Et même, il éclata de rire.

Je le laissai, en lui promettant de lui téléphoner le lendemain, ce que je fis, et j'appris que le garçon était rentré. Mais,
le surlendemain, revoyant Blanzat, il me dit :

— Non : ça ne va pas. Quand je rentre chez moi, je n'ai plus
envie de parler à personne. Il nous a dit : « Je vous considère
comme mes ennemis... »

Jeudi 29 janvier — Avant-hier après-midi, entrant dans le
bureau de Camus, c'est René Char que j'y ai trouvé, tout seul,
en train de signer ses exemplaires de sa *Lettera Amorosa*. Nous
avons bavardé pendant un long moment, et convenu de dîner
un de ces soirs avec les Camus et les Bour, ces derniers le souhaitant vivement pour effacer les dernières ombres qui pourraient subsister encore après l'affaire de la publication du texte
d'Albert (« L'artiste en prison ») dans *Arts*. La date retenue a
été celle de mercredi prochain.

Char se plaignait de Paris, qu'il n'aime pas et où il lui faut
passer de plus en plus de temps. Il jugeait très sévèrement les
hommes d'aujourd'hui. Il a raison, mais nous devrions tous
nous en prendre d'abord à nous-mêmes. Il me semble, lui
disais-je, que nous n'avons pas assez de foi, et que de plus, nous
agissons toujours comme si nous avions honte de ce que nous
aimons le plus. Il nous faudrait plus d'audace.

Il est un peu plus de dix heures ; j'ai fait un tour sur les quais
par le temps le plus doux du monde. Ce n'est plus l'hiver. Paris
était d'une beauté gracieuse, tendre, dans ses bleus et blancs au-
dessus de la Seine. C'était très charmant. J'ai flâné, m'arrêtant
aux vitrines des antiquaires. J'ai ainsi longé le quai Voltaire, puis
je suis descendu par la rue Bonaparte et j'ai traversé la rue Visconti, que j'aime toujours, qui me plaît toujours — et je suis
revenu par la rue Jacob où il me devient à moi-même fastidieux
de me souvenir que c'est là que j'ai commencé ma vie à Paris, à la
Revue mondiale, chez M. Jean Finot, en 1918.

5 mars — Mort de Staline.

Je ne me souvenais plus. Quelque pensée m'était venue en tête, de celles qui vous arrivent de très loin, et voilà que je l'avais perdue. C'était un profond chagrin, comme d'une trahison, je voulais à tout prix la retrouver, mais elle n'était plus là, bien que toute proche, je le savais — mais proche comme on sait proche le souvenir d'un rêve, c'est-à-dire absolument hors d'atteinte. Était-ce seulement possible, et devais-je croire que, moi comme un autre hélas, comme n'importe quel autre, j'étais capable de ce vulgaire oubli ?

C'est une vieille tradition de la mer, que rien ne fera varier : le capitaine courageux sauve son équipage, et meurt tout seul, quand il le faut. Même si l'équipage s'est révolté, même si depuis longtemps il n'était plus composé que d'ennemis. Le capitaine sait son devoir, il ne serait rien sans cela. C'est le plus haut devoir d'un homme et celui où l'amour tient le plus de part. Le capitaine courageux se sauve ou périt avec ceux embarqués à son bord. C'est une vieille loi consentie qu'il n'est au pouvoir de personne de changer.

Dimanche de la Toussaint 53 — Il y aura après-demain huit jours que je serai rentré à Paris. Je devrais avoir beaucoup de choses à raconter. J'ai, en effet, comme toujours vu beaucoup de monde, mais tout m'a paru fort monotone et, en fait, j'ai vécu fort solitaire.

J'ai recommencé le matin mes promenades le long des quais. J'aimais beaucoup les teintes roussâtres des arbres. Il n'y avait d'ennemi que le bruit et la fureur. L'autre matin, j'observais comment les troncs des arbres, le long de la Seine, noircissent. Alors que les feuilles sont encore tout imprégnées de lumière, qu'elles semblent même retenir la lumière d'une manière plus jalouse, les troncs et les branches prennent des teintes noirâtres ; on les dirait saturés d'eau même par le temps sec ; cela leur donnait un air de n'être plus des végétaux, mais d'appartenir à un genre bizarre de minéraux. Il me sou-

venait d'avoir vu, l'autre hiver, les arbres du boulevard Saint-
Michel, sans feuilles, qu'on venait d'émonder. Leurs troncs
étaient rigides comme la fonte, et leurs rameaux taillés apparaissaient dans le ciel pluvieux comme des moignons. Il y avait
dans ces arbres puissants une révolte silencieuse, une protestation violente. Aujourd'hui, il a plu du matin au soir, et il pleut
encore en ce moment, où il est à peine dix heures. On dit, dans
ce cas-là, que cela convient fort bien à un jour de Toussaint,
comme la neige à Noël, et que le mieux est de rester chez soi à
travailler.

... À Saint-Germain, les terrasses disparaissent. On a sorti
les installations d'hiver — parois de vitres, en attendant les
braseros. Il ne fait cependant encore pas très froid, mais il
flotte déjà dans l'air une odeur de marrons grillés. Et l'on sert
des huîtres aux hors-d'œuvre. Devant une porte de la rue de
l'Université, ce matin, j'ai vu tout un gros tas de bûches qu'on
s'apprêtait à rentrer dans la cave. On fait des provisions en
attendant le retour des feuilles. Ce matin, après un sommeil
tardif, je me suis réveillé paresseux. Vague torpeur qui venait
du fait qu'on avait allumé le chauffage. J'ai compris les dangers du confort.
    Comme je sortais pour aller au Buisson d'Argent, j'ai ren-
contré, dans l'escalier, Gaston qui montait à son bureau. Il
était d'une humeur tout à fait charmante, et nous sommes
restés plus d'un quart d'heure à bavarder devant la fenêtre. Il
m'a dit que je devrais travailler davantage, que j'étais un
grand romancier, que *Le Sang noir* était à son avis l'un des
meilleurs livres que la maison ait jamais publiés. Tout cela dit
avec ouverture et amitié, me conseillant de ne pas me laisser
distraire par les ennuis que je pouvais avoir, « puisque vous en
aurez toujours », et de travailler beaucoup. Puis, il s'est mis à
parler de lui, me disant qu'il n'avait jamais eu de bonheur que
lorsqu'il avait aimé et été aimé, qu'il avait toujours aimé
l'amour, mais que pour l'instant il n'était pas très heureux.
« Je suis marié, j'ai une vieille liaison qui traîne... et puis... »

Geste vague... Nous nous sommes quittés les meilleurs amis du monde. Et je suis allé au café. J'ai regardé les journaux, puis je suis rentré.

Plus tard, sur la place Saint-Germain, autre rencontre : le docteur Nédélec et Marie-Thérèse, sa femme. Ils revenaient de Lausanne où ils avaient vu Yvonne. Nous avons pris rendez-vous pour le soir à six heures.

Comme je devais aller à la Radio à trois heures, et que le soir, j'étais convié à dîner chez Nathalie, avec Berl et sa femme Mireille, j'ai vu que la fin de la journée et la soirée étaient perdues pour le travail. Mais pouvais-je refuser à Roger Grenier[1] de venir parler pendant quelques instants avec lui devant le micro de la réimpression de *La Maison du peuple* ? Le rendez-vous était pour trois heures. J'ai donc, un peu avant, pris l'autobus, boulevard Saint-Germain, et j'ai fait à travers un Paris pluvieux, traversant la Concorde, longeant les quais jusqu'à la Muette, une très charmante promenade. J'étais debout sur la plate-forme. Je fumais ma pipe en regardant la ville, et je découvrais une fois de plus comme elle est belle et combien je l'aime. Le temps était doux, le ciel fort tendre, le pavé humide et luisant ; il y avait dans l'air quelque chose d'ouvert et de léger. Les visages des gens étaient dans l'ensemble sympathiques. Je ne regrettais plus mon rendez-vous ni le temps perdu. Tout a changé en arrivant à la Radio, par le sentiment de l'inutile et du médiocre. Ce ne serait plus Roger Grenier que je verrais, mais Duché[2]. On voulait me faire attendre, j'ai refusé, et on m'a introduit dans un studio et tout s'est passé très vite et assez mal.

Mardi 3 novembre — Le dîner chez Nathalie assez joyeux, mais Berl n'a pas dit grand-chose. Nous avons joué au roman. Bu un peu trop de vodka.

---

1. Le romancier Roger Grenier ; d'abord journaliste puis conseiller littéraire chez Gallimard.
2. Jean Duché, journaliste et romancier.

Aux termes de ce qui a été convenu avec Paulhan, je n'ai pas lieu de me soucier pour la remise de mon manuscrit jusqu'au 15 de ce mois au plus tôt.

Ce matin, j'ai eu une bonne conversation avec Claude.

Je me souviens comment le commandant Émile — homme remarquable, grand résistant, arrêté un an ou deux après la Libération (il avait épousé Hélène Lejeune, tous deux étaient membres du Parti), il ne fut relâché qu'après trois jours de protestations et de manifestations véhémentes, auxquelles j'avais participé — me dit le surlendemain de son retour que je collaborais avec des traîtres, sous prétexte qu'il avait vu un texte de moi à côté d'un texte de Camus dans *Empédocle*[1].

Vendredi 13 novembre — J'étais hier au café, attendant Godemert et sa femme, que j'avais invités à dîner avec moi. Godemert est l'homme d'affaires des Gallimard. Il m'a rendu récemment de grands services. Ensemble, nous sommes allés dans un restaurant de la place de l'Odéon, où, après un excellent dîner, le patron, un homme exceptionnellement gros et court, du genre presque aussi large que haut, rouge de visage comme le sang est rouge, est arrivé vers moi en m'appelant par mon nom, en me tutoyant, en me rappelant, ce que je n'aurais certes pas deviné, que nous étions des camarades d'école, en me faisant de grands compliments sur mes livres et, parole d'honneur, il m'a pris la main et l'a portée à ses lèvres ! Ensuite, il a offert le champagne !

Aujourd'hui, on assaillait les marchands de billets de loterie. J'ai fait mon petit tour, ce matin, sur les quais, comme d'habitude. Le temps était pour ainsi dire printanier, lumi-

---

1. Au sommaire du 1er numéro d'*Empédocle* (avril 1949) ; Albert Camus ; « Le meurtre et l'absurde », Jean Grenier : « L'histoire a-t-elle un sens ? », Louis Guilloux : « En mon bel âge ».

neux, le soleil brillait, tout était fort charmant le long de la Seine. Aussi, ai-je été assez fâché de la rencontre d'une vague connaissance, un monsieur dont je ne sais même pas le nom, qui s'est mis à m'accompagner et m'a demandé si je travaillais.

L'après-midi, j'ai été voir Albert dans son bureau. De là nous sommes allés boire un verre au Buisson d'Argent.

Mardi 17 novembre — Ces jours derniers je ne suis guère sorti, mais hier j'ai accompagné Jacqueline[1] au théâtre Sarah-Bernhardt voir la pièce que Sartre a tirée du *Kean* d'Alexandre Dumas. La pièce est amusante, et j'aime toujours le théâtre — mais il y avait à la fin une sorte de prêche qui n'était qu'une leçon d'instituteur. En sortant, vers les minuit, Paris était froid, sous un léger brouillard bleu dans les lumières. Ce que l'on voyait en traversant les ponts était particulièrement beau par le vague des choses, les lumières diffuses, leurs reflets pointus dans l'eau très noire de la Seine, le côté suspendu des formes enveloppées comme de voiles légers. Tout était sec et sonore, ouvert malgré le brouillard, mais, en haut du boulevard Saint-Michel, de nouvelles lumières, au néon sans doute, donnaient, dans cette atmosphère bleuâtre, des reflets vert-de-gris atténués, bizarres, un peu méchants. Je suis rentré tard, heureux de ma soirée avec Jacqueline et d'avoir vu un acteur admirable : Pierre Brasseur.

Je n'oublie jamais rien de ce que j'aime.

... Le dentiste n'a pas été très encourageant. Je vais avoir des ennuis. Il va me falloir aussi consulter l'oculiste. Inutile de nier que j'ai la vue très fatiguée par moments.

Il y a quelques jours entrant dans un café pour téléphoner, je ne suis pas parvenu à lire dans l'annuaire le numéro que je cherchais. J'ai dû me faire aider par la première personne

[1]. Jacqueline Bour.

venue. Je ne me soigne jamais. Ma santé est excellente, et ma vigueur entière. Je n'ai de difficulté que pour lire, pas pour écrire.

Voyons un peu comment va la vie à Paris ? Une grande nouvelle répandue par la presse : les cocktails N.R.F. n'auront plus lieu. Cette décision « couvait » depuis longtemps. Il paraît que les cocktails coûtaient fort cher, et ne servaient pas à grand-chose. Ils sont morts. Je ne m'en plaindrai pas pour mon compte.

Une autre nouvelle est que Blanzat, depuis dix ans je crois, le principal personnage de la maison Grasset, passe, à partir du 1er décembre, chez Gaston. Voilà pour Gaston une nouvelle victoire, et l'un des derniers épisodes de la guerre qu'il mène, depuis vingt-cinq ans, contre son principal rival.

Il faut savoir qui était Grasset, à ses débuts, quel éditeur hardi, brillant, ingénieux, heureux. Il réussissait tout, gagnait beaucoup d'argent, inventait des lancements sensationnels. Tous les auteurs qui aujourd'hui ont quelque renom ont débuté chez lui : Montherlant, Drieu, Malraux, Giono, Chamson. Ils sont tous passés chez Gaston. Aux dernières nouvelles, Grasset, qui vient d'atteindre ses soixante-dix ans, voudrait entrer à l'Académie et voir ses œuvres complètes publiées — mais chez Gaston, parbleu ! Et dans la Pléiade. Gaston consent à publier les œuvres complètes de Grasset, mais pas dans la Pléiade, cela ne s'est jamais fait pour aucun auteur vivant, sauf pour Malraux. En attendant, Grasset joue aux échecs. On dit qu'il n'y a plus qu'à attendre le rachat de la maison Grasset par Hachette, mais que la maison Hachette, n'étant nullement pressée, attend paisiblement que la valeur de l'affaire soit tombée aussi bas qu'il se pourra.

Il y a quelques jours, Camus (Albert) a eu quarante ans. Ce grave anniversaire s'est célébré dans l'intimité, par un dîner chez Marius. Etaient présents : le héros de la fête et Francine, Jean Bloch-Michel et Vivette Perret, Jean Daniel et Marie Susini[1], moi-même. Ce dîner a été fort réussi, dans une grande bonne humeur. Vivette a offert à Camus (Albert), en cadeau, le plus petit livre du monde, un livre grand comme une coccinelle, bête à bon Dieu, ne contenant qu'une prière : le Notre Père. Il paraît qu'on peut la lire avec une loupe. Nous l'avons essayé, mais vainement. En lui remettant ce présent, Vivette a fait allusion à certaines tendances cachées ici et là dans l'œuvre de notre ami. Tout cela se passait en riant.

Albert m'a fait souvenir de ce que je lui avais un jour conté à propos de Péguy et du Notre Père. Une fois converti, Péguy devait comme tout catholique réciter chaque jour le Notre Père. Or, tout allait bien jusqu'au moment où il fallait dire : « comme nous pardonnons à ceux qui nous ont offensés », ce que m'a rapporté Daniel Halévy voilà bien longtemps. Halévy ajoutait que Péguy disait : « Je ne peux pas dire ça, je ne le pourrai jamais. Ça ne passe pas. »

Une jeune Polonaise, pendant l'occupation allemande en France, rejoint le maquis. Là, elle devient la maîtresse d'un des habitants du pays. Un jour, elle va en ville, est arrêtée par la Gestapo, dénonce le maquis. Les Allemands font irruption.

L'amant de la dénonciatrice sort indemne de l'affaire. Il y a quelque temps, cette même Polonaise revient dans ce même village où vit son ancien amant. Reconnue, les hommes du village l'arrêtent, la déshabillent et la lapident à mort sur la place publique.

Lors de mon récent voyage en Serbie, on m'a conté que la paix étant revenue, il n'y avait plus d'obstacle à laisser pénétrer les touristes. Parmi ceux-ci, se trouvent des campeurs. En voici un qui plante sa tente dans un lieu écarté aux abords d'une grande ville. Or, sous cette tente, la lumière reste allu-

---

1. Marie Susini, romancière.

mée toute la nuit. Cela intrigue, on observe de plus près, on guette et l'on finit par découvrir que ce touriste est un Allemand autrefois membre de la Gestapo, ayant justement beaucoup « travaillé » dans la ville voisine, et qu'il est revenu chercher les bijoux et l'argent pris à ses victimes et par lui enterrés au moment de la débâcle.

Vendredi prochain, je dois déjeuner chez Claude Gallimard en compagnie de Jules Roy, Pierre Moinot et Robert Kanters[1].

22 novembre — J'ai été grippé, mais légèrement. Cela n'a pas empêché le déjeuner chez Claude, ni un dîner avec Robert Gallimard et Renée sa femme, place de l'Odéon, chez Audrain, mon Breton qui est, qui l'eût cru, docteur en médecine, profession qu'il a quittée pour des raisons d'intérêt. Je me suis aperçu qu'il me croit franc-maçon.

Gaston s'intéresse vivement au prix Femina.

Albert reste tolstoïen comme il l'a toujours été. Parlant de Tolstoï, il dit : papa ou le grand-père. Récemment déjeunant dans un restaurant près des abattoirs, il me disait que, dans ces cas-là, il éprouvait toujours une grande gêne qui lui venait surtout de la « quantité » de viande qu'on servait aux clients. Chacun avait, dans son assiette, de quoi nourrir une famille. « J'avais honte devant les garçons. »

Dans le journal d'hier : « Emoi chez les clochards : les cars

---

1. Jules Roy, Algérois, ancien officier, écrivain dont les romans s'inspirent d'une réflexion sur le métier des armes.

Pierre Moinot, écrivain et haut fonctionnaire. Louis Guilloux faisait partie du jury qui lui décerna le prix Charles Veillon pour *Armes et bagages* (1951). Il est depuis 1947 magistrat à la Cour des comptes.

Robert Kanters, critique littéraire et écrivain, était conseiller littéraire aux éditions Julliard (1946-1953).

de ramassage (police) vont les "perdre" dans les bois autour de Paris. »

Lundi 23 — J'achève mon *Parpagnacco*.

Trois heures du matin : je ne sais quel cauchemar violent m'a réveillé. Je fermais ma fenêtre en hâte. On se battait dans la rue, j'allais être attaqué. Je me préparais à me défendre et me suis réveillé dans un état d'agitation pénible, qui ne s'est pas calmé tout de suite.

... Il était dix heures du soir quand je suis sorti pour dîner. Au Lipp. Là, je suis tombé sur Pleven, notre ancien président du Conseil, aujourd'hui ministre de la Guerre, qui dînait en compagnie de deux personnes. Il m'a invité à sa table.

... J'ai fait la connaissance de Pleven voilà déjà longtemps, par Jeanne Sicart, sa secrétaire, qui est une amie d'Albert. Elle a fait partie de sa troupe théâtrale, en Algérie, d'où elle est comme lui. Il a suivi de là quelques rencontres pour déjeuner en ville, et parfois, chez moi, à Saint-Brieuc, où Pleven, qui est président du Conseil général, fait parfois quelques séjours. C'est au restaurant de La Frégate, dans la rue de la Gare à Saint-Brieuc, que nous sommes allés dîner le plus souvent. Il y avait là une serveuse, Raymonde. Elle était vendéenne. Elle n'avait pas encore trente ans. Très belle. Mais outre la beauté, on sentait en elle une sorte de mystère, de retenue, de « distinction » naturelle qui faisait dire à bien des gens qu'elle n'était pas à sa place dans un restaurant à faire le métier de serveuse. Son visage était de ceux dont on dit qu'ils font penser à des médailles, vigoureux mais tendre, admirablement dessiné, le visage de la passion. Des cheveux châtains, de très beaux yeux, des pommettes un peu larges, d'une ossature visible sous la peau, une bouche un peu forte, comme le menton. Je me souviens surtout d'une chose qui fut peut-être la première qui me frappa en elle : la façon qu'elle avait de porter la tête : celle de quelqu'un qui serait gêné par un licou. Cette noble personne était-elle une esclave ? Elle portait la tête comme une esclave,

la tournant vers qui l'appelait comme si elle avait dû d'abord
se dégager de quelque invisible entrave. L'ayant invitée à ma
table certaines fois où je m'étais trouvé dînant seul à La Frégate, je vis qu'elle avait beaucoup de lectures et de grandes curiosités de voyage, mais elle ne parlait pas d'elle-même et je
n'avais pas du tout l'intention de lui arracher ses secrets. Tout
ce qu'elle me dit jamais d'elle-même, mais pas tout de suite,
fut qu'elle était née dans une île de la côte atlantique où les
gens étaient fort pauvres, la vie très dure et que, appartenant à
une famille nombreuse, elle avait dû travailler de bonne heure
comme étant l'aînée des enfants. Une autre fois elle me parla
des voyages qu'elle avait faits en Italie. Elle avait vu Florence,
Venise, Rome, visité des monuments, les musées. Dès qu'elle
aurait assez d'argent pour entreprendre un nouveau voyage
dans ce merveilleux pays elle y retournerait. Elle n'avait quitté
son île que pour venir gagner assez d'argent sur le continent
pour aider les siens. Elle gagnait très bien sa vie. Elle avait à
Paris une sœur qu'elle aidait à faire des études. Il ne me semblait pas possible qu'une personne de cette qualité n'eût pas
inspiré de l'amour, qu'elle n'en eût pas éprouvé elle-même.
Elle vivait seule, cela n'était pas douteux, bien que tout en elle
dît qu'elle était faite pour la passion. Sa voix le disait, une voix
basse, chaude, un peu voilée. De cela, bien sûr, elle ne disait
rien. Ses patrons, ses camarades de travail ne disaient rien
parce qu'ils ne savaient rien. S'ils parlaient de Raymonde,
c'était d'une façon très affectueuse, avec respect.

Et voilà que me trouvant à la table de l'ancien président du
Conseil, je lui demande :

— Et Raymonde ? Allez-vous encore à La Frégate ?

— Ah ! m'a-t-il répondu, Raymonde ! Elle est malade. Je l'ai
fait entrer dans un sana. Saviez-vous qu'elle avait été bonne
sœur ?

C'est en constituant le dossier nécessaire pour son admission
au sana que le président avait appris ce secret.

Les cars de police continuent à enlever les clochards comme

des poux et vont les perdre au fin fond du bois de Boulogne ou du bois de Vincennes.

Pendant tout le temps que j'étais avec Pleven, se trouvait à la table voisine Hubert de Ranke, tout seul, dînant. Nous avions échangé un salut, nous continuions à échanger des regards.

Le président parti, Hubert de Ranke me demanda de rester un peu avec lui, ce à quoi il ne me fut pas difficile de consentir.

— J'allais te le proposer, lui répondis-je.

Je m'assieds, je me commande un demi de bière.

— Tu vois, me dit-il, j'ai décidé de faire un bon repas. Pas un gros repas : un bon.

Puisque ses affaires vont mal.

Il dit cela en souriant. Ses affaires vont mal, il ne sait pas lui-même pourquoi. Il n'en voit pas la raison, mais tout est si difficile. Enfin ! Elles iront mieux quand il aura achevé son livre.

Je me demandais quel âge il pouvait avoir ? La cinquantaine bien passée. Il se trouve que nous avions connu les mêmes gens, surtout des émigrés allemands d'après la prise du pouvoir par Hitler. Il est lui-même allemand. Nous avons parlé un peu de ce temps-là, des réunions d'émigrés au Méphisto avec Schlesinger, Anna Seghers[1], du Congrès international des Ecrivains antifascistes pour la défense de la culture. Puis, le premier, il fit allusion à notre rencontre avec Clappier, un excellent copain depuis des années à Mayence dans les services français. De Ranke voulait savoir ce que Clappier m'avait raconté à son sujet. Parce que, n'est-ce pas, à cause du livre qu'il écrivait — ses mémoires ? — cela l'intéressait beaucoup de savoir ce que les gens disaient de lui. Je lui ai rapporté ce que Clappier m'avait dit de lui. A tout ce que je lui disais, il me répondait :

— Oui, c'est à peu près comme ça...

1. Anna Seghers, romancière allemande.

Il achève son repas, de bon appétit. Tout en parlant, je le regarde. Un grand front dégarni, une large figure travaillée, aux traits un peu mous et la bouche un peu de biais comme qui a été victime d'une petite attaque, de la bonté dans le regard plein d'âme. Il répète :

— Oui, c'est à peu près comme ça...

C'est à peu près comme ça qu'avant 1933, il occupait une place importante dans une compagnie civile d'aviation en Allemagne, et c'était à peu près comme ça que, bien que n'appartenant à aucun parti, il avait fait passer à l'étranger tout ce qu'il avait pu de juifs et de communistes, d'antihitlériens à bord des avions de sa compagnie jusqu'au moment où il lui avait fallu à son tour prendre la route de l'émigration. Il avait passé quelque temps à Paris. Quand la guerre d'Espagne avait éclaté, il y était parti. A Barcelone il s'était occupé de la lutte contre les services d'espionnage hitlériens. C'était à peu près comme ça. Lors des purges de Barcelone, il avait appris un jour que certains avaient besoin d'une victime à mettre au compte des autres et qu'il était cette victime désignée. Oui. A peu près comme ça...

Mercredi 25 novembre — Je suis invité ce soir chez Michel[1] au repas d'anniversaire de Nathalie qui aura aujourd'hui vingt-six ans.

Avec Albert, Bloch-Michel et Vivette hier chez Marius.

Dimanche 29 novembre — Vendredi dernier, chez Jeanne Sicart, avec Albert.

... J'écoutais Jeanne Sicart me parler de Saint-Brieuc, d'où elle revient, et des transformations qui se sont produites en ville depuis quelques mois — et je n'étais même pas surpris de mon indifférence. Il paraît que les magasins de la ville, surtout ceux de la grande rue Saint-Guillaume, se sont enrichis de façades rutilantes — ce qui serait une manière d'employer un

1. Michel Gallimard.

argent qui autrement irait aux impôts. Rien n'est plus recon-
naissable. Toujours par Jeanne Sicart, j'apprends que l'abbé
Chéruel est à présent à Monaco, et, selon ce qu'on croit, aumônier de la principauté. Il serait temps que j'écrive enfin l'histoire de notre abbé, si pleine d'enseignements.

En 1943, je crois que c'était au mois d'avril, le camarade
Vincent, membre du Parti communiste, me dit : « On cherche un curé. As-tu un curé ? » Je répondis qu'il revienne me
voir le lendemain. Puis, je fis visite à l'abbé Chéruel, et je
lui dis : — L'abbé, les communistes cherchent un curé.
Etes-vous ce curé ?
— Je suis ce curé, me répondit-il sans la moindre hésita-
tion. Amenez votre copain quand vous voudrez.
J'y fus avec Petit[1] le lendemain, je l'emmenai tout droit chez
l'abbé. Ce fut un des commencements du Comité de Libération.
Ici, portrait de l'évêque, vieillard timoré, collaborateur. L'abbé
devient un personnage important et montre beaucoup de courage dans la lutte contre les Allemands. A la Libération, on
veut emprisonner l'évêque. L'abbé intercède et obtient que
l'évêque ne soit contraint qu'à la résidence forcée : il ne quitte-
ra pas son évêché, il ne paraîtra pas en public, c'est tout ce
qu'on lui demande. Et c'est peu de chose si l'on tient compte de
l'époque et de ce qu'on pouvait fort justement reprocher à
l'évêque. L'abbé devient un personnage. Il est souvent à Paris.
Il est le conseiller d'un ministre. L'archevêché (Rennes) lui
donne la direction d'un journal et là les affaires commencent à
se gâter. Premièrement l'abbé « fait la leçon » aux catholiques
à qui il s'adresse dans son journal. Il leur reproche leur tiédeur. Mais il commet une faute plus grande encore en diri-
geant mal le journal du point de vue des affaires. Au bout de

1. Pierre Petit, ouvrier plombier, militant communiste que Louis Guilloux rencontra lorsqu'il participa à la création d'un comité de chômeurs à Saint-Brieuc et devint
responsable départemental pour le Secours Rouge (1934). Plusieurs fois nommé dans
le tome I des *Carnets*, surtout pour son action en faveur des réfugiés espagnols, il joue
un rôle important dans *Salido*. Il est mort en 1977.

très peu de temps, on s'aperçoit que le journal « mange de l'argent ». On lui en retire la direction. Cette petite affaire a coûté plusieurs millions à l'archevêché, qui ne le pardonnera jamais. Voilà le pauvre abbé sans emploi. Le vieil évêque qu'il a sauvé l'abandonne. Comme il est resté pendant tout le temps qu'il dirigeait son journal assez éloigné de Paris, ses amis politiques l'ont un peu perdu de vue. Du reste, il a montré dans ses articles de l'idéalisme. Il passe désormais pour un orgueilleux, et même pour un ambitieux. On ne fera rien pour lui. L'abbé, fils d'un officier tué pendant la guerre 14-18, vit avec sa mère et sa sœur. Il n'a plus un sou. L'argent qu'il possédait, il l'a mis dans le journal et perdu. L'évêque lui offre un secours mensuel de 1 000 francs, qu'il refuse. Cette situation dure pendant plusieurs années. On lui donne enfin une place d'aumônier au lycée. Il y reste un an, à contrecœur, sa vraie vocation, disait-il, étant le sacerdoce proprement dit, c'est à savoir : curé de paroisse. Et maintenant, le voilà à Monaco ! Le Prince, la Roulette ! Naturellement, il faudrait aussi que je raconte ma visite à l'évêque.

Les journaux nous apprennent que (faits divers) « sur les berges de la Seine, à Meulan, deux jeunes amis, qui s'aimaient d'amour (trop) tendre, blessent la jolie dactylo avec qui ils vivaient », qu'une « ravissante jeune fille de vingt ans, un ex-mannequin de haute couture, s'est jetée par la fenêtre » et, par ailleurs, que le froid est prévu pour la mi-décembre, que, malgré une production abondante, la hausse des prix sur l'an dernier fera qu'au 1er décembre prochain, le litre de lait coûtera quarante-six francs. Enfin, Hô Chi Minh est prêt à négocier.

Lundi 7 décembre — Le champagne a coulé à flots chez Gaston depuis le prix Fémina[1]. Aujourd'hui, c'était un plus grand jour encore. Il m'a fallu participer « activement » à cette réunion des libraires de province dans un des salons de la

1. Zoé Oldenbourg, pour *La Pierre angulaire*.

N.R.F., c'est-à-dire leur parler comme l'ont fait avec moi Queneau et Nadeau.

Gaston m'a rendu *Parpagnacco* sans l'avoir lu, comme je m'y attendais.
Conversation bizarre.
— Vous savez, Louis, j'ai raté ma vie.
À quoi je lui ai répondu, prévoyant là encore sa réponse, en lui parlant de la réussite de sa maison.
— Oui, m'a-t-il dit, mais justement... Justement, a-t-il repris. À partir du jour où je suis devenu un commerçant, j'ai perdu mes vrais amis. Nous n'avons plus parlé des mêmes choses.
Il me tendait mon manuscrit, qu'il n'avait pas eu le temps de lire.
— Voyez...
Et il me citait les noms de Gide, de Martin du Gard. Heureusement, le téléphone a mis fin à cette petite scène bizarre. Cela se passait dans son bureau...

Autre tante Mone[1] mais celle-là issue de la meilleure bourgeoisie d'un pays provincial. Le père : médecin. Très catholique. Bonne famille réactionnaire. Notables. Une fille et un fils. Le fils fait des études et devient médecin comme son père, mais s'expatrie. La mère meurt. La petite fortune accumulée (des rentes) disparaît peu à peu. La fille — une personne très délicate, fort gentille, assez jolie, très pieuse — ne se marie pas et passe une bonne trentaine d'années avec la mère, devenue pauvre et à moitié folle. Le fils, père d'une famille nombreuse, peut difficilement aider. Quand la mère meurt, la fille est presque une vieille femme elle-même. La voilà seule au monde ! Or, qu'apprend-on ? Qu'elle s'est enfuie avec un homme ! Et qui est cet homme ? Un mendiant qui, sous le porche de l'église, jouait de la flûte depuis des années. Ils sont allés ensemble à Lourdes !

1. Tante Mone, personnage du *Jeu de patience*.

10 décembre 53 — J'ai trop couru depuis le matin, vu trop
de gens, trop bavardé pour retrouver, à présent qu'il va être
minuit, l'humeur allègre, preste, la plume légère, ou sage, qu'il
me faudrait. Que choisir, dans ce chaos ? Tout en moi pour le
moment ressemble à cette vague rumeur nocturne qui me parvient par ma fenêtre entrouverte. La nuit est fort belle, presque douce. Tout se mêle, s'efface, se confond. Qu'ai-je entendu
qui vaille d'être retenu ? Qui ai-je vu, qui ne fût pas comme
tout le monde, qu'ai-je fait de bon, ou de bien, à quoi de
remarquable ai-je assisté ? N'est-ce pas confondant, qu'à la fin
d'une journée il faille s'interroger ainsi ? Est-ce possible que
déjà l'oubli si vite !... Tout passe, même l'oubli, écrivait récemment Mauriac. Est-ce possible que cette journée ait passé comme une lettre à la poste ? Si vite ! Je ne vois rien. J'ai sommeil
— et si je m'endors ce sera pour faire des rêves douloureux
comme celui de la nuit dernière dont je ne sais plus rien, et
d'où je me suis réveillé en larmes.

Samedi 12 décembre — On lit dans les journaux que l'Italie
est paralysée par la grève d'un million de fonctionnaires.
Hier soir, je me suis trouvé dans la situation la plus grotesque du monde, ayant accepté de prendre part à ce dîner auquel
j'étais convié par Audrain, mon Breton de la place de l'Odéon,
propriétaire du restaurant Cazenave, et fondateur d'un prix
littéraire : le prix de l'Odéon. Ma foi, je n'étais pas sans soupçon. Mais je ne savais au juste de quoi. Je m'attendais, comme
on dit, à tout, ignorant absolument quelles sortes de gens je
rencontrerais là. Audrain m'avait dit que nous serions une
dizaine. Il m'avait cité quelques noms qui ne m'avaient pas
frappé. J'étais assez curieux. Pas trop. Tout juste assez. En
plus, je me disais qu'un prix de cinquante mille francs, et de
quinze jours de vacances, peut aider quelque jeune auteur et
que par conséquent je pourrais rendre service à quelqu'un.
Bref, je voulais voir. Je ne suis pas très prudent, malgré cela,
avant d'aller à ce dîner, j'ai téléphoné au mécène en lui
demandant qui serait là. Il s'exclame, s'étonne, répond et ne

répond pas, s'amuse, me dit que je le verrai bien, et que je n'ai
qu'à m'amener. Bon. Moi, je suis un doux. Je m'amène, à pied ;
j'avais beaucoup de plaisir à marcher, il faisait très doux, le
pavé était clair, sonore, et j'aime ce quartier. Aucun soupçon
ne m'effleurait l'esprit. Me voilà rendu. Audrain, qui ressemble littéralement à un baril, et qui possède le visage le plus
vermeil que j'aie vu de ma vie, il a vraiment une tête comme
un ballon, me serre la main chaleureusement, le garçon en fait
autant, on me présente à des gens ma foi ni plus ni moins que
des gens, des gens comme des gens, de bons bourgeois, ma foi,
bien ordinaires et voilà qu'on se met à boire, et que je commence à m'ennuyer, et à me demander ce que je fais là, et si ça
va durer longtemps ? Il est vrai qu'on doit dîner. Qu'est-ce qui
m'a pris de venir là ? Mais c'est qu'il s'agit de donner cinquante mille francs et le reste à quelqu'un que ça arrangera. Je me
trouve de nouveau tout à fait justifié, je me félicite pour la
générosité que j'aurais de consentir à m'ennuyer pendant toute
une soirée pour le service d'autrui. Comme quoi on tire parti
de tout. Je ne connaissais personne. A les bien regarder je
n'avais pas envie de les connaître. Ils avaient à peu près tous
d'assez drôles de gueules plutôt fades. Il y en avait un avec de
toutes petites moustaches pointues et une sorte d'œil asiatique
méchant. Un chauve. Deux chauves. Des messieurs arrivés. Un
conseiller municipal. Tiens ! Trois docteurs. Tiens ! Un ar-
chéologue. Ah ! des gens cultivés, en somme. Que faire ? Lire le
journal ? « Parce qu'il n'aimait pas faire le ménage, un mitron
se loge une balle dans la tête devant le tir de la Gaîté Parisienne. » Ah, en voilà un, tout de même, qui avait une autre tête,
un grand, maigre, solide, les yeux bleus, un Lorrain sans doute, qui avait dû être officier. Avec celui-là — qui se trouva être
mon voisin — peut-être que les choses allaient pouvoir un peu
marcher, sait-on jamais. À condition de lâcher le journal où je
venais d'apprendre que restant enfermé vingt heures par jour
dans son atelier, Picasso ne parle plus à personne depuis que
Françoise Gillot est partie avec ses enfants. Et maintenant j'aurais plutôt envie de raconter ce que je sais de cette histoire

dont il est si honteux de voir qu'on la publie dans les journaux.
Mais ce serait une nouvelle distraction. Où en étais-je ? Perdu
le fil. J'en étais à les regarder. Mais quand j'en vins à les
entendre ! Ah ! grands Dieux, je n'en croyais pas mes oreilles :
tous des types d'Action française (aujourd'hui Aspects de la
France) — les pires ennemis. C'était absolument incroyable. Je
ne connaissais là personne, mais plusieurs me connaissaient,
et visiblement s'étonnaient fort de me trouver là parmi eux.
Que faire ? Je...

Samedi 12 décembre 53, Paris — Nos lecteurs, nous n'en
voulons pas douter, sont fort impatients de connaître la suite
du récit dont, dans notre dernière livraison, notre rédacteur
en chef a donné le début. (Nous rappelons qu'il s'agit d'un
dîner réunissant dix personnes autour d'un pot-au-feu en vue
de fonder un prix littéraire : le prix de l'Odéon.) La rédaction
s'excuse de ne pouvoir donner à ses fidèles lecteurs le récit
même de notre rédacteur en chef. Ce dernier, empêché au dernier moment, a dû, à la hâte, dicter quelques notes à l'un de
ses confrères, après l'avoir, en gros, instruit sur le fond de
l'affaire. C'est d'après ces notes et ces bribes ou résumés des
circonstances que nous avons chargé un de nos jeunes amis et
collaborateurs de reconstituer la suite de ce récit. Avant de lui
passer la plume, nous tenons à rassurer nos lecteurs : la défail-
lance de notre rédacteur en chef n'a rien qui doive les inquiéter. Tout simplement (comme cela lui arrive parfois) il a décla-
ré en avoir marre, décidé que son récit était mauvais, qu'il
n'avait ni queue ni tête, point de sens, point d'agrément, aucun
charme, il a regretté de l'avoir entrepris, et il est parti en
claquant la porte. D'assez mauvaise humeur, nous a-t-il semblé, pestant contre la littérature et le journalisme et déclarant
qu'il s'en allait boire un café. Il a bien recommandé qu'on lui
foute la paix, ce qui ne l'a pas empêché de répondre à toutes les
questions que lui posait notre jeune ami, qui intelligemment
lui barrait la porte, et de griffonner pour lui quelques notes
fiévreusement sur des feuilles de calepin, qu'il lui a pour ainsi

dire jetées à travers la figure en partant. Voilà. Entre nous soit dit, les mouvements et les sautes d'humeur de notre vieux confrère nous amusent, nous ne les prenons pas au sérieux. Cela dit, nous transmettons tous nos pouvoirs à notre jeune ami et collaborateur, dont voici l'ouvrage :

À peine se fut-il rendu compte du guêpier dans lequel il était tombé que François décida qu'il ne resterait pas une minute de plus en ce lieu. C'était là la seule chose raisonnable à faire, et sans hésiter. Il n'hésita donc point. Mais avant de quitter la compagnie, il voulut dire un mot à M. Audrain, lequel venait de sortir pour vaquer à ses affaires d'hôtelier. Il le rejoignit, soupçonnant fort qu'il trouverait en la personne du nommé Audrain, plutôt qu'un roué, un imbécile — que sûrement il n'y avait pas de guet-apens, et que tout n'était venu que de la plus noire bêtise. Ceci lui devint évident à l'instant même où... (*Nouvelle note de la rédaction* : François est revenu. Il a purement et simplement déchiré le « papier » de notre jeune ami et collaborateur. Il a repris la plume lui-même et voici donc, de sa propre main, la suite de ce fameux récit :) Je ne puis me cacher à moi-même, et je ne cacherai à personne, que la situation m'intéressait. J'avais déjà changé d'avis au moment où je rencontrai dans l'escalier le gros Audrain. Désormais j'étais décidé à rester. J'étais curieux de ce qui allait se passer (puissant motif, et qui m'a parfois conduit à des situations apparemment très équivoques mais qui m'ont laissé sans regrets). Audrain ne comprenait rien à rien. En fait, il ne comprenait pas qu'un frère-maçon n'agit pas comme un autre frère-maçon et quand je lui dis bien clairement que je n'étais pas maçon, il tomba des nues, le pauvre ! « Comment ! On m'avait pourtant dit... — Oui, mais on s'est trompé. — Comment ! Mais ce n'est pas possible ! etc, etc... »

Que cette histoire est ennuyeuse ! Le dîner se passa bien. Personne ne semblait savoir de quoi il s'agissait. Le pot-au-feu était fort bon, le vin excellent. J'attendais l'algarade. Elle vint. Le président — un des chauves — il ressemblait à Duhamel — et qui aurait pourtant dû savoir, puisqu'il présidait ce repas, qui il avait à sa table — se mit dans le cas malheureux de mal parler d'un de mes amis de Bretagne. Il en parla même très grossièrement. Il s'agissait de M. Avril, qui fut, dans la Résistance, un très grand homme — et que je connaissais alors fort bien. Naturellement, je répondis en déclarant que cet homme était mon ami, le président, fort courtois, voulut bien me dire que, dans ces conditions, il changeait d'opinion. Au dix-huitième siècle, tout cela eût conduit à un duel, etc., etc.

Dimanche 20 décembre — L'élection du président de la République — et la neige qui ne vient pas, voilà ce qui occupe les Parisiens.

On dit que l'immense fortune de Laniel viendrait de ce qu'il serait un descendant de Samson, le bourreau.

Dernières épreuves de *Parpagnacco* pour la N.R.F.

Il y a toujours quelque chose de plus (ou d'autre) à dire.

Procéder par « augmentation ».

On dit qu'aux États-Unis les escrocs aux œuvres charitables ont gagné trente-cinq milliards cette année.

Mon vieil ami Beerblock vieillit. « Ma fin est proche, me disait-il il y a quelque temps. Je le vois au fait non que je me détache des choses, mais que les choses se détachent de moi. »

22 décembre 53 — « Cette nuit M. Laniel quitte Versailles le visage crispé par la fatigue et l'énervement. » Photo dans le journal. Quelle tristesse, comme c'est méprisable ! Il m'a semblé que la photo du frère Laniel valait aussi la peine d'être vue. Ô frères humains !

... François, ce jour-là (on était tout près de Noël, et, le matin, il avait entendu dans la rue la cloche qu'agitent les gens de l'Armée du Salut), au moment d'aller comme tous les jours au Petit Saint-Benoît, repensait à cette cloche solennelle, et à la petite bonne femme au costume ridicule qui l'agitait. Un instant plus tôt, sur le boulevard Saint-Germain, il était passé devant la salle des Sociétés savantes, où, depuis de longs mois, une grande affiche se trouvait installée près de la porte, annonçant que le Christ était revenu sur terre, et qu'il était temps, pour les hommes, d'aller à lui et de se repentir. On lui avait dit que le Christ s'était incarné dans la personne d'un fonctionnaire de province, quelque chose comme un contrôleur des finances, et qu'il ne quittait jamais sa petite ville. Il habitait la Provence. Il était doué du pouvoir de guérir. L'affiche portait, en grandes lettres, l'annonce suivante : Un homme prie pour les malades. Quelqu'un de ses disciples, sans doute, venait toutes les semaines à Paris, parler aux gens, les guérir, en leur imposant les mains. C'était cet homme que représentait l'affiche, grand, maigre, le visage tourné en extase vers le ciel, et un malade prosterné à ses pieds. Il lui posait les deux mains sur la tête. Autour de son visage, des traits signifiaient la lumière. Certains dimanches, sur la fin de la journée, il avait aperçu là, sur le trottoir, de nombreuses gens qui, parfois, discutaient ferme. Ils commentaient la conférence à laquelle ils venaient d'assister, parlaient parfois sur le ton de la dispute, et les passants voulaient savoir de quoi il s'agissait. Certains se mêlaient à la controverse. Il arrivait qu'on échangeât des propos assez vifs, tout le monde voulait avoir raison ; mais on voyait arriver des jeunes gens et des jeunes filles portant, au-dessus de leurs épaules, à la manière des hommes-sandwichs, de grands panneaux carrés, sur lesquels on lisait : « Le Christ est revenu sur terre. » Ainsi équipés, ils parcouraient le quartier Saint-Germain, en distribuant des prospectus, et, parfois, ils répondaient aux questions que leur posait un curieux et cela finissait par un attroupement. Une fois, il

s'était mêlé à l'un de ces attroupements et, à sa grande surprise, il avait dit son mot. Lequel ? Il ne s'en souvenait plus. Il
se souvenait seulement qu'on l'avait pris pour un communiste,
et qu'une femme l'avait engueulé. Il n'avait pas insisté. Il était
parti. Comme il eût aimé pouvoir se mêler à d'autres groupes
qui, le dimanche aussi, mais le matin, se formaient presque
toujours devant le petit square, au coin de la rue des Saints-
Pères et du boulevard, après le service qui venait d'avoir lieu à
l'église ukrainienne. Il y avait toujours là, le dimanche, entre
onze heures et midi, une bonne centaine d'Ukrainiens rassemblés, en train de bavarder. La plupart d'entre eux avaient l'air
assez pauvres, malgré leurs habits du dimanche. Les femmes
portaient des foulards de couleur autour de la tête. Il aimait
leurs visages et leurs voix, leur allure de bonhomie, et il avait
souvent été tenté d'aborder leur moine, un vieil homme solide,
barbu, dans sa robe de bure toute déchirée et nouée à la taille,
par quelque chose qui pouvait n'être qu'un bout de ficelle, la
tête nue, les pieds nus dans les sandales. C'était leur « starets ».
C'était peut-être *le* starets. Mais comment l'aborder ? Et pour
quoi lui dire ? Cependant, il le ferait peut-être un jour. Ce
soir-là, le quartier était fort calme. Il faisait doux, un peu brumeux. Ce n'était plus l'étonnante tiédeur des jours précédents,
mais ce n'était pas encore l'hiver. Du reste, l'hiver ne venait
pas, ne viendrait pas. Il n'y aurait pas de neige. Et les privilégiés de ce monde ne pourraient pas aller à Chamonix. Il fallait
dîner et rentrer, se remettre au travail, poursuivre, crayon en
main, la lecture de ce beau conte, que lui avait envoyé un ami,
acheter un journal. Les journaux qu'il s'était remis à lire
depuis quelque temps étaient pleins des récits de l'élection présidentielle ; les « travaux » du Congrès duraient depuis huit
jours et n'avaient pas encore abouti. Ils n'aboutiraient pas
aujourd'hui encore. Cette situation grotesque donnait lieu à
des plaisanteries qui s'étendaient de plus en plus. La veille, il
avait passé une partie de la soirée chez son ami Bloch, qui
occupait une situation importante dans une agence de presse,
et Bloch lui avait appris qu'en province, il y avait eu des mani-

festations. Rarement, depuis la Libération, le régime s'était
montré mieux à découvert dans son incapacité, sa pourriture,
ses combines et ses marchandages. Cela soulevait le dégoût.
Mais il n'y avait pas que cela, dans les journaux, il y avait
aussi mille faits divers et Saint-Germain se trouvait une fois
de plus à l'honneur, avec l'histoire de ces deux filles qui
s'étaient rendues coupables — ou capables ? — d'une agres-
sion à main armée, et dont l'histoire était contée tout au
long, dans les colonnes de *France-Soir*. Elles avaient noté
dans leur carnet intime comment elles avaient connu des
émotions fortes, le plaisir, l'ennui, la misère. « Nous avons
connu ce qui peut s'appeler la vie. » Pauvres filles ! En rentrant, il chercherait dans ses papiers une vieille photo, qui lui
venait d'un juge autrefois connu en province. Il s'agissait de
deux filles sans doute aussi jeunes que les héroïnes du fait
divers qu'il lisait et qui, comme elles, s'aimaient du même
amour réprouvé. Mais quelle attitude, et quels visages ! Les
deux filles-gangsters dont on parlait dans le journal pouvaient avoir des visages semblables.

Il était encore tôt pour aller au Saint-Benoît. Il pouvait faire
un tour du côté du Flore et des Magots. Et, pourtant, il n'aimait pas rôder de ce côté, quand il était seul, ce qui lui arrivait
bien souvent. Mais parfois, il n'y avait pas autre chose à faire,
dans certaines heures mortes où n'importe quelle présence de
hasard était accueillie par lui comme une présence salvatrice.
Et il attendait l'heure d'aller dîner, c'est-à-dire celle où il ne
serait plus seul, ou, du moins, s'il était seul, il le serait autrement. La nuit était tombée. On ne pouvait pas lire l'heure à
l'horloge de l'église.

Mercredi 23 décembre 53 — Les heures mortes : il y en
avait encore beaucoup. Debout sur le bord du trottoir, regardant le clocher solennel dans le ciel nocturne, entouré de la
violente rumeur qui à cette heure-là faisait du carrefour une
vaste boîte tintamarresque, dans les lumières crues qui se croi-
saient, à la main le journal qu'il venait d'acheter au kiosque,

devant le café des Magots plein à craquer, il se répétait une fois de plus qu'il ne pouvait durer ainsi dans l'incertitude et la confusion, que, seul, le travail l'aiderait. À quoi bon se dissimuler que si l'on ne travaillait pas, c'était toujours par de mauvaises raisons, qu'il ne pouvait y en avoir de bonnes, et que, par conséquent, le bon sens était de choisir et de vouloir. Et non d'attendre une apparition quelconque, comme cette apparition de la Vierge dont parlait le journal et qui venait d'avoir lieu à Hydrequent. Non : il fallait se décider, sans attendre ni l'apparition de la Vierge, ni la bombe au cobalt que, d'après le même journal, les Russes étaient en train de préparer. Et, surtout, il ne fallait pas attendre de récompense. Que lui avait dit cette vieille dame américaine qu'il rencontrerait peut-être de nouveau tout à l'heure au Saint-Benoît, en lui parlant de Joyce, qu'elle avait fort bien connu ? Que, de bonne heure, Joyce avait fort bien compris ce qu'étaient les éditeurs, et ce qu'était ce qu'on appelle le public, et que, en conséquence, il avait toujours fait éditer ses livres par des amateurs, par des gens qui aimaient l'art et la littérature avec passion et désintéressement — oui — mais c'était Joyce, et son art... Le flot des voitures roulant de part et d'autre sur le boulevard était régulièrement interrompu par les feux rouges automatiques et, de temps en temps, venant de la rue de Rennes, un autobus arrivait devant l'église, s'arrêtait, les gens descendaient, d'autres montaient, et l'autobus repartait, le receveur tirant à quatre ou cinq reprises vigoureuses la sonnette qui signalait au conducteur que l'autobus était complet. C'était l'heure de la grande presse, de la fin du travail et du retour à la maison. Lui, il irait au Petit Saint-Benoît, où il rencontrerait peut-être, sinon la vieille Américaine, cet ami retrouvé après vingt ans, l'ancien commissaire du peuple ou d'autres. À force de fréquenter ce restaurant, il y avait fait diverses connaissances, comme dans une pension de famille. Tantôt il se disait qu'il aurait du plaisir à retrouver tel ou tel, tantôt, au contraire, il aurait voulu n'y rencontrer personne. Ce soir-là, c'était assez le cas. Il voulait dîner rapidement, et rentrer tout de suite pour se remettre à cette lecture. Les journaux, hélas, annonçaient de nouvelles grèves. Le courrier ne partait plus que partiellement, les sacs s'entassaient dans les gares. Bientôt, peut-être, les chemins de fer aussi s'arrêteraient comme déjà les avions. Et dès lors, il n'aurait plus la moindre nouvelle, et il ne pourrait pas, non plus, partir comme il en avait le projet. Il n'était pas facile d'envisager cette situation, où il faudrait encore, de nouveau, tant de patience. Les souvenirs des grèves de l'été précédent lui revenaient. Tout avait été si long, et ce silence mortel, et l'angoisse, selon le cas, de se dire qu'on n'était pas resté sur le mot qu'il aurait fallu, qu'on aurait voulu et choisi, si l'on avait su... La nuit était venue, totale et, à présent, les lumières d'en bas rendaient le ciel plus obscur. Le sommet du clocher de l'église ne se voyait plus du tout, confondu dans les ténèbres, on n'en distinguait même plus la forme, c'était à peine si on savait qu'il existait, comme une présence cachée, lointaine, distante malgré la proximité mais sérieuse. Il ne bougeait pas, toujours debout sur son coin de trottoir, les gens passant auprès de lui sans le voir et sans l'effleurer. Cela n'avait rien de bon, pour rien, mais il fallait durer, vouloir et, de cela, il était capable. Les choses à coup sûr changeraient. Quoi ! Il ne passerait pas ce qui lui restait de vie à attendre sur le bord d'un trottoir, dans le tumulte d'une fin de journée, devant un vieux clocher invisible, qu'il eût un peu plus faim pour se rendre rue Saint-Benoît. Tout changerait sans tarder, il le savait, et il le pouvait, et, pour cela, il n'aurait pas besoin de suivre l'exemple de M. Rotenberg — ou Rotenbourg, dont le journal, sur lequel il jetait de temps en temps un coup d'œil, racontait les audacieuses escroqueries. Trois cents millions ! La police veut arraisonner le bateau de l'escroc aux trois cents millions ! Avec ça, on aurait pu aisément se moquer des grèves et de pas mal d'autres inconvénients. C'était le problème de l'argent, mais on pouvait peut-être le tourner. Il sourit malgré lui : en moins de quelques instants, il venait d'effleurer le problème de Dieu, celui de Mammon — et sa conclusion était qu'il fallait ruser avec l'un et avec l'autre. Conclusion facile, du reste, suite de pensées

vagues, dans un état d'esprit incertain. Que pouvait-on vouloir
de cette vie ? s'était-il souvent demandé. La nomenclature était
vite épuisée. L'amour, la sainteté, l'argent, la gloire, l'héroïsme. Quoi d'autre ? La puissance, peut-être. Mais là s'arrêtait le
choix. Et l'histoire de M. Rotenberg était, sans doute, une histoire sans philosophie aucune — et par conséquent, sans intérêt. Il n'appartenait qu'à un artiste de s'en emparer pour lui
donner une signification. Autrement, c'était une histoire morte, un épisode, voyant mais banal, du croupissement dans
lequel vivaient les hommes d'aujourd'hui, une sorte de réponse
au banal galimatias dans lequel, d'un autre côté, les congres-
sistes de Versailles restaient embourbés depuis huit jours, une
petite illustration du culte de Mammon, dieu des richesses,
qu'on ne peut, dit l'Écriture, servir en même temps que l'autre. Et pourtant, comment ne pas envier cet escroc ? Comment
ne pas lui donner raison ? C'était aussi, ou cela pouvait être
une histoire à la Conrad. Il aurait fallu, pour cela, ajouter à
l'épisode, inventer à l'escroc une fille, et qu'est-ce qui empêchait de le faire ? Mais il ne s'agissait pas de cela. Il ne s'agissait pas d'enfiler des anecdotes. Grand Dieu ! On pouvait toujours raconter des histoires — et il n'en manquait pas, encore
fallait-il qu'elles jaillissent d'un tronc comme les rameaux et
les branches. Et alors quoi ? Il ne s'agissait pas de peindre les
personnages connus ou rencontrés au Saint-Benoît, même si la
peinture en était bonne, mais de chercher une source, de laisser les choses jaillir d'une source, d'engendrer, de regarder
une chose pousser et croître. Le reste n'était rien. Cependant
les germes ne poussent que dans les terres fertilisées, c'est
pourquoi il était bon de regarder le monde et de lire les journaux, même l'histoire de M. Rotenberg et les autres faits
divers. Mais il ne fallait pas en faire une rengaine. Tout cela,
au fond, c'étaient des pensées d'écrivain qui n'écrit pas, qui
vient de quitter un travail et qui n'est pas encore à fond engagé
dans un autre. Périodes difficiles, arides, ardues, où il fallait
cheminer difficilement, avec obstination. Sans trop savoir ce
qu'était le chemin.

24 décembre 53 — Pour faire suite à l'élection présidentielle qui a donné lieu à tant de plaisanteries, voici la grève des postiers. Le chroniqueur, le cœur serré, apprend que pendant un temps dont il ne peut prévoir la longueur, il n'y aura plus d'échanges. Paralysie presque totale du courrier dans les gares.

25 décembre — Radio-Moscou a annoncé l'exécution de Béria quatre heures après tout le monde.

1954

Dans le journal du 24 décembre dernier : « Après s'être moquées du juge d'Instruction, les deux femmes-gangsters ont été écrouées. »

Aujourd'hui dimanche 3 janvier 54 (onze heures du soir) si j'écris pendant une heure je m'estimerai content. J'ai posé ma montre près de moi. Il faut pendant une heure que je me contraigne. J'ai passé la journée à m'occuper de *Parpagnacco*, ensuite, au Lipp vers sept heures où j'ai retrouvé Gustave Regler[1] et Berka. Avec Regler, Berka et la femme de ce dernier, nous avons dîné au Poussineau (angle de la rue Bonaparte et de la rue des Beaux-Arts). Dîner médiocre et propos de table assez vagues. Mme Berka (Marguerite), étant comédienne de son état, nous a quittés de bonne heure, en compagnie de son mari. Elle devait se rendre au théâtre du Vieux-Colombier où elle joue dans *La Vertu en danger*, pièce anglaise qui se donne ce soir pour la dernière fois. Mon intention était de rentrer chez moi pour travailler mais ayant quitté le restaurant j'ai suivi Regler rue Visconti, Regler m'invitant à aller avec lui rendre visite à une amie américaine. Nous sommes entrés dans un obscur couloir, au n° 9. Nous nous sommes trouvés dans une cour. A droite, nous avons pris un escalier sordide. Marches usées.

---

1. Gustave Regler, écrivain, né en Sarre ; en 1933 il avait quitté l'Allemagne hitlérienne pour la France et en 1936 il s'était engagé dans les Brigades internationales.

Rampe en fer. Eclairage au gaz. Nous sommes montés ainsi
jusqu'au dernier étage de la maison. Il n'y avait plus, après
l'escalier, qu'une échelle pour grimper aux dernières soupen-
tes. Il a frappé à une porte. L'endroit était parfaitement obscur
et misérable. D'abord, personne n'a répondu. Puis, on a entendu un bruit et la porte s'est entrouverte. On a vu un peu de
lumière. Il a demandé si Edith était là. Mais Edith était sortie.
Il a dit : « Vous lui direz que Gustave est venu pour la voir. » Et
je me suis rendu compte, alors, que, derrière la porte entre-
bâillée, se tenait une toute jeune fille, au visage un peu en
triangle, avec des yeux noirs intelligents, des cheveux noirs.
Elle nous a priés d'entrer. Nous avons dit non. Elle a insisté.
Nous devions avoir besoin de nous reposer après avoir gravi
tous ces étages. Nous sommes entrés. Il y avait d'abord une
espèce de cuisine, fort en désordre, avec de la vaisselle sale
partout, et une fenêtre aveuglée par une sorte de voile rouge, le
tout éclairé au gaz, et, derrière la cuisine, une petite chambre
carrée, aux murs blanchis à la chaux, avec une fenêtre carrée,
elle aussi aveuglée par un voile rouge, un lit défait, des rayonnages et des livres, un poêle à gaz, mais pas allumé ; et la jeune
fille nous a priés de nous asseoir bien qu'il n'y eût aucun
espoir de voir arriver Edith ; j'ai vu qu'elle était petite, maigre,
et j'ai compris qu'elle devait être juive, et venir d'Afrique du
Nord. Nous nous sommes mis à parler, Regler surtout. Il a
expliqué qu'il était écrivain (et dit que j'en étais un autre) puis
il a plaisanté, parlé du Congrès international des Ecrivains
antifascistes où nous nous sommes connus. La jeune fille avait
l'air très contente de notre visite. Moi, j'étais surtout touché
par la pauvreté du lieu. J'en éprouvais une sorte d'amour, j'ai
habité de pareils endroits autrefois, notamment rue Monsieur-
le-Prince, et, avant, rue de la Montagne-Sainte-Geneviève et
rue du Bac, en 1921. Je me trouvais bien là, dans cette compagnie. Est arrivé un jeune grand garçon. Nous avons continué
nos bavardages pendant quelques minutes, puis nous sommes
partis, la jeune fille nous priant de revenir. Visite très inattendue. Nous sommes allés boire un café aux Magots et, là, retom-

bés sur Berka. Regler s'est mis à raconter des souvenirs d'Espagne...

On apprend que l'assassin de Trotski, gracié, ne veut pas quitter sa prison.

Jeudi 7 janvier — Je ne puis pas dire que ce « papier » de Jean Bouret[1] m'ait donné grand plaisir. Nous étions à la même table il y a quelques jours où se trouvait aussi une Canadienne assez bavarde. Je n'avais de ma vie encore jamais vu ce Jean Bouret, pas plus que la Canadienne. Faudrait-il toujours se surveiller, se taire, se méfier du voisin inconnu qui se mêle à la conversation et dont on finit par apprendre, au dessert, qu'il est critique d'art de son état ? Or, la Canadienne était venue à Paris pour « faire de la peinture ». M. Bouret n'avait pas ajouté qu'il était aussi caricaturiste — et méchant. Car enfin, cette Canadienne dont il parle avec tant de désinvolture dans son papier était peut-être en effet une snob, il n'était pas nécessaire pour autant de l'attaquer, de l'insulter, même dans un journal. Quelle grossièreté ! Et de la part d'un homme qui, justement, reproche aux autres de l'être et trouve qu'ils manient trop facilement l'injure. Aujourd'hui jeudi, je n'ai pas mis les pieds au Petit Saint-Benoît (que mon ami Carol Kevès[2], l'homme à l'œil de verre, l'ancien officier de l'Armée Rouge, un très sympathique copain de vingt-neuf ans, appelle obstinément : Petit Basile). A midi, j'avais rendez-vous avec M. Weitzmann, connaissance toute récente. M. Weitzmann est le juif le plus optimiste que j'aie jamais vu. Quelle santé ! Grand, large, le teint rubicond, l'œil vif, le verbe sonore, le rire éclatant — il prend tous les jours un bain froid. A cinquante ans passés. Par métier, il s'occupe de finances et, par goût, de littérature. Il compose des vers, écrit des articles d'une érudition de journaliste, il connaît tout le monde qu'on ne connaît pas, et il n'est jamais résigné,

---

1. Jean Bouret était alors critique d'art à *Franc-Tireur*.
2. Carol Kevès, journaliste sous le nom de K.S. Karol.

me dit-il, et, son recueil ayant été refusé chez Gallimard, il l'a
offert à Hachette qui a accepté. La chose est faite. On va com-
poser l'ouvrage. On n'attend plus que ma préface. Eh bien !
Allons déjeuner chez Lipp au lieu de nous enfermer aux
Magots. Il faut bien avouer que les Magots d'hiver sont un
triste séjour. Sous ce rapport, le Lipp ne vaut guère mieux. Et
comme M. Weitzmann est ami de Max Delatte, le grand libraire de la rue de la Pompe à qui j'ai tant d'obligations, pourquoi
ne pas lui téléphoner et lui demander d'accourir ? Ce qui est
fait aussitôt. Le temps, pour M. Weitzmann, d'« égrener » quelques souvenirs et pour moi de me rendre compte que nous
avons connu les mêmes gens autrefois au quartier Latin
(conversation sur ce que sont devenus les amis d'autrefois) et
arrive Max Delatte, très gentil.

Il faisait un temps de chien, un froid de grand canard, une
humidité de cochon, quand je suis sorti de là — et il était plus
de trois heures de l'après-midi. Un ciel éteint, une vague odeur
de neige qui ne voudrait pas tomber, et sur le trottoir, une idée
de verglas. On glissottait. Le col du pardessus qu'on relève et
les mains dans les poches. Et tout le « là-bas » interdit de
séjour pendant tout le déjeuner, comme laissé au vestiaire avec
le pardessus, qui commence à surgir de nouveau aussitôt quitté
mes compagnons — et ce profond sentiment de temps perdu,
de détournement de soi-même — en repensant à ceux qu'on
aime. Il fallait rentrer à la N.R.F. pour un instant avant de me
rendre rue Saint-Dominique au ministère de la Défense pour y
voir Jeanne Sicart et lui remettre certains papiers me concernant, qu'elle m'avait demandés pour les transmettre à la personne américaine de qui dépend mon voyage aux Etats-Unis. Il
s'agissait de notice biographique et de coupures de presse.
Comme j'allais partir, le ministre est arrivé, d'humeur plaisante, et même enjouée. Il y avait chez lui un cocktail. Il recevait une délégation de parlementaires étrangers. Il m'a invité à
ce cocktail, et j'y suis allé, poussé par une assez vive curiosité.
C'était très drôle la manière dont Jeanne Sicart m'a regardé,
me disant avec bonhomie d'ôter un peu ce que j'avais de trop

gros dans mes poches (ma pipe !) et de rétablir un peu ma cravate ! Quant au ministre, je crois que je lui pardonnerai ses pirogues s'il me donne un transatlantique. Pas à moins. Au cocktail, il y avait Mme P..., petite femme maigre, au visage blême, osseux (les pommettes), aux yeux très clairs, bleus, très enfoncés, la voix rauque, l'air exténué et vivace, pas bête, plus que rôdée, sachant à quoi s'en tenir, jouant son rôle à la perfection, fumant dans un fume-cigarette. J'ai passé là une demi-heure qui eût été assez ennuyeuse sans un Norvégien avec qui j'ai assez longuement bavardé, et à qui j'ai raconté l'histoire de mes anciens amis, le docteur Hansen.

Dimanche 10 janvier — Quelle angoisse et comme le cœur se serre devant ce défilé ininterrompu de crimes, de misères, d'horreurs, de bêtises ! Quelle douleur partout, et presque partout quelle bassesse ! Tout est jeté en pâture. Voici que les larmes du bouffon sont un spectacle comme l'était son rire. « Le nain Gogo pleure la mort de son ami Papp. » Nous sommes impuissants. Je sais bien que mes commentaires sont aussi attendus et banals que l'événement même qui les provoque. Mais n'importe, je ne puis pourtant pas accepter... Il faut poursuivre encore pendant quelque temps cette expérience. Elle cache sûrement quelque chose. Pour le moment, quelle est la conséquence en moi de cette lecture assidue des journaux que je fais depuis quelque temps ? (Et quelle est la conséquence des réflexions qui me sont venues à la suite de cette offre que l'on me fait d'aller passer trois mois aux Etats-Unis ?) Un désir plus profond que jamais de retraite. Voilà qui est bien attendu aussi et bien banal mais je suis fait pour la retraite et pour le travail. Voilà. Cependant je partirai, s'il y a lieu, sachant trop bien qu'au retour, les conditions peuvent être changées et la retraite organisée autrement qu'elle ne l'est aujourd'hui.

Oui, je suis à humeurs, j'ai l'esprit léger, facilement distrait, des désirs violents, le cœur, hélas, bien vulnérable. Je viens de me payer la plus belle crise de sanglots à laquelle il me soit arrivé de céder depuis bien longtemps. C'était en relisant les épreuves de mon journal sur les réfugiés espagnols. Je sais bien qu'on n'avoue pas ces choses-là — mais ici ! franchement, je ne m'y attendais pas — mais en relisant les pages où j'ai noté tout ce dont j'ai été le témoin lors de cette abominable expulsion des réfugiés en 1937, j'ai été pris soudain d'une grande crise de sanglots, tant les choses se représentaient encore à moi. Le sujet dont je parle m'a toujours été sensible. Résolu à être ce que je suis, ridicule peut-être, je puis bien tant que j'y suis avouer que ces larmes étaient de profonde tendresse. Un jour de ce temps-là, j'avais découvert dans ce camp infect dont je parle un enfant nouveau-né. Peut-être même l'aurai-je écrit dans ce *Jeu de patience* dont je ne sais plus rien. C'est l'histoire du manteau blanc. Parmi les dons que nous avaient faits les gens pour ces malheureux presque nus, il se trouva qu'un généreux donateur nous avait offert un de ces petits manteaux d'enfant qu'on appelle des « burnous » — manteau de laine blanche, tout neuf. C'était là un cadeau sinon rare, en tout cas tout à fait exceptionnel. J'avais soigneusement mis ce petit manteau de côté en attendant l'occasion la meilleure, quand justement je fis la découverte de ce nouveau-né sur la paille. Il y avait à peine huit jours que cet enfant était au monde. La maman s'était laissée renvoyer de la maternité avant les délais prescrits par les règlements. N'était-elle pas pauvre, étrangère, sans défense du fait que nous avions tout ignoré d'elle, mais si gentille et d'un si beau sourire ! Je la revois couchée sur la paille, couverte d'un amas de haillons, bien pâle et les cheveux défaits, allaitant son petit enfant. Autour d'elle, c'était la misère du camp, le malheur, le froid, le vent, le toit crevé à travers lequel passait la pluie. On peut bien penser que c'est à cet enfant-là que j'ai donné le manteau. En l'enveloppant de ce beau manteau blanc ai-je ou n'ai-je pas murmuré quelque chose comme une prière ? Mais il paraît qu'aujourd'hui le mont-de-piété restitue gratuitement la literie à ses clients infortunés ?

L'histoire du docteur Hansen, aussi une histoire de camp,

mais de déportés. Le docteur Hansen est né en France de parents norvégiens. Son père était et doit être encore courtier maritime au port du Légué. Je l'ai toujours connu là dès mon enfance. Il avait quitté son pays de bonne heure, mais il y retournait souvent. En 1943, le docteur Hansen fut arrêté par les Allemands en même temps que le pasteur Crespin et déporté. Lors de la débâcle allemande devant l'arrivée des troupes américaines, il retrouve, dans le désordre du camp pillé, un rouleau de films volés par les Allemands en Norvège : les films du voyage de noces du jeune roi. Aussitôt libéré, il alla à Oslo rendre ces films à son roi.

Dimanche soir 10 janvier — ... J'avais rendez-vous un peu après huit heures, rue du Faubourg-Saint-Jacques, pour dîner avec Mary Lloyd et ses amis « mondialistes ». Mary Lloyd que j'ai connue au Petit Saint-Benoît est une Américaine ni jeune ni vieille, toute en os, fort laide, extrêmement sympathique et douée d'un cœur très généreux dont les élans se tempèrent d'humour, excepté peut-être sur la question du gouvernement mondial auquel il semble bien qu'elle ait dévoué sa vie. Le gouvernement mondial à son avis est très possible. Pourquoi faudrait-il des années pour voir se réaliser des choses aussi simples ? Cela peut se faire d'un jour à l'autre et serait fait depuis longtemps si les gouvernements d'aujourd'hui ne mettaient tant d'entraves à la réalisation d'une idée qui va tellement dans le sens des choses et dont la réalisation ferait si bien le bonheur des peuples ! Ne vivons-nous pas dans la folie ?

Ce dîner devait avoir lieu au restaurant des Commores, premier étage, 175, rue Saint-Jacques. Je devais y retrouver avec Mary Lloyd comme tous les mois, m'avait-elle dit, ses amis mondialistes, mais je n'ai trouvé là que Mary Lloyd toute seule. Personne d'autre qu'elle dans la salle. Les coudes sur la table, la tête dans les mains, elle attendait patiemment. Dès qu'elle me vit, elle s'inquiéta de savoir si je n'avais pas pris froid en venant ? Il est vrai qu'il faisait ce soir-là un froid de

grand loup — de quoi crever en route. Mais je n'étais pas encore gelé, je n'avais nulle envie ni besoin du cordial qu'elle me
proposait. Je pouvais m'asseoir près d'elle et bavarder en attendant qui viendrait. Ce petit restaurant des Commores, me dit-
elle, était surtout fréquenté par des Malgaches et des policiers.
A son avis les peuples des colonies seraient les premiers à tirer
avantage du gouvernement mondial. Sur le coup de neuf heures, arriva un petit homme replet, dans la quarantaine, avec
une tête en forme d'œuf, des traits ronds, arrondis plutôt, et la
bouche la plus minuscule que j'aie jamais vue de ma vie, si
bien que ma première pensée en le voyant fut pour me demander comment il allait s'y prendre pour y faire passer une cuiller. C'était M. Savary que Mary Lloyd me présenta comme l'un
des membres du mouvement mondialiste. Après s'être informé
si l'abbé Pierre viendrait ou non, ce que Mary Lloyd ignorait,
M. Savary ayant pris place à table se mit à me parler de mes
écrits et des siens. Il est l'auteur d'un roman inédit d'inspiration surréaliste que ses amis admiraient beaucoup. Mary Lloyd
se taisait. Autour de nous tout restait désert. Je sentais qu'il ne
viendrait plus personne. Et voilà le dîner des Mondialistes.

13 janvier, Paris — A quel moment commence un voyage
qui, du reste, n'aura peut-être pas lieu ? Au moment où, pour
la première fois, on en parle comme d'une chose à laquelle on
doit se préparer. De ce point de vue, mon voyage d'Amérique
est commencé depuis une huitaine de jours environ.

Cependant, comme rien n'est absolument décidé encore, et
que mon départ, s'il a lieu, ne sera pas avant la fin de février,
ou peut-être même le courant de mars, je ne fais point de préparatifs. Mais je rêve, je me pose des questions, j'ai des souvenirs d'autres voyages, et certaines idées me viennent au sujet
des voyages en général ; c'est de cela que je veux parler. Autrement dit, je veux commencer, et dès à présent, mon journal.

Et noter un premier fait : à savoir qu'en voyage, je n'ai
jamais tenu de journal. Pourtant j'ai assez voyagé : l'Angleterre, l'Autriche, l'Italie, la Russie, l'Espagne, l'Algérie, l'Egypte,

l'Allemagne, et, tout récemment, la Yougoslavie. Je ne parle
pas de la Belgique ni de la Suisse qui sont à portée de la main.
Je suis toujours parti avec l'intention bien ferme de tenir un
journal de route et je ne l'ai jamais fait.

Cette fois encore, je prends la même résolution, toujours
aussi ferme, mais n'osant jurer que je serai capable de la tenir.
Une autre remarque, pour moi importante, consiste dans le
fait que ces voyages dont je viens de parler n'ont fourni aucune
matière à mes romans. Or, mon premier voyage (Angleterre) je
le fis à quinze ans. Mon premier voyage d'Autriche et d'Italie
(avec Jean Grenier : j'en ai tout de même un peu parlé dans
Absent de Paris) date de l'année 1923. Mon grand voyage de
Russie (avec André Gide) date de 1936. Et rien de l'immense
« matière » qu'on est en droit de penser que j'aurai rapportée
n'a trouvé d'emploi dans mes livres qui tous (à l'exception de
Parpagnacco) semblent avoir pour lieu et pour cadre Saint-
Brieuc. Encore, dans *Parpagnacco*, la ville aurait-elle pu ne pas
être nommée.

Il y a dans tout cela un certain mystère que n'expliquent ni
ma paresse naturelle, ni la facilité avec laquelle je me laisse
distraire et entraîner (en voyage, je me couche toujours très
tard, généralement exténué ; je remets toujours au lendemain
de noter telle ou telle chose) ni le fait que, ayant, lors de mon
premier voyage d'Angleterre, tenu un journal, *je l'ai perdu*. Ce
malheur arriva à mon retour. Il me fut difficile de m'en consoler et je ne suis pas bien sûr de l'être tout à fait encore. J'ai,
depuis, assez souvent voulu expliquer par cette perte que je
n'aie plus tenu de journal ensuite, mais j'ai toujours su que
c'était de ma part un mensonge, pour cacher aux autres ma
paresse ou ma timidité. A propos de la parenthèse ci-dessus, un
propos du vieux Benda[1] me revient. A son retour d'Amérique,
je le félicitai sur sa bonne mine. Il me répondit qu'en effet les
voyages ne le fatiguaient jamais, parce qu'il s'arrangeait toujours pour dormir assez. Bonne remarque. Pour le moment, la

---

1. Julien Benda (1867-1956).

perspective de ce voyage me donne envie de me raconter à moi-
même l'histoire de mes rapports avec la langue anglaise. C'est
courir le risque de se mettre à un long récit ; il faut l'accepter
— d'autant plus que, si je pars, cela ne sera probablement plus
possible. Commençons donc par dire que, depuis quelques
années, je me suis désaffectionné de cette langue, autrefois
beaucoup aimée et, pendant ma jeunesse, étudiée avec passion...

11 février 1954, Paris — Hier, donc, lendemain de mon
retour à Paris, j'ai entrepris la remise en état des pages nombreuses qui constituent ce que j'appelle mon journal. C'est
donc du 10 février qu'il faut dater cette mise en ordre et révi-
sion. La première chose a consisté à classer à leurs dates les
textes inédits que je possède. Pour le reste, lettres et docu-
ments, le classement n'est pas très facile. Laissons. Je veux
surtout, pour le moment, reprendre le journal et le continuer
quotidiennement.

Dès mon retour, j'ai déjeuné avec Petit[1] (lundi). La manière
dont le repas s'est passé, presque entièrement (après que nous
avions parlé de son père) à parler de Lambert, a réveillé en
moi de grandes sources tendres. Mais je dis très bêtement les
choses : je n'ai jamais pu parler à personne, comme je l'aurais
voulu, de Lambert.

Dimanche 14 février — Voilà huit jours que j'ai quitté Venise par un temps de petite neige et de mouettes sur le grand
canal. Vaut-il la peine de raconter comment ce bon gros monsieur bien confectionné, dans la bonne soixantaine, avec une
gueule carrée assez haute en couleur est entré dans mon compartiment vers les dix heures du soir en me disant qu'il faisait
trop froid dans le sien ? J'étais seul, bien à moi-même. J'aurais
voulu l'intrus au diable. Mais le voilà installé, assis à l'aise, et
il me dit : « Moi, monsieur, j'ai traversé trente-quatre fois

1. Henri Petit.

l'Atlantique ! Et j'ai usé cinquante-sept voitures. Parce que moi, monsieur, j'habite Monte-Carlo. Et j'ai la plus belle situation de la ville ! »... Je ne me souviens de ce compagnon de voyage que parce qu'il m'a donné le sentiment du comique à l'état pur.

Dès mon retour je suis allé déjeuner au Saint-Benoît, lieu unique à Paris, et peut-être au monde, où se rencontrent des gens venus de tous les points du monde et de l'histoire contemporaine, où l'on parle toutes les langues (quoique principalement l'anglais). C'est là que j'ai rencontré la Pivano[1] qui arrivait tout droit de Milan — tandis que je déjeunais avec Gustave Regler, qu'il y avait, pas loin, Mme Jolas, qui fut amie de James Joyce, Mme B..., la Canadienne, qui ne parle que de son mari l'ambassadeur qu'elle a un peu lâché pour la peinture. Le président de la République Alvarez del Vayo[2] n'était pas loin. Des étudiants métis. Hier, ou avant-hier, Calder[3] et sa femme, petite-fille d'Henry James, et leurs filles. Un Suisse, puisqu'il en faut un — mais du genre financier, avec sa femme en bois, taillée dans le bois de la vraie croix luthérienne —, une poétesse grecque : Matsi (orthographe douteuse) et quelquefois, des ouvriers travaillant dans le quartier. M. Varet, le propriétaire, est l'ami de tout le monde. Louis, le garçon (nantais) en est un autre. Quant à Simone, Antoinette et Claire, les serveuses, on peut absolument compter sur elles. Donc : Guiness is good for you. Et je ne dois pas oublier de dire qu'il y avait là aussi Stanley Geist, de Boston (mais depuis sept ans à Paris), lequel renonce pour le moment à son métier d'écrivain et de critique pour s'occuper de l'enfile-aiguille ! C'est lui l'indiscret. Sans lui, je n'aurais jamais rien su de cette Guiness ni du petit-fils de Sigmund Freud qui accompagne Lady Guinness. Il ressemble

1. Fernanda Pivano, traductrice italienne d'écrivains américains ; elle fut l'amie de Pavese entre 1940 et 1945.

2. Alvarez del Vayo, ancien ministre socialiste des Affaires étrangères de la République espagnole.

3. Le sculpteur Calder.

à un Chagall jeune mais qui ne serait pas doux. Même petite taille, même aspect fluet, même tignasse et le profil aigu, tranchant, d'un prophète qui serait en même temps un peu pilote d'avion ou un peu chiffonnier ; on dirait qu'il ne voit jamais personne...

... Il est trois heures après-midi. Je reviens du Lipp, où, puisque c'est aujourd'hui dimanche et que le Petit Saint-Benoît est fermé, je suis allé déjeuner d'une « croûte au pot ». Je suis rentré dans ma « chambre de bon » et me voici de nouveau à mon établi. Solitude plus parfaite encore que le silence. Revenons à la bière.

... Qui pourrait jamais douter que la Guiness ne soit la source d'une très immense fortune — un fleuve d'or ? Mais qui croirait à ce fleuve en voyant Lady Guinness ? La jeune Lady Guinness est peintre. Elle habitait Saint-Germain-des-Prés. Son jeune ami, peintre comme elle, voilà longtemps que je les voyais dans le quartier. Je ne savais rien d'autre sur leur compte sauf qu'ils étaient anglais, et, étant par nature plus discret que curieux, je n'avais fait de questions à personne. Ils me faisaient l'effet d'un couple d'amants bannis ce qui n'est jamais rare, mais plus fréquent quand on a le malheur d'être né en Angleterre. Ils me faisaient penser à des personnages de Thomas Hardy. Je les voyais toujours ensemble, l'air muets, mais toujours ensemble, et apparemment pauvres. Et voilà que cette jeune femme blonde au large visage, un peu forte (mais pas trop), à la tenue un peu négligée (mais pas trop), c'est la jeune Lady Guinness. Lui aurait-on coupé les vivres ?

... Paris est maussade aujourd'hui, le pavé boueux, le froid humide et la lumière mélancolique. C'est l'hiver même dans ce qu'il a de chagrin et de bougon : il y a comme un esprit de fête dans la neige, et quelque chose de fier dans le grand froid glacial — mais cette humidité morose et cette lumière avare : la nature devient elle-même petite-bourgeoise.

Comme j'étais l'autre soir au Petit Saint-Benoît, je vis entrer une personne de haute taille, et d'une minceur de tuyau, qui s'avançait en sautillant comme ayant peur de se tacher, regar-

dant partout autour d'elle en souriant comme qui s'excuse, et il me fut tout de suite évident qu'elle ne cherchait personne. Les solitaires se reconnaissent toujours. De plus, celle-ci était provinciale, je l'aurais juré, et pauvre, vêtue d'un long manteau noir de gros drap, cintré, usé, et coiffée d'un petit bonnet de fourrure pointu. Elle vint s'asseoir en face de moi, sans avoir ôté son manteau malgré la chaleur qu'il faisait dans le restaurant. Je me rendis compte alors que le sourire n'était pas tout à fait volontaire, et qu'il y avait dans son regard quelque chose d'un peu étrange. Elle avait un visage de poupée, des manières de grande poupée. Un visage blanc, des pommettes rondes comme des balles, une toute petite bouche aux lèvres plates, des cheveux peu abondants, châtains. Le moindre de ses gestes exprimait comme la crainte de se salir. La façon dont elle tenait sa fourchette, dont elle portait son verre à sa bouche me donnait à penser, ou bien qu'elle avait été élevée dans une pension religieuse, de celles où l'on enseigne aux jeunes filles les manières, ou bien qu'elle avait une sorte de répugnance naturelle pour cette grossièreté qui consiste à se nourrir. A son doigt, une bague qui pouvait être de prix, et une alliance. Le fait qu'elle portât une alliance ne contrariait en rien la première impression que j'avais eue d'une personne seule. Le peu de paroles que je l'entendis prononcer en s'adressant à la serveuse ne me permit pas de me rendre compte de quelle province elle pouvait être. Son langage était celui de tous les Français. Près de nous, était assis un jeune homme (disons plutôt : un homme jeune) d'une grande force, d'une certaine beauté d'athlète, un jeune bourgeois qui fit au garçon une réponse très dure, en le priant de lui préparer sa salade : « Je ne fais pas ma cuisine moi-même. » Cela fut dit sur un ton d'une extrême grossièreté et, dans le même instant, le regard de la personne assise devant moi et le mien se rencontrèrent. Je compris qu'elle désapprouvait vivement de telles manières. Son sourire ne l'avait pas quittée, mais elle avait imperceptiblement haussé les épaules. Des épaules fort étroites. Notre rustre acheva son repas et s'en alla. Alors, la jeune femme assise devant moi, elle

avait à peine dépassé la trentaine, se mit à me regarder d'une
manière si appuyée et toujours avec ce même sourire et dans
son regard ce quelque chose d'un peu égaré que j'allais lui dire
un mot. Mais elle me devança. Son visage de poupée brilla tout
à coup.

— Quel rustre ! fit-elle. Traiter ainsi les domestiques !

De telles choses étaient fort tristes. Elle les réprouvait. Mais
les gens devenaient grossiers. Ils ne croyaient plus en Dieu.
Elle détestait ce rustre. Personne, chez elle, n'eût jamais agi de
la sorte. Chez elle, tous les hommes étaient des chevaliers, ils
avaient tous de l'honneur. Malheureusement, ils étaient oppri-
més et combien avaient dû fuir leur patrie ! Elle parlait un
français d'une grande pureté, sans l'ombre d'un accent, bien
qu'elle fût évidemment étrangère. Mais de quel pays venait-
elle ? je ne le devinai pas. Il devait y avoir longtemps qu'elle
n'avait parlé à personne. Je me gardai bien de lui poser des
questions. Elle me dit d'elle-même que c'était sa dernière soirée à Paris, après un très bref séjour. Mais comme tout y était
changé ! Ce n'était plus le Paris où elle avait vécu autrefois et
qu'elle avait tant aimé, la seule ville au monde où elle s'était
plu. Paris allait-il changer de jour en jour au point qu'elle
n'aurait plus envie d'y revenir ? La perte de la patrie, la maladie et la pauvreté étaient pourtant déjà de bien dures contraintes, et depuis que ses parents étaient morts... Elle n'avait ni
frère ni sœur. Quant au mari qu'elle avait eu — elle jeta un
regard sur son alliance — le mieux était de n'en pas parler.

Autrefois sa famille avait été très riche. Elle avait possédé de
grands domaines. On l'avait élevée avec tendresse. Dès l'enfance, elle avait appris le français, l'anglais, l'allemand. A présent,
elle vivait dans le Tessin, près de Lugano, où elle gagnait difficilement sa vie à traduire pour le compte d'un éditeur fort
riche, mais qui la payait chichement, et à l'heure. Deux ans de
sanatorium par-dessus le marché. Et voilà une vie ! Mais pas
une vie malheureuse, puisqu'il restait Dieu, et la Pologne à
libérer.

— N'est-ce pas que je rentrerai un jour en Pologne ? Pas

pour y retrouver mes biens, cela m'est égal, mais pour rentrer dans ma patrie. Est-ce que vous connaissez l'histoire de la Pologne ? Est-ce que vous savez que nos princes ont été les hommes les plus généreux du monde ?

Pas un instant, elle ne cessait de sourire en parlant, et quoi qu'elle dît, il y avait toujours dans son regard ce quelque chose d'un peu étrange, d'un peu vacillant, quelque chose d'acquis par les grands changements qui avaient rempli sa vie.

Nous sortîmes ensemble. Il pleuvait. Elle voulait faire encore quelques pas dans Paris avant de le quitter, elle ne savait pour combien de temps, Paris où elle ne reviendrait peut-être plus jamais, où malgré tout elle s'était toujours sentie protégée mieux que n'importe où ailleurs.

Lundi 8 mars — Je n'étais plus en humeur de Carnets (compte tenu, aussi, du voyage en Suisse et de la grippe). J'ai commencé la journée en relisant des lettres de Lambert. Cette lecture m'a profondément remué, j'en ai tiré le sentiment du dangereux éloignement où je suis bien souvent à l'égard des choses sérieuses. La douleur qui m'est venue de la mort de Lambert est toujours aussi vive.

Comme bien des hommes je suis devenu non seulement un autre, mais ce que je ne voulais pas être.

Je lis dans le journal qu'un ancien inspecteur de la Sûreté va devoir répondre de treize délits différents.

J'ai souvent rêvé d'écrire un vrai feuilleton à toute allure sans rien me refuser d'excessif, de sentimental, d'héroïque et de mystérieux, même d'invraisemblable, pourvu qu'on se sente emporté et que je le sois moi-même.

Hier dimanche, et avant-hier samedi, je n'ai vu personne. Cloîtré. Travail. Je ne vois guère Camus tous ces temps-ci, il est malheureusement très pris par la maladie de Francine que l'on croyait à peu près guérie et qui vient d'avoir une rechute.

Asthénie complète. C'est très sérieux. Il est probable que la guérison sera très lente. Tout espoir n'est cependant pas perdu.

Dusan Matič[1] retrouvé hier à l'ambassade de Yougoslavie (réception) m'a rappelé que je posséderais à Belgrade une somme d'argent suffisante (droits d'auteur) qui me permettrait de retourner en Yougoslavie. J'ai aussitôt pensé que je pourrais non moins facilement aller pour quelques jours en Grèce.

Sorti de là, vers les quatre heures de l'après-midi, j'ai trouvé dehors le printemps en personne, le vrai printemps, le grand soleil, maître des choses, au pouvoir. Aujourd'hui encore, du matin jusqu'au soir... Merveille. Je suis revenu de l'ambassade à pied, seul, heureux. Le soir, je me suis promené sur le boulevard, sans pardessus, sans chapeau, pour la première fois de l'année. Ce début de printemps m'a plongé dans une paresse incroyable, tout en ayant eu pour effet de m'ôter tout sommeil la nuit dernière. Etat vague, intermédiaire, longues et molles pensées. J'avais déjeuné avec Bernard Milleret et Dominique Rolin, Bastide et sa femme. Ensuite, au Royal Saint-Germain. Là, devant le Royal Saint-Germain, un attroupement, et un car de police arrêté. On nous dit qu'il s'était produit un accident, que quelque chose avait dû exploser. On avait entendu un grand bruit comme d'une chaudière qui saute. En réalité c'était une jeune femme qui du haut d'une maison s'était jetée par la fenêtre. En tombant sur le ciment de la cour son corps avait produit ce bruit affreux comme une explosion...

Lundi 15 mars — Paris n'avait pas bonne mine aujourd'hui. Après le beau soleil de printemps que je croyais si bien installé, le froid est revenu assez aigre dans un ciel assez gris, et un vent assez revêche. Moi qui croyais avoir pour de bon quitté mon manteau, j'ai dû le reprendre. Cela n'a pas fait mon compte. Levé de très bonne heure, après une nuit exception-

---

1. Dusan Matič (Matitch) écrivain serbe, traducteur, en particulier, des livres de L. Guilloux.

nelle de sommeil profond, j'ai commencé la journée par mon habituelle visite au Buisson d'Argent, pour y manger un croissant et y boire un café. Mon intention était d'aller ce matin chez Mme Bouvry[1] porter mes textes, ce que j'ai fait un peu après dix heures. Le soleil eût-il brillé comme il le faisait ces jours derniers, que je serais sûrement allé à pied. J'aurais remonté la rue du Bac, ou la rue de Beaune, j'aurais pris le quai à gauche, passant devant la gare d'Orsay, jusqu'au pont de Solférino, j'aurais traversé le jardin des Tuileries et débouché sur la place de la Concorde ; puis, remontant la rue Royale, jusqu'à la Madeleine, je me serais engagé dans la rue Tronchet jusqu'à la rue de Castellane, au n° 6, où je me serais arrêté, étant arrivé au bout de ma course. C'est un itinéraire que je connais fort bien, pour l'avoir souvent parcouru. J'ai pris l'autobus, le 94, sur le boulevard Saint-Germain. J'avais dans ma serviette mes papiers. Cela me paraissait à moi-même étrange, je ne sais pourquoi, un peu répréhensible, assez comique. Je pensais à la tête stupéfaite des gens, s'ils avaient pu voir ce que je transportais là, à ce qu'il y aurait eu de grotesque si, par accident, mes papiers s'étaient trouvés étalés au grand jour, etc. Je n'étais pas trop fier. Je me sentais un peu comme un fou léger. Mes visites à Mme Bouvry ne sont jamais longues. C'est une vieille Parisienne gentille et travailleuse, mais à qui il n'est pas question de donner de trop longues explications sur les choses qu'on lui demande de faire. Je suis donc sorti de là après quelques minutes, j'ai repris mon autobus à la station près de la Madeleine, et je suis revenu rue du Bac, et rentré à la N.R.F. Je ne sais comment le temps a passé à lire, à rêver. Midi est arrivé, je suis sorti sur le boulevard, j'ai rencontré Chiaromonte[2]. Je le croyais à Rome. Il me dit qu'il était à Paris pour une conférence qu'il a faite ou qu'il fera, je ne sais, mais qu'il

1. Mme Bouvry dactylographiait les manuscrits de Louis Guilloux.
2. Nicolas Chiaromonte (1901-1972), essayiste, journaliste. Antifasciste exilé en France, il participa à la guerre d'Espagne aux côtés de Malraux. S'étant réfugié en Algérie pour échapper au régime de Vichy, il y avait fait la connaissance d'Albert Camus dont il devint l'ami.

aimerait me voir, et que le bon sens était de faire un rendez-vous tout de suite : et nous avons convenu de nous retrouver à la N.R.F. à quatre heures de l'après-midi, chose que la visite de Gaston a empêchée. Gaston en avait long à me dire. Je me sentais avec lui très bien, très jeune homme, lui aussi, du reste. Je sentais que cela lui faisait vraiment du bien de me parler, et je voyais peu à peu se révéler un autre Gaston, facile et ami du plaisir, un Gaston passionné, sentimental aussi, fidèle, et au lieu du vieux roué que l'on croit et que l'on dit, agissant comme un collégien timide. J'allais me mettre à écrire une lettre quand il est arrivé. Après son départ, je ne le pouvais plus et ce n'était plus le temps de le faire. J'avais raté deux rendez-vous, l'un avec M. Orengo, directeur littéraire de la maison Plon, à qui je devais aller parler de M. Veillon, et l'autre avec Chiaromonte. Ou inversement puisque c'était Chiaromonte que je devais voir le premier. Et je tenais beaucoup à voir Chiaromonte. Mais je n'avais même pas le moyen de communiquer avec lui, il faudrait pour cela téléphoner à Bloch-Michel et mieux, aller le voir après dîner, et je devais, en outre, retrouver à sept heures, aux Magots, le poète serbe Matič et sa femme, rencontrés l'autre jour à l'ambassade. Je suis allé aux Magots, j'ai retrouvé Matič en effet, il m'apportait le premier tome de la traduction serbe du *Jeu de patience*.

4 mai — C'est un fait : il y a quelque chose de si beau et attrayant dans une belle page blanche ! La lumière est ce matin fort belle, l'air plus doux qu'il n'était hier. Il y avait ce matin un espoir dans le ciel au-dessus de la Seine, comme je faisais ma petite promenade le long du quai Voltaire. À dix heures, j'ai rendez-vous avec ma fille, qui doit repartir à la fin de la matinée pour la Bretagne.

Je dois revoir Françoise Sagan avec Flo vendredi. Fille riche, voiture, etc., père industriel. Et, d'après Flo, pas du tout étourdie par son succès. Flo me dit que la Françoise a écrit son livre en un mois. C'est ce que j'ai toujours souhaité pour mon compte. Vendredi prochain je déjeunerai chez Claude, ce qui ne m'est pas arrivé depuis des mois. Le vendredi suivant chez Nathalie, avec Flo. Entre-temps, j'irai peut-être à Sorel, qui est un bon endroit pour le travail.

... J'écoutais Gaston. Nous étions seuls tous les deux, près de la fenêtre en haut du grand escalier qui conduit dans la cour du 17. La maison était vide. Il était un peu plus de sept heures du soir. Tout le monde était parti un peu plus tôt que d'habitude. C'était vendredi.

— Vous savez : je ne dors pas. L'autre nuit, j'ai composé tout un livre... mais vous allez me trouver ridicule. Vous, vous avez de la chance, parce qu'il y a votre vocation. Moi non : je n'ai que de l'argent. Mais avoir de l'argent ne me sert à rien. Au fond — mais vous allez me trouver ridicule —, je n'aime que les hommes qui échouent. Les plus grands se suicident toujours. Le Christ s'est suicidé. Napoléon s'est suicidé. Jeanne d'Arc aussi. À partir d'un certain moment, ils ont laissé faire. Oui : je n'aime que les hommes qui échouent ou qui, à partir d'un certain moment, recommencent tout à zéro. Moi, j'ai échoué. Je sais bien qu'il y a la façade, mais j'ai raté ma vie. C'est à cela que je pensais, l'autre nuit, et je voyais le livre à écrire. Mais je n'ai pas de talent, pas de vocation comme vous. Tenez : Oscar Wilde, encore un suicidé, j'en suis sûr. Il a voulu cette fin. Je ne dis pas qu'il ait été un très grand homme, mais enfin, il a cherché son procès. Moi, ça ne m'intéresse plus. Si je savais quoi faire en dehors de cette maison... Oui : y venir un peu moins, mais ce serait une tricherie. Alors ? J'ai connu des hommes... Tenez : Citroën. Il est mort lamentablement. Un suicidé, comme les autres. Et pourtant, quelle réussite ! C'est lui qui a inventé l'automobile moderne, les cars, la grande publicité. Connaissez-vous ce trait de lui ? Il était joueur. Un jour, au casino de Deauville, je l'ai vu entrer. Il y avait là tous les milliardaires américains et japonais autour des tables. Citroën est entré. Il est resté debout dans la porte, et il a crié : « Banco sur toutes les tables ! » Ça ne l'a pas empêché de finir comme vous savez. Mais il pouvait toujours tout remettre en question, repartir de zéro. C'est ce que j'aime. Et Poiret ? Vous savez qu'il a été pendant des années le roi de l'élégance et de la mode. À la fin de sa vie pendant l'occupation, je l'ai rencontré dans le métro. Il était devenu très pauvre, il était atteint d'un tremblement universel, mais il avait encore des idées. Suicide à la fin, comme les autres, autrement dit, il a laissé faire. Mais du temps de sa puissance et de sa splendeur, un jour, une femme du monde très riche, une baronne de Rothschild lui fit savoir que donnant une réception, une garden-party, elle désirait, à cette réception, la présence de ses mannequins. Et Poiret savait les choisir, vous pouvez me croire ! Voilà donc les mannequins chez la baronne, sous les yeux jaloux des invitées. Celles-ci leur mènent la vie dure. Ricanements et sarcasmes dont elles sont blessées au plus vif, et dont elles se plaignent à Poiret. Il ne dit rien, mais secrètement, donne ses ordres, et, quand la baronne, une des femmes les plus riches de Paris, se présente un peu plus tard avenue des Champs-Élysées chez Poiret, l'huissier de faction à la porte disparaît. Elle entre. Et tout le monde disparaît devant elle. Le vide. Elle tombe sur Poiret qui lui dit : « Sortez ! » Voilà, ajoute Gaston, ce que j'aime — et avant qu'on me fasse rien faire pour avoir la Légion d'honneur ou pour dîner avec un prince...

De la fenêtre près de laquelle nous étions, je voyais la cour. Jeanne est apparue. Elle venait chercher Gaston. Elle est entrée, avec une figure douloureuse, très changée, un peu vieillie, mais s'efforçant de sourire. La conversation s'est continuée à trois pendant quelques instants, mais autrement, bien sûr, et j'ai admiré la manière dont elle s'empressait de donner raison à Gaston qui, dès qu'il s'était mis à parler en sa présence, n'avait pu dominer quelques légers mouvements d'impatience. Je me disais qu'ils allaient partir ensemble pour le week-end. Pour lui faire plaisir et se faire pardonner ses petites impatiences, Gaston nous a quittés un instant pour aller chercher les maquettes du prochain numéro de la *N.R.F.* qui contiendra le texte de Malraux sur *La Métamorphose des dieux*, avec des illustrations, et nous sommes restés seuls un instant, Jeanne et moi. Alors elle m'a dit :

— Comme il est triste, Gaston, depuis quelque temps. Je ne sais plus que faire.

Mais Gaston revenait déjà avec les maquettes. Voilà.

Je les ai mis dans leur auto. Et suis allé retrouver Camus qui m'attendait aux Magots. En ce qui concerne Francine il n'y a rien de changé.

16 mai — Malgré ses chagrins, Gaston est fou de rage à cause du succès de Françoise Sagan. Il n'a pas lu son livre, mais il a vu la presse, il en a entendu parler de divers côtés avec de grands éloges : voilà qui suffit bien à le désoler. Cher Gaston ! L'éditeur en lui n'est pas gelé. En vérité, la tragi-comédie est amère. Et le métier de confident pas facile. Ce soir, j'ai des humeurs. Ce n'était point le cas ce matin en quittant Sorel, malgré le mauvais temps qu'il faisait. On se serait cru rentré en hiver. Tout était gris, pluvieux, maussade, on grelot-tait, nous retournons, me disait Raymond, à la période glaciai-re. Il paraît que dans quelques siècles, tout sera de nouveau sous la glace comme aux temps préhistoriques. Chartres, Véze-lay, Autun, et tous les monuments d'Europe. Une journée de Paris m'a, comme on dit, « rétabli ». Ne dois-je pas me trouver soulagé d'avoir enfin donné le « bon à tirer » de mon *Parpa-gnacco ?* Voilà qui est fait.

Après avoir déjeuné avec un Raymond[1] très doucement fâché que Nathalie voulût partir d'aussi bonne heure (neuf heures du matin) nous avons quitté Sorel dans la somptueuse Keyser, nous : c'est-à-dire Nathalie au volant, Raymond et moi près d'elle, et, derrière, Nicole, fille de Raymond, son fils Coucou (trois ans), les deux chiens, et le petit chat dans son panier. C'est alors que Raymond s'est mis à parler de la nouvelle période glaciaire qui attend notre planète. Et Raymond sait ce qu'il dit. Il est très versé dans les sciences.

1. Raymond Gallimard.

Il n'y aura plus de Sorel pendant deux bons mois, Nathalie, Michel, Janine[1], partant en croisière dans quelques jours. J'avais derrière moi Nicole, mère de Coucou. C'est une petite rousse, maigre, tavelée, incroyablement bavarde, engueulant Coucou. Et avec tout cela, des traits fins et même délicats qui feraient dire qu'elle a dû être, qu'elle est encore, très jolie. Elle racontait une histoire assez drôle, à propos d'une bonne très laide qu'elle avait, et qu'elle trouva un jour, sanglotant, devant la glace. « Et pourquoi pleurez-vous ainsi, ma fille ? — Oh, Madame, avec une gueule pareille ! — Bien, ma fille : je vais vous payer une indéfrisable ! — Oh, merci, Madame ! » Et de courir chez le coiffeur. Et d'en revenir avec la plus belle indéfrisable du monde, et de sourire, et de siffloter, et de gambader, et de s'en aller faire des courses. Mais, à partir de ce jour-là, la viande n'était plus la même, le pain non plus, le lait non plus... « Mais, ma fille, où donc avez-vous acheté cette viande ? Il ne se peut pas que ce soit chez mon boucher ? — Comment, moi, retourner chez le boucher de Madame ? Impossible ! — Et ce pain ? — Ce pain ? Moi ! Retourner chez le boulanger de Madame ? Ah ben non alors ! » Même chose pour le laitier. Tous les fournisseurs la lorgnaient, ils étaient tous amoureux de son indéfrisable, et Madame de conclure : « J'ai été bien obligée de la foutre à la porte, parce que, vous comprenez, moi, je suis majeure et vaccinée ! » Elle monte les chevaux les plus rebelles, conduit un avion sans avoir jamais appris, ne dort qu'avec des somnifères, etc. En attendant la nouvelle période glaciaire, il faut se donner un peu de bon temps. Nous sommes arrivés à Paris un peu avant onze heures du matin. Je suis allé saluer Gaston que j'ai trouvé assez morose à son bureau. Claude étant présent, la conversation « intime » que nous avons depuis quelque temps n'a pas été possible mais Gaston me faisait comprendre par des clins d'œil que ça n'allait pas du tout, qu'il y avait des drames, et, entre haut et bas, il me dit que nous nous reverrions plus tard, et me demanda si j'avais vu

1. Gallimard.

Françoise Sagan, comme il savait que je devais la voir vendredi
dernier dans une librairie de l'avenue de l'Opéra où elle signait
son livre. Claude aussitôt montra le plus vif intérêt. « Oui. J'ai
dîné avec elle et Flo, et d'autres amis. — Comment l'avez-vous
trouvée ? — Égale à son livre, légèrement insolente, pleine d'esprit. C'est une nature. » Et c'est vrai. Gaston n'était pas content.
« Pour une fois, dit-il, que Julliard découvre un auteur ! » Mais la
Françoise avait d'abord porté son manuscrit chez Gaston. On lui
avait répondu qu'il faudrait trois mois avant qu'elle sût si on
l'acceptait ou non. La Françoise, ne trouvant pas cela de son goût,
avait remporté son ours. La maison Julliard n'est pas loin. Elle
s'y est rendue. Huit jours plus tard, elle recevait un télégramme.
Aujourd'hui on réimprime : huitième mille. « Tâchez qu'elle
nous montre son contrat », me dit Gaston. Mais la chose est déjà
arrangée avec Flo. Et voilà les intrigues du monde ! « Chauffe-
la ! » ajoute Claude.

   Françoise Sagan est une fille sûrement très douée, et elle
était fort amusante après la séance de signature quand nous
sommes allés en bande à la Régence boire un verre. Le ton sur
lequel elle réclama une « piste » au garçon, c'est-à-dire de quoi
jouer aux dés, en disait déjà long. Mais les propos, les histoires,
les portraits en dirent plus long encore. Mais elle a tort de trop
boire. Je ne sais si c'est une habitude, et ce soir-là était pour
elle exceptionnel, mais elle n'aurait pas dû conduire ayant un
peu trop bu. Nous n'avons échappé que d'un cheveu (Daniel[1],
Bloch, Flo et moi) à une très belle collision (devant la statue de
Jeanne d'Arc).

   Jeudi 20 mai — Rien n'était plus touchant que la manière
dont il s'était mis à parler de son enfance, de son père, qui aux
yeux de pas mal de monde était un homme déconsidéré (parce
qu'il sortait trop), de sa mère, qui était une fort bonne femme,
et qui avait de la tête — et, bien entendu, de ses premières

---

   1. Jean Daniel, qui était en 1954 rédacteur en chef adjoint de *L'Express*.

amours, puisque l'amour était le sujet principal dont il avait
été occupé toute sa vie. Il avait, en parlant, un sourire plein de
charme et, malgré la mélancolie des choses qu'il contait, un
sourire de joie. Et comme les dernières amours ressemblaient
aux premières, comme elles prenaient le même visage ! Celui,
par exemple, d'Antoinette, cette petite Antoinette qu'il avait si
longtemps aimée, entre quinze et dix-huit ans. « Je passais tous
les jours sous ses fenêtres — elle habitait rue Pierre-1er-de-
Serbie. » Il avait été un jeune homme très sentimental et très
tendre, timide, et la timidité lui était restée, ou l'embarras. Il
n'avait pas de présence d'esprit. Mais la sentimentalité aussi et
l'habitude des maisons de passe. Il contait fort bien, ce soir-là,
où nous dînions ensemble au Berkeley. Il venait de me faire
l'éloge de la bande à Bonnot. Il avait assisté au procès. « Ces
hommes-là étaient fort remarquables, ils avaient du caractère,
j'étais pour eux, et non pour cette bande de pauvres types, avocats et juges, qui ne couraient aucun risque. »

Le garçon s'étant approché pour lui donner du feu, il accepte
le feu, bien que sa cigarette soit allumée ; le garçon ne s'en
était pas aperçu. Se rendant compte de son erreur, et voulant
s'excuser, avec quel sourire et quelle grâce Gaston le remercia.
J'ai souvent entendu Gaston déplorer que les bonnes manières
fussent en train de disparaître. Dans sa jeunesse certains hommes parfois y avaient mis du panache, comme un de ses oncles,
un soir. C'était en hiver. Le temps était mauvais. Il avait plu.
La rue était boueuse. L'oncle attendait, à la sortie d'un théâtre,
de voir passer une actrice qu'il admirait. À l'apparition de l'actrice, il ôte son manteau et le jette par terre sous les pieds de
l'actrice qui regagne sa voiture.

Qui saurait en faire autant aujourd'hui sans ridicule ? La
qualité des hommes a baissé, comme la monnaie. Plus d'anar-
chistes, plus de grands seigneurs. « On donnait des réceptions à
la maison ; il y avait des bals. Mais si Antoinette dansait avec
d'autres que moi, j'étais fou de jalousie, et j'allais chez les
domestiques. Il y avait là un endroit dans lequel se trouvait
une grande caisse où l'on entassait le linge sale. J'entrais dans

cette caisse, je me couvrais la tête du linge sale pour qu'on ne me vît pas... Je ne vous avais jamais raconté cela ? »

Si. Il me l'avait déjà raconté, mais je lui dis que non.

« Antoinette appartenait à une vieille famille de notaires, extrêmement riche. Quand j'eus atteint mes dix-huit ans, ma mère me dit : "Mon fils, tu es fou. Et ton père est déconsidéré. En plus de fou, tu es laid. Et cette fille est trop riche pour toi. Jamais ses parents n'accepteront que tu l'épouses. Tu ferais mieux de n'y plus penser, c'est le conseil que je te donne." »

Le conseil était peut-être bon à suivre, mais il était mauvais à prendre. Notre jeune Gaston cependant montra qu'il avait du caractère. Il cessa de voir Antoinette et alla se distraire à Montmartre (de temps à autre, il allait aussi entendre quelque conférence à la Sorbonne) et tout finit par passer, bien qu'Antoinette ne fût jamais oubliée. Et pas même pour le prochain amour, qu'il conçut très peu après pour une demi-mondaine très jeune et fort gracieuse, qui s'appelait Fernande Dulac. Cela se passait à l'époque des chevaux, des breaks, des landaus ; les belles avaient leur voiture, on allait au Bois. Leurs jeunes admirateurs allaient dans les cafés élégants où ils pensaient les apercevoir, ils buvaient des orangeades au bout d'une paille. Ils portaient des chapeaux de paille, de grandes cravates. Ils allaient beaucoup au théâtre ; Gaston allait partout où il pensait rencontrer Fernande Dulac, à qui il n'avait pas trouvé le moyen de se faire présenter. Il se contentait de la voir et de l'admirer, très amoureux, très timide, espérant tout et ne comptant sur rien. Fernande était toujours accompagnée d'une certaine personne qui n'était pas le monsieur qui l'entretenait, mais une femme. Après quelque temps de ce manège, un soir, vers les dix heures, passant près de l'Opéra, Gaston aperçut, stationnant là, la voiture de Fernande Dulac. Elle était donc au spectacle ! Le cocher dormaillait sur son siège en attendant l'heure de minuit. Il vint à Gaston la charmante idée de remplir de fleurs cette voiture. Hélas ! Toutes les boutiques de fleuristes étaient fermées. Il se mit à battre les boulevards en vain,

entrant dans tous les cafés. C'est dans l'un des grands cafés
qu'il finit par rencontrer une bouquetière à qui il acheta tout
ce qu'elle avait dans sa corbeille. Plus loin il en trouva une
autre, puis une troisième, plus loin encore, et c'est avec un
immense bouquet qu'il revint vers la voiture. Ayant donné au
cocher un grand pourboire, il répandit les fleurs sur les coussins. Il était déjà tard. Le spectacle n'allait plus tarder à s'achever et Fernande apparaître. Il va se cacher dans l'ombre et il
attend le cœur battant. Elle parut enfin, accompagnée d'un
monsieur : frac, chapeau haut de forme, canne à pommeau
d'argent. Fernande dans sa capeline. Ils s'approchent de la voiture. Ils vont y monter. Fernande aperçoit les fleurs et se tourne calmement vers le monsieur qui l'accompagne.

— Oh ! mon ami, quelle charmante idée !

L'histoire ne s'arrête pas là. Quelque temps plus tard, Fernande partit pour la Russie et plus tard encore, beaucoup
plus tard, Gaston fit la connaissance d'une certaine personne, cette même personne qu'il avait toujours vue avec Fernande partout où il l'avait poursuivie. Cette même person-
ne-là lui apprit que Fernande était morte, et qu'il avait eu
bien tort de ne jamais rien lui dire, de ne jamais lui écrire
un mot, car elle avait bien remarqué son manège, elle en
avait été touchée, elle était toute prête à l'aimer. Elle avait
toujours attendu qu'il se déclarât.

24 mai — Le siège social du gouvernement Mondial à Paris
se trouve place de la Contrescarpe, tout près de la rue Mouffetard dans la maison la plus pauvre, la plus délabrée du quartier — et il n'en manque pas — et c'est une grande merveille
qui m'a beaucoup ému la première fois où j'y suis allé en compagnie de Mary Lloyd. J'y avais revu là Savary, secrétaire de
l'organisation, et Dieu sait de quoi j'avais pu lui parler
puisqu'il m'a écrit depuis et invité au prochain Congrès de
Florence. Mais il a fait autre chose encore, en m'envoyant
quelques textes d'un de ses amis, un M. Bernard Malan qui
a de grands projets d'action en vue du bonheur des hommes.

J'ai rendez-vous avec M. Malan demain matin onze heures.

Dimanche 30 mai — Trois chatons sont nés cette nuit d'une toute jeune mère chat qui hier se plaignait de-ci de-là, tantôt s'enfuyait à mon approche, tantôt, lui ayant ouvert ma porte bien en grand, consentait à demeurer un peu avec moi, se laissait caresser, tourmentée et follement heureuse, à en juger par son ronronnement. Je voyais bien de quoi il retournait, par-bleu, et que c'était une première fois. Pauvre et tendre bête. Quel beau regard elle avait, sérieux et naïf, passionné, heureuse d'avoir trouvé quelqu'un, mais n'en voulant faire qu'à sa tête. Je lui avais préparé une couche dans un coin de ma chambre, fait son lit dans le fond d'un carton à chapeaux qui me vient de Claude, que j'avais garni de journaux et de ce qui restait de la paille d'une vieille chaise. J'ai voulu l'installer là. Elle a refusé. Cela ne m'a pas surpris. Les chattes, dans ce cas-là, veulent choisir elle-même leur endroit. Malgré toute la patience que j'y avais mise, mon indépendante n'a pas voulu de mes soins. Elle est partie chercher ailleurs un coin peut-être moins douillet, mais qui lui plairait davantage. J'ai conclu de là qu'en ces matières comme en bien d'autres, il ne faut pas chercher à convaincre et je l'ai laissée aller non sans un petit chagrin. J'ai repris la lecture qu'elle avait interrompue. Je me suis couché et j'ai dormi. Ce matin en me réveillant, j'ai entendu tout près les miaulements des chatons nouveau-nés. La chatte était allée les faire sur le paillasson d'une porte voisine, devant la chambre où loge Marie-Louise, la femme de chambre de Claude. Je suis allé leur souhaiter la bienvenue et offrir mes compliments à la jeune maman qui m'a fort bien accueilli. Ils sont trois. L'un des trois s'était déjà égaré dans le dos de la mère et je l'ai délicatement ramené dans son giron. Voilà toute l'histoire comme elle est pour le moment. La petite famille est sous la protection des bonnes. Il y a tout lieu de croire qu'elle ne sera pas maltraitée. Espérons.

Claude me parle de la sortie de *Parpagnacco*. Il veut faire un vrai lancement et il est très mécontent parce qu'on lui a dit (Mme Dutourd[1]) que je refuserais la radio et la télévision, ce que j'ai dit en effet, me supplie de ne pas quitter Paris en ce moment. Résolu à faire une publicité sérieuse, il ne le peut que si, de mon côté... N'est-ce pas raisonnable ? Le livre ne sera prêt qu'à la Pentecôte. J'irai donc à Florence et j'y emmènerai ma fille qui arrive ici demain. Je rentrerai tout droit de Florence le mercredi 9 juin, pour me mettre à mon service de presse. Départ de Paris sans doute mardi, et arrêt à Lausanne.

Jeudi 3 juin, Lausanne — Hier à table, se trouvait un jeune Persan. Je lui dis : « Monsieur, puisque vous venez du pays des contes les plus merveilleux, cherchez-en un dans votre mémoire que vous puissiez nous dire. » Il me répondit : « Ce sera le conte des barbes vertes. »

Pourquoi n'y a-t-il pas de barbes vertes ?

Dieu a tout créé, mais il a oublié les barbes vertes. Il y en a des noires et il y en a des blanches. Il y en a des noires et blanches, il y en a des rousses. Mais pas de vertes. Et pourquoi ? Or, Dieu ne fait rien en vain. Il a toujours ses raisons. S'il n'a pas fait de barbes vertes c'est qu'il ne l'a pas voulu. Et pourquoi donc ? C'était une question que se posaient les docteurs. Ils n'y trouvaient pas de réponse. Ils avaient beau chercher en caressant leurs barbes blanches, ils ne trouvaient pas. Cela les tourmentait. Ils se rassemblaient sur la place du village pour chercher ensemble et voilà que de tous les points du pays arrivèrent d'autres docteurs tout aussi perplexes que les premiers. Ils ne savaient pas plus qu'eux pourquoi Dieu n'avait pas créé de barbes vertes. Cela eût été pourtant si joli ! De belles barbes vertes sur les robes blanches des docteurs aux visages bronzés par le soleil, encadrés de leurs turbans blancs.

Vint à passer un vieux paysan. Les docteurs — ils étaient plus d'une centaine — l'interrogèrent.

— Sais-tu pourquoi Dieu n'a pas créé de barbes vertes ?

1. Camille Dutourd était attachée de presse chez Gallimard.

— Oui, répondit le vieux paysan. Je vous le dirai dans huit jours si vous me donnez un âne.

Les docteurs lui donnèrent un âne. Le vieux paysan leur dit encore : — Revenez tous ici dans huit jours, mais après avoir peint vos barbes en vert, et je vous dirai pourquoi Dieu n'a pas créé de barbes vertes.

Là-dessus, il partit avec son âne, et les docteurs s'en allèrent chercher de la peinture verte pour y tremper leurs belles grandes barbes blanches. Le vieux paysan pendant ce temps-là conduisit son âne dans une étable où il l'enferma mais il ne lui donna rien à manger. Le deuxième jour, il ne lui donna rien non plus, ni le troisième, ni le quatrième et ainsi jus-qu'au huitième qui était celui du rendez-vous. Et le paysan s'y rendit, avec son âne. Les docteurs étaient tous là, au grand soleil, dans leurs belles robes blanches, avec leurs belles grandes barbes vertes. A la vue de ces barbes vertes le petit âne affamé poussa un joyeux braiment et se rua aussitôt sur les barbes pour les brouter, et les docteurs de se lever tous ensemble et de s'enfuir comme on s'envole, confus, mais ravis de tenir enfin le secret de l'énigme.

22 juin — Dans la glace notre chroniqueur vit apparaître son Excellence Monsieur le Marquis de la Grande Fontaine, grand Maître des « Diurnales ». Il paraissait de très sombre humeur.

— Ah ça, monsieur Delaplume (c'était un surnom qu'il lui donnait dans ses jours de fâcherie). Or, ça, s'écria-t-il, je suis fort mécontent de vous, je ne puis vous le cacher. Vous vous relâchez, monsieur. Voilà qui est fort mal. Oubliez-vous ce que vous me devez, et ce que vous vous devez à vous-même ? Il serait temps de vous en souvenir !

Le chroniqueur, qui savait à quoi s'en tenir depuis long-temps (il s'attendait à cette algarade), se retourna lentement, se forçant à sourire, et ne trouva rien d'autre, sur le moment, que de faire au Marquis de la Grande Fontaine une révérence fort belle.

— Quoi ! fit le directeur, est-ce là tout ? Une révérence ! Et si parfaitement courtisane ! Décidément, vous prenez des manières ! Mais parlez, monsieur ! Défendez-vous ! Expliquez-vous ! Voilà bien longtemps que j'attends de vos écritures. Avez-vous décidé d'abandonner notre gazette ?

— Point, monsieur !

— Auriez-vous des humeurs ?

— Hélas, monsieur...

— Quelque chagrin ?

— Pour ce qui est des chagrins, ceci ne regarde que moi, monsieur. Souffrez que nous parlions d'autre chose.

— Mais c'est justement d'autre chose que je veux parler, monsieur. Le public n'a que faire de vos chagrins. N'avez-vous plus rien à dire ? Quoi ! Pas un portrait, plus une histoire, pas la moindre anecdote, pas un bon mot. Allez en province, monsieur ! A Paris, les chagrins ne servent à rien, sinon à fournir aux commérages de cafés. Sans doute, les hantez-vous trop.

— Je l'avoue, monsieur. Mais le temps d'orage que nous avons depuis une ou deux semaines y est bien pour quelque chose.

— Ah, je vois ! Vous accusez les circonstances. C'est la pire des choses, monsieur. Vous vous perdez.

— Je le craindrais.

— Ne badinez pas. Dans cette vie, il faut toujours se surmonter.

— La morale est belle. Cependant...

— Point de cependant. Il faut marcher.

— Oui, monsieur.

— Travailler.

— Certes, monsieur...

— Se tirer d'affaire...

— Ah, monsieur ! Justement ! J'y pensais ! Je ne pensais même qu'à cela, et c'est pourquoi je ne faisais rien. Se tirer d'affaire ! Les gens ne pensent pas à autre chose. Mais quel est ce monde, monsieur, si l'on n'y doit être jamais occupé qu'à se tirer d'affaire ?

— Laissons la philosophie. Et pensons à la polémique.

— Elle est sérieuse.

— Très sérieuse. Et je ne compte que sur vous, monsieur, pour y faire face. Nous n'allons pas nous laisser attaquer. Que dis-je ! Détruire, peut-être !

— Ouais, monsieur...

— Trêve de ouais... Si vous avez lu cette infâme gazette de nos ennemis vous avez compris le danger.

— Certes, monsieur.

— Le miel sur les lèvres et le fiel dans le cœur.

— Oh, oui !

— N'en avez-vous pas un peu tremblé ? Pour nous, sinon pour vous. Car enfin...

— Vous savez bien que oui, monsieur.

— Alors, monsieur, faites quelque chose. Ne vous abandonnez pas à vos humeurs. Elles changeront. Reprenez votre plume, monsieur, attachez-vous à votre chaise. Oubliez la chaleur. En un mot, faites votre métier. Et vous verrez, du reste, que vous y trouverez le repos.

— Merci, monsieur.

— Ne faites pas le mauvais esprit ! Travaillez, monsieur. Prenez de la peine.

— Il fait bien chaud, monsieur.

— Monsieur, je suis moi-même en nage.

— Mais j'habite sous les toits du Prince, monsieur. Et fort à l'étroit, je vous le jure !

— Ce ne sont pas les plombs de Venise !

— Ah, monsieur, comme je les préférerais ! Mais sachez du moins que le Prince fait réparer son toit. Depuis quinze jours, ce ne sont qu'échafaudages qu'on assure à grands coups de marteau, poulies grinçantes, va-et-vient, appels, ordres, contre-ordres, tout un tintamarre...

— Encore les circonstances !

— Et la vie intérieure, monsieur ?...

— Ah ! Diable, monsieur ! Voilà la vie intérieure, à présent ! Je vous connaissais des goûts de grandeur, mais voilà que je

vous découvre des goûts de paresse. Et vous entendez les justifier ! C'est très mal, monsieur. Reprenez-vous ! Allons ! Vite !
Au moins un petit écho ! Un bon mot ! Là... Dites ? Allons,
rien ? Ah !

— Si.

— Ah ! Ah !

— Il sera d'un homme d'argent, monsieur.

— Ah ? J'aurais préféré autre chose... Mais il est vrai que les
gueux n'ont pas d'esprit.

— J'eusse, monsieur...

— Comment, j'eusse ?

— Il faut dire : j'eusse préféré.

— Ah ? Si vous voulez ! Mais ne chicanons point et allez-y
de votre bon mot.

— Votre ministre, que du reste le Prince vient d'exiler, a un
frère. C'est un riche fermier général. Vous aurez vu de ses portraits. Il est fort vieux et très laid. Dans un salon, tout récemment, on lui avance un fauteuil, il s'y pose en disant : « Cela
fait peu de bruit un milliard qui s'assied ! »

— Fichtre, monsieur !

— Monsieur, fichtre !

— Mazette !

— Allons ! Trêve ! Nous avons à faire l'un et l'autre. Laissez
vos chagrins, monsieur. Soyez un homme fort. Et encore une
fois, travaillez. Notre Prince est sage ?

— On le dirait.

— Profitez des loisirs qu'il vous laisse.

— Mais, monsieur, ignorez-vous que je viens d'écrire ?

— Pardonnez-moi... Je l'oubliais en effet. On en dit grand
bien, du reste. J'espère qu'il aura du succès...

— En attendant, il me faut répondre aux gazetiers.

— La gloire, monsieur !

— Que mon carnet de rendez-vous est plein à craquer...

— Le monde, monsieur...

— Que je n'ai plus une minute à moi et qu'il me faut à

l'instant vous quitter pour courir à l'autre bout de Paris où
mon cœur n'a que faire...

— Ah ! voici le cœur !

— Qu'y puis-je, monsieur !

— Laissons, monsieur... Mais sachez une chose : je reviendrai tantôt vous voir. Et si je ne trouve pas sur votre table les
bonnes et belles pages que j'attends, par tous les diables, monsieur, je vous enverrai au diable...

— Monsieur, je suis votre serviteur...

Dimanche 27 juin —

— Je vois, monsieur, s'écria le Marquis de la Grande Fontaine en entrant dans le « bureau » de notre gazetier, et en
voyant sur sa table des coupures de journaux collées sur des
pages éparses, je vois que vous reprenez goût à la chose, monsieur. Permettez-moi de vous en féliciter.

— N'allons pas trop vite, monsieur. J'ai une idée en tête.
Souffrez que je vous en dise un mot...

— Voyons ?

— Les faits divers sont monotones, monsieur. Et généralement sinistres. Les journaux sont des poubelles. Et si nous parlions un peu du Bonheur ?

— Comment dites-vous ? Le bonheur ? Vous voulez la ruine
de notre gazette ?

— Assurément pas...

— Je respire ! Je vous savais un peu fou, un instant j'ai craint
que vous ne le fussiez à lier. Les gens ne s'intéressent qu'au malheur. Pas de sang à la une, aussitôt le tirage baisse. Allons ! Gar-
dez les pieds sur terre, monsieur. Ecoutez-moi : moi aussi j'ai une
idée. Vous allez me faire un feuilleton. Prenez des notes, monsieur. Ce feuilleton aura pour titre : *La Roue*. Vous dites que les
faits divers sont monotones ? Cela est vrai. Ils se répètent et, par
conséquent, leur nombre est limité. Il s'agit donc d'en établir les
catégories et d'en montrer le retour. C'est ça, la roue ! De quoi
est-il question dans cette coupure que vous avez là ? D'un drame
paysan qualifié de sauvage...

— La terre...

— Et, plus bas, voilà cet amoureux qui se noie parce qu'on le quitte...

— L'amour...

— Mais cela intéresse toujours... Et plus loin — on dit qu'au Guatemala...

— La guerre...

— Qui est le contraire de la paix... Nous avons déjà les drames de la terre, ceux de l'amour, qui sont de partout et de tous les temps. Poursuivons. Mettons un peu de clarté dans les choses. Nous aimons les idées claires, aujourd'hui. Comment va cette roue des faits divers, comptons le nombre de ses dents. Il est limité. C'est la roue d'un moulin très monotone qui broie toujours la même farine. Voilà cette petite fille qui se tue parce que son fiancé n'est pas venu au rendez-vous. Passons. Or, ce ne sont là que les exemples d'un jour. Mais supposez, monsieur, que nous poursuivions la recherche. Nous arriverions bientôt au bout. Nous verrions bientôt que tout se recommence toujours en effet selon le mouvement d'une roue. Et voilà mon idée. C'est un éternel retour.

— C'est bien triste, monsieur !

— Assurément. Mais d'un excellent rapport ! Ne nous inquiétons pas ! Surtout que c'est aujourd'hui dimanche, et qu'il fait un grand soleil d'été. La terre, la ville. La guerre. La paix. Les âges. L'enfance. L'âge mûr. La vieillesse. Je m'emballe. Les sept péchés capitaux — quoi ! L'orgueil, l'avarice, la luxure, l'envie, en voilà quatre : quels sont les autres ? —, l'individu et la société. Les passions. Mettez tout cela en fiches. Tous les moyens sont bons, et rien ne doit se juger qu'au résultat. Attention ! Méfiez-vous de l'inspiration nerveuse, qui peut être brillante, mais où l'on s'épuise, et qui trop souvent engendre le désordre. Il faut croire davantage au travail. Au travail, monsieur ! Faites-moi un bon scénario. Préparez-moi la toile de fond de ce feuilleton. Les situations sont toujours les mêmes, vous dis-je. Il s'agit de les inventorier, d'inventer des personnages en qui vous les incarnerez. N'est-ce pas là une bonne idée ? Ne vous flatte-t-elle point ? *La Roue* ! Hein ? Qu'est-ce que vous en dites ?

27 juin — L'avare nie son avarice, l'orgueilleux son orgueil, le jaloux sa jalousie. « Moi, avare ? » « Moi, orgueilleux ? » « Moi, jaloux ? » sur un ton indigné.

Souvenir du jeune abbé que je vis un matin à Roscoff lisant son bréviaire, tout seul, en marchant sur la jetée, la mer derrière et devant lui partout. Aube. Et les rochers noirs assaillis d'embruns.

Et les moines ? Le père Alexis[1] ? (Boquen. L'image très moyenâgeuse, en arrivant, du petit frère qui taille la pierre (autour, les ronces et les ruines). Et l'âne à côté. Vitrail.)

« L'escroc de Saint-Germain-des-Prés vendait aux candidats de faux sujets du baccalauréat. »

4 juillet — Il y aura vingt ans cette année dans quelques mois qu'éclatait l'insurrection des Asturies. Ce qui s'est passé depuis dans le monde (à propos, on vient de signer hier la paix en Indochine) n'a pas fait oublier l'héroïsme de cette « commune » ni la cruauté de la répression qui suivit son écrasement. Les progrès de la science sont immenses et rapides, chacun sait aujourd'hui comment est fait un hélicoptère, et de quelles performances ces appareils sont capables. Mais combien d'hommes auront appris l'existence de ces engins en lisant dans les journaux d'il y aura cette année vingt ans qu'ils servirent alors à pourchasser les derniers mineurs asturiens qui poursuivaient cette lutte inégale et qui, avec leurs femmes et leurs enfants, se retiraient dans la montagne ? Nous avons vu bien mieux depuis, les progrès de la science étant de plus en plus tendus et rapides, accompagnant toujours au plus près le mouvement

---

1. Dans le tome I des *Carnets* (année 1938, p. 212), Louis Guilloux évoque une rencontre, à Boquen, avec le père Alexis.

que l'on dit accéléré de l'histoire, répondant à la frénésie dont
il semble bien que les hommes soient pris, comme s'il ne
s'agissait plus pour eux que d'emporter dans l'abîme où ils
chavirent le plus de trésors possible. Grâce aux hélicoptères, il
était facile de survoler les coins les plus reculés de la montagne
et d'y repérer à coup sûr ce que les généraux appelaient les
derniers foyers de résistance, même si ces foyers méritaient
surtout leur nom par la présence des femmes et des enfants. Et
de les écraser à coups de bombes. Ces révoltés n'étaient-ils
point de grands coupables puisqu'ils n'acceptaient pas leur
sort ? Bois ou va-t'en, c'est la loi de la table. Comme ils refusaient la coupe, ils méritaient la mort. Du reste, n'avaient-ils
pas, dans Oviedo, incendié la cathédrale ? Ces flammes sacrilè-
ges, projetant sur l'avenir une lueur affreuse, relayant le reflet
des flammes à peine éteintes de l'incendie du Reichstag, servaient de justification à ceux qui, dès ici-bas, se disent en droit
d'exercer la justice de Dieu. Vingt ans ! C'est le temps qu'il faut
pour faire, du garçon qui vient de naître, l'époux de cette fille
née le même jour que lui à l'autre bout du village. La noce
aura lieu après la moisson. Au cours des vingt ans qu'il aura
fallu pour faire de ces deux enfants ce qu'ils sont devenus
aujourd'hui, les pères auront patiemment travaillé leur petit
bien. Ils auront redressé un mur, réparé un toit, bâti un nouvel appentis, acheté quelque machine. En vingt ans, on fait
bien des choses, pourvu que l'on ait, près de soi, une bonne
femme. Quand on a vingt ans devant soi, on peut voir, entreprendre, organiser l'avenir, réfléchir, mesurer son pas et peut-
être même éviter le malheur. Mais les hommes se laissent
entraîner dans leur course comme s'ils avaient le diable à leurs
trousses. Pourquoi ne se donnent-ils pas vingt ans ? Les hommes : l'humanité. Ces banales pensées étaient peut-être celles
d'un homme qui, à Paris, un soir, il y aura vingt ans de cela au
mois de novembre prochain, semblait fort occupé à réfléchir,
tout seul, dans le salon de l'appartement qu'il occupait avec
son fils dans un vieil immeuble du quai Malaquais. Selon une
habitude qui devait être chez lui fort ancienne, il se promenait

à travers le salon où, seule, était allumée une petite lampe,
comme une veilleuse, posée sur le rebord d'une table, près d'un
livre ouvert. A quoi songeait cet homme ? Etait-il occupé de ce
qu'il venait de lire dans ce livre, que, du reste, et d'un geste
assez dédaigneux, il referma en passant près de la table ?
Avait-il en tête quelqu'une de ces banales pensées ? Songeait-il
aux nouvelles qu'il avait peut-être lues dans le journal du soir
— et elles n'étaient pas bien fameuses ? La rumeur du quai
parvenait à peine jusqu'à lui. La faible lueur qui brillait dans
le salon éclairait sa haute silhouette. Il n'avait pas un regard
pour les livres et les objets qui l'entouraient : des bibelots,
quelques toiles, et, bien que de temps en temps il s'arrêtât pour
prêter l'oreille, il semblait n'attendre personne. De temps en
temps ses mains croisées derrière son dos avaient une contrac-
tion nerveuse. Peut-être n'était-il occupé que d'une vieille douleur. Cet homme n'était plus très jeune — il n'était pas non
plus très vieux ; apparemment à la lueur indécise de la petite
lampe, on pouvait lui donner une cinquantaine d'années. Et
puisque nous en sommes à parler du temps et des âges, s'il
était vrai que cet homme solitaire et plongé dans des réflexions
atteignait la cinquantième année de son âge, il y aura bientôt
vingt ans, il sort de là qu'il était né en 1884, année dont nous
ignorons tout provisoirement — mais, s'il y a lieu, nous pourrons fouiller les archives —, qu'il avait vingt ans en 1904 et
trente en 1914, trente-quatre en novembre 1918 (le 11) à l'Armistice, et par conséquent, tout juste cinquante ans, en effet,
vingt ans plus tard. (Début possible pour *les Batailles perdues.*)

23 juillet — L'autre dimanche assis avec Gaston à la terrasse d'un café au rond-point des Champs-Elysées, à la fin de la
journée, j'observais le dédain avec lequel Gaston regardait les
vieux fiacres que l'on trouve encore là : quatre ou cinq, alignés
le long du trottoir ; ils n'étaient ni très beaux, ni très neufs,
certains même paraissaient bien fatigués.

— Ces fiacres n'ont aucun rapport avec ceux que j'ai connus

autrefois, ce ne sont plus là que de tristes déchets à peine pittoresques et réservés aux seuls touristes. Je ne voudrais m'en servir pour rien au monde. Ils sont d'ailleurs bien sales. Et regardez-moi ces chevaux comme ils sont maigres !

Ce n'était pas vrai du tout. Les chevaux n'étaient pas maigres. Autant que je pouvais m'en rendre compte, ces chevaux au contraire étaient de bons chevaux bien soignés. L'un d'eux portait sur la tête une aigrette multicolore. On lui en avait fiché une aussi sur le dos, comme un petit plumet blanc et vert, très gai dans la lumière de sept heures du soir. Lumière toute baignée de reflets vert pâle, qu'on aurait dit humides, qui venaient des frondaisons.

— Mais, Gaston...

— Comment ! Vous n'y pensez pas ! Parlez-moi des landaus qui vers 1910 remontaient les Champs-Elysées. Les femmes avaient très belle allure là-dedans, le landau se prêtait à des poses bien charmantes. Elles portaient des capelines. Leurs grandes jupes traînaient jusque sur le marchepied. Tenez : j'ai eu moi-même une petite voiture et un poney...

C'est dans cette voiture qu'il remontait les Champs-Elysées dans l'espoir de rencontrer la voiture de la femme dont il était amoureux. Ou d'aller la rejoindre au Bois, dans un café à la mode, et boire auprès d'elle une orangeade.

— Ne me parlez pas de ces fiacres... Les fiacres d'autrefois oui... Tenez : à quatorze ans, j'étais amoureux. Au printemps, les propriétaires de fiacres procédaient à la remonte. Ils mettaient en service de jeunes chevaux qui parfois s'emballaient. Je passais beaucoup de temps à ma fenêtre. Je rêvais que la jeune fille que j'aimais était montée dans un fiacre auquel on avait justement attelé l'un de ces jeunes chevaux et que ce jeune cheval s'emballait... Alors...

— Vous la sauviez ?

— Voilà !...

Au coin de la rue des Saints-Pères et du boulevard Saint-Germain une année, par une nuit d'été et la nuit était déjà fort avancée, j'aperçus dans le petit square de la Charité, assises à bavarder sur un banc, deux vieilles femmes, leurs parapluies ouverts pour se protéger des rayons de la lune.

Samedi 24 juillet — Dînant ce soir, avec Gaston, à la Régence, je vis entrer un grand jeune homme qui avait l'air d'un acteur. Le jeune homme est venu saluer Gaston. Ils ont échangé quelques paroles de politesse. Cet échange a d'ailleurs été fort bref. En quittant Gaston, le jeune homme est allé rejoindre un ami à une table et ils ont commencé leur repas tandis que nous achevions le nôtre.

— Vous savez qui c'était ? me dit Gaston. Michel Romanov. Celui qui devrait être aujourd'hui l'Empereur de toutes les Russies.

Avant la venue de Michel Romanov, l'Empereur, je m'étais mis à raconter à Gaston ce film sur Tolstoï que j'avais vu dans l'après-midi mais sans avoir reçu de sa part beaucoup d'attention. Il était distrait. Il pensait à la splendide voiture américaine qu'il vient d'acheter et qu'il doit essayer demain avec Odette. Michel Romanov serait de la partie.

— Michel Romanov ! me suis-je récrié. Vous avez de grandes relations, Gaston.

— Oh ! Cela n'a pas d'importance.

— Vous devriez présenter Michel Romanov à Auguste.

— Auguste ? Le concierge ? Pourquoi dites-vous cela ?

— Parce que il y a quelque temps, Auguste, me parlant des hauts personnages qu'il avait connus dans sa carrière comme chef des garçons à *L'Intran*, et comme serviteur personnel de M. Léon Bailby directeur de *L'Intran* et du nouveau président de la République, Auguste m'a dit : « Moi, monsieur, des gens comme ça, je voudrais leur serrer la main ! » Ne trouvez-vous pas, Gaston, que voilà un homme qui sait parler selon son cœur !

Un peu plus tard Gaston s'est mis à m'expliquer comment il faut s'y prendre pour réussir dans le métier d'auteur, la première condition étant de renoncer à la littérature. Cela était

dit, ma foi, d'un ton sincère et convaincant. J'ajoute : avec une
très grande clarté, et en termes aussi brefs que ceux d'une
ordonnance de médecin. Il faut, dit-il, écrire pour la midinette
et pour le garçon coiffeur, fuir les idées, redouter comme la
peste l'autobiographie, en un mot, avoir de l'imagination, de
manière à plaire au grand public.

Cela sentait le marchand qu'il est et qu'il n'est pas, le viveur
qui très tôt a réglé sa philosophie sur le boulevard de la Belle
Epoque. Je n'avais pas la moindre envie de le contredire. J'aurais pu appeler à mon secours les grandes ombres qui hantent
ce lieu mais quoi... Le dîner s'acheva. Gaston, avant de partir,
alla saluer Michel Romanov. J'allai l'attendre dehors. Nous
fîmes quelques pas ensemble pour aller jusqu'à sa voiture.
J'aime cette place du Palais-Royal. Il était encore d'assez bonne
heure, c'était samedi, on venait d'allumer les lampadaires. La
place n'était pas trop bruyante. Je regrettai qu'on n'eût pas
ouvert les beaux jets d'eau de la fontaine, que la dernière fois
où j'étais venu là, je ne me lassais pas d'admirer. Le jeu des
lumières à travers l'eau pulvérisée m'enchantait. Ce soir, il n'y
avait pas de fontaine. Mais la soirée était fort douce, l'avenue
de l'Opéra toute bleue, vaste et belle, quasiment vide. Si Gaston
me proposait de me ramener en voiture, je refuserais doucement, en lui avouant mon envie de faire une petite promenade
à pied. Mais Gaston me prenant par le bras tandis que nous
marchions le long du trottoir se mit à me parler de Sacha
Guitry. « Voilà un homme qui a réussi ! Voilà un homme qui a
toujours su tirer de la vie tout le bonheur qu'elle peut donner.
Pourquoi ? Parce qu'il a *l'instinct* du public. »

L'instinct ! Gaston insistait beaucoup sur ce mot. Rien à faire sans l'instinct. « Son dernier film *Si Versailles m'était conté*
enthousiasme les foules. Pourquoi ? Parce qu'il y fait descendre le grand escalier par Louis XIV et Clemenceau. Le public
est ému... Et Sacha Guitry gagne beaucoup d'argent... Il a toutes les maîtresses qu'il veut et il en change aussi souvent qu'il
lui plaît. Il donne des réceptions, des dîners, des fêtes, tout
comme un prince. Et il offre des bijoux aux femmes... Voilà

l'exemple à suivre. Seuls la puissance et l'argent sont envia-
bles, puisque seul cela permet une vie fastueuse. Il faut donc
tout faire pour y atteindre, la vie ne valant rien sans la puissance et sans l'argent, et gagner de l'argent étant à la portée de
tout homme qui en a pris la résolution... »

Gaston oubliait qu'il y a peu il me parlait d'un des hommes
les plus riches parmi les producteurs de cinéma, cet homme
possède et remue des millions comme les enfants remuent le
sable au jardin, il habite un tout petit appartement, n'a besoin
de rien, ne fume pas, ne boit pas, vit d'un croissant, travaille
douze et quinze heures par jour : un ascète et peut-être un
saint. Pourquoi vit-il ainsi ? Par amour de l'argent.

Gaston ne m'a pas offert de me raccompagner, il ne le pouvait, me dit-il, ayant encore à faire avant de rentrer. Nous
nous sommes quittés les meilleurs amis du monde, et, comme
j'en avais l'intention, je m'en suis revenu rue de l'Université
par les guichets du Louvre, la place du Carrousel et le Pont-
Royal, en m'arrêtant une fois de plus sur le pont devant l'admirable spectacle du côté de Notre-Dame et de l'île Saint-
Louis. Il était un peu plus de neuf heures. Quelle belle et douce
soirée ! Le soleil se couchait vers le Grand Palais et Suresnes.
Voilà qu'il me semblait que je venais de vivre une scène des
Illusions perdues. Une phrase de Balzac me revenait en mémoire : « *La puissance du calcul au milieu des complications de la
vie est le sceau des grandes volontés, que les poètes, les gens
faibles ou purement spirituels ne contrefont jamais.* »

Et dire que si je meurs de la rage, ce sera pour avoir été mordu
par un chien ! C'est ce qui m'est arrivé aujourd'hui en allant voir
le film sur Tolstoï. Un jeune chien noir m'a sauté aux chausses
comme je passais avec Petit[1] tout près de l'avenue de Messine. Il
m'a bel et bien mordu. Douillet comme je le suis, je m'en suis allé
chez le pharmacien qui m'a pansé et appris que la rage avait
disparu de Paris depuis qu'il n'y a plus de chevaux...

1. Henri Petit.

Journal du parasite :

C'est un bruit de papier froissé qui m'a réveillé. J'ai cru qu'on avait glissé une lettre sous ma porte et je me suis penché mais je n'ai rien vu. Du reste, c'était bien bête de ma part. On ne glisse jamais rien sous ma porte, sauf Fernande, la femme de chambre, qui connaissant ce qu'elle appelle mon peu de tête, use parfois de ce moyen pour me rappeler que j'ai à préparer mon paquet de linge sale et à le lui remettre avant midi, mais c'est très rare, et quand elle le fait c'est toujours un vendredi. Aujourd'hui c'est samedi. La maison est presque vide.

Quant à Auguste, le concierge, il y a beau temps déjà qu'il ne me monte plus mon courrier. Il ne me monterait même pas un télégramme. Il garde le courrier dans sa loge, sur un coin de sa cheminée où je le trouve par hasard. Auguste a tout de suite compris à quoi s'en tenir, en ce qui me concerne...

Ne voyant rien sous ma porte j'ai éteint et refermé les yeux. J'aurais bien voulu me rendormir. J'ai essayé. Ça n'a pas marché. Je me suis dit que si je me mettais à lire, je m'endormirais peut-être, et j'ai été tenté de rallumer, mais je ne l'ai pas fait, et j'ai attendu. Je me suis demandé quel temps il faisait ? Pour le savoir, il aurait fallu se lever, ouvrir la fenêtre et relever le store que je baisse toujours le soir avant d'aller au lit, même en hiver, mais je n'avais pas envie de bouger. J'étais bien. Ma chambre a le très grand avantage d'être chauffée. Cela explique pas mal de choses, si on veut. En tout cas, c'est un sujet de réflexion, parmi d'autres. Je n'en manque pas.

Avec la fenêtre fermée et le store baissé, il faisait complètement nuit. D'habitude, je me lève toujours aussitôt réveillé. Je me lave, je me rase, et je descends au bistrot prendre un café et manger un croissant. Ce sont là mes premières occupations de la journée. Ensuite, je laisse venir.

Ce matin, mal réveillé, je me suis senti de médiocre humeur, ce qui ne m'est pas habituel. Je me réveille en général assez content. Ce n'est pas que j'aie tant de raisons de l'être. Je mets cela, plutôt, sur le compte de la santé. La mienne n'est pas trop mauvaise, jusqu'à présent.

J'ai tout de suite vu que cette humeur médiocre durerait toute la journée. Cela ne m'a guère encouragé. J'ai fait différentes réflexions sur mon cas. Elles ne m'étaient pas bien nouvelles. Envoyons tout promener, me suis-je dit, puis je me suis demandé si j'irais prendre mon café sans m'être rasé, et je me raserais ensuite, ou si, faisant preuve de courage... Je déteste me raser après déjeuner et il n'y a guère d'exemple, jusqu'à présent, que je sois sorti de ma chambre avant de m'être fait la barbe.

J'ai encore regardé ma montre. J'ai vu qu'il s'était écoulé déjà un bon quart d'heure, mais je n'avais rien d'urgent à faire, et je n'ai pas bougé. Je me suis dit que tout cela n'avait rien de bon et que je voulais changer. Cela ne m'a pas fait bouger non plus. Là-dessus, l'envie de fumer est venue. Or, je ne fume jamais à jeun, ni au lit. Il allait falloir se lever. J'allais m'y résoudre quand, de nouveau, j'ai entendu le même bruit de papier froissé, et j'ai aussitôt allumé. Aussitôt le bruit a cessé. Rien sous la porte. Aucun bruit de pas dans le couloir. J'ai éteint et je n'ai plus bougé. Je me suis même appliqué à bouger le moins possible et à retenir mon souffle. Une minute ou deux se sont écoulées ainsi dans le plus parfait silence, et, pour la troisième fois, j'ai entendu le même bruit : aucun doute, cela venait de ma corbeille à papier. On aurait dit que quelqu'un y fouillait bien tranquille.

Elle était pleine à déborder. Il y avait bien huit jours que je ne l'avais pas vidée. Huit jours ! On verra là une belle preuve de négligence, et même de laisser-aller. Bien sûr. Mais je ferai remarquer que ce n'est pas à moi à vider cette corbeille. C'est le travail d'Auguste. Il ne refuse pas de le faire, rendons-lui cette justice, mais il ne le fait pas. Si je lui dis : « Auguste, j'ai posé ma corbeille près de ma porte, vous seriez gentil de la vider » — il me répond : « Oui, Monsieur, je le fais tout de suite. » Mais quand je reviens dans ma mansarde, je retrouve ma corbeille dans le couloir là où je l'avais posée. Il arrive qu'elle y passe toute la journée. Le soir je la rentre, pour que les gens n'aillent pas s'y cogner la nuit, et j'attends le dimanche. Ce jour-là en effet il n'y a personne dans la maison et il m'est très facile alors d'aller moi-même vider ma corbeille sans risquer la moindre rencontre en descendant le grand escalier. C'est ce que je ferai demain.

J'ai allumé. Le bruit a cessé. J'ai pris un livre à mon chevet et je l'ai jeté à travers la chambre en visant la corbeille. J'ai raté mon coup, mais de la corbeille il est sorti une petite souris. Tiens ! Je m'en étais un peu douté.

La souris a filé, je n'ai pas vu où. J'ai seulement eu le temps de me rendre compte qu'elle était grise. J'ai encore pensé qu'il fallait faire quelque chose mais je n'ai pas bougé et j'ai même éteint pour la troisième ou quatrième fois, je ne le sais plus au juste, mais la petite souris n'est pas revenue. Elle devait grelotter de peur dans un coin.

Un autre, à ma place, eût tout de suite pensé à se procurer du blé empoisonné, ou l'un de ces pièges à la mode ancienne que l'on nomme je crois des « tapettes ». On place un morceau de lard sur une planchette, au bout d'un fil, lequel en se rompant déclenche un ressort — et voilà la pauvre bestiole coincée dans le trébuchet. C'est mieux que le blé empoisonné.

Un autre : c'est qu'en effet, je suis le meilleur des hommes, comme tout le monde. L'idée de tendre un piège à la souris ne m'a même pas effleuré. Il est vrai que j'ai toujours été contre la torture, et la peine de mort. Je me suis mis à réfléchir là-dessus, comme on dit, mais ça m'a vite ennuyé. J'étais contre, cela devait me suffire. Pourtant, si au lieu d'une souris c'eût été un rat...

La découverte que mon principe n'était pas aussi absolu que je l'avais cru m'a donné du malaise, et ma mauvaise humeur s'est augmentée. J'ai pensé à mes vêtements entassés dans le placard. Tout de même ! Au point où j'en suis, je ne puis permettre qu'une souris me ronge mes derniers habits...

25 juillet 54 — Hier samedi, vers les quatre heures de l'après-midi, Gaston, que je rencontrai dans la cour du 17,

m'invita à prendre un café avec lui au bar du Pont-Royal. Gaston me parut moins triste que d'habitude. Il se plaignait moins, se disait presque résigné. Il me parla de la bonne façon de faire des romans, me répéta ce qu'il m'avait déjà dit souvent, à savoir qu'il ne faut jamais revenir en arrière, que tout doit être en devenir, et qu'il faut songer au public.

— Je ne vois pas pourquoi un romancier n'agirait pas comme un architecte ou comme un constructeur d'automobiles. Le souci d'un architecte est de construire une maison plaisante dans laquelle on puisse habiter et celui d'un constructeur d'automobiles, de fabriquer une voiture dans laquelle on puisse s'installer commodément et qui roule bien.

Puis, il se mit à me parler de sa jeunesse, du temps où il était secrétaire de Robert de Flers, où il écrivait dans *Le Figaro* des chroniques théâtrales signées « le moucheur de chandelles », des soirées chez Larue, où, vers une heure du matin, arrivait Proust, qu'il connut là, sans jamais se douter, pas plus que personne, que Proust écrivît quoi que ce soit. L'hostilité, l'incompréhension entre le Boulevard et la Rive Gauche étaient très fortes.

Il reparle du Boulevard, du théâtre, des hommes qu'il a connus dans sa jeunesse « et on dira ce qu'on voudra mais une pièce du Boulevard a bien souvent le mérite au moins d'être construite selon les règles du métier, ce qui n'est pas toujours vrai d'une pièce d'art. Elle est faite pour les autres ». (Il y a quelque temps, au cours d'une conversation sur les mêmes sujets, il m'avait dit : « Une pièce est faite pour ce qui se passe dans les entractes. »)

Je ne sais plus comment il en est venu à me parler de Renoir, et d'Eugène Carrière.

— Il est bien oublié aujourd'hui, Carrière ; c'était pourtant un très bon peintre et un homme charmant. Il venait beaucoup à la maison. Il nous amenait, mes frères et moi, près de la fenêtre, et dessinait au pinceau des croquis des passants, qui nous enchantaient. Et savez-vous pourquoi sa peinture n'est faite que de tableaux de famille, maternités, etc. ? Sa femme, jalouse, ne lui a jamais permis un modèle. Il est mort d'un cancer à la gorge.

À propos de Renoir : « Il aimait la beauté des femmes et peignait sans chercher à renouveler la technique. »

De la fin de la conversation, deux mots de Fargue sur Gide. Fargue disait de Gide : « C'est une poignée d'eau », et encore : « Il se jetterait par la fenêtre, il ne tomberait pas. »

Si la femme de Carrière interdisait le modèle à son mari, celle du docteur L... écoutait l'oreille collée à la porte du cabinet de consultation à chaque fois que le docteur devait examiner une patiente.

Les hommes ont des idées confuses, les citoyens des idées claires, les chefs de parti des buts précis.

À Venise, la Pensione dei Dogi où je logeai pendant quelque temps était tenue par deux vieilles femmes, les tantes, et leur nièce. Pour plus de commodité, la nièce m'avait donné une clé, ce qui me permettait de rentrer à mon heure sans déranger personne.

Un matin, la nièce me dit :

— Signore, je vous donnerai une amende, fit-elle, en secouant son long doigt, devant son long nez.

Elle était à demi courbée en haut de l'escalier.

— Et pourquoi cela, Signorina ?

— À cause du loquet, que vous oubliez de pousser, répondit la nièce en souriant.

Elle ne savait plus que faire de son doigt.

— C'est que, dis-je, s'il rentre quelqu'un après moi ?

— Cela ne fait rien. Vous êtes toujours le dernier.

Alors, je pouvais bien pousser le loquet de la petite porte vitrée.

— Mais aussi, vous laissez la porte entrouverte, et il vient de l'air.

— Très juste.

— Et il fait froid, dit la nepota.

Très juste aussi. Sale temps humide. Un temps à grippe.
Oui : très juste. Mais à la réflexion, cette petite porte-là faisait
beaucoup de bruit quand on la refermait. Les gongs ont une
manière si désagréable de grincer.

— Vous ne trouvez pas ?

— Je sais. Il faudrait un peu d'huile.

— Voilà !

— Mais il n'est pas mauvais non plus que la porte fasse du
bruit.

— Tiens ! Et pourquoi cela ?

— À cause des voleurs, répondit-elle, avec un sourire de fine
mouche.

— Mais Venise est la ville la plus tranquille du monde ! Est-
ce qu'il y a des voleurs à Venise ?

La nièce leva les bras au ciel.

— Magari ! L'autre jour encore, pas très loin d'ici, en pleine
matinée...

— Bene. Je pousserai le loquet.

— Molto bene. Grazie mille, professore.

— Posta niente ?

— Niente posta.

... Une vieille grosse dame aux cheveux roux couleur de
rouille arrive en fumant sa cigarette. Elle appela :

— Umberto !

Après trois ou quatre appels un petit monsieur — Umberto
— apparut en robe de chambre au-dessus de la rampe du troisième étage.

— Préfères-tu les ravioli ou les spaghetti ?

D'une voix éteinte, Umberto :

— Lo primo.

— Comment ?

— Ravioli !

Il disparut.

... La bonne s'occupait de la chaudière. Et arriva le chat
Parpagnacco.

— Signore... Est-ce vous qui lui avez encore ouvert la fenêtre la nuit dernière ?

25 juillet, dimanche — Après mon habituelle promenade du
matin le long des quais Voltaire et Malaquais, puis par la rue
de Seine jusqu'au carrefour de Buci, je me suis mis au travail.
Vers une heure, je suis allé déjeuner au restaurant des Saints-
Pères au coin de la rue du même nom et du boulevard Saint-
Germain, ensuite je suis rentré rue de l'Université, et je
m'étais remis au travail, quand vers six heures du soir, j'ai
entendu Auguste crier mon nom. Il m'appelait de la cour. Cela
n'arrive jamais. Personne ne vient jamais me voir, pas même
Albert qui est si souvent dans la maison. J'ai pris le temps de
ranger mes affaires avant de descendre. Arrivé dans le hall en
bas, j'ai aperçu à travers la vitre de la porte qui donne sur la
cour, en train de parler avec le gros Auguste, la silhouette d'un
vieux monsieur en costume léger gris blanc, un costume d'été
tout neuf et fort élégant. Ce vieux monsieur avait le crâne un
peu dégarni, mais pas chauve. « Qui est-ce ? » me suis-je
demandé. Et que me veut-on ? Auguste, qui, vu l'heure avancée
du jour, devait en être à sa dixième bouteille de gros rouge, se
tenait pourtant tout droit, les jambes un peu écartées pour
mieux soutenir son important bedon ; il m'apparaissait comme
une image parfaitement réussie du concierge né dans Balzac et
revu par Daumier. Il n'avait pas fait toilette. Il portait comme
en semaine sa longue blouse grise, et, sur sa grosse tête, son
béret basque. Sa trogne vermeille, bleue par endroits, d'une
grosse peau de crapaud, souriait d'une oreille à l'autre. Il
tenait dans ses mains quelques livres et papiers que le vieux
monsieur venait de lui remettre, lequel vieux monsieur en
m'entendant arriver se retourna : c'était Gaston ! Il descendait
de sa très belle voiture toute neuve, la Studebaker qui était là
dans la cour. Il venait de l'essayer avec Odette comme il
m'avait dit la veille qu'il le ferait aujourd'hui. Avec un sourire
très charmant il me demanda ce que je faisais le soir, et si je
voulais de lui pour aller boire un verre au Rond-Point des

Champs-Élysées et dîner ensuite au Berkeley ? Oui bien sûr !
Mais d'abord, comme il était de bonne heure, il voulait monter
avec moi un instant dans son bureau où, me dit-il, il avait des
papiers à voir. Une fois dans son bureau, je vis qu'il s'agissait
surtout de fumer un cigare, et de me raconter la promenade
qu'il venait de faire jusqu'à Jouy pour essayer sa nouvelle voiture.

La veille même, ou l'avant-veille, avait eu lieu un petit cocktail en l'honneur d'un prix littéraire. Il était resté de ce cocktail une gerbe splendide de fleurs qu'on avait montée dans le
bureau de Gaston. Cette gerbe était posée sur une table, dans
un très beau et grand vase de cristal, et, tout en me parlant de
la promenade en voiture, de la conversation qu'il avait eue
avec Michel Romanov sur l'expansion du bolchevisme dans le
monde, il ne cessait de regarder de temps en temps ces fleurs.
Il finit par me dire qu'elles seraient mieux dans le bureau voisin, par exemple sur celui de Brice Parain ? « Vous ne croyez
pas ? Je vais les y porter... » Quel spectacle que celui de Gaston
prenant dans ses bras cette immense gerbe, débordant largement de ce grand vase plein d'eau et par conséquent très lourd,
pour la transporter à travers son vaste bureau, dans le bureau
voisin et la poser sur la table de Brice ! Il fléchissait un peu sur
ses jambes. C'était bien touchant. C'était pour cela qu'il avait
voulu monter dans son bureau. Cher Gaston ! Aussitôt la question des fleurs réglée, nous sommes partis pour le Rond-Point
des Champs-Élysées, en taxi.

... En dînant, il m'a raconté la manière dont il s'embusqua
dès 1914 et tout ce qu'il fit d'extraordinaire, et à certains
égards de comique, pour échapper à l'« impôt du sang ».

Mercredi 28 juillet — Soirée chez Mme Lily Powel, à Boulogne, à laquelle je me suis rendu par l'insistance de Mme Lily
Powel elle-même, rencontrée par hasard quelques jours plus
tôt en compagnie de Dominique Rolin et de Bernard Milleret,
et qui m'avait touché bien avant que j'en eusse appris les raisons, par quelque chose d'extrêmement douloureux en elle.

Comme je n'en finirais jamais si je me mettais à raconter toutes les histoires qui se greffent les unes sur les autres, autant
dire tout de suite que le cas de Mme Lily Powel est celui d'une
femme encore jeune et riche, mais vivant entre un vieux mari
ivrogne et une petite fille idiote, laquelle petite fille il s'agit
pour le moment d'emmener à Vienne chez les grands psycha-
nalystes. Cette femme se faisait beaucoup de souci à l'idée
d'abandonner son mari ivrogne pendant qu'elle irait à Vienne.
C'est ce qu'elle dit devant moi et les Milleret, pendant cette
soirée mondaine où il y avait bien une quinzaine de personnes.
Par certains côtés, cette soirée avait quelque chose de dos-
toïevskien (mineur) et de n'importe quel Maupassant.

Donc, mercredi dernier 28 juillet 54, je suis allé à Neuilly-
Plaisance, où j'étais invité par l'abbé Pierre à participer à une
réunion des compagnons d'Emmaüs. Ces réunions, qui ont lieu
une fois par mois, s'appellent, si j'ai bien compris, des « frater-
nités ». Elles impliquent un déjeuner en commun. La veille,
j'avais vu l'abbé (le Père) à ses nouveaux établissements de la
rue des Bourdonnais, tout près du Châtelet. Il y avait déjà plusieurs jours qu'il m'avait fait dire par Mary Lloyd qu'il désirait me voir.
   Rue des Bourdonnais, j'ai pu me rendre compte de l'importance qu'a prise l'« affaire » dont les services occupent un vaste
immeuble de trois étages. J'ai vu là une foule de militants,
d'employés, de secrétaires, j'ai écouté parler en attendant
d'être reçu, et j'ai recueilli des propos qui ne laissent aucun
doute sur l'attachement que son entourage porte au Père.
D'après ce qu'on m'avait dit, je m'attendais à trouver un homme exténué, mais quand je l'ai vu je me suis aussitôt rendu
compte que j'avais affaire à un homme surmené sans doute,
mais vigoureux, et souriant. Le Père est un homme de taille
moyenne, mince et nerveux ; il porte, par-dessus sa soutane,
une sorte de canadienne beige, serrée à la taille par une ceinture de cuir. Son visage est long, assez coloré, ses cheveux
noirs et courts ; son nez un peu long, un peu rouge. Il porte

une barbe noire, courte et frisée, il a de très mauvaises dents. Des yeux, noirs, très beaux, son regard chaud et profond ; sa parole parfois assez lente, sauf s'il parle en public comme il l'a fait mercredi dernier à la fin de la réunion. Il donne l'impression de ne pas prendre trop de soins ni de sa personne ni de ses vêtements. Le temps lui manque sans doute pour bien des choses qui ne concernent que lui.

La première fois que je l'avais vu, j'avais été frappé surtout par son regard, par la façon dont ce regard s'absentait. C'était le regard d'un homme qui a un « ailleurs ». Tout en répondant aux gens qui venaient le trouver et lui posaient toutes sortes de questions, bien qu'à tout moment il fût interrompu soit par le téléphone soit par l'arrivée de responsables qui tous avaient des problèmes urgents à lui soumettre, il ne montrait à aucun moment la moindre impatience. La manière dont il était à l'instant même entièrement présent à toute chose qui survenait, avait fait mon admiration. Il fut question ce jour-là d'une certaine poupée. Tandis que nous parlions ensemble, quelqu'un survint, disant que les choses allaient assez mal avec un des malheureux récemment recueilli à cause d'une poupée, qui était perdue ou qu'on lui avait volée. L'homme, veuf, séparé ou abandonné, seul, avait été trouvé sur un banc, tenant une poupée qui avait appartenu à sa petite fille, elle-même disparue, on ne savait où ni comment. Il s'était laissé emmener au refuge, mais il ne s'était pas séparé de la poupée qu'il gardait jalousement avec lui. Et voilà que la poupée lui avait été enlevée, ou qu'il l'avait perdue, et il s'était remis à boire. Or, il avait l'ivresse mauvaise. Dès qu'il avait bu deux ou trois verres de vin rouge, il devenait très désagréable et même dangereux. Et la question se posait de savoir si on le garderait ou si on le renverrait à la rue. Du moins telle était la question que posait au Père le jeune chef de chantier qui venait d'entrer. À quoi le Père répondit qu'on ne devait pas le renvoyer, qu'il le verrait et lui parlerait lui-même, qu'on devait le garder, et qu'il fallait réfléchir, savoir si on ne devait pas acheter une autre poupée, tout en sachant que ce ne serait pas *sa* poupée, et que par là on

ne ferait peut-être qu'aggraver les choses, mais on ne devait
rien brusquer. Il fallait veiller et attendre. Il ne pouvait être
question de lui expliquer quoi que ce soit, de chercher à le
convaincre de quoi que ce soit, de le raisonner, mais de « veiller ». Je me souvenais, en l'écoutant, de ce que m'avait rapporté le photographe du *Figaro* qui avait assisté aux premières
entreprises du Père sur les berges auprès des clochards. Il ne
cherchait jamais à les convaincre. Il ne leur expliquait rien. Il
ne leur parlait pas de l'Évangile. « Ne leur parlez jamais
d'idées : les idées sont pires que l'alcool. » N'était-ce pas là ce
qu'il avait dit à ce photographe qui avait beaucoup vu l'abbé au
cours du terrible hiver dernier, et qui avait beaucoup admiré
la manière dont il s'y prenait avec les clochards, sans jamais
leur faire le moindre discours : « Mais voyons, vous n'allez pas
rester là. Il fait trop froid. Vous allez venir avec nous manger
la soupe », leur disait-il. Et ils le suivaient. En attendant l'heure d'aller à mon rendez-vous, rue des Bourdonnais, j'étais assis
place Dauphine en compagnie de ce reporter qui me parlait de
l'abbé. Il en vint à me dire qu'il était pour le moment occupé à
faire une enquête sur les écrivains qui passent leurs vacances à
Paris. Il était quatre heures de l'après-midi. Mon rendez-vous
avec l'abbé Pierre était à six heures. Ce reporter aimait son
métier, bien que, me dit-il, il y éprouvât parfois d'assez vives
déconvenues. Et il me cita le cas d'une enquête dont on l'avait
récemment chargé : « Ce que nous voudrions ne plus voir en
France » — sujet qui de prime abord l'avait fort excité. Il
s'était mis au travail, et le premier spectacle qu'il avait vu dans
la rue, parfaitement bien fait, à son avis, pour l'enquête qu'on
lui demandait, avait été celui d'un homme tirant une voiture à
bras. Cela lui était apparu comme un scandale, et une absurdité, comme un anachronisme. Comment était-il possible que
des hommes fissent encore des travaux qui n'avaient jusqu'à
présent été réservés qu'aux bêtes ? Il avait pris sa photo. Elle
avait été refusée par son rédacteur en chef. Ce n'était pas cela
qu'on lui demandait. Il avait sûrement mal compris.

... Place Dauphine. Le cœur de l'après-midi. Grand soleil.

Clochards. L'un d'eux, de tout son long étendu sur un banc dort, un litre de vin rouge près de sa tête. Il se réveillera tout à l'heure pour redécouvrir son épouvantable condition, et son épouvantable liberté. Les quatre points cardinaux seront à lui, que ferait-il de ce bien sublime ? Il en sera sans doute épouvanté. Où ira-t-il ? Avec qui ? Les autres clochards, trois ou quatre, disséminés sur les divers bancs de la place ne semblent pas entretenir entre eux de grands rapports. Ils s'ignorent. C'est la solitude, la séparation dans la séparation. La plus légère conscience qui peut leur rester nous fait frémir. Elle est le désespoir, alors que nous possédons au moins l'espérance, elle est une défaite absolue, sans la moindre lumière, alors que nous, même si nous nous sentons battus, nous continuons à lutter, à croire à une victoire toujours possible, sentiment qui à lui seul suffit à nous maintenir debout. Mais eux ? Il faut croire que le sentiment de la misère des autres était encore bien léger, puisque je pus aussi facilement quitter ce lieu, et monter dans la voiture de mon compagnon sans que j'eusse même pris le temps d'un dernier regard à ces épaves. Qu'y pouvais-je ? Rien. Que de fois ne m'étais-je pas répété les mêmes choses ! Cette conscience légère de la misère d'autrui s'accompagnait d'une conscience non moins légère de mon impuissance à la secourir. Très facile résignation destinée à être suivie d'un fort tranquille oubli. Fallait-il pousser l'abjection jusqu'à se dire, avec tant d'autres, que l'état affreux dans lequel se trouvent ces hommes est de leur faute, et qu'ils ne sont tous que des paresseux, des vicieux, des ivrognes ? Mais enfin, il ne me fallut pas grand temps pour « rentrer en moi-même », c'est-à-dire pour ne me sentir plus préoccupé que de mes propres soucis... Il semble qu'il n'y ait point d'issue ni d'un côté ni de l'autre. Je sais bien, aussi, que l'on peut ajouter que la vie est la vie, qu'elle est dure et brutale, que nous ne sommes pas responsables, que la pitié est un sentiment de faible, et, de plus, une hypocrisie, que la vie non seulement est dure, mais qu'elle est brève, que « cela » ne nous regarde pas, qu'on a autre chose à faire, qu'on n'a pas que « ça » à faire, que les vaincus sont les vaincus et qu'il faut passer outre si l'on ne veut pas subir le même sort qu'eux, que chacun est là pour son propre compte et que la lutte est la loi. Ce sont là des banalités d'autant plus affreuses qu'on sait bien qu'elles ne justifient rien et qu'on n'a même pas besoin de se les dire pour accepter l'inertie. Plût au ciel que notre inertie se justifiât par une philosophie si courte et si cruelle qu'elle soit, plutôt que par l'indifférence ! On laisse dans l'ombre.

Ayant quitté mon compagnon, j'avais encore beaucoup de temps avant de me rendre à mon rendez-vous. Je m'y rendis à pied et tout en marchant, je me mis à penser comment, dans ma jeunesse, j'avais, un matin, fait une rencontre mémorable.

J'avais tout juste un peu plus de vingt ans et je venais d'entrer à *L'Intransigeant* qui avait alors ses bureaux dans le Croissant en haut de la rue Montmartre. J'habitais rue du Val-de-Grâce. Chaque matin, je devais me rendre vers huit heures à *L'Intran* pour dépouiller la presse du jour avant de chercher dans la presse anglo-américaine ce qu'il s'y trouverait de nouveau. Cette promenade du Val-de-Grâce au Croissant me plaisait toujours beaucoup. J'ai toujours aimé marcher. Et j'ai toujours aimé Paris, quelle que soit la saison. Mais au printemps, c'était un pur délice que de se retrouver dehors et, ayant franchi la rue du Val-de-Grâce qui est en effet fort gracieuse, de se retrouver sur le boulevard Saint-Michel, épiant les nuages, épiant les feuilles aux arbres du Luxembourg qui, me semblait-il, n'avaient mis qu'une nuit à paraître. L'air de Paris est léger au cœur. Je prenais toujours tout mon temps ; j'aimais et j'aime toujours cette fraîcheur et cette lumière du matin. Traverser le Luxembourg, rejoindre les quais, franchir le Pont-Neuf : c'était là pour moi une sorte de jubilation. Tout me plaisait, m'enchantait, j'étais amoureux de tout ; tout ce que je voyais était beau, vivant, touchant, gai, je ne connaissais pas ces horribles angoisses que j'ai apprises plus tard, j'étais naïf, peut-être même un peu bête. Quand je songe à ce temps-là, je sais que j'ai été heureux d'un bonheur sur lequel je ne m'inter-

rogeais pas. Après le Pont-Neuf, tout changeait. J'entrais dans
le quartier des Halles qu'il me fallait traverser pour gagner la
rue Montmartre. C'était la presse, la cohue, le bruit et même le
tumulte, le foisonnement, la couleur, la vie exubérante. Le sol
était jonché de toutes sortes de déchets, de débris, d'ordures, et
les porteurs n'étaient pas toujours bien tendres pour qui
encombrait leur chemin. Mais ils étaient joyeux. Je passais par
là presque tous les jours. J'étais jeune et confiant. Pauvre ?
Qu'est-ce que cela pouvait me faire ? J'étais libre, et plein de
projets. Le petit travail qu'il me fallait accomplir à *L'Intran*
n'était rien, il me rapportait assez d'argent pour que je pusse
manger tous les jours à ma faim, qui était pourtant grande. Je
n'avais de comptes à rendre à personne. J'écrivais un livre,
mais je ne songeais pas à la gloire.

Un matin, comme je traversais les Halles, je fus le témoin
d'un spectacle répugnant. Devant moi, un vieux clochard, et
une vieille clocharde, vêtus des pires loques, qui ne tenaient
plus à leurs corps que par des ficelles, étaient penchés sur une
poubelle.

De leurs doigts crasseux, ils fouillaient dans la poubelle,
avec un empressement farouche, sans un regard l'un pour l'autre, et de temps en temps, ils portaient à leur bouche et mangeaient ce qu'ils venaient d'y trouver. C'était là une chose que
je n'avais jamais vu faire qu'à des chiens. La stupeur, l'indi-
gnation, la colère, la douleur, la blessure que vous fait l'injustice, j'éprouvai tout cela en même temps, et, bouleversé, je ne
fis qu'une course tout au long de la rue Montmartre jusqu'au
journal, n'ayant d'autre souci désormais que de raconter ce
dont je venais d'être le témoin, et de faire ce qui de toute évidence était à faire, et d'urgence, c'est-à-dire d'écrire le grand
article dénonciateur qui ferait savoir aujourd'hui même à tous
les Parisiens ce qui s'était passé le matin aux Halles et qu'ils
ignoraient. Ils n'eussent certainement pas toléré de telles choses s'ils en eussent été informés. Mais ils ne le savaient pas. Le
prince ne sait jamais. Isabelle ! Eh bien ! Il n'y avait qu'à le lui
faire savoir, et les journaux étaient faits pour cela.

Ayant grimpé l'escalier quatre à quatre et prenant à peine le temps de retrouver mon souffle, j'entrai tout droit dans le bureau de M. Hector Ghilini, chef des informations parisiennes. Cet excellent chef de service qui, par ailleurs, était l'auteur de deux ouvrages discrètement humoristiques intitulés, l'un *Agapit Ladoucette,* et l'autre : *Cornecu dit Lanicroche,* était pour l'instant occupé, comme tous les jours à cette heure-là, à préparer le programme de sa rubrique. M'excusant à peine sur le dérangement que je lui causais, prenant à peine le temps de le saluer, tout bouillant de ce que je venais de voir, je lui contai l'affaire d'une traite, ajoutant que je voulais écrire un article et que... Et, sans doute, que par cet article tout serait changé... car il n'était pas possible de supporter plus longtemps que des gens, des hommes et des femmes, vécussent comme des chiens, et mangeassent, comme des chiens, dans la poubelle.

M. Hector Ghilini était un homme gentil, mais il avait de l'expérience. Je pense aussi qu'il voulait le bien des jeunes, et par conséquent le mien. M. Hector Ghilini se contenta de me regarder en souriant. Il ne dit rien, ou, s'il me dit quelque chose, je ne m'en souviens pas. Je ne vis, je ne vois que son sourire et je le reverrai toute ma vie à chaque fois que je penserai à cette « anecdote ». C'était un sourire silencieux, qui n'était pas un sourire supérieur, dans lequel il y avait une certaine douceur, et même une certaine bienveillance, peut-être de la bonté, un soupçon de tristesse aussi, un peu d'ironie, mais sans méchanceté, un sourire d'homme instruit — qui me laissa pantois et glacé.

Mais quel chemin parcouru depuis !

Lors de la visite que je lui avais faite rue des Bourdonnais l'abbé Pierre m'avait demandé si je ne consentirais pas à aller visiter certains centres et, le cas échéant, à m'intéresser à certains problèmes de coordination. « Votre seule présence serait très utile. »

Il m'avait appris que l'« affaire » prenait une extension immense, mondiale, qu'il en avait reçu des témoignages d'Amérique et des Indes : c'est avec un sourire rayonnant qu'il me dit avoir reçu une lettre du Pandit Nehru et finalement il m'invita à me rendre à Neuilly-Plaisance pour prendre part à une réunion et déjeuner là. Le rendez-vous était à midi. Je suis donc arrivé là très ponctuellement. Cette villa qui m'a semblé en assez mauvais état où Emmaüs est installé, est vaste, et entourée de vastes jardins, dans lesquels on a construit des cuisines, des baraquements dont l'un sert de salle de réunions. C'est dans ce baraquement que l'on me conduisit d'abord. Il y avait là une vingtaine de personnes, dont la moitié au moins étaient des séminaristes ou des curés. Cette réunion était présidée par un Père blanc, le père Norbert si je me souviens bien de son nom. Près de lui, se trouvait un curé dont j'appris ensuite qu'il était un père jésuite. Les problèmes dont il était question quand j'arrivai étaient des problèmes pratiques qu'il n'y a pas lieu de noter. Rien à dire non plus sur le repas en commun. A la réunion du matin l'abbé Pierre n'assistait pas. Il n'assista pas non plus à la première partie de celle de l'après-midi, il n'y vint que fort tard mais il parla assez longuement. C'est là qu'il me sembla comprendre que ce qui avait été fait jusqu'à présent devait être regardé comme un commencement, peut-être même comme les premiers éléments d'un ordre ? J'appris que dans une prairie derrière la villa on était en train de construire un certain nombre de cellules destinées pour le moment à des retraitants, prêtres ou civils. Certaines de ces cellules étaient déjà achevées et occupées. L'endroit s'appelait l'Ermitage. Après la réunion, il y eut, comme je m'y attendais, une courte séance de prière à l'église. J'y assistai.

A la suite de cette cérémonie, le Père vint vers moi, me prit par le bras et m'entraîna vers l'Ermitage que nous visitâmes ensemble. Je vis que les cellules étaient vastes, qu'il y avait là une bibliothèque. Le Père me dit que je pourrais venir là quand je le voudrais, si j'en avais besoin ou envie, que ma présence en cet endroit serait bonne pour tout le monde et que je pourrais y travailler bien tranquillement et aller prendre mes repas à la cantine. A quoi je lui répondis que je ne me

sentais pas en état de vivre dans une communauté et que, du
reste, je devais honnêtement l'informer que je n'avais pas de
vie religieuse. « Je ne me fais pas d'illusions, me répondit-il.
Mais "vous connaissez la misère". » Je lui répondis que je réflé-
chirais, que je viendrais peut-être pour quelques jours et je le
remerciai. Cela se passait dans une cellule vide. Il pleuvait. En
nous quittant, il me tutoya : « Viens quand tu voudras. »

Lundi 9 août, Paris — Comme j'étais en train de travailler
dans ma soupente hier après-midi, mon ami Schlesinger est
entré :

— Alors, dit-il, aussitôt la porte refermée et qu'il se fût assis
sur mon lit, il faut tout de même que je te raconte, n'est-ce pas,
ce qui est arrivé avec l'agenda. C'est une histoire très curieuse,
et il faut beaucoup de détails. Mais nous avons le temps, n'est-
ce pas ? Et voilà : j'ai toujours trois petits carnets sur moi.
L'un est pour les adresses, l'autre est pour les rendez-vous et le
troisième, un petit carnet noir, c'est justement l'agenda. Cet
agenda, tu sais, n'est-ce pas, me sert à tenir une sorte de journal, pas un vrai journal, naturellement, mais à noter les choses
en gros. Bon. J'ai toujours eu trois carnets sur moi, dont l'un
est un agenda, et, une fois, en Amérique, j'ai perdu l'agenda
sur une plage. Je l'ai retrouvé trois jours plus tard, dans le
sable, un peu taché, un peu mouillé, mais enfin je l'ai retrouvé.
C'était une chose assez importante pour moi. A présent, hier
matin, je suis allé chez Madeleine Lagrange[1]. Comme elle
devait partir en vacances avec son fils, sa belle-fille, et les
enfants de son fils et de sa belle-fille, qui sont un petit garçon
de six ans et une fillette de dix, j'avais dit que je viendrais les
saluer avant leur départ, puisque je ne les reverrais plus devant
moi-même repartir pour l'Autriche vers le 19, et ensuite pour
l'Amérique. Tout cela, c'est des détails, n'est-ce pas, mais nous
avons le temps aujourd'hui dimanche et il pleut, ça ne vaut pas
la peine de regarder la montre. Alors je me suis levé de bonne

1. Madeleine Lagrange, veuve de Léo Lagrange.

heure, Madeleine m'avait dit d'être chez elle à huit heures et
demie, pas plus tard, et je savais bien qu'elle ne partirait pas
avant dix heures, et quand même je me suis tout juste lavé,
mais pas rasé. Et ensuite, quand je suis sorti dans la rue, je me
suis regardé dans une glace, et ça n'était pas beau. Tout blanc.
Mais enfin, je me sentais utile. Je devais aider à porter les
valises, à les descendre jusqu'à la voiture. Et alors je suis allé à
pied depuis le boulevard Saint-Michel jusqu'au quai Malaquais. Le temps n'était pas très beau, mais ça, mon petit, on ne
peut pas changer. Donc, n'est-ce pas, ça va comme ça. Et me
voilà arrivé chez Madeleine Lagrange comme je l'avais promis
à huit heures et demie, et naturellement personne n'était prêt
comme je l'avais bien pensé, mais c'était très bien, n'est-ce pas,
il n'y a pas tant de raisons de courir, et j'avais fait ce que
j'avais promis, donc, j'étais content, n'est-ce pas, bien que pas
rasé. Et alors pendant que Madeleine se préparait, je me suis
assis au salon dans un fauteuil, j'ai pris un livre et je me suis
mis à lire. Ça n'a pas d'intérêt si je te dis quel livre, un livre
quelconque, n'est-ce pas, ça n'a vraiment pas d'intérêt, et je
n'ai jamais pu me souvenir si à ce moment-là, j'ai sorti de ma
poche le petit agenda, mais laissons. Enfin après quelque
temps, les enfants sont arrivés, avec leurs parents, et on m'a
appelé pour aller prendre avec tout le monde le petit déjeuner.
J'ai fermé le livre, et je suis passé dans la salle à manger, et j'ai
trouvé là Madeleine, avec son fils, et la femme de son fils, et les
deux petits enfants, qui sont vraiment très gentils. Nous avons
déjeuné, et le petit garçon m'a demandé de sauter. Et j'ai sauté.
Et le petit garçon, n'est-ce pas, a été très content de voir qu'un
vieux monsieur de soixante-deux ans pouvait aussi sauter. Il
m'a demandé de recommencer, et j'ai dit non, mais je lui ai
promis que je sauterais encore une fois avant le départ de tout
le monde, et il a très bien accepté, comme tous les enfants
quand on leur promet loyalement une chose et qu'ils savent
qu'ils peuvent compter. Bon. Nous avons déjeuné, n'est-ce pas,
c'était très amical et très gai ; on a un peu traîné, et il était
bien neuf heures et demie quand on a commencé à se dire qu'il

était temps de descendre les valises dans la voiture. Comme
j'étais venu pour donner un coup de main, j'ai pris deux valises, et je suis descendu. La voiture attendait devant la porte. Et
à ce moment-là, j'ai repensé au petit agenda, et je me suis dit :
« Non, tu n'avais aucune raison de le tirer de ta poche pendant
que tu étais au salon en train de lire en attendant. Tu vas
rentrer chez toi, et tu le trouveras sur ta table. » Donc, j'ai
cessé de penser à l'agenda. Je n'avais pas non plus envie de
remonter les deux étages. D'ailleurs, il y avait à faire et je
voulais me rendre utile. Tout le monde est descendu : Madeleine, son fils, sa belle-fille et les enfants. Le petit garçon portait
lui aussi une petite valise, et il était très fier. J'ai sauté encore
une fois, sur le trottoir, comme je lui avais promis que je le
ferais, et il a été très content. Il n'en a pas demandé plus,
comme tous les enfants quand on est honnête avec eux. Là-
dessus, tout le monde est monté en voiture, et ils sont partis
très joyeux laissant la maison à la garde de la bonne. Je suis
rentré chez moi, boulevard Saint-Michel, et, en route, je me
suis mis à repenser à l'agenda, et je me suis dit : « Tu vas le
trouver sur ta table. » Mais quand je suis rentré dans ma
chambre, l'agenda n'était pas là, n'est-ce pas, et alors j'ai pensé
que je l'avais vraiment oublié chez Madeleine, mais je ne comprenais pas pourquoi je l'avais sorti de ma poche. Vraiment je
ne comprenais pas. Il n'y avait plus qu'à téléphoner à la bonne,
pour tâcher de récupérer l'agenda. Et alors, voilà, je téléphone.
« Allô, Marguerite, c'est ici Edmond Schlesinger, n'est-ce pas.
Voulez-vous regarder dans le salon si je n'ai pas laissé un petit
carnet noir, c'est un agenda. » Et la bonne me répond que
justement, le petit garçon l'avait pris, et que sa grand-mère lui
avait dit : « Il ne faut pas toucher à cela, parce que c'est à M.
Edmond. » Mais le petit garçon avait répondu que ce n'était pas
à M. Edmond, que c'était un petit camarade qui le lui avait
donné. Et personne n'avait plus fait attention au petit carnet.
Sûrement le petit garçon l'avait mis dans sa valise, et l'avait
emporté en vacances. Et moi j'avais vu passer le petit garçon
avec sa valise, et si seulement j'avais dit un mot à ce moment-

là, j'aurais récupéré mon agenda. Mais je n'y pensais pas, et personne n'y pensait. J'étais sûr que je le retrouverais chez moi. Alors bon, j'ai raccroché le téléphone, et je me suis dit qu'il n'y avait plus qu'à écrire à Madeleine, et justement j'avais sur moi une carte postale, qui représentait un chien. Alors, j'ai écrit à Madeleine pour lui dire qu'elle me renvoie mon agenda, mais je l'ai priée de montrer le chien au petit garçon, et de lui dire que le chien sautait encore mieux que moi, parce que je ne voulais pas que le petit garçon se sente triste ou coupable de quelque chose, ce qu'il faut toujours éviter...

L'autre dimanche, toujours au Berkeley où Gaston a ses habitudes et où je suis témoin qu'il est toujours fort bien traité, il se mit tout à coup à me parler de la guerre, de la stupidité de la guerre, et de tout ce qu'il avait fait pour y échapper dès la mobilisation du 2 août 1914. Il s'arrangea, je ne sais comment, pour faire inscrire dans le registre de l'état civil, la mention « décédé » en face de sa déclaration de naissance, opération qui fut exécutée contre une somme de deux mille francs. Tout viendrait s'anéantir contre cette mention. Ensuite, il se coucha et cessa de boire et de manger. Il se trouvait en Bretagne, à Quimper, je crois. Son fils Claude venait de naître.

« Vous voyez la situation ! » Et il s'agissait de rentrer à Paris. Après deux ou trois jours de cette grève de la faim dont il n'avait dit la raison à personne pas même à son entourage, il avait déjà un peu maigri et pris la mine d'un vrai malade. Il avait laissé pousser sa barbe. Quand il se trouva bien en état de le recevoir, il ordonna qu'on fît venir un médecin. Notre malade qui prétendait grelotter sans cesse se faisait apporter des bouillottes. C'était en vue de tromper le médecin sur la fièvre qu'il prétendait avoir. Le médecin appelé ne comprit rien au mal dont pouvait souffrir cet homme, mais il ordonna les plus grandes précautions. Notre malade, ayant confié au médecin qu'il n'était pas sans inquiétude au sujet de sa situation militaire, celui-ci fit venir à son chevet le médecin-chef de la place, lequel devant l'état pitoyable de Gaston, n'hésita pas à pronon-

cer sa réforme. Ainsi, mort d'un côté, et réformé de l'autre, il
semblait bien que toutes les précautions fussent prises. Il pouvait regagner Paris. Mais pas comme ça. Comme un grand
malade. Un grand malade se transporte sur une civière, caché
jusqu'au menton sous une couverture. On le hisse avec mille
précautions dans une voiture spéciale, une infirmière l'accompagne. Toutes choses qui s'accomplirent le plus sérieusement
du monde. Rentré chez lui il ne fit qu'un bond jusque chez
Maxim's après s'être rasé, bien entendu. Là, il fit un très bon
dîner, mais qui faillit lui être fatal. En sortant de chez
Maxim's il vomit sur le pavé de la place de la Concorde tout ce
qu'il venait d'absorber. C'est à peine s'il eut la force de héler
une voiture pour rentrer chez lui où il se remit aussitôt au lit.
Sa robuste constitution triompha de ce malaise. Il fut bientôt
sur pied, remplumé, et aux affaires. Mais la guerre, qu'on avait
cru ne devoir durer que quelques semaines, n'en finissait pas.
De nouvelles appréhensions survinrent. On en vint un jour à
parler du rappel des réformés qui subiraient de nouveaux examens. Gaston ne se fiait plus qu'à moitié à la mention « décédé » portée sur le registre de l'état civil. Et on ne pouvait pas
jouer les grands malades à tout bout de champ. Mais n'est-il
pas possible à un grand homme d'affaires de se déclarer surmené ? Un séjour dans une maison de repos ne devient-il pas
nécessaire dans ce cas-là ? La maison de repos ne fut pas choisie au hasard. Le médecin était un ami. On fit venir là un
médecin militaire qui examina très soigneusement le malade
et conclut qu'il souffrait d'« anxiété ». « On aura peine à croire,
mais croyez-moi sur parole, me dit Gaston, qu'il qualifia cette
anxiété de "militaire". » Et tout fut dit. Ce difficile passage
heureusement franchi, une certaine période d'accalmie suivit,
puis, après quelque temps, il fallut trouver de nouveaux
moyens. Léon-Paul Fargue, qui s'employait à sauver ceux qu'il
aimait, avait dans un hôpital quelqu'un qui, contre argent,
dirigeait sur un certain médecin les nouveaux appelés qui se
voyaient tous confirmés dans leur situation d'inaptes. Léon-
Paul Fargue, qui avait un mot comme un cri de guerre pour

prévenir ses amis qu'un nouveau danger les menaçait, s'écriait : « Ça sent le marolles ! » Le marolles est un fromage dont l'odeur particulièrement forte s'apparente, paraît-il, à celle du cadavre.

Mardi 10 août — ... Et, justement, à Sorel, il y en a beaucoup. De quoi ? Mais de vaches. Elles ne sont pas aussi belles que celles que je vis naguère en Ecosse, des vaches angora, notez bien, mais tout de même elles ont de la réputation. Ne sont-elles pas normandes ? Dans un îlot au milieu de la rivière en bas de la propriété de Raymond, il y en a toujours eu de nombreuses mais jusqu'à présent on ne les voyait pas à cause des roseaux et des arbustes feuillus, on ne faisait que les entendre. Mais voilà que le propriétaire de l'îlot ou le maire du village a fait couper roseaux et arbustes rasibus des racines et les vaches enfin sont apparues en pleine lumière, elles-mêmes, tranquilles, paisibles, et Nathalie, dont l'âme est pure, s'est écriée :

« Ah ! Enfin ! On les voit ! »

Elles étaient, ma foi, fort belles à voir, très ressemblantes, parfaitement chez elles, contentes d'elles-mêmes, et insouciantes, sans le moindre soupçon de l'autre réputation qu'on leur fait. Mais on s'y perd. Ne dit-on pas en effet que s'il y en a de « belles », il y en a aussi de « sales » ! Belle ou sale, ce sont là de graves injures qui peuvent vous mener fort loin selon le cas. Se méfier. On doit prendre garde. Il y en a de « foutues », il y en a de « sacrées », aussi de « fières ». Et aussi des « vraies ». Une vraie, c'est mauvais : il faut se garer. Et les « jolies » ? Une « jolie », ça n'est pas mal non plus. Bref, c'est toute une famille. Aussi un genre. On a le choix. Elles ont, en général, très bon caractère, mais il ne faut pas toujours s'y fier. Si une mouche les pique, elles prennent le trot. Du trot, elles passent facilement au galop. Elles y vont bon train, tête baissée. Dans ce cas-là, il faut prendre son parapluie, l'ouvrir, et se cacher derrière : c'est que me disait ma grand-mère.

Vendredi 20 août — Mourir, c'est tout quitter : les êtres qu'on aime, les biens auxquels on tient, mais c'est aussi penser qu'il *restait encore quelque chose à faire.* Il se peut que ce ne soit rien d'autre qu'une petite bricole, un pied de chaise à réparer, une cuisine à repeindre, un tablier à repriser s'il s'agit d'une ménagère, un ouvrage en train, pour un savant une expérience. Mais peut-être vient-il un moment où la question ne se pose plus ? Il reste pourtant, peut-être, encore un mot à dire. Le vieux prince Bolkonski fait de tragiques efforts pour dire encore un mot à sa fille Marie. A Moscou, Pasternak, me frappant sur l'épaule, m'a dit : « Pourquoi avez-vous tué Cripure ? Il avait encore un mot à dire à Maïa. »

... Il existe un *ennui* de la mort : les moribonds regardent l'horloge. Mon père, quelques instants avant sa mort (dans la nuit qui précéda) me demandait souvent l'heure. A un certain moment, il m'a dit : « Je m'ennuie. » Mon ami Lambert savait qu'il allait mourir, mais il n'en dit rien à personne. Il garda le *secret* pendant des mois. Mais il voulut revoir des lieux qu'il avait aimés, et, *peut-être*, aller en certains de ces lieux pour prier ? Cela n'est pas bien sûr. Jules de Gaultier prétendait qu'il avait agi d'une certaine manière pour laisser croire à sa femme très croyante qu'il était revenu à la foi. La veille de sa mort, Lambert laissa deux livres ouverts sur sa table, dans lesquels il avait souligné, dans *Mon cœur mis à nu* : « Etre un héros et un saint pour soi-même » et dans Shakespeare (*Hamlet*) : « Comme nul homme ne sait ce qu'il quitte, qu'importe que ce soit de bonne heure. *Laissons faire.* » *Qui* vit ? *Qui* meurt ? Le difficile est d'imaginer les *phases* dans cette approche du mystère.

2 septembre — J'ai lu ce matin dans un journal que je ne sais plus où dans la campagne de France, les gens étaient terrorisés par des coups de feu la nuit. Ces coups de feu semblaient tirés au hasard, puis, ce ne fut plus tout à fait au hasard, mais sur des maisons, sur une auto. Le mystère resta entier jusqu'au moment où l'on finit par découvrir, dans la

soupente où logeait un jeune ouvrier agricole allemand, tout
un attirail militaire : fusil, cartouches, casque... Ce jeune attar-
dé, un peu rêveur, se relevait la nuit, se coiffait de son casque,
prenait son fusil et ses cartouches, et repartait en guerre.

Au coin du boulevard Saint-Germain et de la rue des Saints-
Pères, une affichette : « Centenaire d'Arthur Rimbaud. Pèleri-
nage en autocar à Charleville, etc. »
Organisé par les « Femmes européennes ».

De bonne heure ce matin la chaleur était déjà royale, on
lavait la rue à grande eau. Les odeurs étaient généralement
mêlées mais souvent fort belles, surtout en passant devant la
boutique du marchand de fruits et légumes. Quelqu'un dans la
boutique renversa un cageot de tomates qui se mirent à rouler
sur le trottoir, guillerettes comme des boules de billard en
folie. Très beau et joyeux spectacle sauf pour le marchand qui
se mit à gueuler. Comme il est espagnol et bègue, il gueulait en
bégayant dans les deux langues.

5 octobre — Depuis que ma montre est cassée, je ne sais plus
jamais l'heure, surtout la nuit, et depuis que j'ai des lunettes,
je passe mon temps à les chercher.

Dimanche 10 octobre — Gaston :
— Je ne vous ai jamais parlé de Berthe ? C'était une femme
d'une trentaine d'années. Elle était mariée, elle avait un amant
et nous étions assez amis pour qu'elle me fît ses confidences. Je
la voyais souvent, je la raccompagnais jusqu'à sa porte. Elle se
plaignait de son amant qui la faisait, disait-elle, beaucoup
souffrir. Du mari, il n'était jamais question. Mais l'amant la
trompait. Elle était jalouse, se plaignait sans cesse et lui faisait
des scènes. J'étais donc le confident de ses malheurs. Après
quelque temps, j'en vins à penser que la situation de confident
devenait fort incommode, d'autant que je n'ambitionnais rien
d'autre. Je pris la résolution d'y mettre un terme. « Ne croyez-

vous pas, lui dis-je un soir, en la raccompagnant, que nous
nous voyons trop souvent, et que, peut-être, il serait bon d'es-
pacer nos rencontres et peut-être de les suspendre ? » Elle
convint que j'avais raison. Il fut entendu entre nous que pendant un certain temps nous cesserions de nous voir. Les choses
s'étaient passées le mieux du monde, sans le moindre air de
drame. Nous partîmes chacun de notre côté fort satisfaits
d'une solution raisonnable à une situation qui, peut-être, commençait à lui peser autant qu'à moi-même. Je possédais alors
une petite garçonnière où je n'ai pas besoin de vous dire que je
ne l'avais jamais emmenée. Or, le lendemain même du jour où
nous avions convenu de ne plus nous voir, elle vint, sans être
attendue, me retrouver dans cette garçonnière, devint, dans
l'heure même, ma maîtresse et me fit aussitôt la première scène de jalousie qui inaugurait une liaison qui allait durer dix
ans. Allez y comprendre quelque chose !

Mardi 7 décembre — Pendant la guerre 14-18, Hirsch[1] avait
vingt-cinq ans. Il faisait son temps quand la guerre éclata (raison pour laquelle il resta soldat pendant sept ans). Mobilisé
d'abord dans l'intendance, il était peu exposé, et il finit par
trouver qu'il l'était trop peu. Il n'aimait pas la guerre, mais il
pensait que cette guerre-là était juste, et qu'il fallait en finir.
L'âge de vingt-cinq ans, dit-il, est encore l'âge des illusions
généreuses. Comme il savait conduire une voiture, et même un
camion, il demanda à être versé dans les transports, ce qui lui
fut accordé. On le dirigea sur un parc d'autos, où il ne trouva
guère que des hommes riches, qui, dans le civil, possédaient
des voitures, et leurs chauffeurs. Il découvrit que les maîtres et
les domestiques étaient généralement aussi peu « sympathiques » les uns que les autres, ce qui refroidit considérablement
son zèle (en déjeunant avec Hirsch, au Basque).

---

1. Louis-Daniel Hirsch a été un important collaborateur de Gallimard de 1922 à
1974.

Mardi 21 décembre — Rentrant du Berkeley, où j'ai dîné avec Gaston, je reprends ces pages de journal que le travail m'avait fait délaisser, et auxquelles je voudrais revenir avec toute l'assiduité dont je serai capable. J'ai assez bien travaillé aujourd'hui, et redistribué pas mal de choses, mis de l'ordre dans ce qui existe jusqu'à présent mais, en même temps, je me suis une fois de plus rendu compte du travail considérable qui reste à faire, et éprouvé très vivement l'angoisse de persévérer dans un long chemin assez obscur. Je ne sais pas très bien où je vais, tâtonnant. Je crains que la préparation à laquelle je me suis livré ne me serve pas à grand-chose. Cependant, rien n'est inutile dans le travail, et il ne faut surtout pas regretter le temps que l'on croit avoir perdu. Hier soir, avant de m'endormir, j'ai continué ma lecture du journal de Delacroix. J'y trouve que « l'erreur de beaucoup d'artistes secondaires vient de ce qu'ils confondent l'*exactitude* avec la *vérité* ».

J'ai été pris, aujourd'hui, au cours de mon travail, d'une mauvaise impatience que je dois combattre. Est-ce ma faute, si j'ai le malheur de m'engager dans des œuvres longues ? Il me faut accepter le fait, et mieux, accommoder mon pas. J'éprouve de grandes difficultés. Problème de la destinée. Est-il possible de le poser aujourd'hui d'une manière qui soit acceptable, non ridicule ? Autre question : suis-je fait pour cela ? En attendant, il faut obéir à la « poussée abdominale ». Il faudrait pouvoir cesser de vouloir toujours repousser quelque chose, autrement dit : *se dégager* comme un homme enseveli, enterré vivant. Que ne donnerais-je pas pour une heure de paix ! Consentement *naïf*. Je ne crois guère aux idées qu'on se fait sur la chose en train de se faire, j'ai trop l'habitude de voir comment tout varie en cours d'exécution, et je sais bien que nos meilleures choses sont presque toujours par surprise. Cependant il faut pour cela se laisser longtemps occuper de vues diverses ou même confuses mais assez tous les jours, le flot continu finit par avoir raison, la force du courant finit par arracher du fond même du fleuve l'objet précieux.

Quittons ces réflexions pour dire un mot de *La Condition humaine* au théâtre. Ça n'est pas défendable, mais la faute en est à l'adaptateur, et aux acteurs. Dans ce spectacle à grand fracas (bombes, mitrailleuses, bruits d'avions), les phrases si belles et si intelligentes, arrachées du livre, semblaient parfois assez grotesques. J'ai vu Malraux le lendemain, à ce dîner chez Claude[1], il n'était lui-même pas très satisfait et va s'en expliquer dans *L'Express*. Je n'ai pas grand-chose de plus à dire. Du reste, nous pardonnerons tout à Malraux, toujours. Bien sûr que oui. Il est deux heures de la nuit.

L'autre soir au dîner chez Claude, il y avait Martin du Gard, qui me dit :

« Vous savez que je vous place très haut. »

Le plus difficile est de pardonner à ceux qu'on aime le mal qu'ils vous font sans le savoir.

Samedi 25 décembre, à Paris, jour de Noël — Laissant momentanément le roman, qui continue à progresser (ceci soit dit en toute modestie, et dans l'attente inquiète d'une relecture).

Il est cinq heures de l'après-midi. Rentré depuis deux heures, j'ai pas mal écrit dans les marges du roman.

Le paysage parisien était aujourd'hui d'une très belle limpidité un peu fraîche, mais juste ce qu'il faut pour « fouetter » le sang. A midi, quand Gaston est venu me chercher pour m'emmener au Berkeley, le soleil brillait en plein. Nous sommes partis en voiture, Gaston conduisant, et, ma foi, il paraissait de fort bonne humeur. Faisant une allusion au roman, dont je lui avais montré le manuscrit avant-hier soir, il m'en demanda des nouvelles. Je lui dis qu'il allait fort bien, mais comme il insistait pour savoir ce que c'était, je lui ai répondu sans ambages que les romans qu'on est en train de faire ne sont pas

1. Claude Gallimard.

des sujets de conversation, que son métier était d'en publier et le mien d'en écrire, et qu'il lirait mon ouvrage quand il serait achevé, ce qu'il a fort bien admis. Je ne suis du reste pas du tout décidé à me laisser faire sur ce point. On peut m'avoir sur bien des points, pas sur le roman.

Depuis quelque temps, Gaston est tout en souvenirs et anecdotes.

— Renoir, Gustave Jouffroy et Clemenceau se promenaient dans la campagne, par un beau jour d'été très chaud. Or, dit Gaston, en ce temps-là, on n'avait pas de costume spécial pour se promener à la campagne, et donc on y allait dans les mêmes habits qu'à Paris, c'est-à-dire en souliers vernis, redingote et chapeau melon. Nos trois promeneurs marchaient dans la campagne en bavardant et, parfois, ils s'asseyaient sur un talus ou sur une pierre pour prendre un peu de repos. Soudain, Jouffroy remarqua qu'il n'avait plus sa veste. Il avait dû la laisser quelque part où ils s'étaient récemment assis. Et voilà les trois hommes, s'abritant les yeux sous la main, en train d'observer la campagne, et Renoir dit : « *Je ne sais pas, mais je vois là-bas un noir qui n'est pas de la nature.* »

Même jour. C'est toujours Gaston qui parle :

— Sous l'Occupation, les Allemands ayant observé que les vitrines des grands magasins à Paris étaient beaucoup trop luxueuses, ce qui, paraît-il, donnait à leurs hommes des tentations, firent savoir que dorénavant on devrait veiller à en éteindre un peu l'arrogance. Le lendemain du jour où cet ordre avait été publié, l'un des plus grands magasins de Paris, le Printemps, avait fait passer la plus grande de ses vitrines à la chaux, n'y laissant qu'un tout petit carré à travers lequel on voyait un chapeau de paille pour fillette, un très joli petit chapeau de printemps, orné de fleurs...

1955

Samedi 1er janvier 1955 — L'hiver est apparu aujourd'hui même sous son pire aspect : le froid. Ayant renoncé depuis trois jours au vin (pas une goutte !) je me sens mieux disposé pour le travail. Si je pouvais aussi renoncer au tabac ! Mais je n'y compte pas.

Hier, 31 décembre, j'étais invité chez Nathalie à enterrer l'année. Il y avait là outre Nathalie et Raymond, Michel et Janine, Robert et Renée, Pierre et sa femme, Brisville[1] et Mme Moune Daumont, la vieille amie de Gaston, avec qui j'ai parfois dîné au Berkeley. La soirée a été facilement gaie. Le caviar était fort bon, la vodka de même, les dames fort gentilles et belles dans leurs grands décolletés, Nathalie toujours ravissante, Raymond toujours bonhomme.

À minuit, on s'est embrassés sous le gui. Cela fait, je suis rentré avec Michel et Janine.

Assis devant ma table dans ma chambre, j'écoute la rumeur de la ville. Il est six heures du soir. Sur un fond sonore fait du roulement des autobus j'entends des cloches et la voix qui s'éloigne d'un chanteur de rue. Il y a un instant, c'était un oiseau. Quel oiseau ? Il n'était pas loin de ma fenêtre, et il m'a

1. Jean-Claude Brisville, écrivain. Outre des romans et des pièces de théâtre, il a publié en 1959 un essai sur Camus dont il était l'ami (Pour une bibliothèque idéale, Gallimard).

donné de la joie comme s'il eût annoncé le printemps. Il est vrai qu'hier encore le soleil a brillé. Aujourd'hui, le ciel était clair mais clair coupant, le mauvais clair qui annonce le gel pour la nuit. Pas un bruit dans la maison, sauf de temps en temps une porte qui bat ; la porte d'une des femmes de chambre de Claude qui est parti avec toute sa famille à Megève.

...J'ai eu tort de ne pas noter aussitôt ma conversation de l'autre jour avec Jacques Lemarchand, à L'Espérance. Je n'en retrouve plus grand-chose. Il me cherchait chicane (très amicalement) au sujet des *Sorcières*[1] que je lui avais dit ne pas aimer. Je lui répondais que j'avais toujours eu en horreur toute espèce de puritanisme. À quoi il me répondait que le catholicisme ne vaut guère mieux. Ce qui est vrai, sauf, lui disais-je, qu'il y a toujours une chance pour une complicité possible. La conversation était bien plus accidentée que cela, et plus amusante. Quant à ma conversation avec Grosjean[2], c'est autre chose. C'était à propos des Idoles, et dans la suite de la lecture qu'il venait de faire du dernier ouvrage de Malraux. Plutôt que de me méprendre sur ce qu'il disait, je préfère attendre, et, en attendant, lire *Le Monde chrétien* — ce qui me changera de la préface au *Saint-Just* (d'Albert Olivier), toujours de Malraux, texte que j'admire beaucoup.

J'entends sonner l'angélus, puis une cloche qui me paraît être celle d'une école, ou d'un couvent. Il est sept heures. Un autobus grommelle. Et toujours ce vague fond sonore un peu comme une rumeur marine. Il y a dans tout cela une espèce de paix malgré la solitude.

La vérité sentie n'a peut-être pas besoin d'art. C'est pourquoi *Parpagnacco* n'est que l'ombre du livre qu'il aurait pu être.

Il faut toujours être prêt et écrire dans l'instant même les choses comme elles se présentent. On n'en finit jamais.

J'ai retravaillé certains chapitres du début de mon roman.

1. Il s'agit sans doute de la pièce d'A. Miller, *Les Sorcières de Salem*, dans l'adaptation de Marcel Aymé, qui avait été créée au Théâtre Sarah-Bernardt le 16 décembre 1954.
2. Le poète Jean Grosjean.

C'est toujours la même histoire : j'emploie trop de mots, ensuite, je vois tout le bavardage. Ça me fait souffrir. Mon premier jet est toujours un peu bourbeux. Mais vient le travail de relecture, les ajouts dans les marges, « le travail en rosace » (Proust).

Jacqueline[1] me disait que Malraux avait fait, dans l'après-midi, une très brève apparition à la N.R.F. pour signer quelques exemplaires du *Monde chrétien*, et qu'il lui avait parlé d'une récente visite de Chamson au sujet de sa candidature à l'Académie.

— À mesure que je lui développais mes raisons de n'être point candidat pour le moment, lui dit Malraux, je voyais que je lui faisais une joie immense.

Il est neuf heures du matin. J'étais dehors où il ne reste plus le moindre petit souvenir de la neige d'hier, où il faisait très bon avec quelque chose d'ouvert et quelque chose comme un appel dans le goût même de l'air et dans l'aspect du ciel, qui me donnait des envies de grandes marches au bord de la mer. J'ai dû me contenter de ma petite promenade habituelle sur le quai Voltaire, c'était bien beau. Il y avait je ne sais quoi de marin dans le jour naissant, de grandes blancheurs presque claires dans le bas du ciel au-dessus de l'île Saint-Louis, et, dans les hauteurs, dans le large du ciel, de longs nuages gris tendre, presque ardoise, parfois foncés, comme des fumées plates, très étalées et très lentes qui se déplaçaient d'un seul mouvement sous la poussée du vent qui devait être assez fort là-haut, mais que je sentais à peine, en marchant. Qu'il eût été bon, dans une telle ouverture de jour, de lever l'ancre !...

18 janvier — Je passe ma vie enfermé dans ma chambre comme dans une cabine de bateau à travailler quand les Gallimard ne m'invitent pas, comme hier dimanche, à me joindre à la brillante compagnie qui était chez eux un peu après cinq

---

1. Jacqueline Bour.

heures, et, de là, chez Drouant pour dîner. Gaston était d'abord très sombre, il parlait publiquement des pensées qui lui étaient venues l'après-midi, en regardant de la fenêtre de son appartement rue Saint-Lazare, le pavé de la cour, Jeanne faisait « Oh, Gaston ! » et les gens riaient ou souriaient comme d'une bonne plaisanterie. Quand je suis arrivé chez Claude, où il n'y avait encore que Jeanne et Gaston, au phono *Les Quatre saisons* de Vivaldi. C'était si beau que tout le monde se taisait. J'ai passé là quelques instants heureux. Un peu plus tard, Gaston s'est mis à parler de Proust, et là, il a été comme toujours très brillant et intéressant, même si certaines des choses qu'il disait étaient déjà connues de tout le monde, que, par exemple, Proust donnait des rendez-vous la nuit. Il priait donc Gaston de passer chez lui vers les trois heures du matin. Il avait toujours soin de faire préparer quelque chose à manger, un poulet de chez Larue, un fromage de chez un autre traiteur... Gaston trouvait Proust couché, mais tout habillé, parfois même en frac, avec un plastron et un col raide, mais pas de cravate. Et au bout de quelques instants, dans l'animation de la conversation il se levait et apparaissaient ses chaussettes.

— Des chaussettes blanches ; il devait en avoir plusieurs paires les unes sur les autres car il en perdait en marchant.

21 janvier — Voilà environ six mois que j'ai entrepris ce roman des *Batailles perdues*. Je ne sais encore pas très bien où je vais. Cet après-midi, à *France-Soir*, consulter les journaux des années 34-35. Rentré de *France-Soir*, j'ai revu Guéhenno (déjà rencontré hier) et bu un verre avec lui à L'Espérance. Dîné au Basque, puis rentré et rassemblé des notes pendant toute la soirée. À copier lundi. Une heure du matin.

La carotte au-dessus de la porte du tabac, éclairée par en dedans, rose rouge comme la chair d'une main devant une bougie.

28 janvier — Dans l'après-midi, à la poste, tandis que j'at-

tendais mon tour au guichet, se trouvait devant moi une vieille femme, petite, mal vêtue, timide, qui tenait dans sa main un carnet de timbres. Voilà que son tour est arrivé de parler au jeune employé. Elle tend vers lui son vieux visage partout de la même couleur de pomme cuite, ses bons yeux timides. D'une toute petite voix, elle dit :

— Pardon, monsieur, voulez-vous me reprendre ce carnet de timbres ? On me l'envoie, mais je n'en ai pas l'usage, monsieur !

Elle tend son carnet de timbres. L'employé le prend, l'examine, le tourne entre ses doigts. La pauvre vieille est pleine d'angoisse.

— Bon. Je vous le prends ! dit l'employé.

Et il lui donne les trois cents francs du carnet.

La vieille s'en va avec ses trois cents francs, tout heureuse.

Je vais à l'instant retrouver Petit[1] tout juste rentré à Paris. Je viens de lui téléphoner.

À Saint-Brieuc, le pauvre vendeur de journaux Gaudry sert de « cobaye » au coiffeur qui lui fait faire la barbe par son jeune fils qui commence à apprendre le métier.

Quelque chose se passait. On entourait un homme, qui parlait avec véhémence, qui venait de jeter par terre un petit objet brillant, une pièce de monnaie peut-être, qui roula sur le sol carrelé du café. Quelqu'un s'écria :

— Ne recommence pas ça, Ernest, tu vas te la faire faucher !

À quoi Ernest, un vieux petit homme très laid, répondit qu'il s'en foutait pas mal, et qu'il recommencerait tant qu'il en aurait envie, déclaration qui fut saluée par les rires de l'assistance.

Il se planta devant le patron, qui avait quitté son comptoir pour se mettre à la recherche de l'objet.

1. Henri Petit.

— Patron... j'ai honte !...

Ivre ou quoi ? En tout cas furieux. Sa lèvre tremblait. Il
répéta :

— Honte !

— Pourquoi ?

— Pourquoi ? répondit Ernest en levant un doigt vers le
ciel, à cause de... celui-là !...

Le patron appela son grand chien noir.

— Sultan, cherche !

Puis il dit :

— Il est tard. Il est temps de rentrer et de dormir.

— Non !

— Soyez raisonnable, Ernest.

— Non ! À boire ! Donnez-moi à boire ; je ne veux pas rentrer. Je ne veux plus jamais rentrer. Oui, j'ai honte.

Il jura, injuria le patron, et enfin il arracha de son doigt une
bague et la jeta violemment par terre. La bague rebondit, tinta,
roula, le chien Sultan s'élança pour l'attraper. Ernest ne fit pas
un geste. Il détourna son regard avec une moue dédaigneuse. Il
demanda encore à boire. La bague était allée rouler sous les
tables. Le chien cherchait la bague en poussant de petits jappements. Le patron s'était avancé d'un pas tranquille jusqu'à
l'endroit où était la bague. L'ayant ramassée, il l'examinait
avec attention.

— Vous avez tort, dit-il. C'est une très belle bague. Reprenez
votre bague et... ne recommencez pas...

— Bien, répondit Ernest.

Il prit la bague et la jeta de nouveau par terre encore plus
violemment, Sultan se remit à courir. Ernest hocha la tête et
fit la moue.

— Le brillant va sauter ! dit le patron.

— Tant mieux !

— Il sera impossible de le retrouver.

— Tant mieux !

— Vous savez ce qu'il vaut ?

— Je m'en fous...

Le patron retourna chercher la bague. Comme tout à l'heure, il l'examina : le brillant n'avait pas sauté. Allait-il la rendre ? Quel regard ! Quel sourire ! Une servante avait posé un verre de vin blanc sur le comptoir. Ernest vida le verre, ne dit plus rien et sortit...

— Qui c'est, demanda quelqu'un. Il a honte ? Pourquoi ? C'qui veut dire ?

Le patron haussa les épaules en se marrant.

— T'as pas vu ? Il montrait le ciel, non ? Dieu, quoi !

— Cinglé ?

— Tu demandais qui c'est ? C'est un vieux brocanteur. Il habite quelque part par là du côté de la Mouff'...

— Et alors... la bague ?

— Faudra que j'la porte aux objets trouvés.

Dans le fond du café on dansait au son de l'accordéon... Dehors, sur le trottoir, un jeune para était lié à un lampadaire, et se débattait avec fureur, les yeux lui en sortaient de la tête. C'était une vraie figure de rebelle. On voyait à diverses meurtrissures qu'il portait sur le visage, aux déchirures de sa chemise kaki qui bâillait sur sa poitrine nue, qu'il ne s'était pas laissé faire. On lui avait réuni les mains derrière le poteau et attaché les poignets avec une ceinture. Pris mais pas vaincu, il regardait partout autour de lui avec défi. Un officier sortit vivement du café et marcha tout droit jusqu'au para qu'il gifla en s'écriant :

— Salaud ! Tu déshonores le béret !

L'officier, un homme d'une quarantaine d'années, grand, solide, corpulent, écarlate, fou furieux.

Un homme qui buvait tranquillement un verre à la terrasse se leva.

— En voilà assez ! C'est dégoûtant.

— Vous, mêlez-vous de ce qui vous regarde !

— Ça me regarde !

— Taisez-vous !

— Non !

L'officier serra les poings et s'avança comme pour frapper.
Une voiture s'arrêta devant la porte. L'officier tira de sa poche
un sifflet. Au coup de sifflet qu'il donna, deux hommes en
armes firent irruption : police militaire.

— Foutez-moi un peu d'ordre là-dedans ! s'écria-t-il d'un
ton bref. Détachez-moi cet idiot et emmenez-le !

L'ordre fut exécuté aussitôt. On détacha le jeune para qui fut
poussé jusqu'à la voiture.

— Qu'est-ce que tu vas prendre comme dérouillée en arrivant !

La portière claqua, la voiture repartit dans de grandes péta-
rades. On n'entendit plus rien que l'accordéon, dans la salle du
fond.

Ils racontaient leurs amours sans âme, leurs passades, leurs
nuits blanches, énervées par l'alcool, la danse, les visites tardi-
ves aux boîtes, l'érotisme, comme ils disaient. Ils ne parlaient
des femmes que du point de vue de leurs talents d'amoureuses
— ils disaient : de baiseuses —, de la qualité de leur peau,
dans un langage cru, platement cynique, qui cachait mal leur
impuissance foncière à l'amour, leur frivolité souvent assez
désespérée. Ils ne vivaient, disaient-ils, que pour l'amour et, à
les entendre, rien n'avait moins d'importance au monde. La
fidélité était bourgeoise et par conséquent stupide, impossible
d'ailleurs comme elle l'avait toujours été depuis les âges. À
quoi bon se monter la tête ? Il fallait savoir regarder les choses
en face, ne pas demander à la nature humaine ce qu'elle ne
pouvait donner, en un mot, se débarrasser de tout romantisme,
de tout sentimentalisme bien entendu — on n'était plus des
enfants, on ne croyait plus au Père Noël —, se montrer objec-
tif, réaliste, et en tout cas rester libre, et savoir admettre la
liberté de l'autre. La jalousie avait fait son temps. C'était d'ailleurs un sentiment réactionnaire et bas, une maladie honteuse.
Ils se repassaient leurs femmes, parfois même avec une espèce
de gaieté, en hommes supérieurs. On entendait bien de temps
en temps parler d'une « histoire », certains attardés avaient

mal pris les choses et fait du scandale, il y avait eu bataille,
tentative de suicide, menaces de mort. Mais ces gens-là, capables de telles extravagances, étaient des emmerdeurs : ils auraient dû se faire psychanalyser. Ils ne connaissaient pas la
vie.

— Dis donc, mon salaud, tu m'as soulevé Gigi avant-hier
soir.

— Ah ? Et Monette ? Elle t'intéresse ? Tu veux son numéro
de téléphone ?

Rien, prétendaient-ils, ne les engageait. Ils ne vivaient que
pour le « plaisir ». L'un d'eux, un soir, avait obtenu un grand
succès en citant le mot d'un auteur pourtant bien oublié, Georges de Porto-Riche : « J'aime le poulet, je n'ai pas besoin que le
poulet m'aime. » Au fond, ils n'étaient pas tellement bêtes, ces
auteurs du Boulevard, si décriés de nos jours. Et, du moins, ils
ne s'étaient pour ainsi dire jamais occupés de politique...

Certains, parmi les habitués du quartier, avaient mené une
vie régulière d'homme marié. Le mariage avait duré un an,
dix-huit mois, rarement plus : le temps d'avoir un enfant.
Ensuite, tout avait cassé et, depuis lors, ils faisaient la noce, se
prétendaient revenus de tout, invulnérables désormais, sensibles à l'instant seulement, sans projets d'avenir. Toutefois, en
fait de projets, j'en entendis un, un soir, répéter qu'il ne devait
pas oublier qu'avant la fin de l'année il fallait qu'il se foute en
l'air. Il disait cela du ton de quelqu'un qui se rappelle une
chose importante, mais à laquelle il ne pense pas toujours et
qu'il craint un peu d'oublier.

— Fais un nœud à ton mouchoir !

— Bonsoir don Juan !

Ils ne trouvaient guère le temps d'être seuls avec leurs maîtresses. Ils passaient leur vie en groupes, en bandes et pourtant
la plus grande preuve d'indifférence qu'on puisse donner n'est-
elle pas de ne pas chercher à être seul avec qui on aime ? Mais
ils ne se plaisaient qu'au café, autour d'une table, à huit ou dix.
Ils se racontaient leurs prétendus secrets, se donnaient des
conseils faciles, du genre : « Un de perdu, dix de trouvés », ou

bien : « Ça ne vaut pas la peine de s'en faire pour ça ! On sait ce que c'est. Dans huit jours, tu n'y penseras plus. Pourquoi pleures-tu, petite ? Parce que ton joli garçon est parti ? Mais s'il t'aime, il reviendra, et s'il ne t'aime pas... »

— Ah ! Taisez-vous !

Mais pourquoi pleurait-elle devant eux ? Hélas ! Elle n'avait pas voulu cela, la pauvrette ! Rien ne serait arrivé si sa propre sœur ne l'avait dénoncée — c'était le mot — publiquement. Cette dernière, tout en se remettant du rouge, souriait, ravie d'avoir trahi les confidences de sa cadette et après avoir remis son tube de rouge dans son sac, elle dit :

— Il faut pourtant bien qu'elle apprenne à vivre.

Quelqu'un ajouta — une grande amie de la pauvrette :

— Allons ! Rentre chez toi, va te faire consoler par ta maman...

Elles étaient marrantes, cette année, les jeunes souris !

Ou bien, quand ils étaient marxistes, ils répétaient que l'amour est une toute petite affaire individuelle, secondaire, bourgeoise, dont il n'y avait jamais lieu de surestimer l'importance. Les affaires individuelles n'intéressaient plus personne depuis longtemps, et à juste titre. De quel poids pouvait bien peser ce qu'en d'autres temps les poètes avaient chanté, les affaires de cœur, les délires, les tourments de l'amour, en face du destin historique de l'humanité ? On aurait eu honte d'y penser...

Deux jeunes et magnifiques lesbiennes passent devant le Flore enlacées, provocantes, en s'embrassant sur la bouche. À la terrasse grouillante du café quelqu'un s'écrie qu'on se croirait dans la Rome antique...

L'un de ces consommateurs avouait un soir à un autre qu'il avait beau les juger, dès qu'il se trouvait seul, ils lui manquaient au point que parfois il tombait dans des paniques. Il rôdait à travers le quartier, allait de terrasse en terrasse, comme un très pauvre type à la recherche de quelqu'un avec qui dîner ou tout simplement boire un verre. Oui : un très pauve type honteux qui se jure de ne plus jamais recommencer et qui, incapable de rester dans sa chambre, retombait toujours dans son vice. Ah ! il n'était pas facile de supporter la solitude ! Et puis, ces gens qu'il recherchait aux terrasses, il avait tort de les juger sévèrement. Devait-il être dupe des apparences ? Chacun ne montrait de lui-même que bien peu de chose, encore ce peu n'était-il pas toujours vrai : il le savait par sa propre expérience. Pourquoi les autres n'eussent-ils pas eu comme lui quelque chose à cacher ? Qu'est-ce qui lui permettait de le croire ? Leurs rêves, par exemple, son rêve de deux ou trois nuits plus tôt, lui revint en mémoire comme dans un hoquet, un rêve horrible. Cette nuit-là, il s'était suicidé. Il ne savait plus par quel moyen — le souvenir de ce rêve était assez confus dans son esprit — mais il savait fort bien qu'il s'était dit que les dés étaient jetés et, quelques instants plus tard, sentant que l'irrémédiable allait s'accomplir, il s'était écrié : « Tu l'as tant souhaité ! » Il se voyait debout dans sa chambre, il sentait le sang remplir sa bouche, il était pris de bourdonnements et de vertiges. Il poussa un soupir violent et s'ébroua sur sa chaise.

— Et alors quoi ? demanda l'autre en fronçant les sourcils, ça ne va pas ?

— Si, très bien, répondit-il entre ses dents.

Il aurait dû se mieux surveiller, ne jamais se mettre dans le cas de se faire poser de telles questions, de se laisser regarder comme son ami venait de le faire. Il lui fallait prendre garde à ne jamais faire le visage de ceux qui ont quelque chose. Plus que jamais il devait prendre des précautions, il savait depuis longtemps que, dans ce cas-là, tout est ennemi — le monde entier. Il savait que les précautions auraient dû commencer dès le début, et même avant, si la chose avait été seulement pensable. Aujourd'hui, c'était bien autre chose, et ce soupir qui venait de lui échapper l'exposait à de nouveaux dangers. Cette douleur, il devait la cacher à tout le monde et surtout, surtout, n'en jamais prendre les airs. Quelle odieuse et obscure volonté l'habitait donc de faire savoir, de jeter le cri ? Je le vis mettre sa main sur sa bouche comme pour étouffer un cri. À quoi bon grimacer et grincer des dents ? Méprisable. À quoi bon faire comprendre à l'autre avec qui on buvait un verre qu'on « avait quelque chose » et pourquoi cette lâcheté de demander :

— Ne me laisse pas seul ce soir.

— Bon, si tu as besoin de quelqu'un pour te tenir la tête...

Dimanche 24 avril, Paris — Est-ce que je vais pouvoir raconter ? J'étais il y a quelques instants encore à la brasserie Lipp — en train de dîner, et, près de moi, était assis un homme corpulent, laid, infirme, mais pas seul, en qui je reconnus le brillant Waldemar George, critique d'art, de son vrai nom Jarocinsky, que j'ai si bien connu à Saint-Brieuc pendant les dernières années de la guerre 14-18, et dont j'ai fait le Kaminsky du *Sang noir*. J'aurais tant voulu lui parler, et savoir s'il se souvenait, savoir, aussi, s'il avait lu mon livre, et s'il me pardonnait. Mais il était assis de telle façon qu'il ne pouvait que difficilement me voir. Le jeune homme à collier de barbe qui lui faisait face, un peintre, et la mère dudit jeune homme parlaient sans cesse et sans doute d'une manière si intéressante, que Jarocinsky, dit Waldemar George, n'éprouvait même pas la plus petite envie de tourner la tête de mon côté. Et, l'eût-il fait, qu'il en serait advenu quoi ? Quelque chose de très mauvais peut-être s'il m'en veut à propos du livre (mais cela n'est pas possible ; le personnage n'est pas lui, il n'est qu'à partir de lui) ou quelque chose de nul, et en tout cas sans suite, la circonstance ne s'y prêtant pas. J'aurais pourtant aimé lui parler. Ce qui ne m'est pas arrivé depuis l'année 1918. Jamais revu depuis. La puissance de bouleversement était grande. Il a connu mon père, ma mère. C'est de lui que, pour la première fois, en 1917, j'ai entendu le nom de Dostoïevski. Il a connu Palante. Au fait, je parle de lui dans *Absent de Paris*. Vers la fin du repas, il s'est tourné vers moi, il m'a regardé et pas reconnu. En sortant, j'ai vu qu'il marchait en s'appuyant sur deux cannes. J'arrête, je suis plein des souvenirs de ma jeunesse. Une fois, dans ma mansarde de jeune homme, à Saint-Brieuc, il m'a dit : « Je vous crois bien plus que moi capable d'une œuvre de longue haleine. » Il a été avec Palante (Cripure !) l'un des premiers à m'encourager. Et voilà ce que j'ai fait. Si je savais où lui écrire un mot. Mais peut-être ne le faut-il pas. Tout le temps, j'attendais qu'il me reconnaisse. Je ne pouvais rien faire, il n'était pas seul.

1956

8 mai 1956 — Alfred Jarry avait un singe, et un perroquet.
Il avait instruit son perroquet à dire : « Drôle d'histoire ! »
Toute la journée, le perroquet répétait : « Drôle d'histoire ! »
Mais il se taisait la nuit, il dormait. Rentrant un jour chez lui
très tard, sans allumettes pour s'éclairer, Jarry fut accueilli
par les cris du perroquet qui plus que jamais répétait : « Drôle
d'histoire ! » Ayant trouvé des allumettes et allumé sa lampe, il
découvrit que le singe s'était emparé du perroquet qu'il était
en train de plumer. Drôle d'histoire. Cette drôle d'histoire m'a
été contée par Gaston qui la tenait de Léon-Paul Fargue.

Gaston[1] avait une tante, sœur de sa mère, très timide et très
pieuse. Elle était mariée, elle aimait son mari, son mari l'aimait, ils ne se quittaient jamais et, tous les jours, ils allaient ensemble à l'église. Après cinquante ans de mariage, l'excellente
femme fut victime d'un accident, et mourut. Son mari ne
remit plus jamais les pieds à l'église. Il n'y avait jamais cru.

1. Gaston Gallimard.

1957

Vendredi 15 février 1957, Milan, Hôtel Auriga — À mon réveil, j'ai eu le désagrément de trouver la pluie, malgré les espoirs d'hier, et la promesse de Mme Mercedes Luzzati Garnoli, compagne de hasard entre Montreux et Milan, qui, en me quittant, me disait : « Vous verrez, il fera très beau demain, je vous le promets. » Eh bien ! Mme Mercedes n'a pas tenu parole, et voilà tout. Il est tout juste huit heures. Je viens d'écarter mon rideau. Madonna ! On se croirait à Londres, à Copenhague, à Brest... D'un bord à l'autre le ciel est d'un même gris éteint, la lumière est pauvre. Ce n'est pas qu'il pleuve à grande eau : non, il s'agit plutôt d'un suintement qui laisse sur mes vitres de grosses gouttes paresseuses. Tout porte à croire, hélas, qu'il y en a pour la journée. Et dire que Brega et Riva[1], avec qui j'ai dîné hier soir, devaient m'emmener aujourd'hui à la campagne pour déjeuner ! Je suis arrivé hier à Milan à cinq heures et demie, ayant quitté Lausanne un peu après une heure.

26 septembre — La tempête qui depuis deux jours et deux nuits souffle sur nos côtes rend ce matin la lumière fort basse, et le ciel admirable, dans son chaos roulant, brumeux, traversé par le vol blanc des mouettes. Équinoxe. Des grosses pluies

1. Valerio Riva, collaborateur des Éditions Feltrinelli.

tombées dans la nuit, il ne reste plus qu'une fraîcheur marine, des flaques luisantes dans les jardins, une terre par endroits noirâtre, des chemins, au loin, qui à travers les verdures ont le brillant des traces d'escargots. Le vent disperse dans le ciel les fumées domestiques et couche les arbres rebelles. La rumeur est moins profonde qu'elle ne l'était pendant la nuit, mais elle est toujours là, à certains moments très méchante. Il n'y a guère d'espoir que le soleil paraisse aujourd'hui. Selon ce qui s'annonce, il vaut mieux croire à un redoublement de cette violence primitive, à une montée de cette colère du vent que la pluie, petite où grande, n'apaisera pas. La mer est cachée sous les brumes, indiscernable, mais bien présente. On dirait que la rumeur du vent transporte quelque chose de sa rumeur à elle et il ne faut pas trop d'imagination pour se la représenter comme elle est : déchaînée. Demain, nous lirons dans les journaux d'affreuses nouvelles. Il y en avait déjà beaucoup ces jours derniers sous la rubrique des « drames de la mer », et, dans le monde entier, la perte du *Pamir*, au large des Açores, a été, comme disent les journalistes, « douloureusement ressentie ». Le dernier grand voilier. À son bord, une soixantaine de jeunes élèves officiers qui faisaient leur premier grand voyage. Six rescapés. Il paraît que la pluie tombait sur la mer, rendant par là même la visibilité mauvaise et les recherches fort difficiles. Le journal, avant-hier, donnait une photo du bâtiment. Je pense qu'elle aura été publiée un peu partout. Pourquoi ai-je délaissé mon roman ce matin ? Pourquoi suis-je incapable de poursuivre l'histoire qu'hier soir encore je continuais avec tant d'entrain ? Longues questions, auxquelles peut répondre pour une part la tempête qui agit sur moi de manières si diverses.

... La question déjà étudiée hier soir par le même procédé était de savoir s'il était encore possible de continuer l'écriture. Il me semble ce matin qu'en appuyant le bras complètement sur la table, la crispation dans les muscles du bras proprement dits et dans l'épaule est moins grande. Je m'étais bien promis de tenir

compte de la conversation avec le docteur et de réfléchir aux
différents points que cette conversation avait fait apparaître,
les regardant, quant à moi, comme évidents. Cependant je vois
que la question de se régler d'après l'évidence n'est pas aussi
simple que je pouvais le croire et il va probablement me falloir
beaucoup de persévérance et d'application.

J'écrivais ceci ce matin, vers dix heures.

Six heures du soir. Je procède à un nouvel essai, mais dans
un très mauvais état d'esprit. Cependant, après ces seuls premiers mots, il me semble que les choses vont mieux du simple
point de vue névralgie, preuve (?) que le repos absolu pourrait
aussi porter ses fruits. Je dois, demain, prendre le train pour
Paris, ce qui est une des causes de l'état de fureur silencieuse
dans lequel je suis resté plongé toute la journée.

Une heure plus tard. J'essaie de nouveau, et cette fois, je
constate que tout va pour le mieux. Peut-être me suis-je considérablement exagéré les choses et le bon sens serait peut-être
de se désintéresser, c'est-à-dire de faire en sorte de ne pas ajouter à la crispation musculaire (ressentie comme telle — ou
nerveuse) une crispation morale : idée fixe. Cependant, pour le
moment, je dois m'arrêter, tout en sachant qu'en le voulant je
pourrais continuer pendant un certain temps. Nous verrons ce
soir, après le dîner. Il est, pour le moment, un peu plus de sept
heures.

Notons que la « névralgie » en question disparaît complètement devant la machine à écrire.

10 heures du soir — Il est certain que cette inquiétude au
sujet de la névralgie m'a entièrement distrait du roman. Voilà
plusieurs jours que je n'ai pas eu la moindre idée à cet égard,
et que la page interrompue est restée telle quelle, y compris le
petit bout de rajout fait à la machine hier, mais délaissé bientôt malgré la joie que j'ai eue de voir que l'emploi de la machine ne me causait aucune difficulté, et que les quelques lignes
que j'ai écrites par ce moyen ne m'eussent pas paru, au fond,
plus mauvaises que ce qui précède. Mais le départ pour Paris,

etc., les complications, etc., le profond sentiment (la profonde
appréhension) du désastre dont je me sens menacé, etc. Il me
semble que ce dernier essai d'écriture, pour la présente journée, est plutôt rassurant. C'est à peine si, pour le moment,
j'éprouve une légère raideur dans le bras, une légère sensation
de muscles ou de nerfs rétifs, et je pourrais me dire que tout ce
que j'éprouve depuis quelques jours, et que je sentais venir
depuis un bon mois, n'est que la conséquence d'un certain sur-
menage, que le repos devrait faire disparaître. Chercher la
position la plus commode. Je ne sais naturellement pas ce que
je vais faire des gribouillages que voici, ni même si je les conti-
nuerai, l'une des raisons qui pourraient m'y inciter est que je
vois que, pour une première fois peut-être, j'écris ce que j'écris
(ou je pourrais écrire) clandestinement pour ainsi dire, autrement dit pour mon tiroir, autrement dit hors de la vue de tous,
et que, partant de là, je pourrais entreprendre, etc., etc.

Dimanche 6 octobre — Et si toute l'affaire ne venait que de
ce qu'on appelle une « fausse position » comme il arrive au dor-
meur de se réveiller avec le torticolis, chose à laquelle je suis
presque tenté de croire ce matin, en même temps qu'au « changement » de position, l'inconvénient dont je parle ici n'étant
apparu qu'au moment où, pour d'autres raisons, j'ai renoncé à
écrire debout, et où je me suis mis à écrire assis. Voilà bien de
la chinoiserie. Bon. Je pars pour Paris dans deux heures.

Je puis essayer de nouveau dans le train. Il n'y a pas encore
une heure que je suis parti, nous ne sommes pas encore à Rennes. Il se peut que je me sois très fort exagéré les choses, en
tout cas, pour le moment tout va bien et fasse le ciel que je
puisse me remettre au roman rue d'Assas !

Je m'étais pourtant bien promis de ne pas promener mon
bonnet à Saint-Germain et voilà que j'y suis comme jamais,
attablé à la terrasse devant un café. Toujours poursuivi par la
même préoccupation, j'ai voulu faire ce dernier essai qui sem-

ble me vouloir prouver que j'aurais seulement rêvé. Le retour
à Paris n'est pas fameux. Deux heures peuvent suffire à vous
dégoûter de bien des années passées.

15 octobre — Il est à peu près une heure du matin. La douleur que j'éprouve depuis plus d'un mois dans le bras droit, et
qui m'empêche d'écrire normalement, n'a pas du tout diminué
malgré le traitement électrique que me fait subir le docteur
Fischgold. Avant-hier, on m'a radiographié. Il résulte de là
qu'il s'agit sans doute d'un rhumatisme. On me dira plus clairement le diagnostic demain mercredi, jour où je dois me rendre de nouveau rue Las-Cases, pour mon traitement. Le docteur m'a conseillé de varier les positions dans lesquelles j'écris.
Je me suis mis depuis quelques jours à la machine, et, grâce à
ce moyen, j'ai pu travailler comme avant, librement.

Ayant couvert cette page sans trop de peine, je me sens un
peu encouragé. En effet, pour le moment, bien que la douleur
soit toujours présente, la crispation est infiniment moindre
qu'elle ne l'était il y a quelques jours après le même temps
d'écriture, et il me semble que je pourrais continuer pendant
un certain temps. C'est la première fois, depuis que je souffre
de cet inconvénient, que j'essaye d'écrire au lit.

1961

Jeudi 7 septembre 1961, Genève (Hôtel Rex, avenue Wendt) — Après avoir passé l'après-midi avec Alex (Jean Blot)[1] et dîné chez les Vichniac[2], j'ai assisté hier, Cour Saint-Pierre, à la conférence d'Henri de Ziegler, première du cycle organisé par les Rencontres internationales sur le bonheur. Précision : sur les *conditions* du bonheur. J'étais assis près de Colette Audry[3]. Pas grand-chose à dire sur cette conférence, un discours de distribution des prix. Nous entendrons ce soir le R.P. Dubarle (que j'ai autrefois rencontré avec le Père Maydieu). Je suis resté à Genève pour ces Rencontres à cause du thème, me préparant à quelques voyages en Allemagne, Autriche, Italie, Grèce, Sardaigne, pour visiter les camps de réfugiés qui y existent encore très nombreux. Me trouvant à Genève pour étudier les conditions de ces voyages avec MM. Stanley Wright et Chapert de Saintonge, du Haut-Commissariat pour les Réfugiés, ayant rencontré M. Mueller, secrétaire des Rencontres qui m'a invité à y assister, j'ai accepté, pensant que rien ne pouvait en ce moment mieux me convenir que d'écouter ce qui se dira sur les conditions du bonheur avant que de me mettre en route pour rendre visite au malheur. Les réfugiés dont il s'agit, et

1. Jean Blot, traducteur, essayiste, romancier.
2. Les Vichniac, journalistes fixés à Genève.
3. Colette Audry, professeur et écrivain.

qui vivent dans les camps, sont encore aujourd'hui au nombre
de quinze millions soit les populations réunies de Londres et
de Paris. Certains habitent ces camps depuis quinze ans. Des
enfants sont nés dans ces camps et n'ont jamais connu d'autres
conditions de vie. Le présent journal (si je le continue) devrait
être le journal du (des) voyage(s) que j'ai en vue, lequel voyage
commencera (après le 15 de ce mois) par une visite à Toulouse
(et environs) pour m'y occuper de la situation des réfugiés
espagnols et arméniens. (On me dit qu'il existe une importante
concentration de réfugiés arméniens dans cette région.)

Minuit — J'ai presque tout oublié, déjà, de la conférence du
Père Dubarle. Il s'agissait des conditions *philosophiques* du bonheur. Il n'a donc pas traité la chose en religieux — mais surtout
en philosophe. Le grand leitmotiv était : Et si j'essayais de devenir plus raisonnable... Une grande facilité. Rien de nouveau ni
d'essentiel. Après la conférence, station au Landoldt (brasserie)
avec Matič et sa femme, les Mayoux, le jeune Vichniac (Jean-
Loup), etc. Le peu qu'on apprend dans ces soirées ne vaut pas tout
ce que l'on perd. J'entends par là tout ce qu'efface et peut même
détruire du lent travail intérieur... Je suis sûr d'avoir tout à fait
tort en restant là et je me reproche ma facilité à me laisser
entraîner quand je n'ai foncièrement envie que de travailler à
mon roman[1]. Je devrais donc tout planter là, pour aller à Châ-
teauroux ou à Laval, et ne penser qu'ensuite à mes voyages chez
les réfugiés. Dans ces voyages, la distraction sera encore plus
grande, aussi ne voudrais-je m'y engager qu'après avoir terminé
ce roman. Du moins, si distraction il y a, le but rachète tout
(quoique je me méfie aussi de ce genre de justification). Ce soir,
au Landoldt, Colette Audry me demande tout à coup si j'ai connu
Edmond Lambert. Ceci me rappelle soudain à moi-même. Nous
parlons ensemble de Lambert qu'elle a connu à Saint-Brieuc où
elle a vécu deux ans. Son père était préfet. Elle allait au collège
avec la fille aînée de Lambert.

1. Ce sera *La Confrontation.*

Lundi 11 septembre — Toujours à Genève, et toujours au Rex Hôtel. Mais s'il n'est pas possible de travailler à ce roman dont, pendant une demi-heure ce matin, j'ai cherché en vain quel titre je pourrais lui donner, autant se mettre à ce journal pour l'exercice et la recherche du meilleur état possible, et presque comme exercice physique, à cause de ce rhumatisme dans le bras et dans le pouce, bras droit, main droite, qui me fait très réellement souffrir le matin à mon réveil. Plus tard, la douleur s'atténue, et ne devient plus qu'une gêne, mais elle ne disparaît jamais tout à fait. Je ne puis plus écrire longtemps d'une même traite. Voilà déjà des mois, et des années, que dure cet état, les traitements qu'on m'a faits n'ont rien changé. Autrefois, j'avais la main très libre.

Aux *Rencontres* : M. J. Ebbinghaus (?), professeur de philosophie à l'Université de Marburg, pas d'accord avec M. Adam Schaff, professeur de philosophie à l'Université de Varsovie, regrette, à la fin de son intervention, de ne pouvoir souscrire aux thèses de son confrère d'autant plus qu'il appartient à un pays qui, sous un régime brutal, a fait subir à la Pologne, etc.

M. Adam Schaff déclare incidemment qu'il est d'origine bourgeoise, que, même, il vient de la grande bourgeoisie... Ce qui revient à dire que dans une société comme dans l'autre, il est aux postes de commande.

Dimanche 17 septembre, Paris — J'ai quitté Genève hier en voiture avec Mme Christiane d'Estienne. Voyage très agréable, fait pour ainsi dire d'une traite. Nous ne nous sommes arrêtés qu'à Dôle pour déjeuner, puis à Avallon, où nous avons passé quelques instants à l'église Saint-Lazare, où j'ai voulu retourner surtout pour Petit[1], et le souvenir des siens (sa jeune sœur Bernadette, et tous les autres).

Arrivés à Paris un peu après neuf heures.

---

1. Henri Petit.

Samedi 14 octobre — Je suis à Toulouse depuis mardi dernier chez José Cabanis[1]. Précision : à Lasbordes, soit à huit kilomètres de Toulouse.

La mémoire du matin toujours la même depuis des années et les rêves moins fréquents mais toujours là. Pour le moment, il est neuf heures et demie, j'entends les coups de fusils des chasseurs dans le voisinage, et j'attends José Cabanis pour descendre avec lui à Toulouse. Il fait un temps un peu frais mais encore ensoleillé. On dirait que le rhumatisme du bras et du pouce me laisse un peu tranquille.

Vers les quatre heures, je suis allé rue de Belfort, à la C.N.T. où j'avais rendez-vous avec le camarade Roque Santa-Maria. C'est au fond d'une cour, dans une rue étroite, au deuxième étage. Comme toujours, tout ici est pauvre, sommaire, presque nu. Mais çà et là sur les murs, sur les portes, des inscriptions et des affiches indiquent clairement où nous sommes. Le mot « exil » est partout. Et c'est en effet ici le siège d'une organisation des Espagnols en exil. « En el exilo. » L'escalier qui mène là est pauvre, sale, usé, les murs écaillés. C'est au fond d'une cour pleine de vélos et de voitures, à travers laquelle on voit passer des employés transportant des objets qu'on chargera plus loin sur des camions. Le quartier est celui de la gare, resté le quartier de la prostitution la plus sordide où la seule protection consiste en un écriteau posé sur la fenêtre derrière laquelle de très pauvres filles font de l'œil au passant. « Estaminet interdit aux moins de dix-huit ans. » De l'estaminet arrive une musique non indigne des pianos mécaniques d'antan.

Le camarade responsable Roque Santa-Maria avec qui j'ai pris rendez-vous hier est, quand j'arrive, occupé à tailler les cheveux d'un autre camarade venu là avec sa femme et son petit garçon de dix ans. Sans doute Roque Santa-Maria était-il coiffeur en Espagne, il y a aujourd'hui plus de vingt-cinq ans. Mais à la manière dont à travers la porte entrouverte je le

2. L'écrivain José Cabanis qui vit à Toulouse.

vois opérer, il est évident qu'il n'a pas oublié le métier.

— Assieds-toi, me dit-il. C'est fini tout de suite.

Je m'assieds à côté dans une pièce à moitié vide, qui d'ailleurs doit ordinairement servir de salle d'attente, elle n'est meublée que d'une table et de bancs. C'est toujours la même nudité, le même côté élémentaire. Je pourrais me croire à la Maison du Peuple de Saint-Brieuc, et même à la Bourse du Travail de mon enfance. A côté, on parle. Je comprends qu'il s'agit des études du petit garçon, de dictionnaires, d'étymologie, et même de latin. La conversation paraît se dérouler sur le ton de la bonne humeur, la voix de la femme s'y mêle de temps en temps. Des camarades arrivent et s'en vont en voyant Roque au travail. La porte d'entrée s'ouvre et apparaissent deux femmes, une vieille et une jeune, la jeune portant dans ses bras un très joli et charmant enfant. Roque travaille toujours. Du reste, ce n'est pas lui que cherchent les deux femmes. Elles disparaissent au fond du couloir. Un camarade entre et se dirige tout droit vers le bureau réservé à l'activité culturelle, et par la porte entrouverte duquel j'ai aperçu, en arrivant, une bibliothèque. Il va falloir attendre encore quelques instants, car je m'aperçois qu'après lui avoir taillé les cheveux, Roque Santa-Maria va maintenant raser le copain. Il traverse un instant la pièce où j'attends, pour aller chercher quelque chose dans une armoire, et me dit au passage, avec un bon sourire : « C'est fini tout chuite... » J'ai tout juste le temps de l'apercevoir qu'il est déjà revenu à son travail. Hier, je l'avais vu debout, derrière son bureau — un homme très maigre, osseux, un long visage sérieusement marqué, cinquante-cinq à soixante ans. Je viens de m'apercevoir qu'il est boiteux, peut-être même des deux pieds. Sous son chandail gris, la poitrine paraît creuse. Il a de longues et grandes mains. A côté, on parle toujours. Un vague malaise me vient, un instant, relatif à de vieilles questions, que je renvoie. Des journaux traînent sur la table, auprès d'un cendrier rempli de mégots...

Lundi 16 octobre — Avec toute la famille Cabanis, je suis

allé hier en voiture à Albi, où je n'étais pas retourné depuis
1930 environ, quand Jean[1], tout nouveau marié, y était professeur. Excellente promenade par un temps fort beau et chaud.
Après la visite à Sainte-Cécile nous espérions voir le musée,
mais il est fermé « pour réparations » jusqu'au mois de mars.
Que n'a-t-on fait ailleurs une exposition des Toulouse-Lau-
trec ? Je me souviens de la promenade dans les jardins de l'archevêché, le long des remparts et cette délicieuse retraite
autour du jet d'eau — très Stendhal. Aussi du cloître Saint-
Salvy. Au retour, José Cabanis ne se sentant pas très bien a dû
se coucher avec des bouillottes, un cachet d'antigrippine dans
un grog, mais toutefois après la partie d'échecs au coin du feu
comme chaque soir depuis que je suis ici, il y aura demain
mardi déjà huit jours.

La conversation avec Roque Santa-Maria très cordiale a
abouti à ceci : le chiffre des réfugiés espagnols habitant le Sud-
Ouest dépasse trente mille. Il n'y a pas d'agglomération à proprement parler. Les Espagnols se sont fondus dans la population française. Il n'y a pas, actuellement, de situation dramatique. Les réfugiés travaillent comme des ouvriers français.
Cependant, une loi interdit à une même entreprise d'employer
plus de dix ouvriers étrangers, ce qui, parfois, crée des cas
difficiles. Les assurances sociales ne jouent pas pareillement
pour les réfugiés qui n'ont pas la même ancienneté que certains, etc. Dans l'ensemble, me dit-il, il n'y a pas à se plaindre,
sauf en ce qui concerne les études des enfants des réfugiés, à
qui on refuse les bourses d'entrée dans les lycées, mais dont on
exige, à dix-huit ans, le service militaire. Cette injustice révolte
vivement Santa-Maria. « Nous sommes tous fils de la Révolution française, dit-il, et si nous avons les mêmes devoirs, nous
voulons avoir les mêmes droits. »

Cette nuit, grand vent qui continue encore un peu ce matin
dans un ciel gris et mouillé : « Connaissez-vous l'automne,

1. Jean Grenier.

l'automne en pleins champs, etc. » Hier, il ne faisait guère meilleur, quand je suis descendu à Toulouse, avec Cabanis, vers neuf heures et demie pour aller à la préfecture, voir Mlle Rouède, assistante sociale, au sujet des réfugiés espagnols. J'ai eu la très grande chance de trouver en Mlle Rouède quelqu'un avec qui je me suis senti tout de suite de plain-pied, qui m'a immédiatement répondu à ce que je cherchais et aidé. Ensemble, nous sommes allés rue Riquet, à l'Unitarian Service Committee, qui est un service américain d'aide aux Réfugiés Espagnols Républicains, voir Mme Dolores Bellido, codirectrice de ce service (avec Miss Persis Miller). Mme Dolores Bellido est elle-même espagnole, et réfugiée. C'est une personne aujourd'hui de cinquante et un ans. Elle habite la France depuis février 1939. Assez forte, les cheveux tout blancs, le visage clair, l'œil bleu, elle est encore belle. Nous la trouvons dans son petit bureau, très modeste. A ma première question au sujet des réfugiés, elle me répond :

— Ce qu'il y a surtout, c'est qu'ils vieillissent...

De 1939 à aujourd'hui, en effet, vingt-deux ans se sont écoulés. Ce qui revient à dire que les réfugiés qui avaient quarante ans, en 1939, à la fin de la guerre d'Espagne, en ont aujourd'hui soixante-deux, que ceux qui en avaient cinquante en ont soixante-douze, s'ils vivent encore, que beaucoup sont morts en exil, et que, parmi ceux qui restent, la proportion des malades est considérable. Comme me l'avait dit Santa-Maria, à la C.N.T., il est vrai que les réfugiés se sont bien assimilés, que leurs rapports avec la population française sont très bons, que la densité de l'émigration fait qu'ils ne sont pas absolument dépaysés et, à Toulouse même, ils peuvent parfois assister à des courses de taureaux. Des vraies. Mais qu'est-ce que cela, pour des hommes et des femmes en train de vieillir, et que la nostalgie du village natal poigne de plus en plus ? Or, ils savent qu'ils n'y retourneront jamais. Ils mourront comme d'autres avant eux sont morts, sur une terre hospitalière sans doute, mais néanmoins une terre d'exil. A la question de savoir s'ils ne pourraient pas rentrer en Espagne, si le gouvernement de

Franco ne le leur offre pas (une nouvelle amnistie vient d'être accordée, me dit-on), il sera répondu tout à l'heure. Ils ont beaucoup souffert, moralement surtout. Ils ont connu de très grandes déceptions, la plus grande de toutes a sans doute été à la Libération, quand ils s'attendaient à voir renverser Franco et à rentrer en Espagne.

Un autre problème est celui des enfants nés de parents espagnols dans l'émigration en France. Ces enfants-là sont français de fait. Ils parlent français comme des Français, ils oublient même l'espagnol. Nous revenons au problème effleuré l'autre jour avec Santa-Maria. Sur la question des bourses, Mlle Rouède me dit qu'on fait beaucoup, que, pratiquement, il n'y a pas de problème, qu'un enfant né de parents espagnols en France peut faire les mêmes études qu'un enfant français. D'où je conclus que l'attitude de Santa-Maria est plutôt inspirée par le souci de la justice déclarée que par des raisons de fait. On m'ajoute que les enfants espagnols sont généralement des élèves très sérieux, que les Espagnols en général, même illettrés, ont le respect de la culture, mais que ces mêmes enfants, bien que le plus souvent éloignés de leur héritage culturel, refusent, le moment venu, d'opter pour la nationalité française. Ils veulent rester espagnols. On me dit aussi que les jeunes gens et les jeunes filles ont des mœurs très réservées. On ne compte pas de blousons parmi eux. Il ne faut pas omettre de dire que parmi ceux qui ont vieilli, autrement dit survécu, beaucoup, après avoir fait la guerre en Espagne (rappelons que la Commune d'Oviedo est d'octobre 1934 et l'insurrection de Franco de juillet 1936), beaucoup ont connu l'internement en France (Argelès, le camp du Vernet), que, de là, ils ont été pris par les Allemands et contraints au travail, que beaucoup ont été emmenés en déportation. Tel était le cas de mon ami Simon Gonzalès, maestro nacional, arrivé des Asturies en Bretagne avec une colonie de quinze à dix-huit enfants, infirme, marchant avec une béquille, et dont j'ai eu des nouvelles à la Libération : il revenait de Mauthausen. Qu'est-il devenu depuis ?

Samedi 21 octobre, Genève, Hôtel Rex — J'ai quitté Toulouse jeudi matin pour Perpignan. Je n'étais pas revenu à Perpignan depuis 1932 ou 1933 pour la mort de cette petite Mimy[1].
Je me suis rendu rue du Maréchal-Foch au service de la main-
d'œuvre étrangère pour voir Mme Place. C'était jeudi, jour de
réception et je n'ai pu voir Mme Place que quelques instants
mais j'ai bien vu les bâtiments et les gens espagnols qui attendaient devant sa porte. C'est partout la même misère, la même
merde — et c'est Swift qui a raison : modeste contribution, etc.
Après quoi, à la préfecture où je suis reçu par une fonctionnaire du genre police-douane qui me demande d'abord mes
papiers, etc. Pour elle, il n'y a guère de problème ; on aide les
réfugiés autant que l'on peut, ils ne sont d'ailleurs pas très
nombreux, cinq à six mille dans le département. Après la préfecture, je me suis rendu au Vernet, dans la banlieue de Perpignan, pour voir le président des mutilés espagnols, mais il
n'était pas chez lui, c'est sa sœur qui m'a reçu et nous sommes
partis ensemble à sa recherche, mais en vain. Les enfants,
espagnols, algériens, dans l'escalier de la maison.

Mardi 24 octobre — les journaux annoncent que les Russes
ont fait exploser hier deux nouvelles bombes de 30 à 50 méga-
tonnes.

---

1. Belle-sœur de Louis Guilloux.

1965

28 août 1965 — Il est temps de mettre en ordre les Carnets et les Notes dont j'ai toujours eu l'habitude. J'ai aussi, pendant des années, tenu un Journal. La remise en ordre de mes papiers m'oblige à les relire et parfois à « compléter et expliquer », à retrancher peut-être, mais je n'ai pas l'intention de rien modifier.

Pour le moment je suis surtout occupé de mon premier voyage en Angleterre aux mois de juillet, août et septembre 1914. Les souvenirs de ce séjour trouveront leur place dans un écrit que j'ai en vue inspiré surtout par la mémoire de mon malheureux ami Pierre Etienne.

La première fois que je me suis embarqué, c'était il y a un peu plus de cinquante ans, en juillet 1914, je n'avais pas seize ans. Le bateau, un cargo mixte, était le *Devonia*. Hier, je suis allé voir le vieux M. Stamp, pensant qu'il est ici la dernière personne qui se souvienne du *Devonia* — à moins que M. Perkinson ne soit encore vivant. Mais je ne sais où le trouver. (M. Bird aussi est mort depuis de longues années, ainsi que les demoiselles Bird ses filles, ainsi que Taylor, le vagabond, peu de temps après avoir été libéré du camp de concentration où il était avec M. Stamp ; le charmant vieux monsieur de la Hulinière a disparu lui aussi, et quant au vice-consul, M. Beghin, il y a longtemps que personne ne parle plus de lui et qu'il n'y a plus ici de vice-consulat britannique. En fait, dès après la Première Guerre mondiale, il n'y a plus eu, ici, de vice-consulat britannique. Le vice-consul était installé rue Victor-Hugo. Il y avait une belle plaque ovale à côté de la porte, au-dessus de laquelle flottait l'Union Jack.) J'ai trouvé M. Stamp qui sortait de chez lui marchant sur deux cannes. Nous avons pris rendez-vous pour mardi prochain à trois heures après-midi pour parler du *Devonia*, dont il se souvient très bien, ayant lui-même voyagé à bord de ce cargo.

Au cours des grandes soirées d'été, on entendait parfois au loin sonner du cor. Cela venait, à travers la vallée de Toupin, du plateau de Cesson. On s'arrêtait pour écouter, on allait s'accouder sur la balustrade qui borde la route longeant la vallée. A travers la vallée, le son du cor avait encore plus de charme.

Qui jouait ainsi du cor ? M. le sénateur Charles Meunier.

M. le sénateur était le mari d'une très belle jeune femme qui deviendrait un jour la maîtresse du roi de Suède et qui n'hésiterait pas, un peu plus tard, à raconter ces amours-là dans un roman intitulé : *Un roi l'aima*.

Tout enfant, j'entendais raconter que cette admirable personne se faisait « émailler ». J'étais bien en peine de comprendre ce que cela voulait dire, croyant dans ma naïveté qu'il n'y avait jamais rien eu d'émaillé que les casseroles, objets par parenthèse dont son mari était marchand et raison pour laquelle dans les périodes électorales les caricaturistes le représentaient coiffé d'une casserole.

Outre qu'elle se faisait émailler, elle prenait, disait-on, des bains de lait d'ânesse pour conserver la fraîcheur de sa peau. J'avais du mal à croire qu'on pût chaque matin trouver assez de lait d'ânesse pour remplir une baignoire.

Que je regrette de n'avoir jamais même entrevu cette exceptionnelle houri ! Elle aimait passionnément le cor de chasse. Quand son amant du jour qui n'était pas encore un roi devait venir la rejoindre au château elle disait à son mari :

— Charles, mon ami, ne croyez-vous pas que si vous alliez ce soir jouer du cor sur le plateau de Cesson, l'effet, entendu

d'ici, serait plus merveilleux que jamais ? Il fait si beau, l'air
est si doux !

Et Charles qui n'avait jamais su rien refuser à sa femme s'en
allait aussitôt, avec quelques-uns de ses amis.

Voyage en U.R.S.S. — Après avoir raconté comment, dans
les rues qui avoisinent les bains, à Tiflis, on trouve des petits
garçons, Gide se souvient que Wilde lui a dit un jour : « Quand
j'arrive dans une ville nouvelle, je me mets en quête de l'homme le plus sale, le plus laid, le plus ignoble de l'endroit, et je
lie connaissance avec lui. Désormais, me voilà tranquille : cet
homme, c'est le procureur. »

— Qu'est-ce qui t'intéresse, toi ? demandai-je à Herbart[1].
C'était à Ordjonikidzé.
— Moi ? dit-il. C'est, une fois par semaine au moins, d'enc...
un type plus costaud que moi.

La pédérastie peut se définir par l'amour des hommes, mais
mieux peut-être par la haine des femmes (ou l'exclusion).

Il n'y avait pas de femmes dans tout ce voyage, Bola[2] excep-
tée, mais Bola n'était pas une femme pour nous. Pour rien au
monde Gide n'eût souffert qu'il en vînt. Pour nous : Dabit,
Schiffrin[3] et moi, c'était comme si un élément avait disparu de
la terre. Jamais Gide ne parlait des femmes, jamais il ne faisait
la moindre allusion à un univers féminin. Tout simplement
cet univers n'existait pas.

A Tiflis. Chaleur accablante. Vers six heures, devant l'hôtel,
je rencontre Gide. Il exulte. Il revient du bain où il a eu une
aventure « extraordinaire » dont il ne me donne point cependant le détail. Il me quitte pour rejoindre Herbart.

Avec Schiffrin, tandis que Dabit lit Gogol dans sa chambre

1. Pierre Herbart, écrivain ; il épousa Elisabeth Van Rysselberghe, mère de la fille
d'André Gide, Catherine.
2. Bola Boleslavskaïa guida Gide et ses compagnons dans leur voyage en U.R.S.S.
3. Jacques Schiffrin (Iacha), éditeur, créateur de la collection de la Pléiade.

(du moins j'imagine qu'il lit Gogol) je fais un tour dans un jardin public tout près de l'hôtel. Là, nous apercevons Gide, assis sur un banc entouré de jeunes gens. Les jeux. Nous nous éloignons discrètement.

Une heure plus tard, alors que je suis de nouveau devant l'hôtel, survient Gide, le visage défait. Il me prend par le bras et m'entraîne.

— Il vient d'arriver, me dit-il, une chose très désagréable. J'étais assis sur un banc au jardin. Il est arrivé un type ma foi très séduisant. Tout allait bien. Je commençais à lui peloter les côtes, quand un type de la Guépéou est arrivé et l'a emmené. C'est très désagréable. Voilà ce qui arrive quand on cherche des aventures sans véritable désir.

Il paraît en effet très ennuyé. Sait-il, ou ne sait-il pas avec quelle rigueur la loi soviétique frappe ce genre de délit ? Il paraît que la peine peut aller jusqu'à cinq ans de prison.

1966

Me souvenant de l'histoire de Salido (l'homme au bonnet vert) il m'est revenu que j'avais omis dans mon récit de parler de la visite que je fis le soir de ce même jour où il m'avait signifié sa volonté de s'évader et où personne ne savait encore où nous pourrions le cacher en attendant la réponse des camarades du Parti et, selon ce que nous espérions, son départ pour Moscou. Le Père Frédéric aurait peut-être quelque moyen de nous aider dans les circonstances... Mais, au Père Frédéric, je devrais dire toute la vérité. Non seulement Salido était un soldat de l'Armée Rouge, mais encore quelques jours plus tôt, il avait levé le couteau sur un infirmier. Pourquoi ? C'est ce que j'ignorais. Quoi qu'il en soit, Salido était un homme dangereux. Je ne pouvais laisser ignorer ce point-là à qui je pensais demander de se charger de lui. Sur la fin de la journée, je me décidai à aller trouver le Père Frédéric à son couvent. Tant pis si je le dérangeais dans ses prières !

Le frère portier me fit entrer dans un petit salon bien laid, où, quelques instants plus tard, le Père Frédéric entra. A son habitude, il me broya la main, sous prétexte de me la serrer en riant de bon cœur de la grimace que je fis, m'apprit qu'en effet je le dérangeais, vu qu'il était à fabriquer un sermon pour des bonnes sœurs.

— Comme vous voyez, je travaille dans le fin... Asseyez-vous. Nous avons le temps... Qu'est-ce qui se passe ?... Vous vous êtes converti ?

— Pas encore, Père Frédéric.

— Cela viendra !

— Peut-être. Je finirai bien par croire divine une telle perfection d'absurdité.

— C'est la même chose. *Credo quia absurdum.* Mais qu'est-ce qui se passe ?

Je lui contai ma visite à l'hôpital et ce que m'avait dit Salido. Il m'écouta gravement.

— Bon, me répondit-il, après un instant de réflexion. Je crois que je pourrai me débrouiller. S'il y consent, je le mettrai chez ma mère... à cent kilomètres d'ici. Vous me direz le jour et l'heure. Avec la voiture de l'abbé...

— Attention, Père Frédéric, il s'agit d'un lieutenant de l'Armée Rouge !

— Eh bien ?

— C'est un homme dangereux. Je ne peux pas vous cacher qu'il y a quelques jours il a levé le couteau sur un infirmier.

— Ah ?

Le Père Frédéric fronça les sourcils, réfléchit, puis il me répondit :

— Dites donc, mon vieux, est-ce que je vous demande si votre grand-mère faisait du vélo ? — Puis il redevint sérieux et ajouta : — Il sera sous bonne garde...

Nous nous serrâmes les mains, c'est-à-dire : il me broya la main, et je partis.

Mai 1966 — Idée (presque abandonnée) du récit à propos du « *peintre de cierges* » — Jean[1] m'a dit n'avoir jamais entendu parler de peintres de cierges. Et *L'homme de cœur* resté en projet depuis combien d'années ? Il devait beaucoup s'agir de José Schroeder. Autre « projet » : *L'Albatros* (en souvenir de Pierre Etienne) — on devrait (voudrait) pouvoir dire d'une même coulée tout ce qu'on sait. Cela est impossible, même

1. Jean Grenier.

dans des *Mémoires*. L'ambition des grands romans m'a fait
« économiser » un grand nombre de choses qui n'ont pas trouvé leur place ensuite. Il ne faudrait jamais s'occuper des notes,
fiches, etc. qu'on a pu accumuler, ni trop se soumettre à sa
mémoire, partir sur l'élan. Laisser faire. A cette condition
j'aurais peut-être écrit ce *Sceau du Prince* — autre projet resté
en réserve.

Après deux ou trois ans de mariage, N..., jeune femme de
vingt et quelques années, épouse de R... qui en avait dans les
soixante-dix, se mit à maigrir et à pâlir, courant grand risque
de perdre et sa santé et sa beauté. Elle me dit que la cause de
cet état alarmant était qu'elle ne mangeait plus. « Je ne peux
plus manger devant lui. » J'appris en même temps qu'elle avait
résolu de divorcer. A partir de ce moment-là, son mari se laissa pousser la moustache. Le divorce une fois prononcé, N...
retrouva son appétit, ses belles couleurs et sa beauté. Le mari
se fit raser la moustache.

D'une lettre de Max Jacob : « L'habitude d'écrire pour le
public est en moi si invétérée qu'elle a fini par devenir un vice
et par empêcher toute éclosion spontanée sinon même par tuer
la réflexion, etc. »

Pygmalion dans la Vallée des Singes. A peine la statue s'est-
elle animée, qu'elle se jette dans les bras d'un singe.
Pygmalion et les travaux d'Hercule.

Idée d'une pièce (drame ?) — La situation dramatique vient
de ce qu'une fille de trente ans veut quitter son mari qu'elle
n'aime plus, tandis que le père de cette fille va être abandonné
par sa maîtresse qu'il aime toujours passionnément. L'action
se passe chez le père. Le père sera pour sa fille contre son
gendre, ce qui l'amènera à employer des arguments qu'il combat quand il s'agit de sa maîtresse, etc. Autre personnage : la
femme légitime, mère de la jeune femme.

... cette nature humaine qui nous fait à la fois jaloux et infidèles...

... le pain, le feu, la laine, un toit, la main qui caresse et qui protège...

Quelque chose en moi, dira le personnage, veut la *protection* et non le *sacrifice*.

Voir Louis-René Villermé : *Tableau de l'état physique et moral des ouvriers dans les fabriques de coton, de laine et de soie* (1840. Villermé. Médecin et statisticien, 1782-1863).

On disait de lui au début : il jette ses derniers feux. Ensuite on dit : il traîne une vieille histoire...

A quoi bon faire des reproches à qui ne se reproche rien...

L'écrivain — acteur...

... rentrant à deux heures du matin après une tournée dans les boîtes, le fils trouva son père en train de fourbir l'argenterie...

Un amour qui finit ressemble à tous les autres...

La violence, la patience également impuissantes...

Les grottes de Pestunia (et la belle Tzigane cireuse de bottes à l'entrée). Les ruisseaux et les stalactites, les oiseaux des ténèbres et le petit train pour les touristes. L'imprudent visiteur ne sortira peut-être plus jamais des ténèbres. C'est B... qui l'a conduit là. Et B... ne sortira des grottes que pour aller en prison. La veille, dans ce grand restaurant vide d'où l'on découvrait un si vaste paysage de montagnes (à Lioubliana). Le garçon de restaurant et la femme. — A la fin, soit par accident, soit autrement, le malheureux visiteur se trouvera condamné à ne jamais remonter à la lumière. Il vivra avec les chauves-souris. Souvenir des grottes de Cheddar, dans le Devonshire...

Le coup de vent de Pompéi : un coup de vent de sirocco fit jaillir des pentes du Vésuve d'étranges fumées noirâtres qui recouvrirent le ciel et semblèrent annoncer à la troupe de touristes un cataclysme semblable à celui qui atteignit Herculanum et Pompéi.

C... disait qu'il ne faut pas quitter le monde contre le monde car alors on ne le quitte pas.

« Ah ! s'écria... ne sois pas plus vache que le bon Dieu ! »

« *Ce qui peut s'enseigner ne mérite pas de l'être.* »

Affaire Simone[1] : C'est en parlant avec tante Charlotte que j'ai retrouvé le nom d'un cousin de Simone : Ovide (celui qui savait si bien moudre le café sans jamais en perdre un grain). La mère d'Ovide était une Mme Mahr. A Belleville. Les autres à Bagnolet.

Les autonomistes... Plus tard mais fort peu de temps après la Libération le dîner chez Mazéas[2] à Guingamp et comment le soir en rentrant la jeune fille déchirait les banderoles aux couleurs de la République.

On disait que X... venait de se marier.
— Avec quoi ? demanda quelqu'un...

2 juin — Je suis arrivé à Paris hier à midi et je me suis

1. Simone, cousine de Louis Guilloux, fille de son oncle François Guilloux dont il s'inspira pour le personnage de l'oncle Paul dans *Le Pain des rêves* et *Le Jeu de patience*.
2. G. Mazéas, partisan d'une autonomie de la Bretagne.

rendu aussitôt rue du Bac, où j'ai trouvé Thérèse encore couchée avec une formidable gueule de bois. Elle m'a fait de grandes plaintes sur l'ensemble des choses. Nous avons bu un café. Un peu plus tard Emma, sa fille, m'a conduit dans la petite chambre de bonne que l'on me prête. Elle est au septième étage, et l'escalier est bien raide. Mais c'est une petite chambre très proprement et joliment arrangée, avec une grande fenêtre ouvrant sur les toits, ce que j'ai toujours aimé. J'ai déjeuné très rapidement avec Th. ; il était près de deux heures quand nous nous sommes mis à table et j'avais rendez-vous avec Pierre Chaslin à deux heures et demie, au 122 de la rue La Boétie où sont les bureaux de son agence de publicité Sodipa[1].

Le soleil se lève en plein dans la fenêtre. Un très beau soleil, ce matin. N'ayant pas de montre, et comme il n'y a pas d'horloge dans cette chambre, je me suis mal rendu compte de l'heure... Et j'étais dehors à huit heures et demie. Je suis allé au Buisson prendre un café et manger un croissant, ensuite j'ai fait un tour dans le quartier, par un très beau début de matinée quoique très frais. J'ai acheté ce carnet, et un autre plus gros, et un bloc de cartes-lettres, dans l'idée que je pourrais travailler au café, faire un peu de correspondance, etc. Il est maintenant dix heures et demie.

Je disais à Henry Bars[2] (dimanche dernier) qu'en revenant à Paris pour y faire ce qu'on me propose, je trahissais ma vocation. Je voudrais faire un effort pour que cela ne devienne pas vrai, et c'est pourquoi j'ai acheté ce carnet, et c'est pourquoi j'y écris toutes ces choses insignifiantes.

Dimanche 5 juin — Le voyage à Rennes en voiture avec Dominique[3] s'est passé le plus agréablement du monde par un

1. Louis Guilloux y collabora quelque temps.
2. L'abbé Henry Bars, écrivain. Ami d'Henri Petit, il avait fait la connaissance de Louis Guilloux au printemps 1966.
3. Dominique Halévy, qui travaillait à la fabrication chez Gallimard.

bel après-midi d'été. Nous sommes arrivés à Rennes un peu après sept heures. Au musée, où nous nous sommes rendus tout de suite, nous avons été accueillis par Mme Pierret, avec qui nous sommes allés à la Brasserie de la Paix dîner. Il y avait aussi, avec nous, deux autres personnes dont j'ai malheureusement oublié le nom. L'inauguration de l'exposition Max Jacob n'avait pas attiré plus d'une cinquantaine de personnes, c'était tout ce qu'il fallait. Denise Bonal et Philippe Mercier ont lu quelques poèmes, j'ai raconté quelques souvenirs à propos de Max.

Repartis hier samedi à huit heures, et fait la route d'une traite, sauf un arrêt de dix minutes à Nogent, et arrivés à Paris avec seulement un quart d'heure de retard, c'est-à-dire à une heure un quart, pour le rendez-vous avec Maréchal[1], au Lipp. Avec Maréchal, et son assistant Ballet, nous avons fait un déjeuner très joyeux, au cours duquel il a été décidé que Maréchal allait monter *Cripure*, dont la première représentation sera donnée à Lyon, le 15 janvier de l'année prochaine, 1967, qui sera le jour de mon soixante-huitième anniversaire. Ce n'est pas moi qui ai demandé que cette « première » ait lieu à cette date. Maréchal l'avait déjà décidé depuis quelque temps. Voilà donc une belle soirée en perspective et j'espère bien me trouver à Lyon ce jour-là, s'il plaît à Dieu ! Dominique[2], qui déjeunait avec nous, nous a ensuite emmenés place Dauphine où il nous a laissés discuter de *Cripure* en buvant un café, tandis qu'il allait de son côté à sa galerie, le Mur ouvert, où nous l'avons rejoint un peu plus tard, et d'où, après avoir téléphoné à Simon, je suis retourné rue du Bac pour me reposer. Le soir, j'ai dîné chez Simon, avec lui, ses enfants, Emma et Etienne, et un tout jeune homme, le « boy friend » d'Emma. Après quoi je suis sorti faire un tour et rentré vers onze heures pour dormir. Que voilà donc un journal bien minutieusement

---

1. Marcel Maréchal était alors directeur de la troupe du théâtre du Cothurne à Lyon.
2. Dominique Halévy.

tenu et qui pourrait être celui de n'importe qui. Mais pourquoi pas ?

Aujourd'hui dimanche, après une bonne nuit de repos, je me suis réveillé très tard et comme tous ces jours-ci, n'ayant ni montre ni horloge, je ne savais pas quelle heure il était quand je suis sorti ce matin. A l'horloge du carrefour Bac, j'ai vu avec surprise et une sorte de contentement qu'il était dix heures et quart. Dans la rue, j'ai rencontré Edouard Caen[1], qui faisait son marché. Nous avons bavardé un bon moment et fait quelques pas ensemble, ce qui m'a fait beaucoup de plaisir. Ensuite, je suis allé boire un café et manger un croissant à L'Escurial, d'où j'ai téléphoné à Youyou[2], que je n'ai pas trouvée chez elle. Comme il y avait longtemps que je voulais avoir des nouvelles de Jean Léon avec qui j'avais parlé il y a des mois d'un projet de film d'après *Compagnons*, je l'ai appelé, et les premiers mots qu'il m'a dits ont été pour m'annoncer son mariage. Nous avons déjeuné ensemble, avec sa fiancée, au Lipp. Il a été très peu question de notre projet. Nous avons fait un déjeuner de très bonne humeur et projeté de nous revoir, et aussi de voir Flo. C'est tout ce que j'ai pour le moment à consigner dans ce journal. Il est six heures. Je ne sais encore ce que je vais faire de ma soirée. Demain matin, chez Pierre Chaslin, rue La Boétie, d'où vraisemblablement nous déménagerons pour aller rue Marbeuf.

Lundi 6 — Dîné hier soir avec Youyou, chez elle — et descendu chez les voisins d'en dessous, le docteur Moline et sa femme, et passé là un très bon moment. Rentré, après onze heures, rue du Bac et très mal dormi. Ce matin, tout va très bien. Vu Edouard Caen, ensuite Jacqueline Bour avec qui j'ai bu un café à ce petit bistrot au coin de la rue de l'Université et de la rue de Beaune, bistrot que nous appelions autrefois le « prolétarien ».

1. Edouard Caen, directeur commercial de Gallimard.
2. Yvonne Oulhiou.

Mardi 7 — A résumer très brièvement les choses, j'ai passé une grande partie de la matinée avec Jacqueline Bour et fait de nombreux téléphones dans son bureau, notamment à Flo, et aussi à Dominique[1], en conclusion de quoi j'ai pris rendez-vous avec Flo pour une heure au Buisson d'Argent, où je me suis trouvé d'abord avec Bloch-Michel et Sperber[2] très vite disparus avant l'arrivée de Flo — avec qui je suis allé déjeuner à La Frégate. Déjeuner très heureux avec Flo. Ensuite, rue La Boétie où Flo m'a reconduit, puis rue Marbeuf et de là au Marignan pour le rendez-vous avec Pierre Moinot[3]. Ne pas oublier la rencontre ce matin de Cabanis au Flore.

Retrouvé Cabanis ce matin (mercredi 8 juin) à la terrasse du Flore. Passé une partie de la matinée avec Jacqueline Bour. Vu Edouard Caen. Ne pas oublier le texte à préparer pour Dominique ni la télévision d'une heure un quart à préparer sur la proposition de Moinot. Ce matin, j'ai fait envoyer six exemplaires de *Cripure* à Maréchal. J'écris tout ceci qui ne servira à rien, pour remplir des pages et maintenir le contact de la main au stylo. C'est la principale raison. Ajouter que Le Clec'h rencontré tout à l'heure à Saint-Germain, me demande des « Souvenirs » pour *Le Figaro littéraire*. Voilà les affaires !

Vendredi 10 juin — Vu un instant Nicole (que je suis allé revoir à Gouédic sur la fin de l'après-midi). Tasse de thé. Avant cela, orage, inondations. Vu Charlotte[4], qui couche ce soir à la maison. Conversations sérieuses avec Yvonne. Ce soir

---

1. Dominique Halévy.
2. Manès Sperber, psychologue ; il fut assistant d'Alfred Adler sur qui il a écrit une thèse, *Alfred Adler et la psychologie individuelle*, parue chez Gallimard en 1972 ; essayiste et romancier. Ami d'Arthur Koestler, d'André Malraux, de Jean Bloch-Michel. Il était lié également avec Sartre et Camus.
3. Pierre Moinot avait été conseiller technique au cabinet d'André Malraux ministre des Affaires culturelles (1959-1961), puis chargé de la direction du Théâtre et de l'Action culturelle (1960-1961) avant de devenir, à partir d'octobre 1966, directeur général des Arts et Lettres.
4. Sœur de Louis Guilloux.

à Saint-Laurent, devant la mer montante. Dans l'ensemble, journée sérieuse, mais du point de vue du travail auquel je pensais, stérile.

Jeudi — Rien noté dans ce carnet hier, ayant oublié mes lunettes chez Dominique à Jouy-en-Josas où j'ai passé la soirée et la nuit de mardi à mercredi.

Dimanche matin — 33 rue Lacépède, chez Yvonne Oulhiou. Hier samedi, vu les G..., puis sorti et rencontré Edouard Caen avec qui je suis resté un long moment à L'Escurial. De là au Lipp, pour le rendez-vous avec Alex[1], qui a des ennuis avec son dernier ouvrage. Déjeuné par hasard avec Duvignaud et rentré rue Lacépède pour la sieste. A six heures, je suis allé à Montparnasse chez Robert Tricoire[2] qui donnait un cocktail pour la sortie de son livre sur Menotti. Retrouvé là la très belle Véronique Fabre. Nous sommes allés en bande à dix heures manger le couscous au Chalet, près de la Contrescarpe, puis nous sommes retournés au Dôme finir la soirée. Rentré très tard. Pas un instant je n'ai oublié ce qui me préoccupe depuis quelques jours et plus que jamais depuis vendredi. Nous verrons demain matin. Dîné avec Stanley chez lui, puis avec lui, au Pont-Royal toute la soirée et parlé très sérieusement. Rentré tard rue Lacépède et fort bien dormi. A beaucoup d'égards bien que d'une manière plus sérieuse, ce que me disait Stanley[3] rejoint ce que me disait Cabanis. Il faudrait un grand courage. La vraie perspective est celle de ma propre perte. Demain j'emmènerai Jacqueline Bramly déjeuner à l'Unesco avec Alex (Jean Blot). Me voici donc en plein dans la vie parisienne, ce que, depuis des années, je ne croyais plus possible. Tout semble se passer comme si je ne devais plus jamais quitter Paris. Je sais pourtant bien que je ne le veux ni ne le puis, et que je casserai tout d'un coup, d'un moment à l'autre. Mais les conditions d'une paix

1. Jean Blot.
2. Robert Tricoire, neveu de Renée Guilloux.
3. Stanley Geist.

supportable, c'est-à-dire d'une vie possible dans une continuité acceptée, deviennent pour moi de plus en plus difficiles.

Peut-être à cause de la conversation d'hier avec Stanley je me sens sur le point d'écrire tout ce que je pense et surtout ce que je sens sur ce qui me touche le plus et ce tourment tout nouveau dont je suis accablé depuis quelque temps. J'ai encore beaucoup de force, mais il m'en faudrait bien plus encore pour affronter l'ensemble des difficultés et des menaces qui m'entourent. Prendre des résolutions est facile avec un but en vue, il faudrait prendre d'abord celle de se réfugier dans la distance, mais je ne puis me détacher. Le fond des choses est atroce. Je n'ai rien de consolant à dire à personne et je n'attends de consolations de nulle part. Je me trouve placé dans une situation intenable. Je voudrais n'accuser personne sachant trop bien que je devrais alors commencer par m'accuser moi-même. Mais s'accuser soi-même ne change rien. Ce n'est là qu'un aspect d'un ensemble où nous pouvons tous aller nous asseoir sur le même banc. Tant de choses se passent et se sont passées comme au tribunal mais sans juges, les « personnages du drame » rassemblés dans une salle d'audience, pour un éternel procès — mais sans juges et sans avocats — sans verdict. Laissons. La vérité c'est la perte. Courir à sa perte. Il n'y a point de condamnation, mais la perte. Hier, je disais à Stanley que j'avais jugé mon père sans l'avoir entendu. J'y pense très souvent, avec douleur. Il n'a jamais rien fait, du reste, pour s'expliquer, bien que sachant tout. Mais avait-il à s'expliquer ? Tous ces jours derniers j'ai aussi beaucoup pensé à mon vieux Beerblock sur son lit de mourant pendant que sa femme donnait ses leçons de piano derrière le rideau, seule séparation entre les deux pièces, et il faut supporter cela, mais pourquoi ? Pas de but et pas de réponse. J'ai peur. A présent rattrapons le temps depuis le moment où assis au Florian est arrivée Jacqueline Bramly et où nous sommes partis ensemble pour déjeuner avec Alex et Nadia au restaurant de l'Unesco qui est l'un des lieux les plus hideux du monde et le restaurant l'un des plus bruyants de Paris. On a beau se dire qu'il faut s'y faire et que l'on est bien partout pour être mal, ce n'est pas un lieu pour l'échange et le peu de repos que l'on peut trouver devant une table. Le cher Alex était toujours dans les mêmes humeurs mélancoliques que lui inspire le sort de son manuscrit chez Gaston. Que lui dire pour l'aider à se rétablir dans son bon sens ? C'est ce à quoi j'ai beaucoup pensé tout l'après-midi. J'ai vu Gaston vers cinq heures, ensuite j'ai beaucoup parlé d'Alex avec Edouard Caen, puis avec Hirsch — en conclusion de quoi je suis ici au bar du Pont-Royal attendant Alex qui doit arriver dans un quart d'heure — soit à six heures et demie. J'ai aussi téléphoné à Dominique, qui viendra ici un peu après sept heures. A tout noter (à tout dire) j'hésitais beaucoup à aller voir Gaston. Que de raisons n'ai-je pas pour cela ! J'y suis tout de même allé et j'ai trouvé ce qu'on appelle un bon Gaston qui a fort admiré mon manteau et m'en a demandé le prix. Je le lui ai dit : dix mille francs. Il s'est émerveillé, m'a félicité, m'a dit que j'avais bien de la chance et qu'il était plus malheureux que moi et même poursuivi en correctionnelle pour hausse illicite, et autres calembredaines dont je connais depuis longtemps le répertoire, sans plus songer à m'étonner qu'il y trouve encore de l'amusement. Mais quelle persévérance dans la comédie ! Quel ennui ! Quelle défense ! — quel homme démodé, au fond, en dépit de toutes ses immenses qualités dans l'intelligence, l'art de conter, etc. Je suis parti après avoir vu Robert[1] et, un instant, Lemarchand qui revenait de Lyon et m'a parlé de Maréchal, du Cothurne, de ma pièce, etc. en insistant fort pour que j'écrive à Maréchal, etc. Chose que je voudrais faire, mais c'est à peine si j'en suis capable. J'ai cependant pu écrire une lettre à Galaup au sujet de cette exposition sur la Littérature Noire en Amérique[2] — Alex est arrivé. Je l'ai mis au fait de tout ce que j'avais appris qui pouvait l'intéresser — ce que j'ai su d'Edouard, de Hirsch, de Robert Gallimard. Comment

1. Robert Gallimard.
2. Jacques Galaup, professeur et conseiller municipal à Saint-Brieuc, adjoint aux affaires culturelles. — Louis Guilloux avait été nommé en décembre 1965 directeur du Centre culturel de Saint-Brieuc.

raconter tout cela : il faudrait passer au roman. Je voudrais
bien avoir réussi à éteindre un peu son impatience. Mais
voilà ce dont je ne suis pas sûr. Dominique Halévy est arrivé. Nous avons parlé d'autre chose. Voilà Paris, et les rencontres entrecroisées. Dominique voulait m'emmener à
Jouy. Je n'ai pas cru que cela me fût possible, et, finalement,
je suis resté seul pour dîner à La Chaumière — belle chaumière mais pas de cœur, et grand bruit —, il ne me reste
plus à présent où il va être dix heures qu'à m'en aller faire
un tour en fumant ma pipe avant de remonter mes sept étages pour regagner ma chambre de bon et dormir, s'il plaît à
Dieu !

— J'y suis. J'ai quitté La Chaumière sous la pluie et grimpé
mes sept étages en maudissant l'ensemble. Me voici dans ma
chambre de bon, à quelque cinq ou huit cents mètres de celle
que j'occupais en 1918 au 125, si ma mémoire est bonne, et où
je travaillais 75, rue Jacob, chez M. Finot, à *La Revue mondiale*, pas très loin non plus de cette autre chambre de bon où je
suis resté pendant près de cinq ans chez Gaston au 17 de la rue
de l'Université. Assez pour aujourd'hui. Sur vous la paix et la
prière.

21 juin. Eté — Mais une petite pluie. Pas désagréable. J'ai
commencé la journée en allant voir Edouard pour lui parler
d'Alex. Ensuite un café avec Jacqueline Bour, puis l'autobus
jusqu'au rond-point des Champs-Elysées. Je n'ai rien d'autre à
noter pour le moment. Je ne relis jamais ce que je note dans ce
carnet. Il est probable que je le détruirai, comme Lambert a dû
détruire pas mal des siens avant de mourir. Il est maintenant
plus de cinq heures et je suis quai Kennedy au studio 150 en
attendant l'enregistrement que je dois faire sur mes souvenirs
de 1917. Après déjeuner je suis rentré rue du Bac, pour une
courte sieste, ensuite à la N.R.F. où, dans le bureau de Hirsch,
j'ai trouvé Noldek Langfus[1] que j'espère revoir la semaine pro-

1. Noldek Langfus, mari de la romancière Anna Langfus.

chaine. Téléphoné à Suzanne Martin[1]. Nous nous verrons au cocktail. Mes autres rendez-vous sont jeudi à 13 heures rue de Valois pour déjeuner avec Malraux et, vendredi, à une heure, aux Archives, pour déjeuner avec les Chamson. Quant à ce que je ferai du reste de la semaine, tout se complique du fait de la grève des chemins de fer qui doit durer de vendredi à dimanche. Comment aller à Saint-Brieuc, je l'ignore, il me faudrait une occasion de voiture qui sera peut-être Dominique, mais... Tout ce bavardage m'est nécessaire pour le moment. Il me serait bien plus nécessaire encore de trouver le « personnage » du roman à qui imputer tout un fond de choses qui, malgré les résolutions, continuent à ne point apparaître dans le champ dès l'instant où je prends la plume. Ce bavardage que je me reproche — mais ce n'est pas tout à fait vrai que je me le reproche, je n'en parle que par une sorte d'excuse, par amour-propre, si l'on veut —, donc, ce bavardage comme quantité d'autres choses que je note dans ce carnet n'est qu'une façon de préparer, de me préparer aux choses sérieuses, d'errer, de courir à travers champs mais à la recherche d'une route, d'une voie sur laquelle je puisse me maintenir. Et de trouver l'auberge où je pourrai faire halte et faire sauter la bonde. Ce personnage, quel nom portera-t-il ? N'allons pas trop vite, attendons demain et contentons-nous pour le moment où je suis rentré dans ma chambre de la rue du Bac de songer avant d'aller dormir à une sorte d'écrit sous le titre « Retour à Paris », pendant d'*Absent de Paris*.

Mercredi 22 juin — A l'Escurial ce matin est arrivé M. Poupard, notre ancien maire briochin. Avons pris notre café ensemble. Ensuite à la rue Marbeuf. Pierre Chaslin est arrivé et nous avons parlé des choses. J'ai acheté un journal pour lire de Gaulle à Moscou. Mais je ne suis guère allé très loin. J'ai complètement perdu l'habitude de lire les journaux

---

1. Suzanne Martin, peintre et romancière. Sa fille, Anny-Claude, a exécuté une série de dessins d'après *Le Sang noir* qui furent exposés en décembre 1968.

depuis des années. La recherche du personnage ne progresse guère. Je ne cherche que des issues. Continuons en attendant l'heure d'aller dîner, et malgré le vacarme qui m'entoure à la terrasse et la chaleur d'orage, pour la nomenclature des faits, et des gens rencontrés, la dernière étant il y a quelques instants à peine, celle de ce professeur de philosophie que j'ai vu il y a plus de trente ans (en 1935) à Poitiers, rue de la Cathédrale, chez Mimi, au cours d'un séjour pendant lequel je relisais les dernières épreuves du *Sang noir*. J'oublie le nom de ce professeur. Que vient-il de me dire ? Qu'il est désormais à Tours, que les jeunes qu'il enseigne ne sont pas tous mauvais, mais que la plupart sont assurés contre tout et même contre l'intelligence, qu'il est membre de l'Institut et dans l'ensemble pas content du monde. Un homme très gentil. Avant cette rencontre, j'étais passé rue de Grenelle pour téléphoner à Saint-Brieuc. Rencontré Carlier[1] qui m'a parlé d'un texte à faire pour *Maître et serviteur*, ce qui me plairait bien. Je retrouve le nom de mon philosophe : Ménard. Bien. Et après ? Changeons : je pense à la pièce sur *le poète* ?

Jeudi 23 — La journée a commencé par la rencontre d'Arland à L'Escurial, où il était venu prendre un café, Duvignaud est arrivé un instant. Après son départ, nous avons eu, Arland et moi, un bout de conversation très amicale. Il m'a parlé de sa vieille mère, de sa fille. Il est très accablé. C'est très lourd pour lui. Et, cependant, il veut travailler. Je me suis senti très proche, très avec lui. Plus tard j'ai fait un tour à la N.R.F. Vu Édouard, Jacqueline Bour, je suis allé de là voir Thérèse G., encore au lit, pour lui porter une invitation qu'elle avait du reste déjà pour le cocktail de demain, puis, à une heure, j'ai pris taxi pour aller à mon rendez-vous 3, rue de Valois avec Malraux. J'ai aperçu Chevasson[2], vu Madeleine Castiglione, la

---

1. Robert Carlier, collaborateur des éditions Gallimard.
2. Louis Chevasson, ami de Malraux qu'il connut dès l'enfance et qu'il accompagna dans son expédition indochinoise en 1923-1924.

secrétaire de Malraux. J'ai trouvé Malraux infiniment mieux qu'il n'était la dernière fois, nous sommes allés déjeuner à La Bourgogne. Mais avant toutes choses — j'ai téléphoné à Yvonne un peu après midi. Les nouvelles sont bonnes quant aux santés — mais la séparation est proche et je ne sais ce qui s'en suivra, je ne veux pas y penser. Malraux m'a beaucoup parlé de ses médecins et des plus récentes découvertes sur l'anesthésie morale. Ceci pose de multiples questions très angoissantes. Je ne puis noter le détail de ce déjeuner, cela viendra peut-être un peu plus tard et peu à peu, tout ce que je puis en dire c'est que j'ai été profondément heureux de le retrouver et tel que je l'ai toujours vu. Il est près de six heures. Temps orageux. Vacarme et fureur. Ce soir dîner avec Chaslin et des amis à lui je ne sais où.

Vendredi 24 — Pierre Chaslin m'a emmené chez ses amis Paupert à Montrouge. Paupert est l'auteur d'un livre récent : *Peut-on être chrétien aujourd'hui ?*, qu'il m'a envoyé il y a quelques jours mais que je n'ai pas lu. Il y avait là sa femme Catherine, une de leurs amies Françoise, et un dominicain le Père Chanut, si tel est bien son nom. La soirée a été gaie, mais il ne s'y est rien dit qui mérite qu'on le retienne. Pierre a trop bu — beaucoup trop, il était carrément ivre quand nous sommes partis vers une heure du matin. Nous sommes tout de même montés en voiture. Il avait le plus grand mal à trouver son chemin et même à conduire, il me disait qu'il n'y voyait rien. Après avoir brûlé quelques feux rouges nous sommes arrivés en haut du boulevard Saint-Michel au bout de la rue Gay-Lussac où, malgré mes protestations, il a insisté pour que je le laisse seul, ce que je ne voulais pas faire. Mais comprenant qu'il irait mieux si je n'étais pas là, s'il n'avait plus la responsabilité d'un passager à bord, j'ai enfin consenti à le quitter après l'avoir supplié de laisser là la voiture et de prendre un taxi. Je l'aurais raccompagné chez lui... Il a refusé. Il m'a assuré qu'il n'était pas ivre, mais un peu malade. Finalement je l'ai laissé et j'ai pris un taxi pour rentrer rue du Bac. Il était une heure du matin. Soirée gâchée à mon grand regret. Tout à l'heure, je déjeunerai chez les Chamson.

Samedi 25 juin — Comme il va falloir que je quitte cette chambre d'un instant à l'autre pour la laisser jusqu'à lundi matin au jeune homme, boy friend d'Emma, et que je ne sais pas du tout l'heure qu'il est (je me réveille d'une sieste et je suis assis sur le balcon), mieux vaut que je remette à plus tard de noter la journée d'hier.

Un peu après sept heures j'irai retrouver Édouard et nous irons ensemble à Arcueil chez Suzanne Martin.

Dimanche 26 — Le résumé des chapitres précédents (tout va très vite) commencerait par le déjeuner de vendredi avec Chamson et Lilette. André m'a raconté son prochain roman presque terminé déjà. Il s'agit d'une certaine galère sur laquelle l'un de ses ancêtres fut condamné à ramer pendant des années jusqu'à sa mort, en qualité de protestant. Le récit qu'il m'a fait m'a paru fort beau. Après le déjeuner, je suis resté un long moment à bavarder avec Lilette. Je l'ai quittée vers quatre heures pour aller rue Marbeuf, où j'ai su que Pierre Chaslin était bien rentré chez lui et où j'ai eu la visite de Georges Robert[1] et de Françoise. Ensuite, au cocktail Gallimard. J'ai revu là Pierre Gallimard, et Nicole Is sa femme, Alex, à peine du reste, Jean M... (La manière dont il m'a dit l'autre jour : « Tu sais que je vis avec un petit lutin... »), Germaine et Louis Chevasson, Clara, Blanzat, Henri Lefebvre[2], Claude Roy. Retrouvé, avec beaucoup de joie, Janine Gallimard. Vu un instant Simone[3], qui m'a invité à aller la voir au Mercure, ce que je ferai cette semaine. Après le cocktail, rendez-vous avec Thérèse G. qui est arrivée fort tard avec des amis à elle, dont le peintre Marks et une jeune Chinoise. Nous avons tous dîné à Saint-Germain. Rentré vers onze heures. Hier samedi, j'ai retrouvé

---

1. Georges Robert, fils de Lulu et petit-fils de Mimi Robert.
2. Henri Lefebvre, philosophe, spécialiste de la pensée marxiste.
3. Simone Gallimard.

Georges Robert à dix heures du matin, il m'a montré les photos qu'il a faites aux Indes. Certaines de ces photos sont vraiment très belles. Je voudrais en faire un album. Je lui ai promis de m'informer sur les moyens et possibilités. J'ai fait un déjeuner bien solitaire et je suis rentré dormir rue du Bac. Ensuite erré jusqu'à sept heures, rencontré Francine Camus, qui ne m'a pas semblé très heureuse. Un peu après sept heures chez Édouard[1] et de là, à Arcueil, avec lui, sa femme Paule, Suzanne Martin et sa fille. Voilà ma vie parisienne, en voilà, en tout cas, les apparences à gros traits, mémento pour moi de beaucoup d'autres choses dont je ne puis ou dont je ne sais parler. L'idée du personnage et celle de la pièce (*Le poète*), ces idées me reviennent de temps en temps me causant une douleur que je fuis de mon mieux — et le triste est que j'y parviens presque toujours. La vocation trahie — depuis si longtemps —, le pressentiment de la perte, le sentiment de l'impossible — et un consentement si facile à tout cela. Quelle décision prendre ? Je reviens souvent à la conversation avec Stanley. Je sais que c'est lui qui a raison. Il faudrait se résoudre à une vraie retraite, ne plus s'occuper que de se « reconnaître ». Mais il faudrait y croire plus que ce n'est le cas.

Lundi 27 — Passé toute la journée de dimanche avec You rue Lacépède, ses amis M. (les voisins d'en dessous). Vers la fin de la journée j'ai fait une petite promenade, seul, pour revoir la rue de la Montagne-Sainte-Geneviève et l'hôtel de Bordeaux où j'ai vécu quelque temps au printemps 1921 en revenant à Paris après avoir quitté Lannion. Je suis rentré pour dîner.

Lambert, Lambert, si vous étiez encore là vous qui saviez tout et qui pouviez tout partager. Le dernier billet de Lambert à sa femme : « J'ai toujours vécu profondément seul — mais avec toi. » Combien de fois n'ai-je pas repensé à cette dernière parole qu'il écrivait à sa Germaine ! Et à moi, l'une des dernières fois où nous nous promenions ensemble sur la côte : « Nous

---

1. Édouard Caen.

échangerons des images. » Depuis mes dix-huit ans, je me suis toujours souvenu de cette phrase : « Sentiment de la destinée éternellement solitaire. » C'est ce que j'ai éprouvé toute ma vie et à présent plus que jamais. Avec tout cela, j'ai un rendez-vous à deux heures cet après-midi avec une dame pour parler d'un appartement, chose à laquelle je ne crois pas — que de toiles d'araignée partout ! Comment dégager la vue ? Et il suffit pourtant d'un mot pour que tout change. Comme je suis mobile, sensible, et prêt à tout espérer à l'instant d'aller me pendre, pourvu que j'entende une parole !

Dans le 83 « mon autobus », j'ai rencontré Mme Bromberger, sœur de Jeanne Derchaux, mon grand amour à *L'Intran* en 1921-22. Jeanne qui, la dernière fois que je la vis, il y a trois ou quatre ans, m'a dit, dans le meilleur style des petites ironies de la vie, qu'elle prierait pour moi. Je ne l'ai pas revue depuis, mais peut-être la reverrai-je après cette rencontre d'autobus. Nous verrons bien si je téléphone. La dame que j'ai vue à deux heures rue de Varenne s'est montrée très gentille, elle ne m'a pas découragé mais guère encouragé non plus. Tout est difficile, horriblement coûteux, je n'ai pas d'argent, et sur quoi m'en prêterait-on au Crédit foncier ? Mais elle dit qu'on peut compter sur le hasard, qu'elle pensera à moi. Reste à prendre la résolution de s'installer pour de bon à Paris. C'est un problème que je n'ai pas encore résolu et comme toujours, je laisserai faire. Comme toujours, c'est vrai.

Même jour. Dix heures du soir, rue du Bac. Ayant gravi mes 123 marches — c'est la première fois que je les compte, mais le compte est bon ! — je me retrouve dans ma chambre de bon. L'après-midi que j'ai passé rue Marbeuf à la Sodipa n'a pas été des meilleurs. Je me suis trouvé tout seul et n'ayant rien à faire dans un bureau jusqu'à six heures. Sur les questions de fond et d'expression, je suis décidé à mettre le « paquet ». C'est ce que je veux faire. Et si je n'y parviens pas tout sera foutu à jamais. Le « paquet ». C'est ce que me disait Albert, ayant achevé *La Chute*. « Cette fois, j'ai mis le paquet. »

Mardi 28 — Très bon début de journée à la N.R.F. d'où j'ai

téléphoné à Yvonne — excellent téléphone quant à l'essentiel.
Pour le moment rue Marbeuf. Mes sombres humeurs ont complètement disparu, je vais faire tout ce qu'il faut pour les
retrouver, cela ne va pas tarder j'en suis sûr.

Mercredi 29 — Très tôt dehors ce matin, il n'était pas huit
heures. Je n'ai toujours ni montre ni horloge et quand je me
suis réveillé le soleil était déjà haut. Quel plaisir, le matin, de
marcher dans la rue fraîche ! Après le café croissant à L'Escurial, mais au comptoir, parce qu'on était en train de faire le
ménage dans la salle, je me suis promené sur le boulevard,
toujours avec beaucoup de plaisir. Il n'est pas encore tout à fait
huit heures et demie. Hier soir, après un bon moment passé au
Lipp avec Alex — ce même cher Alex qui m'a paru un peu
morose et qui va partir pour deux mois, m'a conduit rue Saint-
Lazare 79, chez Pierre Gallimard où j'ai dîné et passé la soirée
(jusqu'à minuit) avec lui et Nicole Is, sa femme, et les deux
petits garçons — une très bonne soirée, très amicale. Nous
avons beaucoup parlé de la « Maison ». Je me suis souvenu du
temps où Nicole était ma voisine au 17 de la rue de l'Université, nous étions alors les « gens du couloir ». J'ai trouvé Pierre
toujours le même, affectueux, modeste, sensible, sans ambition
et assez malheureux dans son milieu. C'est un excellent ami. Je
voudrais le voir plus souvent, ce qui sera possible si je parviens
à reprendre pied à Paris.
... La chose la plus inattendue du monde est qu'il me soit
possible d'aller à travers Paris de terrasse en terrasse (pour le
moment avenue des Champs-Élysées au Marignan) et là, d'écrire dans ce carnet. Le bruit (et la fureur) m'entoure(nt), le
mouvement pourrait m'étourdir. Mais non. J'éprouve que cela
n'est pas vrai, du moins pas comme je le croyais et comme on
le dit, que même à l'intérieur de ce chaos bruyant quelque
chose encore est possible. J'ai déjeuné avec Dominique Halévy
et Jean-Pierre Rosier[1] au Vieux Paris, ce petit restaurant grec à

---

1. Jean-Pierre Rosier était conseiller artistique chez Gallimard.

deux pas de la place de Furstenberg où je n'étais pas retourné
depuis une quinzaine d'années. Après le déjeuner je suis passé
à la N.R.F. puis, sorti, et sur le boulevard rencontré Suziel
Bonnet, qui était autrefois à la Hune et qu'on appelait l'Ange
de Reims. J'ai bu un verre avec elle, ensuite j'ai sauté dans
mon 83. Le vent se lève, autrement dit le temps se gâte.

Chapitre à écrire dans un (peut-être) « Retour à Paris » : Mes
terrasses. Il a fait assez froid toute la journée, je l'ai senti,
n'ayant pas eu le courage ce matin de remonter mes sept étages
pour aller prendre mon manteau, ce beau manteau qui a tant
fait l'admiration de Gaston.

« Mais, madame la duchesse, la mort est un mot presque
vide de sens pour la plupart des hommes. Ce n'est qu'un instant, et en général on ne le sent pas. On souffre, on est étonné
des sensations étranges qui surviennent, et tout à coup on ne
souffre plus, l'instant est passé, on est mort. Avez-vous jamais
passé en bateau sous le pont Saint-Esprit, qui traverse le Rhône
près d'Avignon ? On en parle beaucoup à l'avance, on a peur,
enfin on l'aperçoit devant soi à une certaine distance ; tout à
coup le bateau est saisi par le courant et en un clin d'œil l'on
voit le pont derrière soi.

— Ah ! monsieur, c'est ce moment de la mort dont je ne
puis supporter l'idée.

— Mais, madame, ce moment est occupé par une douleur
quelquefois bien peu vive. On la sent encore et, par conséquent, l'on vit, on n'est pas mort, on n'est encore que dangereusement malade. Tout à coup, on ne sent plus rien, on est
mort. Donc, la mort n'est rien. C'est une porte ouverte ou fermée, il faut qu'elle soit l'un ou l'autre, elle ne peut pas être une
troisième chose. » (*Une position sociale*, 1832, Stendhal.)

— Alors, vous écrivez toujours ?

On me pose parfois cette question, en souriant, généralement, sur un ton affectueux, à quoi je réponds en souriant à

mon tour que j'en ai pris depuis si longtemps l'habitude, que, ma foi... Mais certains insistent. Il y a longtemps qu'on n'a rien vu de vous ? Ah ! Ah ! Je me suis fait, il paraît, une bonne réputation de paresseux. Je réponds à cela qu'il ne faut jamais se forcer.

J. Barbey d'Aurevilly — *Les 40 médaillons de l'Académie*, 1860.

« M. Thiers est la nullité couronnée par cette grande bête d'opinion publique. Homme politique nul, qui pouvait tout faire et qui n'a rien fait ; littérateur nul, malgré ses quarante volumes, critique d'art nul, âme nulle ! Pour toutes ces raisons, ministre, académicien et grand homme ! La nullité française s'adore dans ce parleur qui ne finit jamais, et l'admiration de la badauderie va si loin, que l'enrouement dont M. Thiers est affecté, pour sa peine de parler comme il parle, passe pour un ornement de plus de ce grand orateur ! M. Thiers ressemble à cette femme de Walter Scott, dans ses *Chroniques de la Canongate*, qui au lieu d'avoir la langue attachée comme tout le monde, l'avait par en dessous, de manière que la langue pût remuer des deux bouts, comme un poisson dans l'eau ! »

Mercredi 29 juin, onze heures du soir. Pierre[1] vient de me quitter. Il voulait marcher, rester seul, ne plus parler. « Celtisme. »

Vendredi 1er juillet — Quitté la rue La Boétie hier après-midi vers cinq heures et demie pour aller à l'ambassade yougoslave où j'ai rencontré Simone Martin-Chauffier, Clarisse Francillon[2], Edith Thomas[3], Cassou, Manès Sperber. Voilà

---

1. Pierre Chaslin.
2. Clarisse Francillon, écrivain d'origine jurassienne.
3. Edith Thomas, ancienne élève de l'École des Chartes, résistante, journaliste, conservateur aux Archives Nationales ; elle a publié plusieurs romans et des études historiques.

pour le mémento. Aujourd'hui vendredi le matin à la N.R.F.
où j'ai vu très peu Jacqueline Bour (avant cela j'avais rencontré Édouard à L'Escurial). Je suis allé faire un tour dans
le quartier et, remontant la rue du Bac, j'ai rencontré Paule
Caen qui allait faire ses commissions, nous sommes allés
boire un verre au Buisson d'Argent où nous sommes restés
un bon moment à bavarder et à nous souvenir de la soirée
chez Suzanne Martin. Après avoir quitté Paule, je suis allé
rue Saint-Dominique aux Affaires culturelles pour voir Picon[1] avec qui j'avais rendez-vous à midi pour lui parler du
Centre culturel de Saint-Brieuc et de la lettre reçue du
Cothurne au sujet de *Cripure*. Picon m'a promis d'aider
sérieusement Maréchal. Nous sommes restés ensemble une
bonne demi-heure, il m'a dit qu'il était à moitié brouillé
avec Malraux, que le métier qu'il faisait était un métier de
chien, etc., et qu'il avait eu le tort de demander à Guéhenno
de faire partie d'une commission de la Caisse des Lettres où
il n'intervient jamais que pour refuser. Picon m'a dit qu'il
le considérait désormais comme un faux jeton et un homme
méchant. Me parlant de Guéhenno, Chamson me disait l'autre jour qu'il vieillissait très mal et devenait très incommode aux séances de l'Académie.

Je parlais à Malraux de Boris Savinkov[2] à propos de ce
qu'Ehrenbourg en dit dans ses Mémoires. Que Savinkov se
coiffait d'un chapeau melon, et qu'il était un admirable
conteur (Ehrenbourg le voyait à La Rotonde).

Malraux ajoute :

---

1. Gaétan Picon (1915-1976), critique littéraire, conférencier. Il était alors directeur
général des Arts et Lettres.
2. Boris Savinkov, de famille noble, était entré dans l'organisation de combat du
parti socialiste révolutionnaire créée en 1903 et placée sous la direction d'Azev, agent
double au service de l'Okhrana, la police du tsar. Arrêté en mai 1906 et emprisonné
dans la forteresse de Sébastopol, il parvint à s'évader. Ministre de la Guerre de Kerens-
ky, il s'est opposé aux bolcheviks et s'est suicidé en 1926 en se jetant d'une fenêtre de
sa prison à Moscou. Ilya Ehrenbourg parle de lui dans *Les Années et les hommes*,
Gallimard, 1962, p. 264 et suiv.

— Et cérémonieux. Je savais cela par Groet (Groethuy-sen[1]).

Dimanche 3 juillet, Saint-Brieuc — J'ai ouvert Kafka, resté à mon chevet depuis mon dernier séjour et j'ai lu : « *La vie est une perpétuelle distraction qui ne laisse même pas prendre conscience de ce dont elle distrait.* »
Voilà qui me suffit bien pour aujourd'hui.

Mardi 5 juillet — Me revoici rue Marbeuf où je ne trouve personne. J'ai déjeuné d'un sandwich et pris mon 83. À la Sodipa Pierre Chaslin ne sera là que demain. Je crois bien avoir tout contre moi pour le moment, en grande partie par ma faute. Le problème des décisions va se poser de nouveau. Je ne retournerai pas demain à la Sodipa mais après-demain pour voir Pierre Chaslin. Il existe certains intérêts que je n'ai pas le droit de négliger et il faut que j'aie avec Pierre et peut-être avec son frère la conversation de laquelle sortira peut-être une décision.
... Vers six heures je suis allé dire bonjour à Thérèse et, de là, je suis passé à la N.R.F. où j'ai vu Jacqueline Bour. Nous sommes sortis ensemble, nous avons bu un porto boulevard Saint-Germain, ensuite de quoi je l'ai emmenée dîner rue des Saints-Pères à ce petit restaurant italien, où j'allais souvent autrefois, avant la guerre, où je me suis trouvé avec Schiffrin, avec Gide, avec Pierre Herbart... Nous avons fait un dîner très heureux. Je viens de la reconduire chez elle rue Mayet et me voici rue du Bac. Il n'est pas loin de onze heures et je ne songe plus qu'à me mettre au lit. Il n'y a pas d'issue. Il n'y a pas de « sortie ». Nous sommes en enfer. Cela ne fait pas l'ombre d'un doute. « *More brain, o Lord !* » Et me voilà parfaitement revenu dans mes humeurs sombres — un peu poussé il est vrai par les conditions, les circonstances, etc. Mais on m'apporte mon café.

---

1. Bernard Groethuysen (1880-1946), philosophe, auteur d'ouvrages sur la Révolution française et la formation de l'esprit bourgeois. Il a été membre du comité de lecture de Gallimard de 1930 à 1946.

J'écris ceci à la terrasse de L'Escurial, il est neuf heures un quart du matin aujourd'hui mercredi 6 juillet. Le temps est gris et assez frais. Laissons donc les humeurs pour le café et le croissant, nous aurons bien le temps d'y revenir et d'examiner. J'ai téléphoné à la Sodipa. Chaslin n'y était pas. J'ai retéléphoné un peu plus tard et je l'ai trouvé, mais de fort mauvaise humeur. Il n'avait pas le temps de bavarder. Il ne pouvait pas dîner avec moi. Téléphone très désagréable. Nous nous verrons demain. J'aurai avec lui l'explication qu'il faut. Mais qu'adviendra-t-il de mon séjour à Paris, je ne sais. Après cela, je suis allé à pied chez Yvonne Oulhiou avec qui j'ai déjeuné. Il y avait aussi à déjeuner le vieux Vidalenc et deux des amis d'Yvonne venus de La Bastide pour quelques jours à Paris. En revenant à la N.R.F. j'ai trouvé Lemarchand. Nous avons beaucoup parlé de Maréchal et de *Cripure* que Maréchal va monter à Lyon en janvier prochain. J'ai raconté à Lemarchand mon entrevue avec Picon et lui ai parlé de l'aide promise pour monter la pièce. Tout cela en buvant un verre à L'Espérance. Lemarchand m'engage beaucoup à écrire pour le théâtre. Je le voudrais moi-même.

Jeudi 7 juillet — Rencontré Jean et sa femme sur le boulevard. Si je le puis, j'irai les voir demain après-midi, après la rencontre que je dois avoir à trois heures avec Jean-Paul Roux pour aller voir Frank au sujet de la télévision *Compagnons*.

Dimanche 10 juillet — J'irai tout à l'heure déjeuner rue Lacépède où j'aurai peut-être des nouvelles d'Yvonne si elle a téléphoné. En principe, elle devrait être avec les petites-filles dès maintenant à Ferney. Hier midi j'ai déjeuné avec Genia et son ami Michel Javorski, à La Chaumière, puis je suis allé chez Jean à Bourg-la-Reine. Il y avait là, en visite, Levesque, l'ami de Gide, ancien professeur, etc. Il a dit le plus grand mal de Guéhenno en tant qu'inspecteur, ajoutant qu'on avait fini par se rendre compte de sa méchanceté au ministère et qu'on ne

tenait plus compte de ses rapports. Après le départ de Levesque, Minette Grenier qui souffrait d'un lumbago est allée se
reposer. Nous sommes restés, Jean et moi, une heure assis dans
le jardin, ensuite nous sommes allés tenir compagnie à sa femme, puis Jean m'a accompagné jusqu'au métro. C'est toujours
le même Jean plus qu'anxieux — à cet égard nous nous sommes toujours beaucoup ressemblés — et paralysé par l'idée de
la mort. Il n'y a qu'avec lui que je puisse parler de ces choses-
là, et lui avec moi. Nous le savons depuis longtemps, nous en
avons fait souvent l'épreuve et il n'y a pas de doute qu'auprès
de lui mes angoisses diminuent et disparaissent comme c'est le
cas pour lui avec moi. Quel dommage que nous ayons vécu
séparés presque tout au long de la vie ! Nous nous le disions
hier encore : si nous avions vécu l'un près de l'autre, le seul
fait nous eût encouragés à vivre et à travailler comme ce serait
encore le cas aujourd'hui si... Il me dit ne pas beaucoup travailler, comme c'est aussi, hélas, mon cas. Rien ne tient devant
la mort. Il a des idées fixes depuis son accident cardiaque, il se
surveille, épie les conséquences des médicaments qu'il absorbe
pour la fluidité du sang. Je dois lui téléphoner lundi. Ayant
quitté Jean je suis venu en métro jusqu'à Saint-Germain-des-
Prés et de là à L'Escurial où j'avais rendez-vous avec Genia et
Michel Javorski pour aller dîner avec des amis à eux, les
Nacht, que nous sommes allés chercher chez eux place Jussieu.
Nous avons dîné à la Mosquée. De là, petit tour à la Contrescarpe, et rentré vers minuit.

... L'important est de commencer. C'est peut-être le meilleur
moyen de n'en jamais finir. « Si je savais faire un pas en mille
ans (dit le damné) je me serais déjà mis en route. » Un pas,
mais pour aller où ? Et le deuxième pas ? Et le centième, au
bout du centième millénaire ? J'apprenais, quand j'étais petit
et qu'il y avait encore une infanterie, qu'un homme à pied fait
quatre kilomètres à l'heure. Voilà pour le damné. Et le réprouvé ? Le réprouvé, lui, doit savoir qu'à chaque pas qu'il tentera
de faire, on le renverra d'où il vient. On le renversera. On lui

fera faire deux ou trois pas en arrière, et davantage, le plus qu'on pourra, mais en allant ainsi toujours à reculons, toujours de biais, *und quer und krumm,* il faudra bien qu'il arrive quelque part ? Stupide. L'important est quand même de commencer, de bouger, de ne pas rester là comme un con à bayer aux corneilles ! Il faut vouloir quelque chose, dit-on, s'imposer, s'affirmer, vouloir vaincre, triompher, etc.

Mercredi 13 — Lettre d'Yvonne et des filles. Tout va bien. Je rentre aujourd'hui à Saint-Brieuc jusqu'à dimanche. Hier, déjeuné chez Jean. Le soir, fait la connaissance de Cobb[1] qui me plaît beaucoup.

14 juillet, Saint-Brieuc — Je suis allé me coucher de très bonne heure, me trouvant très envie de dormir après ma soirée plus que tardive avec Cobb la veille jusqu'à trois heures et demie du matin. J'ai très honteusement dormi toute une grande nuit jusqu'à sept heures ce matin, m'étant couché avant dix. Le temps était frais à mon réveil et c'est, je crois, cette fraîcheur qui m'a réveillé. Toute la matinée, j'ai « bricolé », revu des papiers, pensé à mille choses — et trouvé la maison bien vide sans les enfants. Ma sœur Charlotte est venue déjeuner. Après quoi j'ai fait une grande sieste, histoire de me reposer pour de bon de mes fatigues parisiennes que je ne sens pas du tout à Paris mais que je ressens en arrivant ici. Je me réveille. Il est quatre heures, le soleil brille. Peut-être verrai-je Nicole ce soir, je lui ai téléphoné ce matin, il est possible qu'elle passe sur la fin de la journée. Les problèmes sont toujours les mêmes et tous là devant moi. Comment passer de ce « journal » à l'écriture proprement dite, c'est toujours la question. Et ne pas le faire, c'est ma perte, cela je le sais — encore que la « perte » ne tienne pas qu'à cela. J'attends demain la visite de Jean-Paul Roux, pour le « repérage » en vue de *Compagnons* pour la télévision.

---

1. L'historien Richard Cobb.

Vers six heures je suis sorti pour aller voir Nicole à qui je venais de téléphoner et que j'ai trouvée venant à ma rencontre en voiture. J'ai passé une heure chez elle, avec les enfants puis elle m'a ramené rue Lavoisier d'où elle est repartie aussitôt.

15 juillet — Il n'est encore que huit heures et demie et il fait très beau, c'est plein de soleil et de chants d'oiseaux. J'écris un mot à Genia, pour avoir l'adresse de Cobb. Passé la matinée à attendre Jean-Paul Roux, qui est arrivé très tard avec sa femme. J'étais passé chez Nicole et revenu avec elle. J'espérais qu'elle déjeunerait avec nous. Elle ne l'a pas pu. Après le déjeuner, nous sommes partis en ville, avec les Roux pour le « repérage » en vue de *Compagnons*. Visite de ce qui reste des vieux quartiers de la rue Fardel et de la place au Lin, de là au Pigeon Blanc, ensuite à l'hôpital, etc. Revenu à la maison. Il est maintenant dix heures du soir et je viens de téléphoner à Genia qui m'a donné de bonnes nouvelles d'Yvonne et des enfants qu'elle a vus hier. Yvonne a écrit et elle rappellera demain. Quant à Genia, elle a eu un accident en rentrant à Genève, et s'il n'y a pas d'accident de personnes, la voiture n'en est pas moins détruite. Elle doit m'écrire et me donner des détails. Voilà pour la fin de la journée, je n'ai plus qu'un jour à rester à Saint-Brieuc, étant toujours résolu à prendre le train dimanche à midi, pour être à Paris à cinq heures, et y retrouver Thérèse. J'éprouve qu'il est de plus en plus vrai que la vie est une perpétuelle distraction qui ne laisse même pas le temps de prendre conscience de ce dont elle distrait. Toujours le monde et le cloître. Toujours le même déchirement et la même impatience — la même cupidité aussi — hélas, nous sommes incarnés. Chaque jour s'achève dans le sentiment d'une défaite. De quoi voudrais-je être victorieux puisque je ne suis jamais parvenu à l'être de moi-même, et chose étrange, par le sentiment de l'inutilité, c'est-à-dire au fond par l'absence de tout espoir et de toute foi.

Samedi 16 juillet — Les journaux ce matin sont pleins des émeutes de Chicago.

Matinée sinistre. Humeurs, petit oiseau mort empoisonné, ciel bas, vieux papiers : aucun courage — attente du courrier : une lettre d'Hélène Cadou[1] m'apprenant la mort de son père. Après le courrier je suis passé en ville chez le libraire et de là à la mairie où j'ai vu Pierre Lorguilloux[2] et constaté que l'envoi de l'ambassade américaine pour l'exposition sur la Littérature Noire aux États-Unis était arrivé.

... Cette ville inerte ne me vaut rien. Il faudrait avoir le courage de tout rompre.

À présent chez Nicole, au magasin, j'écris en l'attendant.

Demain : Paris.

... Il est dix heures et demie.

Après avoir regardé à la télévision une adaptation de Chamisso : *L'homme qui a perdu son ombre* (pas mauvaise), je suis monté chez moi.

Nicole est venue. Nous avons bu le porto. Nicole est toujours aussi proche et aussi lointaine, et engluée dans la famille et dans la boutique. Mais sa réalité est ailleurs. Bonsoir tout le monde. J'allais dire qu'il est temps pour moi de prendre encore plus de distance mais c'est la distance qui me prend. Pourquoi ce carnet ? Pourquoi ce journal ? Pour *qui* ?

Lundi 18 juillet — À Paris depuis hier après-midi ayant quitté Saint-Brieuc à onze heures du matin pour arriver ici un peu après quatre heures. Passé la journée avec Thérèse, Simon et une de leurs amies, libanaise, Aimée. Nous sommes allés dîner rue de Verneuil chez les Roche, c'est-à-dire chez Violante Do Canto[3].

---

1. Hélène Cadou, veuve du poète René-Guy Cadou.
2. Pierre Lorguilloux, secrétaire général de la mairie de Saint-Brieuc, connut Louis Guilloux dès l'enfance et devint son ami.
3. Maurice Roche, peintre et écrivain.

Mardi 19 — Soirée très amusante. Les amis de Schlesinger. Burgart[1] que je reverrai ce soir.

Mercredi 20 — Impossible de rien noter qu'en très bref, depuis le refus de M.B. de laisser J... aller au dîner chez Burgart : « Tu oublies que tu es mariée ! »

Samedi 23 — Des hauts et des bas. Tout allait assez mal jusqu'à hier midi. La veille, *Falstaff*, avec Pierre Chaslin, Jacqueline Bour, Jacqueline Bramly et son mari. Ensuite dîné dans un restaurant italien aux Champs-Elysées. Hier soir rencontrant Jacques Lemarchand au Pont-Royal, il m'a invité chez lui à Montmartre. Soirée très extraordinaire. Le télégramme de la jeune femme.

Dimanche 24 — J'ai rencontré Guibout rue des Saints-Pères, il m'a emmené déjeuner chez lui avec deux de ses amis pour me parler du projet de construction de la Maison de la Culture à Saint-Brieuc. Rentré vers quatre heures rue du Bac, pour me reposer et dîné le soir seul à La Chaumière. Guibout pourrait me donner trois pièces jusqu'au moment de la transformation de l'hôtel, j'ai vu ces pièces, je n'en suis pas bien enthousiaste.

— Quelque chose d'extraordinaire dans les confidences successives de Cabanis, puis de Jean-Claude, puis de Lemarchand. Le télégramme de la jeune femme : « Je vous aime, je vous attends. » Le mot rapporté par J.-Claude : « Si j'étais un peu pour vous ce que vous êtes pour moi. » Et cet autre mot à qui parlait de s'éloigner : « Je t'aurais rappelé. » Et maintenant Philippe Soupault qui passe...

... et tous mes papiers abandonnés comme des épaves...

Vendredi 29 juillet — Carnet pratiquement abandonné de toute la semaine. Je compte retourner à Saint-Brieuc ce soir.

[1]. Jean-Pierre Burgart, qui était chargé de la lecture de manuscrits pour la télévision.

Cela dépendra du courrier. Hier, déjeuné chez les B... scène très odieuse à table. J... n'en est pas moins venue dîner chez les Burgart. Nous verrons ce matin où en sont les choses. Avant-hier, j'ai eu des nouvelles d'Yvonne qui ne m'ont pas trop réjoui.

... Les situations sont partout atroces. Celle de D..., celle de J. Tout cela est atroce. La situation de Jean-Claude n'est guère meilleure. Quel est le sens de tout cela, et d'où cela vient-il ? Et comment sortir de là ?

... Et si au lieu du procès sans juges on avait les juges endormis, qui au dernier moment se lèvent et ce sont tous des squelettes et des têtes de mort.

Saint-Brieuc — À travers tout, je songe à la soirée d'hier. Me voilà bien loin de Paris. Et toujours bien proche. De quoi sommes-nous les victimes ? Le diable est sans cesse à l'œuvre, un sale petit diable au travers des grandes affaires. Ce matin, avant de partir, ce petit diable avait disparu, mais il n'est pas vaincu, je le sais. Nous nous retrouverons.

... Il est parfaitement vrai que le personnage (de roman) n'existe pas tant qu'il n'est pas baptisé (Gide *dixit*) — mais je vois aussi que certaines personnes existent autrement pour nous tant que nous ne les avons pas nous-mêmes rebaptisées, c'est ce qui explique les surnoms, les noms de tendresse dans l'intimité de l'amour et de l'amitié. J'ai toujours eu beaucoup de difficultés à « trouver » les noms de mes « personnages » surtout quand il s'est agi des personnages féminins ; dans la vie, certaines femmes refusaient d'autre nom que celui de leur état civil, et certaines femmes mariées continuaient à porter le nom de leur mari même après s'en être séparées, ou même après avoir divorcé, elles continuaient même, comme la femme dont me parla Saül Bellow, à porter l'alliance de leur mariage rompu. Ce qui me remet en mémoire la scène très instructive dans la petite mansarde que j'ai occupée pendant cinq ans rue de l'Université où Saül Bellow me raconta tout le drame dans

lequel il était et me montra la petite note du psychanalyste
concernant sa femme, note que je lui pris des mains, ce qu'il
admit fort bien ; il ne voulut pas que je la lui rende, je dois
l'avoir encore. J'ai souvent pensé à commencer un roman par
cette scène-là, qui me faisait moi-même souvenir d'une autre
scène à propos d'une autre bague perdue dans l'eau au cours
d'une promenade en barque. La manière dont la bague roula
dans la main, la manière dont elle continua à rouler après être
tombée sur le pont et dont elle finit par tomber par-dessus
bord jusque dans l'eau, et la manière dont j'entendis la jeune
dame prononcer : « C'était pour les dix ans... » avec une indifférence, une froideur ou Dieu sait quoi, sans la moindre révolte, acceptant tout de suite le fait. La bague que son mari abandonné lui avait offerte pour le dixième anniversaire de leur
mariage. Cette bague-là n'était pas l'alliance. L'alliance ne
devait disparaître que longtemps plus tard. La bague du dixième anniversaire reposait depuis longtemps au fond des eaux
qu'elle portait encore son alliance sous le prétexte qu'elle en
avait assez qu'on l'appelle mademoiselle. « Vous croyez, me
demandait Saül, qu'elle va porter encore longtemps cette
alliance ? » Je ne sais pas ce qu'il espérait en posant cette question, et s'il croyait encore à une sorte de « fidélité », mais je
sais bien qu'il éclata de rire quand je lui dis qu'à mon avis, elle
la porterait au moins pendant un an encore pour en emmerder
un autre. Un an : c'est à peu près le temps que je vis cette
bague au doigt de... après la perte de la bague des dix ans. Et si
le chapitre du roman s'intitulait : « La bague » ou « Les bagues » ? Petite étude sur les bagues d'aujourd'hui et d'autrefois,
sur leur symbolisme en tant que signes de l'attachement et de
l'infini. Et n'oublions pas qu'on « bague » aussi les pigeons.
Main sans bague. De la bague au collier de chien. « Tu oublies
que tu es mariée. » Cela voulait dire qu'on la considérait comme un chien avec un collier, qu'on promène le soir au bout
d'une laisse, après la journée — ou qu'on voudrait promener
quand on en a envie, mais c'est rare, et ce n'est pas le chien qui
choisit. Si on ne le promène pas, il n'a qu'à rester à la niche...

J'écris ceci aujourd'hui, samedi matin, après une nuit d'un assez mauvais sommeil, j'ai le cœur si agité. C'est vrai qu'il bat trop vite, après avoir tant battu, et tant suffoqué aussi — et il paraît qu'un cœur qui bat trop vite bat moins longtemps qu'un autre, c'est ce que m'a dit le docteur Lemoine qui croit au bon sens — pas moi. Mon cœur veut se rattraper, voilà tout, il est fou d'impatience et du repos que je n'aurai sans doute pas : il paraît que l'on doit s'y faire. Oui, trop vite, c'est encore pourquoi ayant voulu faire la sieste après ce long déjeuner avec l'abbé Chéruel — il m'a fallu ensuite l'accompagner en ville pour y prendre de la graine à donner aux petits oiseaux de mes filles — et cette sieste a été fort brève, je ne parvenais pas à m'endormir toujours à cause des mêmes questions, du même effroi dans lequel je vis depuis si longtemps et qui s'accroît ces jours-ci de la folle angoisse de voir tout perdu par ma propre faute. J'ai beau me répéter que cela n'est pas possible, me dire qu'il est honteux de ma part de manquer parfois à la confiance, je ne puis m'empêcher de voir comme un abîme de solitude devant moi — et je dirai peut-être, si je l'ose, pour quelles raisons et quel est cet abîme et que veut dire cette solitude. Je ne suis pas sage. Je n'ai point changé. Je ne changerai sans doute pas. Sûrement pas. Que de situations ennemies ! Tout me révolte de ce qui m'entoure. Cette histoire de la bonne, ce matin, accusée de vol ! Mais j'étais pour la bonne. Comment ne suis-je pas sorti de moi-même, en apprenant qu'on l'avait fait convoquer par les gendarmes ! Le détail compte peu pour moi. Ce genre de choses m'a toujours révolté et me révoltera toujours. Il a été fort question de cette affaire au cours du déjeuner et j'ai complètement dit ma façon de penser. Nicole est venue. Elle n'est pas restée. Elle a ses enfants, son commerce. Nous nous reverrons très peu sans doute pendant mon séjour ici, que je ne compte pas prolonger au-delà de mardi matin.

Nicole m'a emmené chez elle à Saint-Hilaire. Nous avons bu ensemble Martini et frontignan, elle m'a répété qu'elle voulait écrire un roman, etc. J'ai passé avec elle une heure très heureuse. C'est toujours très bien quand il n'y a personne. Elle

non plus n'est pas tout à fait satisfaite de sa vie et voudrait
bien échapper à sa province et à sa boutique. Elle a là-dessus
des projets. Je souhaite fort qu'elle réussisse à les mener à
bien. Voilà la journée. Il est maintenant près de dix heures. Je
vais tâcher de travailler un peu, laissant, toutefois, ce carnet à
ma portée, pour le cas où...

Dimanche 31 juillet... le cas où ne s'est pas produit. Ce
matin dimanche le soleil brille, il doit être à peu près neuf
heures. À propos de l'histoire de la bonne, j'ai retrouvé à l'instant certain chandail prétendument volé, chose que j'ai aussitôt fait observer et j'ai été assez mal reçu (dans les humeurs).

— Aujourd'hui 2 août, voilà cinquante-deux ans de la déclaration de la guerre et c'est aussi l'anniversaire de la naissance
de mon père : 2 août 1867. Il est mort en décembre 1942. Voilà
vingt-quatre ans. Que de choses jamais dites et sur lesquelles je
ne dirai jamais rien bien que sachant qu'il faudrait tout dire.
Mais comment et pour qui ? Il n'y a point d'issue, point de
séjour. Dibb me disait qu'à partir d'un certain âge on ne doit
plus pouvoir écrire qu'en face de Dieu. Je comprends très bien
ce qu'il entendait par là, bien qu'il n'y ait aucun malentendu
possible ni de son côté ni du mien. Mais je dirai, moi, qu'à
mon âge, si l'on continue à écrire, on ne peut le faire que si
l'on est entré en agonie. À parler il faut le faire comme si on
parlait pour la dernière fois. « Tandis que j'agonise »... Pourquoi faut-il croire que quelque chose pourrait être sauvé, une
fois pour toutes, emporté une fois pour toutes. Rien ne dure.
Où est cette paix du cœur plein d'une seule chose ? Il me semble vivre dans les déchirements de tous les côtés, il n'y a pas
l'ombre d'un repos nulle part, et l'espoir de ce repos quand
même et toujours. Pourquoi les choses ne sont-elles jamais
qu'à moitié ? J'ai travaillé toute la journée. Le jour s'achève et
de ma fenêtre je vois ma voisine qui s'en va à la messe. Voilà
qui est fort bien, je n'ai rien à dire. Il ne se passe rien. Mais si
j'écris c'est donc qu'il se passe quelque chose ! Si je savais quoi,

ne serait-ce pas là comme l'annonce d'une délivrance ? Je voulais il y a quelques années écrire sur le sujet *La Délivrance*. Le
moment était probablement mal choisi. Ce que j'ai tenté dans
ce sens est nul et informe. Il doit en rester quelques papiers
fort mauvais dans mon fatras. Je n'irai pas y voir. De mon
père, j'ai avant tout à dire que je l'ai jugé sans l'avoir entendu.
À l'inverse, je juge aujourd'hui ma mère (m'en faisant de douloureux reproches) après l'avoir entendue. Dans un cas comme
dans l'autre, c'est d'une affreuse cruauté. Avant de mourir
Lambert détruisit une grande quantité de ses papiers. Il fit
bien, je crois. En ferai-je autant ? Si j'imagine le « récit secret »
du héros de roman auquel je pensais l'autre jour, bien des
choses pourraient se dire par ce moyen mais il faudrait aussi
savoir son nom et pourquoi il écrit dans des carnets, et pour
qui et si se croyant très habile, il n'aurait pas l'intention de
laisser traîner ces carnets pour que — mais elle n'a pas encore
de nom il est vrai — mais enfin pour qu'elle les lise ? Allons !
Un bon mouvement. Donnons-lui le nom de Jacques (le nom
de famille viendra plus tard), Jacques aurait peut-être bien des
choses à dire à telle personne qui pourrait être tantôt le meilleur de ses amis, Charles par exemple, et davantage mais autrement à la bien-aimée, dont le nom devrait évoquer les idées de
grâce et de fraîcheur, surtout de fraîcheur, de fragilité à bien
des égards et de fermeté à bien d'autres, une idée de fleur, un
parfum de fleur, un éclat de fleur et une allure de jeune fille
bien qu'elle n'en soit pas une, mais c'est en jeune fille qu'il la
voit, et pourtant c'est une femme avec tout ce qu'on peut en
redouter sans cesser un instant de l'aimer, avec sa cruauté et
son obstination ignorante, sa proximité et son quant-à-soi qui
n'exclut pas la trahison, loin de là, et sachant ce qu'on sait,
son caractère indépendant et sa soumission souvent honteuse à
des préjugés et à des lois préhistoriques, à des liens qu'elle
voudrait briser, mais elle n'en a pas le courage. Il est vrai que
ce courage est difficile — une vraie femme, aussi tendre que
froide, au cœur profond bien qu'elle puisse se montrer frivole,
la plus charmante de toutes et d'elle il aime tout, son regard

qui le suit partout, son visage souriant, sa bouche enfantine, sa grâce, ses mains, toute son apparence et sa démarche et le son de sa voix. Elle devrait s'appeler Claire ? Son vrai nom devrait être celui d'une source, elle devait s'appeler Pâquerette si ce n'était là un nom trop mièvre pour elle. Comment donc la nommer ? puisque le nom est synonyme d'existence ? Viviane. Ah ! Voilà son nom. C'est à Viviane que Jacques voudra parler, c'est pour Viviane qu'il tiendra ces carnets, qu'il voudra et ne voudra pas lui montrer mais dont elle connaîtra l'existence, ces carnets où il tentera de tout dire. Et c'est ainsi qu'il arrivera peut-être un jour à Viviane de lire telle page de ces carnets, où Jacques aura écrit que « puisque tu m'as dit que si je laissais traîner ces carnets tu finirais par penser que c'est exprès pour que tu les lises, alors autant écrire directement pour toi en m'adressant à toi et en te nommant par ton nom qui est Viviane, bien que tu en aies encore un autre dans le plus secret de mon cœur je te dirai lequel un jour. Ce n'est pas difficile de t'écrire, je te parle toute la journée, je te vois partout, dès que tu n'es plus près de moi je te cherche partout et pourtant dès que je ferme les yeux pour mieux te voir quand tu n'es pas là je ne te vois pas, je ne sais plus rien de toi que ton regard et tout ce que je peux dire c'est que tu es là à tout moment et j'entends le son de ta voix ».

Véfa (qui est aussi Viviane) aimerait se promener à cheval. Nous ne pouvons pas ignorer la passion de cette fière personne pour les chevaux. Il nous souvient même d'avoir lu quelque part certain propos la concernant, où il était dit qu'elle avait toujours l'air de descendre de cheval. Fait-elle des armes ? A-t-elle fréquenté à Paris les meilleures salles où l'on s'exerce à l'escrime ? Mais si cette même belle et fière personne est jamais montée à cheval, quand et comment cette passion s'est-elle déclarée ? Et si le cheval de la première fois avait un nom, quel était-il ? Et à supposer que cette même orgueilleuse personne ne soit jamais montée à cheval, pourquoi ? Nous voudrions bien le savoir. Mais ce n'est pas tout, bien loin de là. Ce que nous voudrions savoir de plus, c'est ce qui est arrivé, en une circonstance particulière. Oh, bien sûr, nous ne devons pas ignorer qu'exception faite pour un certain lac (Ah, diable ! voici le lac !) Véfa n'aime que les paysages secs. C'est à travers le désert qu'elle aimerait courir à cheval. Mais comme c'est en Bretagne où elle a un château que sa « bienfaitrice » l'a emmenée et dans une saison qui n'est pas la plus sèche de l'année, il s'est trouvé qu'elle est sortie à cheval un matin de novembre (et je puis même dire que c'était le matin d'un 12 novembre) pour aller se promener dans un bois où il y avait surtout des chênes. À vrai dire, la chose est certaine. Il n'y a qu'à fermer les yeux, pour que tout vous revienne à la mémoire, la couleur du ciel d'hiver, l'odeur de la terre détrempée, l'aspect des arbres sans feuilles. Que si Véfa préfère les paysages secs, cela ne peut pas vouloir dire qu'elle soit insensible aux autres et si elle consent à se souvenir, elle nous dira peut-être que dans cette promenade matinale elle est (à distance respectueuse) suivie par son fidèle intendant et maître d'équitation, le solide Irlandais Bernard, ce qu'elle éprouva ce jour-là, en tout cas, ce qu'elle vit, dans cette nature un peu sauvage. Voilà qui n'épuise pas la série des questions que nous aurons à poser à cette jeune personne, dont il est vrai que nous avons toujours ignoré quelle pouvait être la nature des pensées. Quoi qu'il en soit, il y a là, dans un coin de ma chambre, un parapluie. Ne serait-ce pas là un parapluie oublié par Véfa ? Un très joli et long parapluie bien roulé, bien serré, il ne lui manque que son fourreau, avec un manche qui me paraît être fait d'un bambou, en tout cas il est jaune paille blanche.

Aux dernières nouvelles Véfa a pris la grippe, nous en sommes fort attristés. Nous, c'est-à-dire... le parapluie et moi. Cher parapluie ! Il paraît lui-même assez abattu. Je pense que la grippe peut aussi se prendre par le froid et le froid par la pluie, et que s'il avait été là... Je le console de mon mieux, en lui faisant comprendre que ça va s'arranger, que la mauvaise saison passera, que le beau temps reviendra et... ma foi il ne m'écoute pas. Peut-être se croit-il empêché. Qui sait ? Son rêve serait peut-être d'être une ombrelle ?

... Avant de me mettre au travail (huit heures et demie). Le nom de Jacques n'est pas le vrai nom du héros (du « personnage »), le nom du personnage devra être trouvé par Viviane. Ce jeu charmant des premiers temps de l'amour où il s'agit de chercher, justement, les noms que l'on se donnera l'un à l'autre pour l'intimité, la cachette et la pudeur. En tout cas, il faudra attendre que Viviane en personne ait trouvé le nom qui convient à celui jusqu'à présent connu ? comme étant Jacques.

Toutes ces babioles, n'est-ce pas ? Tous ces petits riens, n'est-ce pas ?

J'ai travaillé toute la journée sans voir personne, j'attendais quelque courrier qui n'est pas venu — ni ce matin ni ce soir. Vers neuf heures ce soir, Nicole est venue un instant avec sa fille et deux de ses neveux que nous avons ramenés à Saint-Laurent chez leur grand-mère, ensuite, nous sommes allés au Roselier par une admirable soirée et nous avons passé un moment à regarder la mer. Mais je sentais Nicole assez lointaine, pas du tout comme l'autre soir. Elle avait surtout envie de rentrer, je crois, aussi n'ai-je pas insisté et elle m'a raccompagné chez moi où elle n'est pas entrée. En somme, nous ne nous sommes rien dit. Je me suis remis au travail. Je ne sais quelle heure il est pour le moment, je me couche dans des humeurs assez lourdes me disant que je commence à en avoir assez d'avoir le courage d'avoir du courage et c'est à recommencer tous les jours. Je devais partir demain matin à sept heures et demie, je crois que je ne partirai qu'à onze. Tout est bien difficile (voilà qu'il sonne la demie de onze heures) ; je suis de partout tiraillé, il faut beaucoup de force, je ne voudrais rien lâcher. Que devient M. Jacques dans tout cet embouteillage ? M. Jacques n'est pas heureux. M. Jacques n'est peut-être qu'un enfant gâté, on le lui aura dit souvent. Cela n'arrange rien, il le sait aussi bien qu'un autre (qu'il est un enfant gâté) mais M. Jacques a pourtant grandi, il est devenu un adulte — à moins qu'il n'appartienne à cette catégorie d'adultes qui restent toute leur vie des adolescents... Bonsoir, monsieur Jacques. Qui que vous soyez et où que vous soyez, sur vous la paix s'il se peut, et fasse le ciel que votre Viviane qui, dit-on, fera votre bonheur ne fasse pas votre malheur.

3 août — Mercredi — qui s'annonce comme un jour de pluie et presque de froid.

Pour un début de roman : *Un homme de quarante ans regarde brûler sa maison.*

... Il faudrait savoir prendre toute situation avec une même égalité d'humeur en se référant à son monde intérieur sans rien exiger des circonstances et en se méfiant de ses propres impatiences et plus encore de ses propres susceptibilités. Si le monde intérieur existe avec assez de solidité, cela sera toujours possible et il est à espérer, alors, qu'on sortira une fois sur deux peut-être vainqueur des occasions où l'on croyait tout perdu — voilà de bons conseils à se donner à soi-même, nous verrons qui sera capable de les suivre.

... Mais en fait cette maison flambe pour ainsi dire *naturellement* dans la mesure où l'on doit entendre par là que ce n'est pas par le fait de la guerre...

« La patience est l'art d'espérer. » (Vauvenargues.)

« Qui a des filles est toujours berger. » (E. Dacier.)

Vendredi 5 août — Je n'ai de nouvelles d'Yvonne que par Genia. Elle a quitté Ferney mercredi pour Lyon et devrait être à Paris aujourd'hui ou demain. Mais pas un mot, pas un télégramme, pas un téléphone de sa part. Hier et aujourd'hui, j'ai téléphoné à Saint-Brieuc où l'on n'avait rien d'elle non plus, sinon toujours par Genia à qui Nicole a téléphoné.

Aujourd'hui samedi 6 août, j'ai trouvé Yvonne et les petites-filles rue Lacépède. J'ai emmené Anne et Catherine au Jardin des Plantes, nous avons fait une très heureuse promenade à la ménagerie. Hier, passé une soirée exceptionnelle avec Stanley et, ce midi, déjeuné chez les G..., avec Simon et Thérèse.

Pour le roman, au chapitre des bagues, se souvenir de ce que m'a conté Michèle B... à propos de C... et de la bague pour M... J'ai rencontré Michèle hier sur le boulevard Saint-Germain.

Lundi — On ne met pas un grain de sel sur la queue d'un oiseau, ce qui veut dire que les heures ne se laissent pas saisir et qu'on ne peut pas en parler, en rien « noter » à cause de tout ce qui vous pousse dans le dos, vous précipite et vous accélère, ce qui fait que tout en le sachant on ne sait jamais très bien où on en est. La vie est une mystification à laquelle on se prête — à peine avons-nous de temps à autre la demi-conscience d'un réveil — mais nous sommes tous si lâches, ou si faciles, nous avons tous tellement peur de regarder le soleil en face, que nous nous endormons aussitôt en attendant l'heure du réveil social, et du retour au « bureau » où, du reste, nous arriverons en retard. On pourrait aussi bien dire en « avance ». Mais en avance sur quoi ? Sur tout le domaine radieux, sur tout le domaine du séjour dont nous ne prenons conscience que dans les rêves, et qui disparaît aussitôt dès que nous rouvrons les yeux à la « réalité » qui toujours est justement notre « contrai-re ». Quel est le sens de cette mystification ? Quelle est cette autre conscience de « l'en dessous » qui est justement l'être ? La soirée de samedi chez Stanley a été parfaitement heureuse. Il y manquait pourtant quelque chose, mais la présence y était entière. C'est ce que j'ai dit. C'est ce que je sais et éprouve.

Je feuillette un dictionnaire de proverbes, et j'y trouve que « la hâte est mère de l'échec » (Hérodote).

« Ce que Dieu a fait de mieux, c'est que chacun se trouve bien comme il est. » (Proverbe breton.)

Thérèse est partie ce matin pour une quinzaine de jours, assez mal résignée, et même pas du tout. Maintenant, il faut se contraindre à penser au roman, dont le premier chapitre doit être sur les bagues — et même porter le titre : « Les bagues ».

Ensuite pourrait venir un premier essai... d'explication du personnage nommé Jacques en face de Viviane, ou plutôt de Valérie — ce dernier nom étant choisi par Viviane comme nom préféré, etc. A la suite du chapitre sur les bagues pourrait venir une première étude sur les *noms*. Donc, pour le moment, trois choses : les bagues, les noms, et l'explication sur certains *tics*.

La scène Svidrigaïlov et la sœur de Raskolnikov dans la maison vide. Le coup de pistolet — le *seul* tutoiement[1].

Tout roule sur des pointes d'aiguille (les tics).

« Laissez-moi. »

« Peines d'amour perdues. »

Mais pourtant, un autre jour, elle lui aura dit : « Ne me laisse pas... » Et, un peu plus tard : « Si tu m'avais laissée, c'était le désespoir. » — Et la veille avait été un jour si heureux. Le « contre-amour ». Qu'il connaissait si bien. Se peut-il que ce genre de cruauté ne vienne que des circonstances, ou des catégories ? Se peut-il qu'on soit si « romantique » au point de se sentir « réprouvé » ? Se peut-il qu'on soit si bête, au point de souffrir comme une bête d'un refus qui n'en est pas un, et qui pourtant est, hélas, bien réel, la preuve en est qu'on le sent ainsi et cela ne peut tromper. Il y a aussi dans le fond des choses un mystérieux défaut d'intelligence si l'on entend par là l'ignorance impossible cependant de la détresse commune. Sur cette vue tragique des choses que peut-il se passer, quand on la traverse d'un « chut » ou d'un « laissez-moi » que n'importe quelle midinette ou plutôt petite-bourgeoise peut prononcer dans les circonstances de coquetterie ? On est ou on n'est pas du même ciel, et de la même terre. Cela n'empêche pas d'aimer, au sens sacré du mot, mais cet amour-là quel avenir a-t-il ? On ne peut pas aimer dans la mutilation. Et si, malgré

---

1. *Crime et châtiment*, éd. Pléiade, pp.525-535.

tout. Et si, complètement. Mais « que veut dire ce mot » et où cela conduit-il ? Mais : ni passé ni avenir. Et la même chose qu'avec une autre femme qu'il aura connue autrefois (ouvrir ici le chapitre des « surimpressions » c'est-à-dire des situations identiques) où il avait prétendu être prêt à payer le prix. Restait à savoir s'il en serait *capable*. Le « laissez-moi » qui allait prendre de si grandes proportions prenait en effet de l'importance du fait qu'il était prononcé devant un autre (étude du « Nagging ») et qu'il surviendra très peu de temps après que Jacques aura organisé pour Valérie certaines rencontres qu'elle lui demandait et il trouvera que c'est là un très maigre salaire. Quant au fait que ce mot soit prononcé devant un autre (au courant de tout) il l'éprouvera comme une *humiliation*. Je crois qu'avec tout cela on peut engager une première étude d'une situation.

Mercredi 10 — Tout se mêle et je mêle tout : journal et roman. Le lecteur démêlera tout cela. Journal : en sortant ce matin j'ai rencontré Simon. Après le départ de Thérèse, il veut rester seul au moins huit jours, s'enfermer, ne voir personne. Il propose cependant de déjeuner demain au Lipp. Dit qu'il avait l'impression, l'autre soir, que Dominique « crachait » sur son mari.

Roman : les bagues. Les noms. Les tics. L'explication. L'humiliation. La jalousie. La trahison. Le titre : le « séjour ». La jeune fille. Il dira : « Tu es pour moi une jeune fille. » Et la manière dont il souffrira brutalement quand un autre racontera devant la jeune fille de grosses histoires de caserne, qui la feront rire parce qu'il ne faut pas passer pour bégueule, mais que lui ne supportera pas et cela se verra. Les colères inattendues : une trappe. On met le pied sur une trappe. Les humeurs.

Roman : *Le Paquet*. Reprendre les débuts laissés de côté. Se forcer. Penser sans cesse que ce peut être la dernière fois. Essayer de tout dire.

Récapituler. L'homme au cardiogramme. L'homme à la gifle.

Celui qui s'est trompé, qui s'est engagé sur une fausse route. La santé. Tu fais fausse route.

Les gens, autour des deux qui s'aiment. Valérie : son entourage. Et l'entourage de Jacques. Les *amis*. Ceux qui se mêlent.

Jacques : « En ces matières je suis un musulman. »

Journal — Déjeuné chez J..., que j'ai trouvée ce matin pas trop heureuse, et qui a refusé le dîner proposé pour ce soir par Jean-Pierre Burgart. Après le déjeuner, je suis rentré rue du Bac, et j'ai un peu travaillé. Ensuite, en attendant de me rendre chez Jean-Pierre, je suis allé boire une bière au Lipp où est survenue Denise, rencontrée l'autre soir chez Annie Broussais, et qui m'a dit sur moi-même des choses qui prouvent une certaine « voyance » y compris ce mot : « Qu'est-ce que vous êtes en train de faire, vous ? vous êtes en train de vous faire crever ? »

Je rentre de chez Burgart où il y avait Dominique Vincent[1] et Charles Marks, le peintre ami des G.... Passé là une soirée très heureuse, je reverrai Jean-Pierre demain.

Jeudi 11 — Quelques instants rue Marbeuf vers dix heures, de là à la Radio, puis retrouvé Stanley et déjeuné chez lui. Ensuite Yves Jaigu, que je n'avais pas vu depuis bien longtemps. Tandis que nous étions assis à la terrasse du Lipp est arrivé M. Claude Contamine[2] que je pensais voir ce matin. Tout cela côté des affaires et de la vie à Paris. Le conseil de Stanley est excellent, comme toujours. Le départ est fixé pour demain à deux heures, en voiture. Côté roman, il y aurait beaucoup de choses à retrouver de tout ce à quoi j'ai pensé tout

1. Dominique Vincent, comédienne. Elle interprétera le rôle de la mère dans l'adaptation du *Pain des rêves*, tournée par Jean-Paul Roux en 1972-1973.
2. Claude Contamine qui sera directeur de FR 3.

au long de la journée. Avec Yves, la conversation est devenue, comme toujours, sérieuse. Se souvenir de ce que nous disions sur le sentiment d'avoir tort. Mais il y a plusieurs façons d'envisager ce tort : le tort fondamental (fond des choses, qui rejoint la phrase de Kafka) et le tort de circonstance, le tort accidentel dont, quelle que soit notre prudence, on peut à tout instant devenir la malheureuse victime.

Carnets — Le facteur et ses poèmes.

Les « casse-pieds » dans *Brève rencontre*.

Samedi — *Pour le roman*. Rien à faire. Douleur essentielle. Rien à faire. Le personnage nommé Jacques parlera de ces moments exceptionnels de prise de conscience où l'on voit tout, où l'on sait complètement à quoi s'en tenir, où l'on prévoit tout comme cela devra arriver etc. Ce qu'on appelle un instant de lucidité. Bonheur et malheur de l'amour. Il voudra écrire à Viviane (ou Valérie) et dire tout, selon la coutume des vrais amants et il ne le fera pas, pourquoi ? Qu'aurait-il d'autre à lui dire pour le moment que, comme il y a peu, il lui disait : « Ta présence me comble de joie », ce qui, il le voyait bien, devenait de plus en plus vrai et il fallait bien admettre que ce n'était pas sans danger.

... Les plaisirs de l'été quand toute la famille est au bord de la mer. Il se souvint qu'autrefois — avec qui ? c'est à peine s'il s'en souvenait encore (et ceci pourtant n'était pas vrai) — il n'était jamais allé sur cette grande plage où elle aimait tant passer des heures à prendre le soleil et à se baigner, elle disait elle-même qu'en été elle ne faisait autre chose, mais il ne l'avait jamais accompagnée, pas une seule fois, malgré tout le désir qu'il en avait souvent eu ; il ne l'avait jamais vue à la plage, jamais entrer dans l'eau, en sortir, etc., toutes choses qui appartenaient à un domaine qu'il essayait d'imaginer tout en s'en défendant, un domaine dont il s'excluait lui-même, dont il n'était pas chassé, mais où il n'était pas attendu, un domaine de la naïade entièrement à son compte, comme dans un autre domaine, elle était cette « bacchante » dont avait parlé le vieux sénateur, ami de l'étonnante Pauline, un personnage auquel il aurait bien dû penser. Dans les tout premiers temps il avait découvert l'aspect mondain de ce personnage d'autrefois auquel, pour en parler dans un roman, il faudrait donner un nom, disons provisoirement Serena, il avait su qu'elle fréquentait les stations à la mode comme Chamonix, par exemple, où elle allait faire du ski (aujourd'hui elle serait allée à Saint-Tropez). Dans ces tout premiers temps, il avait pensé avec horreur que ce n'était pas sur une plage et sous le prétexte du bain qu'il aurait accepté d'avoir la première révélation de son corps, pas plus qu'il n'eût accepté de la tenir pour une première fois dans ses bras sous prétexte qu'on se trouve dans une réunion où les gens ont proposé de danser, ou qu'après un dîner on s'est laissé amener dans une boîte. Non : pas à la plage. Ce n'était pas ainsi qu'il voulait cette révélation, publique — tous les regards des autres en même temps que le sien sur son corps nu. Pas plus qu'il n'eût consenti, comme les gens le font si banalement, à l'accompagner (il n'y était jamais allé avec personne) à la piscine. Ce qu'elle semblait accepter avec indifférence, parce que, eût-elle prétendu, cela n'avait pas d'importance, lui causait un vrai chagrin, aussi parce qu'ils n'avaient pas la même façon de regarder les choses, pas la même forme de pudeur, parce que d'un côté on semblait croire que les « choses de la chair » pouvaient ne pas exister, et que c'était lui, l'« obsédé », qui ne pensait qu'à cela. Il l'avait surprise une première fois comme elle se préparait à descendre à la plage dans le costume fait pour cela, et elle, qui avait tant de goût, tant d'élégance, qui savait si bien choisir ses toilettes et qui en avait de si charmantes, lui avait paru ce jour-là s'être mise avec assez de mauvais goût. Grande surprise. Mais il était trop susceptible, trop pointilleux, trop capricieux, plus capricieux qu'une femme et plus changeant.

Mardi 16 août — Pour le roman : il serait temps de rassem-

bler les choses éparses. Bonheur et malheur des amants. Bonheur et tristesse des pères. Je n'ai jamais oublié le jour où L...
arriva chez moi rue du Val-de-Grâce et où il me dit qu'il était venu à Paris pour ramener la plus jeune de ses deux filles, elle n'avait pas dix-huit ans, qu'il avait trouvée faisant la putain à la Madeleine.

Le fils qui pose une bouteille de whisky dans la fosse où l'on vient de descendre le cercueil de son père.

La jeune femme qui quitte son mari, mais pas pour un autre, tout simplement comme ça, pour une fille.

L'amour... et la « crise du logement »...

Le pauvre poète pauvre réclame le *pain*, et le *temps* (Vigny) ; il semble que le *lieu* soit donné (du reste, il paraît qu'on peut travailler au café).

Ce qui ne va pas de soi ne va pas du tout.

La vie n'est pas qu'une matière d'étude.

Il faut avoir la force de ses plaisirs.

Demain, j'ai rendez-vous pour déjeuner avec Jean-Pierre Burgart et, peut-être, un cinéaste qui s'intéresserait au *Sang noir*.

Roman perdu. Je ne suis pas à mon affaire.

J'écris ceci de chez Simon, pendant qu'il prend son bain. Il est sept heures. Nous allons dîner dehors tous les deux.

« Cette part de paradis dans l'enfer. »

Autre titre :
« Aimez-vous les yeux fermés. »

Samedi — Déjeuné au restaurant des Saints-Pères, dans le souvenir du déjeuner d'hier avec Jean-Pierre et Jacqueline. Sortant de là j'ai rencontré Brisville sur le boulevard Saint-Germain et pris un café avec lui et un de ses amis. Puis remonté chez moi et travaillé tout l'après-midi. Ensuite au Lipp où j'ai rencontré Ch. et sa femme. Dîné ensemble. Et me voilà seul à L'Escurial en train de boire un verre de lait. Roman disparu dans la trappe. Toujours la même conscience qu'on ne dit pas ce qu'il faudrait, qu'on ne dit pas ce que l'on sait, c'est ça qui me rend si malheureux. Quelle délivrance, si l'on pouvait dire, enfin tout ce qui est à dire dans la vérité — comme on deviendrait fort, pour soi et en face des autres. On ne chercherait plus à séduire. Tout viendrait dans l'exactitude. Les malentendus viennent en grande partie de ce que l'on n'est jamais ni tout à fait soi-même ni tout à fait comme les autres. Un homme sans théâtre, le théâtre ne vient pas jusqu'à lui. Je pense beaucoup à Thérèse et me sens très proche d'elle. Il faut affronter. Mais qu'est-ce que cela veut dire ? L'épreuve, à ce point, ne peut pas déboucher sur des généralités consolantes. Il n'y a pas de consolation, il n'y a que l'effroi et encore est-il impossible de savoir ce que cela veut dire. « La vie, c'est la terreur. » C'est Dostoïevski qui le dit, il a raison. Mais les formes de cette terreur et les raisons s'effritent, deviennent hideusement banales dans l'univers incompréhensible des petits-bourgeois, qui n'est qu'un univers de morts fébriles d'une part, consternés et soumis de l'autre. Le démon mesquin. Ne fréquentez pas les morts, ils vous tueront.

Dimanche 21 — Roman. La manière dont Viviane se comporte en société.

L'attente d'un message, d'un téléphone, l'espoir fou de la présence même. « Je suis venue quand même. »

Ce paradis dans l'enfer mais l'enfer dans le paradis.

Lundi 22 — Je devais partir aujourd'hui pour Cabris où aura lieu demain le mariage de la petite Catherine Camus. Je ne le puis, pour des raisons de distance, de fatigue, aussi d'argent. Cela ne me semble guère possible. Je le regrette énormément. Il va falloir se contenter d'un télégramme. J'aurais beaucoup voulu qu'il pût en être autrement.

Jeudi 25 — Rien noté. Très occupé de Thérèse. Hier, Simon est parti. D'autre part, il s'est passé quelque chose de très ennuyeux chez J..., de la part de son mari. Tentative de suicide. Accuse les nouveaux amis. J'ai déjeuné avec J... hier aux Champs-Élysées et c'est un peu avant au Longchamp qu'elle m'a conté les choses.

On dit que, des reproches qu'on leur fait, les femmes ne retiennent que ce qui les sert.

— Ah ! s'écria le malheureux abandonné, je n'aurai pas le temps d'oublier.

« Et malgré tout, ajouta-t-il, j'aime mieux être à ma place qu'à la tienne. »

Vendredi 26 — Roman disparu et, même, je ne note plus rien. Demain, départ pour Saint-Brieuc, où je retrouverai Maréchal et quelques amis de sa troupe. Nous parlerons de *Cripure*.

1er septembre — Roman. Les peines d'amour perdues ne le sont pas pour tout le monde, à commencer par qui les retrouve à chaque instant sous la main. On dit qu'il faut battre sa coulpe, que cela rafraîchit l'âme et la fortifie.

... On dit aussi qu'à ne pas être aimé mieux vaut de loin que de près (proverbe russe).

Dimanche 4 septembre — Lambrichs[1] que je rencontre au Lipp m'apprend à l'instant que Gaston est mort cette nuit.

Hirsch, à qui je téléphone, m'apprend qu'il ne s'agit pas de Gaston, mais de Raymond.

Lundi 5 — À la N.R.F. tout est comme à l'habitude. Gaston et Claude sont rentrés, mais on ne les a pas vus. L'opinion générale est qu'il vaut mieux ne pas les voir.

Rencontré Vauthier[2], qui a lu *Cripure*, approuve et prédit le succès. Me conseille de penser à une adaptation de *Parpagnacco*.

Mardi 6 septembre — Hier au Saint-Benoît avec Denise et Annie Broussais. Depuis deux mois, j'ai pensé à prendre le petit appartement d'Annie Broussais à la porte d'Orléans, mais je redoute de m'y ennuyer si fort que je renonce. Cette question du logement ne sera pas encore réglée de si tôt. C'est bien difficile, et ma situation à Paris devient de plus en plus critique, à peu près sur tous les plans. Me voici au quatrième mois de mon séjour. Je n'ai pas avancé d'un pas. Je me sens souvent découragé, j'ai de mauvais pressentiments, mais si je quitte Paris, ce sera cette fois l'échec définitif. Il faut donc rester, et retourner tout à l'heure rue Marbeuf.

Jeudi 15 septembre — À cinq heures à *L'Observateur*, pour voir Jean Daniel qui me propose une chambre chez lui. Sorti de là très heureux et réconforté. Ensuite chez Simon pour rencontrer la dame américaine qui possède un manoir près de Tours. Très bien. Soirée chez Alex, rue des Orchidées, et longs bavardages jusqu'à une heure du matin. Écouté beaucoup de musique.

---

1. Georges Lambrichs, romancier, directeur, chez Gallimard, de la collection « Le Chemin », puis rédacteur en chef de *La Nouvelle Revue Française*.
2. L'auteur dramatique Jean Vauthier.

Samedi 17 septembre — Si j'étais dans le cas de rédiger un bloc-notes hebdomadaire je ne parlerais aujourd'hui que de ma rencontre d'hier avec Clara Malraux.

5 octobre — Vu Moinot ce soir à sept heures au café du Grand Directoire rue Cambon. Billets que m'a donnés Malraux hier pour aller vendredi voir *Les Paravents*.

10 novembre — Vers deux heures du matin on a frappé à ma porte. À ma grande surprise, c'était Thérèse, qui, aussitôt entrée, s'est abattue dans mes bras en sanglotant. Il m'a d'abord été impossible de comprendre ce qui s'était passé, je devinais bien de quoi il s'agissait et qu'il s'était passé quelque chose avec Simon, mais je ne pouvais rien faire qu'essayer de la consoler comme on consolerait un enfant, ce qu'elle refusait d'ailleurs. Elle revenait d'un dîner chez Mary McCarthy[1] et avouait elle-même avoir bu pas mal de vodka. Les propos étaient incohérents, la parole indistincte et les sanglots sans fin. Elle disait ne plus pouvoir vivre, parce que c'est trop laid, ne plus vouloir voir Simon, que même ses enfants ne comptaient plus pour elle, qu'il n'y avait pas de vie — et me demandait comment j'avais fait, moi. Que pouvais-je répondre ? Pendant une bonne demi-heure, j'ai fait de mon mieux pour l'aider, mais elle me répondait que personne ne pouvait l'aider, c'était un vrai désespoir, et je me demande comment je vais la trouver ce matin. J'ai fini par la persuader de redescendre près de Simon qui devait la chercher ; elle prétendait qu'il dormait, je n'en croyais rien ; il devait être très inquiet. Elle a fini par se laisser convaincre et elle est partie. Elle disait : « J'ai honte. Je ne suis pas à la hauteur. »

À neuf heures et demie ce matin je suis passé prendre des nouvelles et j'ai trouvé là Simon : heure pour lui inhabituelle. Je n'ai pas vu Th. À voix basse, il m'a donné rendez-vous à

---

1. Marie McCarthy, journaliste, critique théâtral, romancière.

L'Escurial où je l'ai retrouvé dix minutes plus tard. Il a compris où était Th. ayant vu entrouverte la porte donnant sur l'escalier conduisant chez moi — mais avant cela, il avait cherché Th. partout, dans la cour et jusque dans la rue. L'ayant quitté, je suis retourné rue du Bac où j'ai trouvé Th. qui sortait, et a tout juste eu le temps de me dire bonjour avant de sauter dans le radio-taxi qu'elle venait d'appeler. Je dois lui téléphoner dans l'heure du déjeuner, ce que, très probablement, je ne pourrai pas faire. Passé à la N.R.F. Téléphoné à Yvonne qui m'attend ce soir à six heures pour la soupe. Ensuite téléphoné à J..., que j'irai chercher à cinq heures rue Marbeuf.

Détail pour le romancier : j'ai trouvé les branches de mes lunettes toutes faussées, Thérèse s'étant assise dessus cette nuit. Ce soir à neuf heures, j'ai rendez-vous au Lipp avec l'abbé Chéruel dont les affaires, comme toujours, vont cahin-caha. Malgré les soucis et la nuit dramatique, j'ai assez bien travaillé pendant deux heures ce matin, toujours à ce même « machin » dont le titre tout provisoire est « D'homme à homme ».

11 novembre 66 — Voilà aujourd'hui quarante-huit ans qu'en remontant le boulevard Pasteur à onze heures du matin, j'ai entendu sonner les cloches de l'armistice. Ce matin, de huit heures et demie à une heure et demie j'ai travaillé, ensuite je suis descendu voir Thérèse que j'ai trouvée très calme, comme je l'avais d'ailleurs vue hier soir vers dix heures, après ma rencontre avec l'abbé Chéruel. Elle m'a parlé « d'autre chose » sauf au moment où je la quittais et où j'ai dû lui avouer que Simon savait qu'elle était venue me voir. Pour le moment, je suis au Lipp. Cet après-midi, chez Yvonne, qui recevra ses amis.

Mercredi 23 — J'ai passé une très bonne soirée hier chez J., à qui Maréchal avait téléphoné pour me donner rendez-vous à dix heures et demie au Lipp. Tout va très bien pour la pièce, les répétitions vont commencer, il faudrait que j'aille à Lyon. Maréchal cherche une actrice pour le rôle de Maïa. Il pense à Michèle K..., je lui parle de Dominique Vincent. Tout à l'heure j'ai téléphoné à Royaumont sans y trouver M. Crespelle[1], difficile à atteindre.

Écrivant ceci au café j'ai été interrompu (onze heures du matin) par l'arrivée de Maréchal, bientôt suivie de celle de Tatiana Moukhine, en qui j'ai tout de suite vu l'actrice même faite pour le rôle de Maïa. Nous sommes allés ensemble tous les trois à la N.R.F. prendre un exemplaire du *Sang noir* et un autre de la pièce pour les donner à Tatiana Moukhine. Ensuite bu un verre à L'Espérance et nouveau rendez-vous pour lundi prochain, déjeuné chez J. et rapporté de chez elle le Max Jacob prêté par L.D. Hirsch pour l'exposition et laissé là depuis la visite des Bramly à Saint-Brieuc. Ayant rapporté ce dessin à la N.R.F. et l'ayant déposé chez Hirsch qui n'était pas dans son bureau, je suis remonté (127 marches) rue du Bac prendre le scénario de *Compagnons* pour mon rendez-vous à trois heures au bar du Pont-Royal avec Jean-Paul Roux. Rentré à quatre heures. Dormi. Sorti. Je lis les Mémoires d'Ehrenbourg (*La nuit tombe*). Peu de choses, dans l'ensemble (sauf ce qui concerne Kolstov).

À propos de l'écrit « D'homme à homme » il faut corriger le côté « morose » et chaque fois que cela est possible, en faisant subir à la « caméra » un quart de tour, de façon à obtenir un centre d'éclairage permettant le « jugement » sur ce côté morose et signifiant la distance et la « sécheresse ».

Samedi 26 — « L'en dessous » reste très difficile, impossible à exprimer d'une part, et impossible à dire de l'autre. Existe-t-il une « politique » de la vie ? Pour certains peut-être, pour moi non. J'y réfléchissais hier soir, je me disais que pour moi, en tout cas, la meilleure pratique était de parler le moins possible, de ne jamais rien exiger, de fuir les « explications » à moins qu'on ne soit absolument résolu à trancher.

Dimanche 27 novembre — Chez Yvonne Oulhiou 33, rue

---

1. Directeur du Centre culturel de Royaumont.

Lacépède. Onze heures du soir. À midi, hier, j'ai vu Françoise
Chaillet qui m'a beaucoup intéressé et plu. Nous avons déjeuné
ensemble et convenu de nous revoir. Je dois lui téléphoner
jeudi. L'ayant quittée, je suis allé rue des Boulangers chercher
mes petites-filles à la sortie de l'école. Avec elles et leur mère,
nous avons goûté dans un café. Ensuite de quoi Yvonne m'a
conduit rue du Bac où j'ai passé quelques instants avec Thérèse
et Simon puis je suis revenu pour dîner rue de Navarre. Il y
avait là Yves Laurent et son frère Patrick, Micheline Allaire et
son mari. Vers neuf heures, Jean-Dominique de La Rochefoucauld[1] m'a appelé et je suis allé le rejoindre au Capoulade une
heure plus tard. Nous sommes restés ensemble jusqu'à près
d'une heure du matin, en grande partie au bar du Pont-Royal,
à parler de beaucoup de choses et principalement de l'amour et
des femmes. Rentré ici et lu Ehrenbourg. Ce matin, j'ai fait
une très charmante promenade avec mes petites-filles au Jardin des Plantes. Rentré déjeuner. Ensuite, avec les G..., au cinéma pour voir la deuxième partie de *Guerre et Paix*. Dîné chez
les G... Rentré ici, bavardé avec Youyou. Je me couche.
Demain ? Rendez-vous avec Maréchal et Tatiana Moukhine,
pour parler de *Cripure*.

Lundi — Chassé par le froid qu'il fait dans ma chambre de
bon, ensuite par la pluie dans la rue. Après être passé à la
N.R.F. un instant, je me réfugie au bar du Pont-Royal en
attendant le rendez-vous à huit heures avec Maréchal, Jean-
Louis Bory[2] et une dame. J'ai déjeuné rue des Saints-Pères
avec Maréchal, Tatiana Moukhine et quelques membres de la
troupe (Cothurne). Je suis très heureux que Tatiana prenne le
rôle de Maïa. Je suis sûr qu'elle fera tout ce qu'il faut, qu'elle
saura le faire.

1. Jean-Dominique de La Rochefoucauld, chargé de la lecture de manuscrits pour la
télévision.
2. Jean-Louis Bory (1919-1979), romancier, essayiste.

Dimanche 4 décembre, 33, rue Lacépède — Le titre de cet écrit « D'homme à homme » sera probablement : « Sans feu ni lieu. »

Mardi — Antichambre rue Saint-Dominique en attendant Maréchal qui a rendez-vous avec Moinot. Ensuite je suis allé chercher Catherine à l'école rue des Boulangers, et, de là, à la clinique pour voir Bouboune qui va bien. Ce soir dîné à La Chaumière, rue de Beaune avec Vivette[1]. Maréchal n'étant pas venu, j'ai quitté les Affaires culturelles et, côté fil en aiguille des choses, me voici au bar de l'Assemblée, rue Aristide-Briand, attendant Marie-Madeleine Dienesch[2] et M. Froment-Meurice[3] pour déjeuner. Je suis venu ici il doit y avoir dix ou quinze ans avec Antoine Mazier[4]. Je note tout cela par pur désœuvrement ne croyant même pas à l'intérêt du film des choses et pensant que je ne relirai jamais ces carnets. Occupation idiote, je le sais, mais depuis quelques jours, je ne me sers plus de mon stylo que pour cette occupation-là. C'est une grande tristesse et j'en suis à la limite. Cela ne sera plus supportable bien longtemps.

Mercredi 21 décembre — À quoi je devrais me résoudre, j'ai peur d'y penser. Yvonne me cause un grand chagrin. La façon dont elle s'obstine et me tient tête me devient insupportable et c'est d'ailleurs très antipathique. Après les promesses d'il n'y a guère plus de huit jours, je trouve Catherine dans la rue en sortant de l'école, j'apprends qu'elle y va toute seule, ce qui n'est certes pas très grave, bien qu'elle n'ait que huit ans et qu'elle vienne d'arriver à Paris, mais ce qui n'était pas enten-

1. Vivette Perret.
2. Marie-Madeleine Dienesch était alors vice-présidente de la Commission des Affaires culturelles, familiales et sociales. Elle avait été professeur à Saint-Brieuc de 1939 à 1943 et de 1944 à 1945.
3. Henri Froment-Meurice était, depuis avril 1965, chef du service des échanges culturels à l'Administration centrale.
4. Antoine Mazier fut député socialiste ; il était maire de Saint-Brieuc quand il mourut en 1964.

du et promis par sa mère. Je suis parti avec Catherine à la clinique, où j'ai trouvé Yvonne auprès de Bouboune mais je suis reparti aussitôt.

Il fait froid. J'ai passé la matinée à me faire photographier à la N.R.F., puis sur le quai Voltaire, pour Maréchal. Je devrais noter tout ce qui concerne l'abbé Chéruel, qui me dit : « J'ai cessé de célébrer. On ne peut pas célébrer devant des chaises. » Hier jeudi toute la matinée à la Radio pour lire *La Steppe* de Tchekhov. La veille, à Versailles, chez Jean Vincent-Bréchignac[1], conduit là par Jean-Dominique de la Rochefoucauld. Le soir chez Jean-Pierre Burgart. Je ne travaille plus du tout au roman. De nouveau le sentiment de la perte. Pour ce roman, ne pas oublier la parole de la mère quelques heures avant de mourir : « Que Dieu vous donne ce que vous méritez ! »

Dimanche 25 décembre. Noël — Je crois bien me souvenir que Lambert était né un 25 décembre. Et je viens de m'apercevoir en ouvrant un carnet que c'était hier la Sainte-Émilienne. L'année s'achève et mes problèmes n'ont guère avancé, sur aucun plan. Le roman est toujours perdu. Je n'ai toujours pas de nouvelles de Moinot. Rien n'avance. Tout est toujours pour demain. Je répète souvent qu'il va me falloir prendre une décision. Il est possible, je commence à le redouter, que la décision vienne d'elle-même.

Lundi 26 décembre — J'ai téléphoné à Marie-Madeleine Dienesch qui avait pris rendez-vous pour moi avec M. Coursaget pour demain matin mardi à dix heures et demie. Il s'agit de savoir si M. Coursaget, qui est un personnage au ministère de la Construction, sera ou non en mesure de me trouver un logement à Paris.

J'ai déjeuné avec Jean-Claude Brisville. Nous avons parlé des

1. Jean Vincent-Bréchignac, conseiller de direction à l'O.R.T.F. (1965-1966). En 1922-1923, il avait été journaliste à *L'Intransigeant* où Louis Guilloux l'avait connu.

femmes — sujet inépuisable ! « Une épouse, à qui son mari
apporte un cadeau de Noël s'écrie : "Oh, comme c'est charmant, délicat, etc. quel bon goût ! Sûrement tu avais une femme avec toi quand tu as acheté cela !" Il rougit. Cela le confirme. » La dernière fois où tu as rougi, la dernière fois où tu as
pleuré : Pour le roman. Pour le roman, employer les vieilles (le
chœur — toutes les vieilles qui vivent autour de moi au septième étage, Mlle Violette — les 127 marches). À la fin, pendant
que le soleil se lève, le *chahut* des vieilles comme le chahut des
prisonniers secouant leurs chaînes et poussant des cris à chaque fois que l'on emmène l'un des leurs pour l'exécution à
l'aube.

1967

Premier janvier 1967, 33, rue Lacépède — Chez Yvonne Oulhiou. Il n'est pas encore tout à fait onze heures du matin, je n'ai pas encore téléphoné rue de Navarre. Après un café croissant à la place de la Contrescarpe, j'ai fait un petit tour dans la rue Mouffetard, puis je suis rentré ici. Le temps est fort doux, la lumière très claire, ce matin, on dirait un commencement de journée d'automne. Tout en me promenant, je pensais à ma soirée d'hier chez Edouard[1], avec Paule, sa femme, Suzanne Martin et sa fille. Suzanne Martin toujours pleine de tendresse, de délicatesse d'âme, et toujours souriante malgré ses maux qui, hier, l'empêchèrent de rien manger de l'excellent dîner préparé par Paule, et c'est à peine si elle a trempé ses lèvres dans un verre de vin, le mien, du reste. Nous nous sommes quittés à deux heures du matin, moi pour rentrer rue Lacépède, elles pour rentrer à Arcueil où j'ai promis d'aller les voir cette semaine. Pour le roman *(Sans feu ni lieu)*, pour expliquer comment l'ancien journaliste, c'est-à-dire celui qu'on prend — qui se laisse prendre — pour l'inspecteur Favien, habite dans une chambre de bonne, on croit savoir qu'au moment où il a pris sa retraite il a dû vendre son appartement, que lui avait légué sa tante, et ne garde pour lui que cette chambre de bonne au septième étage, l'Olympe — habité par les vieilles. La ques-

---

1. Edouard Caen.

tion de savoir si c'est un veuf, ou un célibataire de toujours, reste encore pour le moment en suspens.

Qui parle du séjour « immérité » de la terre ?

A propos du « roman » (ou d'un roman car il faut lutter contre la tendance fourre-tout) je ne devrais pas oublier l'étonnante histoire du grenier et de la rupture après la mort accidentelle du fils de vieux amis. Il s'agit du « grenier » d'Yvonne Oulhiou et de ses rapports avec les H... et sa filleule l'organiste.

Mardi 3 janvier — A l'exposition Picasso hier midi. Vers cinq heures chez Simon et Thérèse, avec qui je suis allé rue de Rennes chez Mary McCarthy qui donnait un cocktail. J'y suis très peu resté. J'oublie de noter ma visite, ce matin, à M. Coursaget, au ministère du Logement, quai Kennedy. Il m'a fort bien reçu et donné quelques espérances.

Jeudi 5 janvier — Ce matin, levé de très bonne heure, et après mon déjeuner habituel à L'Escurial, je suis revenu dans ma chambre où j'ai travaillé pendant deux bonnes heures. Après quoi chez le coiffeur, puis chez le teinturier et, enfin, à midi et demi, je suis allé place des Abbesses pour déjeuner au Carillon avec Jacques Lemarchand et son amie Simone. Relire les lettres d'Elisabeth C... *(L'Amour et la peur)*[1]. Rentré, je me suis remis au travail. Tout à l'heure, à six heures et demie, je vois Pierre Moinot.

Vendredi — L'accueil de Pierre Moinot est toujours aussi chaleureux. Je sais qu'il fait tout ce qu'il peut pour moi mais les choses restent difficiles et il faut attendre encore. Chez Yvonne, qui n'y était pas, avec Alain Lemière, ce dernier toujours plongé dans ses études orientales, et d'un autre côté parlant beaucoup de la fonte des glaces du pôle Sud, qui va entraîner une effroyable catastrophe en provoquant un nouveau déluge : je l'ai ramené chez lui en taxi un peu après dix heures.

---

1. Elisabeth C., *L'Amour et la peur*, Gallimard, 1950.

J'ai diverses choses à arranger pour Lyon, avant de partir dimanche matin à neuf heures quinze.

Mardi 10 janvier, Lyon — Voilà deux heures que je suis ici ayant quitté Paris dimanche matin à neuf heures quinze (par ce même train que je prenais si souvent pour aller en Suisse, et à Venise). J'ai vécu ces deux jours en grande partie au théâtre avec Maréchal et la troupe du Cothurne, pour les répétitions de *Cripure*. Mais dès dimanche après-midi j'ai assisté à la pièce de Jean Vauthier, *Bada — Capitaine Bada*, qui m'a beaucoup atteint, comme une grande chose. Une œuvre très belle et très sérieuse, dont je voudrais bien connaître les sources secrètes et les origines. Il y a là-dedans une grande science. Quant à ce que j'ai vu jusqu'à présent de ce que les comédiens font de *Cripure*, ce qui m'apparaît le plus c'est l'extrême violence de l'attitude. Le théâtre choisit et grossit, il dénonce. Mais je suis d'accord. Hier soir, les scènes où j'ai vu Nabucet, Glâtre, Moka, m'ont paru très bonnes et les comédiens excellents.

Dimanche 15 janvier 67 — Anniversaire. J'ai aujourd'hui soixante-huit ans. J'écris ceci dans ma chambre d'hôtel, en attendant Maréchal qui doit m'emmener déjeuner chez ses parents. Je me sens fatigué, je me laisse entraîner à des journées trop prolongées, comme hier, après le spectacle *(Bada)* auquel j'ai assisté. Il n'est bien entendu plus du tout question du roman et c'est à peine si je puis tenir ce « journal » à jour. Demain soir lundi, je partirai pour Paris où je resterai deux ou trois jours. Ensuite retour à Lyon. Il est probable que tout le mois de février se passera de cette même manière que je redoute beaucoup.

Lundi 23 janvier — Il ne m'est plus possible de rien noter dans ce carnet. La semaine dernière je suis allé à Paris, je ne sais même plus si j'y ai passé trois ou quatre jours. Je suis revenu à Lyon vendredi dernier, par le train, avec Sylvie Marion et Roger Grenier. Télévision. Théâtre. Toute la journée du lendemain. Soirée tardive comme toujours. Pour le moment je suis au théâtre. On monte le décor. Ce soir répétition en costumes.

2 février, Paris — Je suis rentré à Paris dimanche soir, venant de Genève, où m'avait conduit Maréchal après Thonon. Depuis que j'ai laissé ce carnet, j'ai beaucoup circulé. Je suis allé à Clermont, pour la première représentation de *Cripure* qui n'a pas été très bonne, et pour la deuxième, déjà un peu meilleure. Signature ennuyeuse dans une librairie. « Colloque » avec des « Amis de la Culture » dans une salle de cinéma. Après Clermont, Thonon, le vendredi, pour une « conférence » pendant que la troupe donnait *Cripure* à Villefranche. Le soir du samedi spectacle à la maison de la culture à Thonon. Très amélioré. C'est le lendemain dimanche que je suis allé de Thonon à Genève, et de Genève à Paris. Je n'ai encore rien pu noter dans ce carnet, passant mes journées à courir et à voir des gens.

Cinq heures de l'après-midi. Chez La Rochefoucauld, avec Michèle, sa femme, et la très charmante jeune fille portugaise qu'ils ont à leur service. Tout a été fort agréable, fort bon, le vin excellent, l'humeur de tous meilleure encore que le vin. Pendant le déjeuner nous avons écouté Schubert, puis Beethoven (A l'amie lointaine). Ainsi se sont écoulées plus de deux heures très légères, les propos que nous tenions étant eux-mêmes légers. Jean-Dominique m'a ensuite reconduit rue du Bac où j'ai passé quelques instants à regarder des papiers. Dans l'ensemble, si je sais encore à peu près où je suis, savoir où j'en suis est une autre affaire. Hier, j'ai longuement vu Pierre Chaslin, qui m'avait fait entrer à la Sodipa au mois de juin de l'année dernière, le 1er juin, voilà donc aujourd'hui presque jour pour jour huit mois.

Vendredi — Passé l'après-midi d'hier chez Jean, à Bourg-la-Reine.

Samedi — Pour le roman : le pied chinois — les voix.

Lundi 6 février — Anniversaire de Jean[1]. Rentré à Paris à midi. Déjeuné avec Yvonne. Demain, je repars pour Lyon. Hirsch a assisté au spectacle et me donne des nouvelles encourageantes confirmant tout ce qu'il m'avait dit au téléphone.

Mardi 7 février — En attendant le départ du train dans lequel je viens de monter pour me rendre à Lyon (il est tout juste neuf heures)... Soirée chez Yvonne Oulhiou où il y avait Chauvet et sa femme, d'où une grande et longue conversation sur le Parti, la révolution en Chine, etc.

Vendredi 10 février — Demain, au Cothurne, générale de *Cripure*. Hier et avant-hier, j'ai assisté aux représentations : les choses sont encore très loin de me satisfaire, mais il y a de sérieuses améliorations. Cet après-midi, je fais une « signature » à la Maison de la Presse, chose très désagréable, un peu après cinq heures, arriveront Thérèse et Yvonne Oulhiou. Pour le moment, j'attends Maréchal. Nous avons encore pas mal de choses à nous dire au sujet de la pièce. J'ai hâte que tout soit fini, et que je puisse me retrouver à moi-même, me remettre au roman, mais avant cela, il va me falloir aller à Mulhouse, je ne sais encore à quelle date. Il s'est remis à faire très froid.

Vendredi 17 février — Je partirai mardi prochain pour Mulhouse[2].

Mardi 21 février — Départ pour Mulhouse où Thérèse vient de télégraphier pour annoncer mon arrivée à six heures ce soir. Maréchal est venu hier à Paris. Je l'ai accompagné au cocktail des Arts, puis, avec Sandier, nous sommes allés dîner

1. Jean Grenier.
2. Louis Guilloux avait été invité à Mulhouse, où la troupe de Marcel Maréchal allait jouer *Cripure*, par le groupement culturel du Théâtre du Mercredi et le Collège Universitaire.

chez Abirached[1], où est venu ensuite Jean Vauthier. Rentré
tard.

Pour le roman : les comédiens dans le bar. Le monument
(titre de la pièce dont parlent les comédiens). Arrivée du vieil
auteur.

Dimanche 26 février — Très enrhumé et presque grippé hier,
fatigué, etc., dormi tout l'après-midi, me suis laissé entraîner
malgré tout par Thérèse, qui devait dîner avec Bernard Frank[2]
et ne voulait pas de B.F. tout seul. Nous sommes allés le chercher rue François-1er chez Claude Perdriel où il habite, de là
nous sommes allés dîner chez Calvet. Vie très parisienne. Rentré
tard, bien entendu. Je commence à me ressentir de mes voyages
incessants et de mon séjour de près d'un mois à Lyon avec le
Cothurne, pas exagérément toutefois. Mais il est vraiment grand
temps que je me remette au travail. Mémento. Le lendemain de
mon retour de Mulhouse, j'ai passé l'après-midi chez Jean à
Bourg-la-Reine. Demain lundi, j'ai rendez-vous avec Maréchal, à
partir de midi, à L'Escurial et, le soir, avec Thibau[3] (télévision)
au bar Francis.

Le 3 mars — Dimanche prochain à Saint-Brieuc d'où je
pense revenir mercredi matin, pour repartir jeudi pour Lyon.
Par Mme Jacqueline Bernard[4], j'ai eu ce matin de bonnes nouvelles de Schlesinger, qui viendra peut-être en septembre en
France. Avec quelle joie je le reverrai ! Comme j'aurais besoin
de lui ici en ce moment.

La vieille idée ! Se mettre en règle.

---

1. Gilles Sandier, critique littéraire. Robert Abirached, chroniqueur à *La Nouvelle Revue Française*, critique littéraire, essayiste et romancier.

2. L'écrivain Bernard Frank.

3. Jacques Thibau, directeur adjoint de l'O.R.T.F.

4. Jacqueline Bernard avait été membre du mouvement de résistance « Combat », secrétaire de rédaction du journal clandestin. Arrêtée en juillet 1944 et déportée à Ravensbruck, elle avait repris sa place, après sa libération, dans l'équipe de *Combat*.

Samedi 18 mars — Papiers signés, argent versé. J'entrerai lundi 20 mars dans mon nouvel appartement, 6, boulevard Blanqui au huitième étage.

Samedi 1er avril — Très occupé d'une part par les comédiens arrivés ici voilà deux jours, après Bourges, et, d'autre part, par mon installation dans mon nouvel appartement, du boulevard Blanqui, XIIIe. Youyou est en Egypte, Thérèse est partie hier voir la mer, dit-elle. Elle reste toujours très douloureuse. Cet après-midi je suis revenu rue du Bac où j'ai rangé mes affaires, me préparant à les transporter lundi dans mon nouveau chez moi. Demain dimanche, à Bourg-la-Reine, chez Jean, pour lui rapporter la correspondance et déjeuner.

Dimanche 2 avril — Ce matin au T.N.P. pour les photos, avec Maréchal, Bernard et M. Guette. De là je me suis fait conduire à Bourg-la-Reine chez Jean, où se trouvaient Alain, son fils et la femme d'Alain : Elisabeth, très charmante, et leurs enfants. Déjeuné là, fait la sieste, avons pris le thé. Je suis reparti vers six heures. Pas de nouvelles d'Yvonne. Après la croûte au pot au Lipp, et un grog à L'Escurial, je rentre.

Mardi 4 avril — Passé « chez moi » ce matin, ensuite à la N.R.F. où je me suis surtout occupé d'un rendez-vous avec A. M... Reçu l'article de Jean[1]. Passé une grande partie de l'après-midi au T.N.P. Après le T.N.P. au Cyrnos, où j'avais rendez-vous avec Lemarchand. Ensuite au Lipp où j'ai rencontré Francine Camus.

Mardi 11 — Hier soir générale de *Cripure* à la salle Gémier. Avant le spectacle, dîné au Coq avec Jean, sa femme, Madelei-

1. Jean Grenier écrivit, sur sa première rencontre avec Louis Guilloux, un article intitulé *A Saint-Brieuc en 1917, Une rencontre*, qui fut publié dans *Le Monde* du 13 décembre 1967.

ne. Soirée pour moi dans la distance et parmi la foule, de nombreux amis. Mais je trouve la pièce mauvaise, et il est difficile de me persuader du contraire. Après le spectacle, la troupe et de nombreux amis au Pot d'Etain, rue des Canettes, soirée très tardive, et très joyeuse. Petit[1] était là, avec Lucienne Bloch, Simon et Thérèse, Dominique Vincent, Pierre Moinot, et beaucoup d'autres. Il était près de trois heures quand je suis rentré chez moi boulevard Blanqui. Je me suis endormi aussitôt et, ce matin, je me suis réveillé exténué. Je ne puis plus entendre parler de cette pièce et j'attends avec angoisse l'instant où je pourrai enfin me remettre au travail.

Dimanche 30 ou 31 avril — A Saint-Brieuc depuis hier (pour l'exposition de la littérature russe au Centre culturel) je repars à l'instant pour Paris où je dois achever l'émission télévisée qui précédera la retransmission de *Cripure* le 10 mai.

Le 3 mai — Je pars pour Milan d'où je gagnerai Lugano demain (prix Veillon). J'espère voir Pierre Chaslin à Milan. Retour à Paris dimanche au plus tard. Les meubles arriveront demain boulevard Blanqui.

Samedi 6 mai — Chiasso. En attendant le départ pour Milan. Prix Veillon terminé. Vu Géa[2]. Très atteint et très courageux. « Je m'endors enfant et je me réveille vieillard. »

Lundi 8 mai, Brig... — Hier avec Pierre Chaslin. Parti de Milan vers dix heures. À Crémone et, de Crémone, à Venise, où je ne pensais pas retourner, où je n'étais pas revenu depuis à peu près dix ans.

Le 17 mai — Retour à Paris hier soir après trois jours passés à Saint-Brieuc, par un temps plus que maussade : brouil-

1. Henri Petit.
2. Géa Augsbourg.

lard, pluie et froid. J'en suis resté dans une grande tristesse.
Aussi, bien sûr, par d'autres raisons qui n'ont rien à voir avec
le baromètre. Hier soir, Thérèse. Pour le moment, je suis à la
Radio, rue Cognacq-Jay, attendant M. Thibau. Demain soir,
dernière de *Cripure* au T.N.P., ensuite rendez-vous rue des
Canettes et soirée mondaine chez Thérèse.

Le 20 mai — La dernière de *Cripure* était jeudi dernier.
Très bonne salle. Maréchal et tout le monde très bien, j'ai
été très entouré par beaucoup de jeune monde et signé des
quantités de brochures. Tout cela dans une grande bonne
humeur. Verre, à la fin, et ensuite, au Pot d'Étain, rue des
Canettes. De là chez Thérèse qui donnait une grande soirée.
Lendemain de lenteur, etc. Aujourd'hui samedi, tout va très
bien.

Hier, dimanche 11 juin, ayant tristement dîné vers Lipp, je
me suis souvenu vers les neuf heures du soir d'une lettre que
j'avais reçue du comédien Paul Laugier, me demandant de le
conseiller et de l'aider dans le projet qu'il a récemment conçu
sur les conseils de Georges Perros[1] d'aller à Brest pour diriger
une maison de la culture. Je lui ai téléphoné l'invitant à venir
me rejoindre au Lipp, à quoi il m'a répondu : « Mais... et la
maison ? Ça existe aussi la maison. Venez à la maison. » J'ai
accepté, et je me suis rendu aussitôt au quatre de la rue de
l'Ancienne-Comédie, cinquième étage gauche où il habite avec
sa femme. Je ne l'avais jamais vu. Je ne connaissais pas sa
femme. C'est elle qui m'a ouvert la porte. Je me suis tout de
suite pris de sympathie pour la femme qui m'est apparue comme une ouvrière, ou une employée, attachée à son comédien,
amant ou mari, lequel, d'une assez gênante laideur, avait, par-
dessus le marché, un peu bu pas mal de vin. Nous nous sommes assis. Je me croyais, dans ce petit appartement sous les
toits de Paris, revenu au temps de ma jeunesse et de mes pre-

---

1. L'écrivain Georges Perros (1923-1978) avait commencé par être comédien.

miers pas rue Falguière, chez Lucien Aressy[1]. On m'a offert un verre de bière. Laugier s'est versé du vin, et, à ma grande désolation, il a entrepris de me lire un rapport qu'il a écrit sur les maisons de la culture. Je m'ennuyais mortellement, mais à cause de Mme Laugier surtout, je n'ai pas bronché, ou à peine, pendant près de trois quarts d'heure qu'a duré cette lecture. Ensuite, il a fallu discuter, commenter, etc. C'était de plus en plus ennuyeux, d'autant plus que Laugier continuait à boire du vin et devenait carrément ivre. Il n'était pas loin de onze heures quand je me suis levé en annonçant que j'allais partir, à quoi Laugier m'a répliqué : « Pas question, je vais te mettre un disque. » Comme il s'agissait de poèmes de lui enregistrés, je n'ai pas insisté pour partir — mais je ne l'ai pas regretté : les poèmes que j'ai entendus m'ont paru très beaux, je retournerai voir Laugier pour les entendre encore. Pendant toute cette audition assez longue, Mme Laugier restait assise sans bouger le moins du monde et pas une fois je n'ai rencontré son regard. Quant à Laugier lui-même, tandis que nous l'écoutions réciter ses poèmes, il s'était endormi sur sa chaise...

Juin — Idée de la pièce à partir des Camps de « Hard-Core »[2].

Où ai-je lu, de qui ai-je entendu cette réponse de Barrès à la question du jeune Drieu La Rochelle :
— Mais enfin, monsieur Barrès, pourquoi la politique ?
Barrès :
— Quand on a écrit trois heures, on est dégoûté de soi-même. Alors ? Il y a les dames. Ça prend trois heures. Alors ?...

Le chauffeur de taxi qui me dit : « Je m'ennuie au monde. »

1. C'est en octobre 1918, au 37, rue Falguière où il occupait une chambre lors de son premier séjour à Paris, que Louis Guilloux fit la connaissance de l'écrivain Lucien Aressy.
2. Voir l'Appendice.

Taxis : cette fois, c'est une femme qui est au volant. Quarante-cinq à cinquante ans, brune, un peu sèche et bien à son
affaire, parfait accent de Belleville. En route, parlant des jeunes, elle me dit :

— Ah ! Monsieur , tous ces jeunes, avec leurs cheveux comme des O'Cédar en folie !

Du temps que j'étais à la Radio (en 37) un jour que siégeait
la commission des Lettres, et que je me trouvais assis près de
Paul Valéry, il était question d'un poème de je ne sais plus qui,
et il s'agissait de savoir si ce poème méritait ou non d'être dit
au micro. Comme il se trouvait que je tenais ce poème devant
moi parmi d'autres papiers, Paul Valéry se pencha et il me le
demanda en me disant :

— Nous allons en lire un vers : il suffit d'une goutte d'eau
pour analyser le contenu du flacon.

Gaston me parlait de la liberté des gens d'autrefois, qui,
après le repas, nettoyaient leur dentier sans se gêner devant les
autres, d'un vieux monsieur qui, entendant dire qu'on allait au
bordel, s'écriait: « Ah ? On va au bordel ? Je remets ma
Légion d'honneur ! »

... exemple : j'ai connu un type, passionnément amoureux,
mais hélas, poète. Partit un jour dans une solitude provinciale
pour travailler à un grand livre. Et laissa sa maîtresse à Paris.
Elle tomba malade, lui écrivit, lui fit écrire. Ne reçut point de
réponse. Insista. Vint une carte postale. « Je travaille et désire
qu'on me foute la paix. » Bon. On la lui a foutu. Elle guérit,
dans l'instant où notre poète achevait son ouvrage. Revint à
Paris. Mais plus de maîtresse. Partie avec un autre. Probablement pas un poète. Il voulait se suicider. Il se soûlait comme
un Polonais...

Il est toujours bien plaisant de s'entendre dire qu'on n'est
qu'un poète. Cela vous flatte. On finira même par y croire. Oui,

ma foi, tout bien pesé, rien n'est plus délicieux que de s'entendre dire qu'on n'est pas autre chose qu'un idéaliste. Vous, vous n'avez pas les pieds sur terre. La réalité n'est point du tout votre affaire. Un idéaliste, un rêveur, voilà ce que vous êtes. Oh, le délice que c'est de l'entendre !

Tout est merveilleux... Pas de plus grand bonheur que d'être au monde. Vivant ! Je suis vivant. Contre un tel miracle, rien ne vaut...

Loin de Paris on a peine à croire à sa « réalité » si entière il y a quelques instants encore. Tout ce qui n'était pas Paris était relégué, réfuté, nié, oublié, à vrai dire le monde entier, y compris l'Inde et la Chine. Comment font-ils, en Chine, sans Paris ? Et dire qu'il aura suffi de deux ou trois petites heures de chemin de fer...

On en vient très vite à se demander s'il est bien sûr que Paris existe ? Et s'il est bien vrai que la veille encore on est allé boire un verre au bar du Pont-Royal avec un jeune ami plein d'avenir... C'est drôle, comme les choses se passent. Avant-hier je suis retourné à Bagnolet. Ça, je ne m'y attendais pas. Tout a bien changé. Bagnolet ! Les types habitaient une avenue qui portait le nom d'un général, je ne sais plus lequel, le général Maunoury peut-être. C'était plein de « cabanes à lapins ». La zone, quoi, les fortifs... J'y suis allé avec un copain rencontré boulevard Saint-Michel au volant de sa deux-chevaux. J'ai rien reconnu. Tu parles ! Après quarante ans... On ne sait jamais où on va, où on ira. À supposer qu'il se passe quelque chose, on ne saura jamais quoi. Tu sais, je parle comme ça. Il ne faut pas tenir compte.

Rien ne dure, on le sait, tout change d'un instant à l'autre. Existe-t-il un séjour ? Ou sommes-nous tous sans feu ni lieu ? À présent j'ai retrouvé la paix des champs et la mer au bout du sentier.

L'autre soir, tu marchais à côté de moi le long du boulevard Saint-Germain, tu étais là, en chair et en os et tu voulais à tout prix me montrer ton cardiogramme. Moi, je ne le voulais pas. Ça n'était pas bien gentil de ma part. Je voulais te parler de l'algarade avec M. le commissaire du peuple. Toi, tu avais été témoin de cette affaire-là mais nous n'en avons pas dit un mot. Moi, la racontant à un autre qui revenait d'Amérique après bien des tribulations, j'ai menti. Je me suis vanté. Je te dis qu'on ne peut répondre de rien ni de personne, et surtout pas de soi-même. On se fait des surprises. Elles ne sont pas toujours agréables. Il faudrait avoir le cœur de Mary. Tu la connais ? Elle était là aussi. Et figure-toi que Mary m'a félicité. Elle m'a dit, plus tard, que j'avais très bien agi.

Ma foi non ! Je n'avais pas du tout envie que tu me montres ton cardiogramme, je n'y aurais rien compris et probablement rien trouvé de consolant à te dire, j'avais plutôt envie de te parler par exemple de ma visite à Mgr l'Évêque ça fait déjà pas mal de temps. Cette visite-là fait partie de mon programme. Je ne te dis pas que ce soit l'histoire numéro un. En fait, il n'y a pas d'histoire numéro un. Il y en a des tas, mais aucune ne porte le numéro un. Elles n'ont pas de numéros du tout. Mais la visite à l'évêque est une très belle histoire à raconter, elle suppose que l'on raconte en même temps celle de l'abbé persécuté, c'est pour lui parler de l'abbé que j'avais demandé audience à Monseigneur. Toi, tu n'avais pas la moindre envie que je te raconte cette histoire-là. Ni aucune du reste. Mon « programme » tu t'en foutais. Moi aussi, en un sens. C'est seulement maintenant, en parcourant le petit sentier de douaniers sur la côte devant la mer, que je songe à tout ce que j'aurais pu te raconter si tu l'avais seulement voulu et que j'essaye une fois de plus d'établir au moins ma table des matières en me disant avec une espèce de désespoir idiot que je n'y arriverai probablement pas et que cela me gâtera ma mort. Faut-il être bête ! Comme si j'avais un contrat ! Comme si je devais me mettre à la tâche coûte que coûte et fabriquer mon petit roman tous les ans, histoire de travailler à ma gloire en gagnant mon pain ! Heureusement ce n'est pas mon cas. J'en connais qui rament comme des forçats sur cette galère, un instant avant de te rencontrer j'en avais vu deux de ce genre-là, aux Magots, dont l'un, fort pauvre, et déjà touché par l'âge, répétait d'un air parfaitement désabusé qu'il ne savait plus très bien à quel saint se vouer, parce que Gaston (avez-vous remarqué que tous les éditeurs désormais, et pour l'éternité sans doute, s'appellent Gaston ?) lui réclamait à cor et à cri un roman d'amour ? Tout de suite. Là. Cash. Depuis le temps que le pauvre auteur jouait à cash cash avec Gaston ! Un joli petit roman d'amour, parce qu'il n'y a que ça qui intéresse le public, et pas du tout ces histoires de guerre atomique et de conquête de la lune. L'amour, y a que ça. Seulement, le pauvre auteur n'avait pas envie d'écrire un joli petit roman d'amour. Il n'avait rien à dire sur la question. Par pauvreté ou par excès ? Devinette. Alors, macash. La soupe populaire. Voilà où conduit l'ambition. Et la paresse ! Ça il faut le dire. Et le désordre, c'est vrai aussi. C'était un pauvre auteur qui n'avait pas de conduite. Il lui aurait fallu un « manager », des secrétaires, quoi encore ? Voilà où conduisent la vanité, la fantaisie. Poète ! Poète ! Il était pourtant capable ! Ça, c'est un autre qui le dit. Et, maintenant, économiquement faible, et sans roman d'amour au bout de la plume, il aura droit à un kilo de sucre tous les trois mois, environ. Voilà où mène l'innocence. Oh, et puis, s'il faut tout dire, cet auteur-là n'était plus dans le vent. Il faudra que je fasse un jour prochain — je l'entendais raconter ça à mon voisin — une étude méthodique sur le quartier que j'habite (j'avais envie de lui souffler : balzacienne), je voudrais peut-être en nourrir quelques pages de roman, sans pour cela tomber dans la note naturaliste. Je commencerai par m'instruire sur l'hôtel même que j'habite (il n'a pas dit lequel) mais je ne négligerai pas du tout cette partie de la rue de l'Université qui va de la rue du Bac à la rue Jacob, ce qui veut dire que j'aurai beaucoup à étudier en ce qui concerne le passé et pas mal à aller voir, en ce qui concerne le présent : Éditions Julliard, Éditions Laffont, *La Revue des Deux Mondes*, et le grand train qu'on y voit les jours de réception à l'Académie, les petits restaurants « à la mode » ou qui l'étaient : la IVe République, les

Assassins. On est presque déjà à la rue Saint-Benoît. Naturellement il faudrait parler du Petit Saint-Benoît, qui a beaucoup
d'ancienneté, où pendant la Résistance, en tout cas pendant
l'insurrection, était un poste sérieux. En face du Petit Saint-
Benoît, l'Épicerie et qui le fréquente, ce n'est certainement pas
la même clientèle. Si on remonte la rue, il ne faut pas oublier :
l'école, l'asile de vieillards. Il existe aussi, au coin de l'impasse
des Deux-Anges, une pension de famille bien balzacienne (Ah !
Ah ! Ah ! Ah ! avais-je envie de m'écrier) dont il faudrait dire
un mot. Cette impasse des Deux-Anges, un cul-de-sac fort ténébreux et très bien fait pour des règlements de compte, comme
cela eut lieu il n'y a pas très longtemps. Il faudrait imputer
cette science (en grande partie à acquérir) à un personnage
passionné de ce quartier, qui en ferait les honneurs à quelque
personne intelligente venue de l'étranger, qui aurait toujours
aimé Paris, mais de loin (les circonstances historiques, par
exemple, ayant toujours empêché les bonnes choses), ou à un
jeune homme qui arriverait de sa province pour faire ses premiers pas à Paris, je serais son mentor. Bref, on remonte la rue
Saint-Benoît ; qu'est-ce qu'il y a à gauche ? Deux ou trois belles
façades de vieilles maisons de Paris, mais qu'est-ce que ces
maisons abritent d'autre que de simples particuliers, il faut le
savoir, s'il y a lieu. Une plaque commémorative nous apprend
toutefois que Léo Larguier a vécu dans une de ces maisons-là.
Toute cette recherche peut devenir très passionnante. Il faut
faire cette enquête et cette espèce de sociologie du quartier.

Il est clair que le public qui fréquente le « caveau » au coin
de la rue Apollinaire et de la rue Saint-Benoît n'est pas forcé-
ment le même que celui du Montana, lequel n'est pas forcé-
ment le même que celui du Flore. Il faudrait faire une petite
histoire des Deux Magots, comparer, bien entendu, ce que sont
ces cafés aujourd'hui avec ce qu'ont été Le Dôme et La Rotonde, à Montparnasse, et plus anciennement La Closerie des
Lilas. Le café des Deux Magots est considéré par les intellectuels du Flore comme le Café du Commerce, en quoi ils n'ont
pas tout à fait tort, mais c'est aussi une sorte de « bourse ». Le

samedi et le dimanche, là, oui, c'est le Café du Commerce.
Quelle est la clientèle du Bonaparte ? Question. Et, autre question : quels sont les cafés fréquentés par les étudiants des
Beaux-Arts qu'on voit assez peu à Saint-Germain ? Ce qui est
sûr, et ce qui constituerait un des plus grands intérêts de cette
étude, c'est que, ayant quitté la place Saint-Germain et allant
vers le boulevard Saint-Michel, on va trouver la frontière qui
sépare le quartier Saint-Germain du quartier Latin. Tout
change un peu avant le carrefour de Buci : au Mabillon. Il faudrait aller faire quelques petits séjours dans ce café de truands
mais très prolétaires (j'ai oublié de citer La Rhumerie) et voir
comment on passe de la bourgeoisie (quoi qu'on dise) de la
clientèle Flore, Magots, Lipp, bien entendu, à la pauvreté visible (et parfois presque au haillon) des habitués du Mabillon.
Une frontière. Il faudrait donc savoir si l'on vient du quartier
Latin à Saint-Germain ou non ? Les étudiants sont toujours
boulevard Saint-Michel — mais il paraît que si l'on vient de
Saint-Michel à Saint-Germain, on y reste... etc. Tout ça ne
devait servir que de toile de fond mais à quoi ? Il ne devait pas
trop le savoir lui-même, pas à ce roman d'amour que lui réclamait Gaston, en tout cas, un joli petit roman d'amour, quelque
chose de bien tourné et qui marche ! Faites-moi un petit
roman d'amour qui marche tout seul. Oh, l'innocence !
    Mais à propos d'innocence, toi, mon vieux, où l'innocence
t'aura-t-elle conduit ? En t'écoutant, après que tu eus renoncé
à me montrer ton cardiogramme, j'ai compris que l'innocence
t'a conduit à un amour fanatique des courses de taureaux. C'est
ce que tu m'as dit. Tu revenais d'Espagne. Tu étais plein de tes
courses de taureaux. C'est par là que tu as commencé. Parce
que tu ne pensais qu'à toi, mon salaud, parce que tu ne voulais
pas me laisser placer un mot. J'ai failli te dire que moi je
n'avais jamais eu la chance d'assister à une course de taureaux,
tu ne m'en as pas laissé le temps. Tout de suite après avoir
remis ton cardiogramme en poche, c'est-à-dire que tu ne l'en
avais pas encore sorti mais tu avais la main dessus dans la
poche intérieure de ta veste, dès que tu as compris que je ne me

laisserais pas faire avec le cardiogramme, tu t'es mis à me
raconter que tu revenais justement d'Espagne où tu n'étais
retourné que par le seul désir d'assister à des courses de taureaux. Des corridas. C'est devenu une passion chez toi. Chaque
fois que tu le peux, depuis longtemps, tu files en Espagne comme tu irais à Auteuil, tu fais des économies exprès, au besoin tu
volerais. Il y a longtemps que ça dure, cette histoire-là, au lieu
d'écrire tes Mémoires et de nous raconter tout ce que tu as vu
et fait pendant la guerre d'Espagne — mais maintenant c'est
les corridas. Les courses de taureaux, et pas du tout Teruel ou
Guadalajara, pas du tout Madrid, pas du tout Barcelone et les
massacres de Barcelone — à propos je me demande si c'est à
Barcelone ou à Berlin que tu as rencontré pour la première fois
M. le commissaire du peuple ancien combattant de Verdun
mais sous les ordres du Kronprinz comme toi du reste, mais
toi, tu m'as dit que ta mère était française ? Non ? Là n'est pas
la question. Ça ne change rien. M. le commissaire du peuple,
lui, c'est plutôt en Italie qu'il s'en allait, ces derniers temps, à
Venise, à Naples. Toi, c'est plutôt Pampelune. Et alors, les
courses de taureaux ? Moi je t'ai écouté, mais je n'ai fait attention à rien. Je ne serais pas capable de te répéter un seul mot
de ce que tu m'as dit là-dessus. Tu vois comme je suis méchant.
J'avais envie — non : ça n'est pas vrai, mais j'y pensais tout de
même un peu — de te demander ce que tu faisais de ton
cardiogramme pendant ce temps-là, quand tu montais prendre
place sur les gradins, et avec qui tu étais ? C'était ça qui m'intéressait. Est-ce que tu vas seul en Espagne ? Est-ce que tu es
seul quand tu vas assister à la corrida ? Je ne te poserai jamais
la question, crois-moi bien, j'aurais trop peur. À mon avis, tu
es parfaitement seul. Il faut qu'il en soit ainsi, c'est une nécessité littéraire avant tout. Donc c'est bien simple, le *personnage*
que tu es devenu file de temps en temps en Espagne où il a
combattu autrefois, et il y file autant que possible sans rien
dire, en catimini, pour assister à des courses de taureaux.
Autant que possible aussi il ne dit rien à sa femme. En un mot,
il fait des fugues. Et pendant ce temps-là il ne songe pas le

moins du monde à se rendre chez son docteur, il n'est plus
question du cardiogramme, je me demande même s'il pense
encore à sa fille ? En Espagne, le personnage se porte très bien.
Tout change d'un instant à l'autre dès qu'il remet les pieds à
Paris. La première chose qu'il fait est de courir chez son docteur, peut-être même avant de retourner chez lui, dans sa petite mansarde de la rue des Saints-Pères, une espèce de chambre
de bonne où il vit depuis des années et des années avec sa
femme, pas avec sa fille, puisqu'il n'y a pas de place pour elle,
et que, pour cette raison, on a dû la mettre en pension. Elle est
encore dans l'âge des études. Seize ou dix-sept ans par là. Leur
seul enfant. Alors, m'as-tu raconté ce soir-là voilà déjà si longtemps, c'était au cours d'une autre rencontre que celle d'avant-
hier, le soir quand tu vas t'endormir tu as peur, n'est-ce pas, tu
as surtout peur de ne pas te réveiller. Surtout quand tu t'es un
peu fatigué, dans la journée, que tu as bu un peu plus qu'il
n'eût fallu, que tu es resté un peu plus tard qu'il n'est raisonnable, au Lipp avec des amis. En plus, il y a toujours ces cinq
étages à monter. Dans ces vieilles maisons il n'y a pas d'ascen-
seur, naturellement. Tu as toujours peur. Et, quand tu as le
plus peur, tu penses à ta fille. C'est bien ce que tu m'as dit. Tu
penses toujours à ta fille, mais encore davantage quand tu as
peur. Tu as son portrait sur la petite table à côté de ton lit,
c'est ce que tu m'as raconté, parce que moi je ne suis jamais
allé chez toi. Au fond on se connaît très peu, nous deux. On se
rencontre comme ça depuis des années et on bavarde ensemble, quelquefois même on s'arrête pour boire un verre, mais on
ne peut pas dire qu'on se connaît. Ça ne fait rien, on se rencontre aussi au Petit Saint-Benoît. C'est là qu'on s'est trouvés
ensemble à table avec M. le commissaire du peuple, ancien
combattant de Verdun, volontaire pour les coups de main, et
que cette histoire de la gifle est arrivée. On est des amis sans
l'être, on ne se recherche pas on se trouve. Bon. Alors tu me
disais ce soir-là que tu avais peur surtout en te couchant le soir
dans ta petite mansarde, si petite, paraît-il, qu'on n'a presque
pas de place pour se remuer entre les deux lits, celui de ta

femme et le tien. Il y a des années que ça dure comme ça. C'est aussi une des raisons, tu m'as tout expliqué, pour lesquelles vous vous couchez en général de bonne heure, surtout l'hiver. Et j'ai l'air de dire que tu sors beaucoup, mais ça n'est pas vrai. Bon. Tu aimes bien rôder dans le quartier, mais tu ne sors pas tellement. Tout ça pour en arriver à dire que, lorsque tu te couches, ta femme étant déjà à moitié endormie, et que la peur grandit en toi, et que tu écoutes ton cœur qui bat trop fort, et que tu te tâtes le pouls, et que tu sens que tout chavire dans ta tête, et qu'il te semble que le lit lui-même va chavirer, et que la maison elle-même va chavirer, quand tu te retiens, quand tu t'agrippes pour ne pas basculer dans le trou, alors tu t'arranges pour avoir le portrait de ta petite fille sous les yeux et tu te dis qu'au moins tu auras regardé ce portrait une dernière fois. Là, tu n'as plus la moindre pensée pour les courses de taureaux. Il n'est plus question de l'Espagne, pas plus de celle d'autrefois que de celle où tu retournes aujourd'hui. Tout cela disparaît, s'anéantit dans cette panique dont tu es pris et rien ne te raccroche plus au monde que cette petite image de ton enfant. Ta femme s'est endormie. Elle s'est endormie bien que tu n'aies pas encore éteint la lumière. Tu l'entends respirer doucement, paisiblement. Elle sait tout, mais elle ne dit jamais rien. Que voudrais-tu qu'elle dise ? Tu sais qu'elle est là, mais tu ne sais rien de plus. Ton cœur bat de plus en plus fort. Il n'est pas possible qu'un cœur puisse battre avec tant de violence, sûrement le médecin se trompe, ou il te cache quelque chose, il ne veut pas te dire la vérité parce que les médecins ne la disent jamais et que celui-ci est un médecin très humain. Il t'épargne. Le cardiogramme est truqué. La preuve, c'est que ça va finir à l'instant même. Ça y est ! Ça va casser. Ça casse ! Mais ça ne casse pas. Il y a ce portrait. Tâchons de n'en pas éloigner le regard et pourtant, oui, pourtant, il faut éteindre la lumière. Il faut trouver le courage de presser sur le bouton de l'interrupteur qui pend au bout d'un fil près de l'oreiller. C'est raisonnable. On ne va pas laisser la lumière allumée toute la nuit, ne serait-ce que par raison d'économie — et malgré ce cœur qui bat

à outrance on peut trouver la force et le courage de prendre
entre ses doigts l'interrupteur en attendant de presser le bouton. Encore un instant, encore un regard, en attendant de se
plonger soi-même dans la nuit. Ça n'est pas facile. Alors, je me
décide, c'est-à-dire non, je ne me décide pas encore, je me soulève un peu, je regarde ma femme. Elle dort. Je regarde encore
une fois le portrait de ma fille. Mon cœur bat toujours aussi
fort. Plus fort. Je regarde une dernière fois du côté de ma femme et, tout bas, tout bas, je chuchote : « Bonsoir », et j'éteins.
Elle fait un bond et se retourne. « Ah ! Tu m'as encore réveil-
lée ! »

— Pourquoi me racontes-tu ça ? t'ai-je demandé.

Tout en nous promenant, nous étions arrivés devant sa porte. Il s'arrêtait un instant pour bavarder encore avant de monter ses cinq étages. Il devait être dans les onze heures.

— Pourquoi ?

Il s'est mis à rire tout doucement.

— Parce que j'ai trouvé plus con que moi, m'a-t-il répondu.

Ça m'a intrigué.

— Pourquoi plus con ? Parce que je t'ai écouté ?

— Oui.

On s'est mis à rigoler tous les deux et on s'est serré la main.
Je suis parti et je n'avais pas fait vingt pas que j'avais déjà tout
oublié. C'est maintenant que je me souviens, que j'entends les
choses et que je me représente la scène. À l'époque de cette
rencontre, je ne connaissais pas sa femme. Depuis, je l'ai vue,
avec lui, nous avons bu un verre ensemble à la terrasse du Lipp
— une très gentille, douce, m'a-t-il paru. J'étais un peu gêné
devant elle, à cause de ce qu'il m'avait raconté, lui. Mais il
faisait comme si de rien n'était. Peut-être avait-il oublié. Ce
jour-là il n'était pas question de cardiogramme ni de courses
de taureaux. Il n'était question que d'un voyage projeté en
Allemagne pour régler des affaires de famille. Ils avaient l'air
très bien ensemble, ces deux-là, très prévenants l'un à l'égard
de l'autre. Le plaisir de partir en voyage y était peut-être pour

quelque chose. Nous ne sommes pas restés longtemps au Lipp. Ils étaient pressés. Ils sont partis. Et moins de deux minutes après leur départ, ils n'avaient pas fait cent mètres, j'avais déjà tout oublié. Comme l'autre fois. Comme toujours ou presque toujours. On peut, bien entendu, de temps en temps prêter l'oreille, mais il faut aussi songer à ses propres affaires, ne croyez-vous pas ? Oh, je n'ai pas besoin qu'on m'y pousse. Elles sont toujours là. C'est curieux, moi qui ne tiens plus jamais en place devant les grands spectacles de la nature, y compris devant l'infini de cette mer si jeune et si caressante, je puis rester une heure, deux heures assis dans un café devant un demi de bière. Non que je sois devenu un homme de café, je n'y entre que de temps à autre, comme une pauvre mouche attirée par les lumières, mais à ces lumières-là, on ne risque pas de se brûler les ailes et, ma foi, assis dans mon coin et n'attendant personne je puis essayer un petit temps de repos et songer un peu, comme ça, à toutes ces vieilles histoires qui constituent mon petit trésor d'où je pourrais, si j'en avais la vocation, tirer un certain nombre de romans. Et même un joli roman d'amour. C'est Gaston qui serait content ! Je sais : il me faudrait des parrains, des appuis, une introduction. On n'entre pas comme ça dans la carrière. Bon. Mais tout de même si j'arrivais là avec mon ours sous le bras ! Après tout, je suis à la retraite. Après tout, j'ai bien le droit d'occuper mes loisirs de la façon qui me plaît le mieux, et s'il me plaisait à moi de passer mon temps à raconter des histoires, comme ça, pour le plaisir, pour la distraction des enfants et même des grandes personnes, là, sans prétention, à la bonne franquette, sans s'occuper de rien d'autre, de bonnes histoires, par exemple, des histoires choisies autant que possible pleines de sens et de bon sens, pas de ces histoires inventées qui ne reposent sur rien « de valable », rien « d'authentique » et autres choses semblables. Parce que moi, sans vouloir me vanter, des histoires, j'en connais des centaines. Et il m'est si facile, et je suis si content quand une occasion survient me permettant de prêter l'oreille. Il arrive même que les tristes confidences que me font les autres, par accident, me procurent un instant de soulagement. C'est ce qui explique ma patience.

C'est en sortant du Saint-Benoît un soir après y avoir dîné que je fis l'une des plus étranges rencontres de ma vie, celle d'un grand jeune homme de vingt et quelques années qui, au détour de la rue Apollinaire et de la rue Saint-Benoît, arrivait en courant si fort qu'il s'en fallut de bien peu qu'il ne me renversât. En me voyant, il s'arrêta tout juste à temps et ouvrant largement les bras, en me regardant droit dans les yeux, il me demanda :

— Can you help me to find two millions pounds ?

Diable ! L'aider à trouver deux millions de livres !

Hélas ! Je lui fis observer que je n'étais malheureusement pas dans le cas. Mais comme il était près de neuf heures du soir, et qu'à son air, et bien que son vêtement fût fort convenable (je me demande encore aujourd'hui s'il ne portait pas quelque chose comme un habit de cérémonie), comme il était à la recherche de deux millions de livres sterling, j'en déduisis qu'il n'avait peut-être pas en poche de quoi se payer à dîner. Ce que je lui demandai. À quoi il me répondit que non. Je lui donnai les quelques francs qui lui permettraient d'aller dîner au Petit Saint-Benoît que je lui indiquai, ce qu'il accepta sans plus de cérémonie, non, toutefois, sans me promettre qu'il me rendrait cet argent le lendemain matin et il repartit en courant. À quelque cent mètres de là, je le vis arrêter un autre passant, à qui il posa sûrement la même question, puis repartir, toujours en courant...

Deux millions de livres !

Le lendemain matin, je le rencontrai de nouveau dans la rue de l'Université. Il était dans les neuf heures. Il ne courait plus. Il avait passé la nuit dehors, dormi qui sait où, s'il avait dormi. Son vêtement portait déjà les traces d'une certaine fatigue. Je lui demandai s'il n'avait pas été un peu interpellé par les flics — les vaches à roulettes. Il me répondit que si. Et, tout d'un coup, il disparut. Je ne l'ai jamais revu.

1968

5 janvier 1968 — Je me suis aperçu hier, en rouvrant mes
carnets, qu'il y a un an que j'ai abandonné le « journal ». Cela
m'a semblé peu croyable. Depuis quelque temps, j'avais comme
une vague envie de retourner à cette habitude — ou à cette
discipline — et je ne le faisais pas, par le sentiment de l'insi-
gnifiance, de l'inutilité, etc., aussi par paresse, aussi par fatigue. Et par la nécessité si je m'y étais remis — et pour raccor-
der — de résumer tant de choses, d'expliquer, etc. Je m'aperçois cependant qu'on peut passer outre au « résumé des chapitres précédents » et faire ce qu'on a décidé, ou envie de faire,
sans plus de préparation ni de raisons.

Hier, 4 janvier, était le huitième anniversaire de la mort
d'Albert. Je pense toujours beaucoup à lui, je n'ai jamais oublié
cette date cruelle où j'ai appris, par le téléphone, l'accident qui
lui a coûté la vie et, huit jours plus tard, à Michel. Dans la
matinée d'hier, Jean m'a téléphoné. Lui non plus n'a pas
oublié...

Je ne sais pas si je pourrai continuer ce journal. Je le voudrais pour différentes raisons, surtout en me disant que le 15
janvier prochain, je vais entrer dans ma soixante-dixième
année, et qu'il y aurait peut-être quelque intérêt à le reprendre
et à le poursuivre jusqu'à la fin. Je m'interroge. Le moment
serait peut-être venu de « faire un pas en avant » ?

Jeudi 11 janvier — Hier matin, j'ai achevé l'histoire du chien (le collier) que j'ai donnée à Odette[1] pour la faire dactylographier. J'irai prendre mon texte aujourd'hui à la fin de la matinée, et je l'enverrai à M. Bourin pour *Les Nouvelles littéraires*. A quoi bon noter cela ? Ce sont là ces notes insignifiantes dont je parlais l'autre jour, en disant que je ne pouvais plus guère accepter le genre du « journal » s'il n'était autre chose que cela. Mais j'insiste encore pour dire que je veux me remettre au journal sans conditions, pour voir ce qui arrivera et, naturellement, me discipliner. Je me suis réveillé il y a une heure, m'étant couché assez tard, après une très amicale soirée chez les Nacht, place Jussieu.

Chez les Nacht, je me suis beaucoup plu dans la compagnie de ces deux jeunes gens, Céline et Marc, très beaux tous les deux et certainement très heureux ensemble. J'aurai grand plaisir à les revoir. En me réveillant ce matin je me suis demandé pourquoi je n'écrivais pas l'histoire de l'abbé[2] ? Mais voilà des années que je me pose la même question et que je ne fais rien. Il va falloir « repenser » tout ça. Demain, mon service de presse (*La Confrontation*) chez Gaston. Après-demain samedi je prendrai le train pour Saint-Brieuc. Réception à la mairie lundi, qui sera le 15 janvier, mon anniversaire.

C'est aujourd'hui le 29 mai. Dans deux jours, à Saint-Brieuc, notre vieille procession du 31 mai. Je n'y assisterai pas. Il est difficile de quitter Paris en ce moment et je ne le désire pas. Je serai rue du Dragon travaillant quand je le puis, malgré l'événement. Depuis le début du mois j'ai réussi à travailler un peu tous les jours à l'histoire du lieutenant Salido, l'homme au bonnet vert, celui dont le visage à certains moments rappelait un peu le visage de l'homme au garrot. Je me suis mis à l'histoire du lieutenant Salido très peu de temps avant les événe-

---

1. Odette Laigle, qui dirige le secrétariat du comité de lecture de Gallimard.
2. L'abbé Jules Chéruel.

ments du début de mai. Entre-temps, c'est-à-dire du 1ᵉʳ au 8
mai, j'ai écrit une pièce, que j'appelle un « divertissement » et
que j'intitule : *Alpha*. Le 8 mai, je suis allé à Orléans faire la
lecture de cette pièce à mes amis de la maison de la culture[1].
Cette pièce terminée, ce n'est pas à l'histoire du lieutenant Salido que je comptais me mettre, mais à un autre écrit, abandonné depuis, dont il n'existe qu'une dizaine de pages sous le
titre : *Le Dragon*. C'est en venant m'installer ici que l'idée de
ce nouvel écrit m'est venue. J'y reviendrai peut-être après Salido. Voilà comme quoi en matière de projets il faut compter
aussi avec les projets nouveaux devant lesquels les anciens
continuent à faire la queue, jusqu'au moment où certains d'entre eux finiront par s'évanouir de fatigue. Il se peut aussi — il
arrive — que tous vos projets, anciens et nouveaux, sous la
puissance de l'événement, deviennent à vos propres yeux déri-
soires et qu'on soit tenté de tout laisser en plan. C'est ce qui a
failli m'arriver le 11 de ce mois de mai 1968, il y a aujourd'hui
dix-huit jours et dix-huit nuits. La veille, on s'était battu
furieusement au quartier Latin. Au point que vers les deux
heures du matin, les C.R.S. assassins ont dû s'emparer, sous la
protection de leurs gaz lacrymogènes, de plus de soixante barricades. Les combats ont duré jusqu'à l'aube. Mais M. Pompidou est revenu d'Ispahan. On dit qu'en seulement trois petites
heures d'horloge, il a tout réglé. On va rouvrir la Sorbonne,
examiner le cas des étudiants arrêtés ce qui est, pour ainsi
dire, une promesse de les relâcher. Quelques vagues mouvements se sont encore produits mais on les dit sans gravité.
Le dimanche 12 mai, tout était calme et le soleil brillait
à Saint-Germain-des-Prés d'où, l'autre soir vers les sept
heures, on voyait les grosses fumées de l'incendie, sur le boulevard Saint-Germain, à côté de la rue du Four, et le barrage
formé par les autobus où tout était en révolte, où les garçons
des Magots, et du Flore, et du Lipp, se hâtaient de rentrer les

---

1. Louis Guilloux avait été nommé conseiller culturel de la maison de la culture
d'Orléans.

tables et les chaises, où les curieux se juchaient sur le toit des
voitures. Ce dimanche 12 mai, tout était rentré dans l'ordre.
Tables et chaises étaient revenues, la foule des beaux dimanches de printemps était là, la bière coulait à flots. Le matin,
des jeunes gens et des jeunes filles parcouraient le trottoir en
vendant un journal des étudiants d'Action française contre la
subversion marxiste. Il est vrai que le drapeau rouge a flotté
sur les barricades. Il est vrai aussi que quelques milliers d'étudiants ont remonté les Champs-Elysées l'autre après-midi,
drapeau rouge en tête. Et qu'ils sont allés ainsi jusqu'à l'Arc de
Triomphe où ils se sont assis autour de la flamme. J'ai lu dans
les journaux que certains avaient vu là comme une profana-
tion, une injure au soldat inconnu. Mais si le Poilu inconnu est
vraiment inconnu, qui nous dit qu'il n'ait pas ressenti cette
visite comme un hommage, au contraire, qu'il n'était pas lui-
même d'accord, de son vivant, avec ce même drapeau rouge, et
à supposer qu'il crût lui-même aux drapeaux, qu'il n'attendait
pas depuis longtemps la venue sur sa tombe de ce drapeau-là,
justement, qui nous dit que cet inconnu était d'accord avec la
guerre du Droit de M. Poincaré et s'il n'était pas lui-même un
insurgé ? Tout inconnu qu'il soit, on aura dû faire attention de
quel charnier on l'exhumait, et il est par conséquent fort probable qu'il ne faisait pas partie des fusillés de Vingré ni de
ceux de Coeuvres, qu'il n'avait pas pris part aux mutineries de
17 — mais on peut croire qu'il était de leurs amis, qu'il aurait
pu se joindre à eux, qu'il avait tout ce qu'il fallait pour cela, et,
en tout cas, qu'il l'aurait dû. Il n'est pas nécessaire d'être
marxiste pour cela. En apprenant cette nouvelle du Drapeau
Rouge promené aux Champs-Elysées, j'ai amèrement regretté
une fois de plus qu'il n'existât pas dans Paris un autre lieu où
le conduire, un lieu où un autre monument aurait pu être éri-
gé, et une autre flamme allumée, un monument dressé pour
une flamme ardente à la mémoire des mutins et des fusillés, de
ceux de Vingré et d'ailleurs, de tous ceux qui furent trahis,
dans la tranchée même, par des flics déguisés en poilus,
envoyés là exprès comme provocateurs. J'ai toujours rêvé de ce

monument en haut de Belleville, place des Fêtes — et les étudiants eussent-ils eu l'occasion d'aller promener le Drapeau Rouge de ce côté, peut-être eussent-ils réveillé le faubourg ! Mais le faubourg n'a pas bronché. Un ouvrier rencontré par hasard, dans la rue de Lille, un peintre en bâtiment, m'a dit dans les tout premiers jours de l'affaire : « Mais qu'est-ce que foutent les syndicats ? Qu'est-ce qu'ils attendent, pour aller donner un coup de main aux étudiants ? » Quelle réponse lui faire ? Je n'en ai pas trouvé de bonne. Un autre, un inconnu, rencontré boulevard Saint-Germain m'a dit : « C'est le Front populaire. » Non. Le Front populaire était sans violences. Les choses avaient commencé personne ne savait comment et surtout pas les chefs de partis qui n'apprirent que plus tard à dire que l'ordre serait maintenu dans la rue et qu'il fallait savoir finir une grève. Or, le lundi 13 mai, obéissant aux ordres, les ouvriers allaient savoir comment il fallait en commencer une, générale, il est vrai, mais un peu tardive, à mon avis. Et de vingt-quatre heures en tout. Après quelques centaines et milliers de blessés et des morts qu'on nous cache !

L'autre soir, quand les gens ont fait cette volte-face si brusque à laquelle j'aurais dû m'attendre, ayant entendu l'éclatement de trois bombes qui ne pouvaient être que des bombes lacrymogènes, je me suis trouvé pris dans le contre-courant d'une fuite et d'une bousculade comme celle d'un troupeau pris de panique. Mon Dieu comme ces jeunes gens avaient de bonnes et grandes jambes et comme ils savaient s'en servir ! Et comme ils savaient jouer des coudes ! J'ai reçu quelques coups dans les côtes, un instant j'ai pensé qu'ils allaient me renverser et que je serais piétiné, et en même temps je me suis dit que jamais je ne saurais courir aussi vite qu'eux ni aussi longtemps et que mon seul recours était dans la porte la plus proche, si elle voulait bien s'ouvrir. C'est ce que j'ai tenté, je ne sais encore comment j'ai pu m'en approcher à travers l'avalanche. J'y ai réussi quand même et j'ai appuyé sur le bouton. La porte s'est ouverte. Je m'y suis jeté. Quelques jeunes gens et jeunes filles m'y ont suivi. Messieurs les assassins n'étaient pas à trois pas de nous et nous n'avons eu que le temps de refermer la porte en espérant qu'ils n'allaient pas la rouvrir pour nous poursuivre. Ils ne l'ont pas rouverte. Mais tout danger n'était pas écarté pour autant. Entrés dans cet immeuble bien bourgeois, c'est à la concierge que nous avions à présent affaire. Jaillie de sa loge comme une furie dans cette vaste et luxueuse entrée où nous nous tenions tous, les jeunes filles poussant des cris divers, mais aigus, et les jeunes gens parlant haut et s'agitant fort mais pour ne pas dire grand-chose, la concierge se met à hurler plus fort que tout le monde, parlant de rouvrir la porte et de nous jeter tous dehors, criant à tue-tête que nous allions tout salir et peut-être casser, jurant que sa maison dont elle avait la garde n'était pas faite pour recevoir n'importe qui, qu'elle n'avait pas à s'occuper de ce qui se passait dehors, etc. La sale bonne femme avec son chignon en caricature de Daumier, sa tête de suif, ses vastes mamelles sous le caraco blanc et son beau tablier d'honneur ! Elle ne tenait pas en place, parlait toujours de rouvrir la porte mais elle n'osait pas le faire. La voilà qui s'en prend à moi. « A votre âge, vous devriez être dans votre lit ! » La bonne hôtesse ! La charitable ! A mon âge ! Eh oui ! Voilà bien longtemps en effet que j'ai les cheveux blancs. Mais elle ? Elle devait être à sa radio en train d'écouter les nouvelles, sans se douter que les toutes dernières nouvelles c'était nous qui les lui apportions. Les jeunes gens et les jeunes filles piaillaient toujours et se démenaient, la gardienne continuait son train d'affreuse bêtise, mais tout changea brusquement quand nous commençâmes tous à éprouver dans les yeux les premiers picotements du gaz et que nous nous mîmes à larmoyer. Je ne sais si c'est là la raison qui fit que la concierge renonça à sa menace cent fois répétée de nous mettre tous dehors, mais en tout cas elle disparut. D'abord, le picotement ne fut pas très vif, ni le larmoiement très abondant. Mais il ne fallut pas grand temps, quelques secondes à peine, pour que l'un et l'autre devinssent plus que désagréables au point que la vue en était toute brouillée. En même temps se répandait une odeur dont je ne sais si je

dois dire qu'elle était acide ou pas, une odeur malsaine, aigre-
lette, si c'est le mot, et nous nous mîmes tous à tousser. Pour
échapper à cette odeur et du même coup à ce gaz, je suis monté
dans les étages, où personne ne m'a suivi, et là, arrivé au quatrième ou au cinquième, à travers un escalier garni d'un
magnifique tapis, je me suis assis sur une marche et j'ai attendu... Je n'entendais plus aucun bruit. Assis sur cette marche, la
tête dans les mains à cause de mes yeux qui pleuraient de plus
en plus et qui commençaient à me faire vraiment mal, je crois
bien que je ne pensais plus qu'à la nécessité où j'allais me
trouver de sonner à l'une des portes du palier pour demander
qu'on me vînt en aide. C'est à quoi j'avais du mal à me résoudre. Il ne m'était pourtant pas possible de rester là plus longtemps. Je me suis levé, j'ai découvert que je n'y voyais pour
ainsi dire plus et que la tête commençait à me faire mal. J'ai
senti la rampe sous ma main et j'ai commencé à descendre. Au
fur et à mesure que je descendais, l'odeur du gaz devenait de
plus en plus intense. En bas, dans le vestibule, il y avait encore
quelques jeunes gens. Je les ai entendus plus que je ne les ai
vus. Eux-mêmes n'ont pas paru remarquer ma présence. La
porte donnant sur le boulevard était grande ouverte. Je suis
sorti, larmoyant de plus en plus et me frottant les yeux avec
mon mouchoir. Il n'y avait plus grand monde dehors. Les
djinns funèbres étaient passés. Tout ce que je pus voir du boulevard était sinistre, crépusculaire. On aurait dit que les lampes ordinairement si brillantes à cette heure-là étaient en veilleuse. Pas une voiture roulant sur la chaussée. Des gens ici et là
sur les trottoirs. Pas de bruit. C'était fort étrange, et, tout en
n'y voyant qu'à peine, j'ai entrepris de traverser le boulevard,
voulant gagner la rue de Luynes, et de là, la rue de Grenelle,
par où je rentrerais chez moi, à l'abri, je l'espérais, d'une nouvelle charge. La traversée du boulevard n'était pas une entreprise commode. L'air qu'on y respirait était chargé de gaz
puant, qui cette fois m'aveuglait. J'avais beau me frotter les
yeux, puis me forcer à les rouvrir, c'était comme si j'avais eu la
tête plongée dans une eau piquante, mes yeux se refermaient

en dépit de mes efforts, si bien qu'arrivé malgré tout de l'autre
côté du boulevard, et distinguant une silhouette qui devait être
celle d'un jeune homme arrêté là sur le bord du trottoir, je
demandai à ce jeune homme s'il pouvait m'aider à gagner le
coin de la rue de Grenelle, où, je pensais, on n'aurait pas jeté
de bombes et où je pourrais espérer retrouver un usage à peu
près normal de mes yeux. A quoi le jeune homme me répondit
que cela ne lui était pas possible, qu'il attendait... je n'ai pas su
ce qu'il attendait, je n'ai pas pris le temps de l'écouter et j'ai
poursuivi mon chemin, toujours en me tamponnant les yeux et
en longeant le trottoir de la rue de Luynes. J'ai fait une cinquantaine de pas, là je me suis arrêté n'y voyant plus goutte.
Au bout d'un instant je me suis trouvé face à face avec une
vieille femme debout sur le pas de sa porte. C'était une concierge, mais pas comme celle de tout à l'heure. « Venez, me dit-elle,
entrez, je vais vous conduire dans la cour, où l'on respire
mieux qu'ici. » Je l'ai suivie. Nous sommes entrés dans une
cour où en effet il faisait meilleur. Nous sommes restés là quelques instants, elle ne m'a pas dit grand-chose, elle ne s'est pas
étonnée que malgré mes cheveux blancs je fusse encore dehors
à cette heure-là, elle n'a rien dit sur ce qui se passait, elle s'est
contentée de me demander des nouvelles de mes yeux que je
tamponnais toujours, elle-même avait éprouvé quelques picotements, mais ce n'était pas grand-chose. Elle se plaignait seulement de l'odeur du gaz, une mauvaise odeur, pas franche, malsaine. Quand je l'ai quittée, me trouvant mieux après cette
petite halte, elle m'a souhaité bon retour chez moi et bonne
nuit. J'ai vu, en partant, qu'elle ne fermait pas sa porte, la
laissant au contraire volontairement entrouverte, pour qui
aurait besoin de se réfugier chez elle, et je lui ai souhaité bonne nuit à mon tour. En me remettant en chemin le long de la
rue de Luynes, puis de la rue de Grenelle, il m'a semblé —
non, il ne m'a pas semblé, c'était une réalité très évidente —
que l'odeur du gaz s'était répandue d'une façon très sensible à
travers le quartier. C'était, au moins qu'on puisse dire, extrêmement désagréable et les yeux que j'avais déjà mal en point

ne s'en sont mis qu'à me brûler davantage. Je n'étais pourtant
pas très inquiet, par la raison absurde qu'ayant depuis longtemps entendu parler des gaz lacrymogènes et lu dans les journaux que leur atteinte n'avait pas de conséquences, j'étais persuadé, sans me le dire, qu'il me suffirait d'un bain d'eau claire
en rentrant chez moi pour que tout redevînt comme avant.
Mais en attendant je tâtais les murs, tout comme j'avais dû le
faire autrefois par certaines nuits d'occupation où la lune elle-
même semblait avoir obéi aux ordres d'occultation. Mais c'est
à présent que j'y pense. Sur le moment je ne pensais à rien de
tel, et les chapitres de Mémoires laissés sur le coin de ma table
étaient parfaitement oubliés. Je ne pensais qu'à rentrer au plus
vite, à me baigner les yeux et à me coucher comme me l'avait
si bien conseillé la concierge de ce bel immeuble, à voir si
j'allais oublier dans le sommeil cette irritation des yeux qui
me faisait tant pleurer, et cette migraine, qui allait en aug-
mentant... Je ne me souviens plus, ce soir 29 mai 1968, après,
je crois, dix-huit jours, s'il m'a fallu grand temps pour oublier
la migraine et les gaz lacrymogènes. Tant de choses se sont
passées depuis ! Et il est probable que j'aurai recouvré l'usage
de mes yeux puisque j'en ai tant vu jour après jour, et pour
ainsi dire nuit après nuit. Ce soir, on dit que le Général, parti
en hélicoptère pour Colombey, s'est égaré on ne sait où avant
d'arriver au port ; il ne se peut pas, croit-on, que ce soit là
l'effet du hasard. Faut-il se fier à l'intuition de Véronique,
disant que cette halte sur le chemin de Colombey était pour
une rencontre avec quelque personnage important qui ne
pourrait être que Mendès ? Nous le saurons demain. Me faisant
mémorialiste je rapporterai ce que m'a dit Jean Denoël[1], à propos de Malraux dont je lui demandais s'il n'avait rien su. A
quoi il m'a répondu que Malraux passait désormais tous ses
après-midi chez Louise de Vilmorin. Et toujours en mémoria-

---

1. Jean Denoël (1902-1976), collaborateur des éditions Gallimard. Fondateur de
plusieurs prix littéraires, il a assuré la publication des *Cahiers* d'André Gide, des
Cahiers de Jean Cocteau et il s'est employé à faire rééditer ou éditer la plupart des
œuvres de Max Jacob.

liste, je dirai aussi un mot de la rencontre, ce soir, chez G. Ch. avec un certain nombre de personnes venant de l'hôtel de Massa — dont un Suisse. Que de bavardages et de temps perdu et comme il est vrai que tout ce qui n'est pas du travail en distrait !

Ce matin 30 mai 1968, on attend le retour de De Gaulle à Paris et les déclarations de Pompidou et du Général après le Conseil des ministres. Yvonne vient de m'apprendre au téléphone que d'après Europe n° 1 une rumeur circule selon laquelle le mystère de la « disparition » du Général au cours de son voyage en hélicoptère à Colombey s'expliquerait par le fait qu'il serait allé à Mulhouse pour y conférer avec des généraux ? Dans ce cas, ce serait le « putsch » que pas mal de gens redoutent depuis quelques jours, ou, du moins, dont on parle. Me voici bien loin des Mémoires anticipés, du centre d'accueil, et du lieutenant Salido et de la nuit où j'entendis la messe que célébrait l'abbé Vallée à Notre-Dame-de-l'Espérance[1]. Et où, n'ayant pas envie de dormir une fois revenu au centre, je partis me promener dans la nuit.

Vendredi 14 juin — Je suis à Paris, rue du Dragon, ayant quitté Saint-Brieuc avant-hier pour aller d'abord à Orléans à la maison de la culture voir Olivier Katian, Hélène Cadou[2] et les autres avec qui, en effet, nous avons passé la soirée et parlé de nos projets. Le retour à Paris s'est fait hier matin et, ce soir vendredi, je dois prendre le train pour me rendre à Varna, en Bulgarie, sur les bords de la mer Noire. Je suis, en effet, invité par l'Unesco à une conférence (du 17 au 20 juin) sur la « mise en œuvre de la déclaration de principe de la Coopération culturelle internationale ». Je dois prendre le

---

1. Le 8 septembre 1939, l'abbé Vallée célébrait sa dernière messe avant de partir aux armées comme aumônier volontaire. Il s'agit du centre d'accueil aux réfugiés (*Salido*, p. 14 et *Carnets*, t.I, p. 248).
2. Hélène Guy-Cadou, présidente, et Olivier Katian, directeur de la maison de la culture d'Orléans.

train ce soir vers onze heures jusqu'à Sofia, puis de Sofia à
Varna, soit, me dit-on, trois nuits de train. J'ai refusé l'avion,
qui m'épouvante, et préférant d'ailleurs voir le pays. Je ne
m'attendais pas du tout à cette invitation qui m'a été faite par
le téléphone, à Saint-Brieuc, et que j'aurais pu refuser sans le
moindre dommage pour personne, mais que j'ai acceptée par
mon incapacité à renoncer à un voyage, par curiosité, par
légèreté aussi — et bien que me sentant très fatigué. La vraie
raison qui aurait pu (ou dû) me faire refuser est mon travail.
En fait de distraction, celle-ci sera énorme — mais ce matin,
justement parce que je ne me sens pas en état de revenir comme il le faudrait à mes pages de Mémoires (anticipés) et de
continuer l'histoire de Salido, je me mets à ces pages de journal uniquement pour ne pas quitter l'ornière, c'est-à-dire ne
pas rompre avec l'habitude du travail matinal ou seulement
même celle du rapport stylo-papier blanc. J'espère, même en
voyage et même pendant les journées de cette conférence, être
capable de persévérer, même si c'est pour ne pas dire grand-
chose, et tout en sachant que de ma vie entière il ne m'a
jamais été possible de prendre la moindre note en voyage, de
tenir le moindre bout de « journal ». Je suis un sédentaire. La
soirée à Orléans a été excellente, très gaie, et j'ai trouvé Paris
plus calme que je ne m'y attendais après la nuit de la veille,
les bagarres de Flins, et les barricades jusque dans la rue des
Saints-Pères. J'ai dîné au restaurant des Saints-Pères avec
Jean Duvignaud, son ex-amie Christine et le nouvel ami de
celle-ci, dîner très gai aussi. Malgré les sujets d'inquiétude,
surtout du point de vue de ce qui peut se passer d'un instant à
l'autre à la Sorbonne, à l'Odéon, etc., et de la présence des
« Katangais ».

(Même jour, trois heures après midi) — Aux dernières nouvelles, l'Odéon a été évacué ce matin par la force ; mais il ne
semble pas qu'il y ait eu de grandes violences. Les journaux du
soir vont nous renseigner là-dessus. Reste le problème de la
Sorbonne, d'où les « Katangais » auraient été chassés par les

étudiants. Duvignaud que j'ai vu ce matin chez Jacqueline Bour à la N.R.F. dit qu'il s'agit là d'une entente avec la police, aux termes de laquelle les étudiants pourraient rester à la Sorbonne à condition qu'ils en chassent les « Katangais ». Ce qui est fait.

Côté personnel : j'ai vu avant déjeuner Georges Charaire[1], de qui j'apprends qu'un acheteur aurait téléphoné à son ami Herbin, propriétaire du 42, rue du Dragon, en exprimant son intention de visiter et éventuellement d'acheter le petit appartement que j'occupe dans cette maison. Cela ne fait pas du tout mon affaire et va le cas échéant me contraindre à prendre de nouvelles dispositions. Côté voyage à Varna, les choses ne s'arrangent pas non plus. On me téléphone disant que de sérieuses difficultés surviennent côté réservations, couchettes, passeports, etc., à quoi j'ai répondu que, sans doute, j'allais renoncer au voyage. Confirmation et décision définitive dans la soirée.

A l'instant nouveau téléphone relatif au voyage à Varna. Vu les difficultés de toutes sortes, j'ai dit non. En revanche (autre distraction) je retournerai demain à Orléans.

(Même jour. Dix heures un quart) — Après avoir déjeuné aux Saints-Pères, je suis rentré pour une bonne sieste plus nécessaire que jamais, après quoi je suis retourné à la N.R.F. où j'ai vu Jacques Lemarchand, dont je ne savais plus rien depuis près d'un mois. J'ai vérifié une fois de plus comment, au fond, nous sommes d'accord. L'ayant quitté, un peu avant six heures, je me suis rendu au Flore où j'avais rendez-vous avec J... Nous sommes restés là un long moment, puis nous avons fait une promenade dans le quartier. Le gain très sérieux pour elle, depuis quelque temps, est, me dit-elle, qu'elle n'a plus peur. Je l'ai quittée rue Saint-Benoît, d'où elle repartait, en voiture, pour le week-end à la campagne. Nous devons nous revoir lundi pour déjeuner.

Ce soir, en sortant des Saints-Pères, après dîner, vers neuf

---

1. Georges Charaire, voisin et ami de Louis Guilloux, rue du Dragon.

heures, une vieille femme portant deux filets à provisions m'arrête, au coin de la rue du Dragon, et pose ses filets. D'abord, j'ai cru qu'elle allait me demander de l'aider à porter ses filets qui paraissaient en effet assez lourds. Mais non : « Vous êtes artiste, vous, me dit-elle, et moi, je suis un ancien modèle... J'ai de très beaux seins. Tenez : je vais vous les montrer. » Je l'ai priée de n'en rien faire. Je lui ai dit que je n'étais pas peintre. On me prend souvent pour un peintre. « Ça ne fait rien, dit-elle, en s'apprêtant à ouvrir son corsage. — Mais, non. N'en faites rien, lui dis-je, je vous crois sur parole. — Si, si ! Et, si vous aviez une pièce d'un franc ? — Ça, oui ! — Pas deux ? — Peut-être. » Nous avons compté ainsi jusqu'à cinq. Elle a quand même ouvert son corsage, pour me montrer deux consternantes mamelles, et nous nous sommes quittés bons amis. « Attention, lui disais-je, c'est plein de flics ! — Ah ! m'a-t-elle répondu, ce que je m'en fous ! »

Au cours de la conversation ce matin chez Jacqueline Bour, où Roger Grenier parlait (très bien) de Conrad dont il établit une édition des œuvres complètes, et de Melville, j'ai appris que ce dernier était pédéraste.

Samedi 15 juin — Est-ce la fin ? Je lis ce matin dans *Le Figaro* une déclaration de Pompidou disant : « Nous touchons au port... »

Dimanche 16 juin — Hier, après avoir déjeuné chez Georges Charaire et assez longtemps bavardé ensuite, je suis rentré un instant chez moi où je n'ai pas eu le temps de grand-chose, et d'où je suis parti à pied jusqu'à la place Saint-Michel prendre mon train pour Orléans, un peu avant cinq heures. Vaut-il la peine de noter cela ? Je n'en crois rien. Si je le fais, c'est par discipline, comme je l'ai dit, et comme j'ai souvent voulu le faire au cours de ma vie.

Je me sentais assez fatigué en arrivant à Orléans, où Hélène Cadou et Olivier Katian sont venus me chercher à la gare, mais cette fatigue a complètement disparu dès le début de la soirée à la maison de la culture où le débat était sur la violence, à propos du meurtre du pasteur King, de celui de Bob Kennedy et des événements récents à Paris et en France. Ce genre de débats est peut-être vain à moins qu'il ne soit la recherche d'une âme. Je suis rentré à l'hôtel à minuit, ce matin Olivier viendra me chercher à onze heures, nous devons aller à Beaugency. Encore une fois, pourquoi écrire tout cela ? Pour les raisons que je viens de dire et aussi parce qu'il ne m'est pas possible de me remettre à l'histoire de Salido : une fois de plus, tout ce qui n'est pas du travail en distrait. Je crois que j'ai tort, dans l'ensemble, de ne pas m'occuper uniquement de mon travail, j'éprouve souvent le désir de me « retirer » et de ne plus rien faire d'autre que poursuivre l'exécution de mes Mémoires, de mettre mes papiers (Carnets) en ordre, c'est-à-dire en état d'être publiés. C'est une vraie souffrance quand j'y pense, hélas les conditions sont loin d'être réalisées pour une telle retraite laborieuse.

(Même jour, dix heures du soir) — Rentré à l'hôtel Marguerite. O. Katian est venu me prendre à neuf heures et demie, avec Franck. Nous sommes allés chercher Hélène Cadou, et, ensemble, dans la voiture d'O. Katian nous sommes allés à Beaugency où avait lieu une rencontre amicale (et culturelle) dont le prétexte était une exposition de peinture. Nous avons été reçus très amicalement par les « autorités » dans l'arrière-salle du café où se tenait l'exposition ; là, tout avait un côté folklorique et vieille France que mes jeunes amis m'ont dit ensuite n'avoir pas trop aimé, mais auquel, pour ma part, je n'ai pas été insensible. Il me semblait être déjà venu à Beaugency il y a très longtemps, je me souvenais du vieux pont, d'une grande cour d'auberge... Nous avons déjeuné à La Ferté-Saint-Aubin (au lieu d'aller à Nevers, où j'aurais voulu passer une heure ou deux) et, revenant à Orléans, nous avons appris que, dans la nuit, un commando de cent à cent cinquante « paras » — ou soi-disant tels — avaient chassé, à six kilomètres d'Orléans, au campus de la Source, les étudiants qui occupaient les lieux, et fait un certain nombre de blessés. On nous avait prévenus, d'autre part, que le même commando avait annoncé son intention de procéder aujourd'hui même, à une autre expédition contre la maison de la culture, où nous devions, à partir de quatre heures, reprendre le débat de la veille sur la violence, après avoir projeté des diapositives sur les meurtres des deux Kennedy et du pasteur King. Nous n'avons pas cru, pour autant, devoir renoncer à la réunion promise, elle a commencé à quatre heures, comme il était convenu, notre seule protection ayant consisté à poster une garde de cinq ou six jeunes gens à la porte, en bas, la réunion ayant lieu en haut, dans le « minithéâtre ». Tout s'est passé très calmement, il n'est venu personne, ce n'est là, je crois, que partie remise. Ce soir, la radio et les journaux annoncent que la Sorbonne a été reprise par la police, et que des bagarres sont en cours au quartier Latin. Il est probable que la nuit ne sera pas très tranquille. Un officier de police aurait été blessé d'un coup de couteau rue des Saints-Pères. Je rentrerai demain matin à Paris en voiture avec Olivier Katian. Hélène Cadou, effrayée par une assez étrange visite de deux inconnus chez elle ce matin, a décidé à l'instant de ne pas rentrer et de passer la nuit en ville, à l'hôtel.

Lundi 17 juin — En rentrant à Paris ce matin, nous avons rencontré sur la route un camion-citerne en direction de Paris semblable aux camions qui transportent de l'essence, celui-là portait en lettres rouges bien lisibles : GAZ LACRYMOGÈNE. Je suis arrivé chez moi rue du Dragon, où, en mon absence, Véronique Charaire avait refait mon lit pour un « réfugié » du service d'ordre de la Sorbonne (sur un coup de téléphone de Duvignaud), lequel « réfugié » n'est d'ailleurs pas venu. A midi je suis passé à la N.R.F. où je n'ai vu personne et, de là, je me suis rendu à mon rendez-vous à L'Escurial pour retrouver J..., avec qui j'ai déjeuné au restaurant des Ministères. A l'instant (quatre heures de l'après-midi) téléphone d'Edouard, puis d'Alex, lequel Alex m'attend ce soir à huit heures au Flore.

Mardi 18 juin — Comme je sortais hier vers les cinq heures, j'ai vu un tel défilé de cars de C.R.S. sur le boulevard Saint-Germain qui se dirigeaient vers Danton, le boulevard avait si mauvaise mine, qu'en arrivant à la N.R.F., chez Edouard[1], j'ai téléphoné à Alex pour changer le rendez-vous et le mettre à L'Espérance. J'étais bien persuadé qu'à huit heures du soir, le Flore ne serait pas l'endroit le mieux choisi pour y rencontrer un ami. En quoi je me trompais du reste, vu qu'il ne s'est rien passé de ce côté-là, à ma connaissance du moins.

Chez Gallimard, j'ai vu Jacques Lemarchand, à qui j'ai donné ma pièce (*Alpha*). Simone est arrivée, et nous sommes allés tous les trois boire un verre au Pont-Royal. Nous avons passé là une heure très excellente, et projeté (pour la semaine prochaine) d'aller au « presbytère », ce qui nous prendra la journée. Il s'agit d'un presbytère à cent et quelques kilomètres de Paris, en Normandie, je crois, dont Jacques s'est rendu acquéreur il y a déjà quelques mois, et où il compte, avec Simone, passer beaucoup de temps dès que les réparations en cours seront terminées. Après les avoir quittés, j'ai fait un tour dans le quartier et suis passé devant l'Ecole de Médecine rue des Saints-Pères, où la foule des étudiants était toujours aussi nombreuse que les jours précédents. De ce côté-là, pas l'ombre d'un C.R.S., pas un car.

A huit heures, Alex[2] était au rendez-vous, toujours le même Alex un peu dandy, le même jeune homme élégant, le sourire aux lèvres et l'œillet du poète à la boutonnière. Un peu inquiet, quand même, ces jours-ci. Nous sommes partis en voiture à Montparnasse dîner chez Dominique, rue Vavin. Bien entendu, la conversation a presque entièrement roulé sur les événements du mois de mai et de juin où nous sommes. Toujours très féru de psychanalyse, Alex m'a fait observer que la révolte de la jeunesse d'aujourd'hui, si l'on en croit les slogans qu'on lit sur les murs et dans les journaux comme *L'Enragé*, est une

---

1. Edouard Caen.
2. Jean Blot.

révolte contre « papa » — mais pas contre « maman ». Cette
dernière est parfaitement absente de l'univers révolutionnaire présent. On n'hésite pas à s'en prendre au « théâtre de
papa », etc. On proclame sans la moindre vergogne que « papa
pue » — mais pas un mot au sujet de « maman ». N'existerait-
elle plus, ou serait-elle toujours tabou ? En quittant la rue
Vavin, il était près de onze heures, nous avons descendu le
boulevard Saint-Michel à peine éclairé, sinistre, bourré de
C.R.S. soit en faction sur les trottoirs et barrant l'accès à la
place de la Sorbonne, soit parcourant les mêmes trottoirs par
escouades de quarante à cinquante hommes pourvus de boucliers. L'ensemble était nocturne, très lourd. La place Saint-
Michel était noire de « manifestants » qui ne manifestaient
pas, du reste, et de C.R.S. formant des groupes nombreux.
Nous avons pris les quais, pour aller bavarder en buvant un
verre, au Pont-Royal, encore, entièrement vide. M. Francis, le
barman, se plaint que depuis les événements, les affaires aillent très mal tant à l'hôtel qu'au bar, et que, si les choses
continuent ainsi, il va falloir fermer.

Tous les autobus ce matin sont pavoisés de bleu, de blanc et
de rouge : c'est l'anniversaire de l'appel du Général, à Londres,
en 40.

On dit que Malraux doit parler ce soir au Palais des
Sports.

Mercredi 19 juin — La compagnie était jeune et très charmante et révolutionnaire hier soir chez Jean-Dominique[1].
Quelle bonne soirée ! Elle s'est prolongée assez tard, et je ne
suis rentré rue du Dragon qu'à une heure et demie du matin.

Aujourd'hui, vendredi 28 juin, je reviens à ces pages, après
avoir lu dans le journal que dans la nuit d'avant-hier, la police
a procédé à l'évacuation de l'Ecole des Beaux-Arts. On dit que
les choses se sont passées sans violence, la police n'ayant ren-

1. Jean-Dominique de La Rochefoucauld.

contré aucune résistance. Cependant les policiers étaient, dit le journal, pourvus de boucliers et armés de matraques. « Se peut-il que tout soit si bête ! » Il paraît que dans l'un des ateliers de l'Ecole des Beaux-Arts on exécutait des affiches « subversives » et que c'est surtout pour en arrêter la diffusion que cette opération de police a été montée. Il paraît aussi que ces affiches étaient si belles que la « spéculation » s'en est mêlée, avec un succès d'autant plus grand que, dans leur enthousiasme révolutionnaire, les étudiants ont toujours refusé d'en tirer le moindre profit. La spéculation ! Se peut-il que le monde soit si bas — et si plat !

Aujourd'hui 26 septembre, me demandant où j'en suis je ne trouve pas de réponse. Je n'en trouvais pas hier, m'interrogeant de la même façon, ni avant-hier, etc. En trouverai-je une demain ? Il est plus facile de trouver une réponse à la question de savoir *où* l'on est. Du moins le croit-on. Selon toute apparence, je suis à Paris. Je puis même préciser que je suis à Paris, rue du Dragon, au numéro 42, à l'entresol dans ce petit logement que j'occupe depuis à peu près six mois grâce à mes amis Véronique et Georges Charaire. Mais cela ne va pas durer. Je vais devoir déménager encore une fois bientôt. Aux dernières nouvelles en effet on vend l'immeuble. Il est affiché. Demain paraîtra une annonce dans *Le Figaro*. Quinze millions. C'est le prix de mon petit logement : deux pièces, salle de bains, cuisine, entrée. Eau, gaz, électricité. Mais les quinze millions ? Je me plaisais ici, pourtant, mieux que dans le petit « duplex » que j'avais repris de Jean Duvignaud, rue de Lille, au numéro 32, sur cour aussi, avant de venir rue du Dragon, et bien mieux encore que dans l'appartement du boulevard Blanqui c'est-à-dire de la place d'Italie où j'étais l'année dernière. Tout cela pour dire que je ne sais pas le moins du monde où j'irai me poser dans quelques jours. Le mieux est de n'y pas trop songer... Donc, pour le moment, si je ne sais pas très bien où j'en suis en revanche je sais parfaitement où... Il y a trois jours j'étais en Bretagne à Saint-Brieuc chez moi. Je revenais d'Orléans et de Montargis. Voilà bien des allées et venues et des déménagements qui ne rendent pas les choses bien commodes surtout si l'on prétend écrire ce qu'on pourrait appeler des Mémoires. J'hésite à employer ce grand mot. Il ne convient de le faire qu'aux hommes qui ont vu de grandes choses, côtoyé les grands de ce monde ou qui ont joué eux-mêmes un rôle dans ce qu'on appelle les affaires. Mais je n'en ai pas d'autre pour le moment. Or, voilà bien longtemps que je me suis mis à ces Mémoires ou Souvenirs, mais j'ai toujours été interrompu et je n'ai rien achevé : écrire des Mémoires suppose qu'on s'est retranché, qu'on est entré en solitude ou en retraite, et qu'on n'a plus d'occupation que de se « reconnaître » comme le faisaient nos anciens et comme le rappelle José Cabanis dans les premières pages d'un de ses meilleurs ouvrages. Comment se reconnaître — comment s'y reconnaître — quand on marche le long du boulevard après avoir bu un café au bar et mangé un croissant, dès huit heures du matin, et quand, en rentrant chez soi, on hâte le pas dès l'escalier en entendant la sonnerie du téléphone qui retentit ? Toutes ces plaintes sont ridicules, il ne faut pas mettre de conditions au travail, je le sais.

Samedi 28 septembre — Ayant pris la résolution de « quitter l'ornière » le moins possible, je me remets à ces pages. En matière de pages j'espère toujours que les « coutures » ne se verront pas. Il faudrait « effacer » le temps, écrire comme cela vient, comme on en a envie. Camus dit quelque chose comme ça dans une de ses notes de carnets. « Quand tout sera fini, dit-il, j'écrirai comme cela viendra. » Je vérifierai cette note que je cite de mémoire. Quand tout sera fini veut dire : quand sera accompli le programme en vue. Il faut tâcher d'écrire comme on parle, « côtoyer son propre ton de voix » me disait autrefois Malraux. Ceci ressemble à un journal, cela pourrait aussi être une lettre. Mais ne perdons pas de vue les Mémoires.

A propos de Mémoires, il faudrait peut-être dire dès le commencement que *rien n'est jamais fini*. J'en ai eu de nombreuses preuves tous ces jours derniers et avant-hier encore (en sortant de chez la marquise de Kerouartz). Explication : il y a toujours un « rejet » des choses, ou, comme j'ai cherché à le dire dans *La Confrontation*, un nouveau témoin. Cela deviendra clair quand je raconterai dans les Mémoires l'histoire de « ma » rédaction inscrite au Livre d'honneur du lycée de Saint-Brieuc, quand j'étais en cinquième, quand je raconterai la rencontre que je fis il doit y avoir deux ans à Mulhouse, d'une parente d'Hélène Gallais[1], quand je transcrirai la lettre reçue de la fille de mon professeur M. Cotelle, très brave homme qui est à l'origine de mon personnage de Babinot (*Le Sang noir*), etc. *Rien n'est jamais fini* pourrait bien être aussi le titre de l'ouvrage que j'ai en vue : les Mémoires. Donc, en sortant l'autre après-midi de chez la marquise de Kerouartz où j'avais déjeuné en compagnie de la marquise, bien sûr, de deux de ses nièces et d'un vieil ami de la famille (3, rue de la Chaise), sortant de là vers trois heures avec le vieil ami, nous faisons la rencontre d'un homme qui nous demande le commissariat le plus proche. Arrive un quatrième, petit, râblé, coiffé d'un béret basque, solide, qui m'appelle par mon nom, ajoute qu'il me connaît très bien et qu'il a de bonnes raisons pour cela, lui-même s'appelant Lainsy. Comment croire que j'aie jamais oublié le nom de Lainsy ! « Vous êtes donc le fils ou le petit-fils du tambour de ville ? — Son fils. » Et me voilà ramené dans mon enfance (*Le Pain des rêves*) et revoyant, comme s'il était là devant moi, le vieux père Lainsy battant du tambour au coin de la rue pour annoncer par exemple l'arrivée du cirque Pinder. Le père Lainsy : c'est de lui que j'ai fait le personnage du père Gravelotte dans ce même *Pain des rêves*. Mais il faudra que je relise pour être tout à fait sûr que je ne confonds pas un peu avec le père Reuzio, qui était notre professeur de gymnas-

1. Fille de Mme Gallais qui avait tenu un bureau de tabac à Saint-Brieuc, Hélène est à l'origine du personnage de Gisèle dans *Le Pain des rêves*. En février 1967, Louis Guilloux avait reçu une lettre de la nièce de Mme Gallais. Hélène Gallais avait une sœur, Henriette, et un frère, Henri, dont Louis Guilloux devint l'ami quand ils furent tous deux lycéens.

tique et qui nous conduisait aux douches une fois par semaine.
L'homme au commissariat ayant son renseignement nous
quitta. J'aurais voulu retenir le fils Lainsy, parler avec lui de
son père, de ses frères, dont l'un (peut-être lui-même ?) partit
à quinze ans pour le front et y resta jusqu'à la fin de la guerre,
de sa sœur Armande qui fut une grande amie de ma sœur
Marie... Il ne pouvait pas rester même une minute avec moi.
Ses patrons l'attendaient. J'ai tout juste eu le temps de comprendre qu'il était chauffeur de maître — avant de le voir
disparaître. Et bien entendu je n'ai aucun moyen de le retrouver. Je n'ai pas la moindre envie de raconter la conversation
que j'ai eue ensuite avec le vieil ami de la marquise, cela viendra peut-être un autre jour. Je ne sais pas bien, du reste, ce que
j'en pense ou en ai pensé : au chapitre des oubliettes, provisoirement. *Les Oubliettes !* Autre titre possible, au moins pour un
chapitre. Ou autre point de réflexion, comme on dit. Mais
fuyons le bavardage. Bon. Je ne me relirai pas. Il n'y a plus
qu'une ressource : la fuite en avant. Ne pas se retourner sur les
pages. Ne pas « regratter ». Bon principe. Le mouvement avant
tout. Rien n'est jamais fini. Même après la mort. Chapitre de
Barrès intitulé : « Le cadavre bafouille. » Quand je pense à la
quantité de papiers que je laisserai après moi...

Dimanche 29 septembre — Ecrivant ceci au fil de la plume
(et pourquoi ne pas dire au fil des jours ?), je fais ce matin un
effort de mémoire pour savoir où j'en suis resté la dernière
fois. C'est un effort jusqu'à présent vain. J'ai laissé mes papiers
rue du Dragon, hier, en partant après un coup de téléphone de
Claire Chaslin, chez Paul, son père, à Yerres, où j'ai dîné et
passé la nuit, très heureux de la manière dont je suis reçu ici
par tout le monde, et me plaisant beaucoup avec les enfants,
Claire, Dominique, Olivier et François. Toute la famille était
réunie à table plus M. le maire et madame. Paul Chaslin, son
adjoint, l'avait amené (M. le maire) en sortant d'une séance du
Conseil... Les bêtises que j'écris là ne sont faites que pour
« chauffer », elles n'ont pas d'autre intérêt — ni objet ! —,

mais c'est considérable, que de jouer le rôle de l'ombrelle dont se sert le funambule pour se maintenir sur le fil. Naturellement l'objet principal reste les Mémoires. Mais il faut laisser faire, conserver, nourrir la préoccupation, agir en sorte que les choses finissent par affleurer d'elles-mêmes, et, pour cela, compter sur la continuité, l'application, la persévérance quotidienne et artisanale à l'écriture même au sens le plus matériel du mot. J'aurais dû emporter avec moi la dernière page écrite hier. A l'avenir, c'est ce que je tâcherai de faire surtout en allant à Orléans, mardi prochain et, ensuite, à Bourges, etc. Je perds beaucoup de temps à Orléans, en général, il faut remédier à cela.

Lundi 30 septembre — ... On ne peut pas rattraper le temps, on ne peut pas tout passer en écritures... Mais, encore une fois, il ne faut pas perdre le fil. C'est pourquoi il sera noté ici qu'il est environ dix heures et demie du matin et que je rentre tout juste d'Yerres où j'ai passé tout la journée de dimanche et la nuit de dimanche à ce matin. L'important, pour le moment, est d'accumuler des pages. Si bête que cela soit à dire, je crois à l'accumulation. Les jours qui viennent vont être occupés de la manière proposée par une lettre d'Olivier Katian.

Il y a quelques jours, en allant au Pont-Royal boire un verre en compagnie de Jacques Lemarchand et de Simone, vers les six heures du soir, comme Jacques me demandait si je travaillais, je lui ai répondu en lui parlant de mes Mémoires et j'ai ajouté que pour y travailler sérieusement il faudrait se retrancher du monde. A quoi il m'a répondu que ce n'était pas nécessaire, et en outre pas vrai.

— Regarde ton ministre !

Mais « mon » ministre a du génie, du caractère, et quelle « vitalité » ! Il faudrait se contraindre, renoncer à la paresse, ne pas se « disperser », autrement dit : vivre dans un « séjour ».

Mardi 1ᵉʳ octobre — Et voilà que ce matin, au lieu de me

mettre à ces Mémoires comme je le voudrais tant, je ne suis occupé que de cet écrit dont je viens de retrouver une ébauche dans mes papiers, écrit que j'intitulais : *Le Dragon*, écrit abandonné depuis des mois mais que j'ai de temps en temps envie de « pousser » ne sachant d'ailleurs pas où il me conduira. Il s'agit, dans ce conte, d'un très vieil homme et d'un homme vieillissant. Or...

Jeudi 3 octobre, Montargis — Chez le docteur Szigeti[1]. J'ai quitté Paris hier après-midi avec Olivier Katian et Catherine, sa femme. Soirée à la maison des jeunes pour le « montage » d'Olivier et de Franck Oger[2] de *La Maison du peuple*. Long débat, ensuite (épuisant), avec les jeunes, chose que je me reproche toujours, qui ne laisse en moi que tristesse. Et, pourtant, j'ai recommencé ce matin dans une institution religieuse (Saint-Louis ?) d'où je suis sorti dans le même état qu'hier de la maison des jeunes. Me voilà bien loin des Mémoires, de la « reconsidération », de la paix intérieure, de la vérité, etc. Je dis souvent que les hommes ont tort. Mais qui, plus que moi, dans ce domaine en tout cas. Je ne puis ni ne veux m'étendre là-dessus pour le moment, mais il faudra bien que je le fasse un jour. Le plus tôt sera le mieux. Je n'ose pas dire, ni espérer, que cela me conduira à prendre une décision, tout en sachant qu'il le faudrait. J'ai été reçu avec beaucoup d'amitié par le docteur et sa femme. Ceci est un vrai réconfort. Ce soir, nous devons assister à un « filage » de deux pièces de Labiche montées par Franck, et assorties de dialogues de ma façon...

Vendredi 4 octobre — Toujours à Montargis d'où je partirai sans doute demain. Longue soirée hier au théâtre pour le « filage » des deux comédies de Labiche. Pas du tout satisfait de « mes » dialogues ; mais je n'insiste pas. Que de contradictions dans tous les ordres ! Avant d'aller au théâtre avec le docteur

1. Le docteur Szigeti, maire de Montargis.
2. Franck Oger, metteur en scène du spectacle Labiche.

et Olivier, nous avons vu, en buvant un café dans le salon d'un hôtel, un reportage télévisé sur Mexico, où les manifestations d'hier ont fait quarante morts. Suffit-il de tout expliquer par des « provocations » ? Et de s'en aller tranquillement (?) voir Labiche ? Ce matin, je sais moins que jamais où j'en suis, où nous en sommes tous.

Dimanche 6 octobre — 42, rue du Dragon, où je suis revenu hier à deux heures de l'après-midi, et d'où je repartirai mardi (après-demain) pour Orléans et Bourges. Ce matin dimanche tout est bien silencieux autour de moi. Il est tout juste neuf heures du matin, et rien ne bouge encore dans l'immeuble. La cour est muette, la plupart des volets sont clos. Je suis sorti à huit heures pour aller boire un café à L'Escurial et me voici revenu à mes papiers, me demandant combien de temps il y a que j'ai commencé à songer à ces Mémoires que je n'écris pas, que j'ai bien des fois entrepris et abandonnés, dont j'ai de grands morceaux mais qui sont loin de me satisfaire, et me disant qu'il serait temps de m'y mettre pour de bon, de tout reprendre, de tout refaire s'il y a lieu, en un mot de travailler régulièrement et obstinément chaque jour sans trop espérer en finir jamais. Dans les premiers temps où je songeais à cet écrit, je me croyais « fixé » à Saint-Brieuc pour le restant de mes jours. La pensée de revenir à Paris pour y vivre ne m'effleurait même pas. Je m'étais mis — ou je me trouvais — dans la situation même de qui n'a plus rien d'autre à faire qu'à écrire ses Mémoires, vivant et vieillissant dans sa propre maison, passant la plus grande partie de son temps dans son « cabinet » de travail entouré de ses livres et tous ses papiers à portée de la main. Situation tranquille, bien démodée, dépassée, image du vieil écrivain de l'autre siècle. Les choses ont tourné autrement, par toutes sortes de raisons dont celle de la nécessité était devenue primordiale. Au mois de juin prochain il y aura trois ans que je serai revenu à Paris. Aussi souvent que je le puis je retourne à Saint-Brieuc pour ce qu'on appelle le week-end. Cela me permet de passer quelques heures dans cette grande pièce d'en haut où j'ai passé tant d'années à travailler, où j'ai écrit la plupart de mes livres et pour commencer *Le Sang noir* (dans les années 34-35 où j'étais revenu vivre à Saint-Brieuc). Il me semble que tout cela s'est passé dans une autre vie. Voilà longtemps que je suis dans la « distance ». Et, pourtant, tout m'est proche, et cher. Me reste proche et très cher.

De M. Couffon je n'ai jamais rien su sauf que voilà deux ans, peut-être trois, c'était lui le président de la société d'Émulation. C'est en cette qualité qu'il fut convié à l'une de nos réunions à la mairie et c'est là que je le vis pour la première fois et, pour ainsi dire, pour la dernière fois, car c'est à peine si je l'aurai aperçu une fois ou deux dans la rue depuis. M. Couffon est un homme d'une bonne soixantaine d'années, il est assez grand, très large et ventru, il se vêt de noir, il porte de grandes moustaches, il a le visage plein, le regard sérieux, le pas important, il me fit, quand je le vis, tout à fait penser à ces rentiers d'autrefois que je voyais se promener dans mon enfance, au jardin public, la canne à la main. Rentier, il ne l'est probablement pas, on n'en voit plus beaucoup. Tout ce que je sais de M. Couffon c'est qu'il est historien. Il nous le fit bien voir à tous le jour de cette réunion à la mairie.

C'était une de nos premières grandes réunions plénières des fondateurs et membres de l'Association départementale des Amis de la Culture. Cette dénomination est parfaitement ridicule, je n'ai jamais caché mon sentiment là-dessus. Je dirai un jour tout au long ce que j'en pense, mais il ne s'agit encore, pour le moment, que de cette grande réunion à la mairie et de l'apparition de M. Couffon qui arriva un peu en retard, je m'en souviens bien, ce qui m'obligea à reprendre mon « exposé ». Les choses se passaient dans la grande salle de la mairie dite salle d'honneur, aujourd'hui transformée, puisqu'il a fallu la diviser en « bureaux ». Il y avait là une bonne soixantaine de personnes dont quelques sénateurs, conseillers municipaux, professeurs, notables, représentants de diverses organisations sociales et syndicales. Notamment M. le sénateur Jean de

Bagneux, notre ami M. Jacques Galaup professeur agrégé d'anglais, Pierre Lorguilloux, secrétaire général de la mairie, peut-être même le maire, Yves le Foll, mais je n'en suis plus très sûr, Mme Cagnard, en tout cas, aussi professeur au lycée Ernest-Renan, et très brillant professeur. Il était environ six heures du soir. M. Galaup, en sa qualité d'adjoint au maire et de délégué aux affaires culturelles dont il présidait la commission, venait de me donner la parole, non sans avoir, au préalable, fait un historique de nos activités depuis près de deux ans, qui aboutissaient aujourd'hui à l'assemblée que nous formions, où allait se constituer définitivement le centre culturel briochin. En parlant de « nos » activités, M. Galaup voulait dire celle, bien entendu, de la commission chargée des affaires culturelles, plus celle de Pierre Lorguilloux, secrétaire général de la mairie, et enfin la mienne, puisque j'avais été chargé par la municipalité d'étudier le problème, d'aller au Havre, à Caen, à Rennes, à Bourges, visiter les maisons de la culture, prendre, comme on dit, des contacts, voir comment fonctionnaient les choses, dans ces différentes maisons et, en plus, de me rendre rue de Valois pour y voir André Malraux et rue Saint-Dominique aux Affaires culturelles pour parler de notre centre à Gaétan Picon. Ce que j'avais fait bien sûr. Dans notre esprit, et notre espoir, ce centre culturel devait être conçu comme la préfiguration de ce que devrait être un jour une véritable maison de la culture. Et nous allions même jusqu'à penser que nous avions de meilleures raisons que bien d'autres pour la souhaiter, et que l'édification en fût entreprise bien vite. M. Galaup le rappelait. Tout n'était-il pas devenu trop petit pour nous ? Et, pour agrandir la mairie, pour y aménager une nouvelle salle du Conseil, n'avait-il pas fallu renoncer au musée ? Nous n'avions plus de musée. À vrai dire, notre musée n'avait jamais été bien riche, il n'avait jamais rien contenu de bien remarquable, mais le peu que c'était avait dû être remisé dans les greniers de la mairie, et laissé, pour ainsi dire, à l'abandon. Et jusqu'à quand durerait cette situation ? Personne ne le savait, personne ne pouvait le prévoir. Et une ville de soixante-dix mille habitants qui ne possède pas de musée, cela peut-il se concevoir sans un peu de honte ? Cependant, il n'y avait pas que la question du musée, mais aussi celle de la bibliothèque municipale. Là, tout était devenu trop petit, au point qu'on hésitait à acheter de nouveaux livres, ne sachant où on les mettrait. L'École de musique (nationale), de son côté, refusait des élèves. Toujours par manque de place. Et de même l'École de dessin. Dans ces conditions, ne devenait-il pas nécessaire et urgent qu'une maison de la culture fût créée au moins pour permettre à ces diverses activités de s'exercer pleinement dans toute la mesure où cela serait compatible avec sa propre définition ? À quoi Malraux me répondit que nous n'étions pas dans le Plan. À quoi Gaétan Picon me répondit que le problème méritait examen et qu'il viendrait prochainement « sur place » pour l'étudier, mais il ne vint pas. Et il n'est jamais venu. Tout en écoutant M. Galaup, je me remémorais ces rencontres, ces voyages, les propos entendus, les visages entrevus, et jusqu'aux paysages, aux routes parcourues en voiture avec le chauffeur de la mairie dont pour le moment j'oublie le nom, que je retrouverai tout à l'heure quand je n'y penserai pas, mais dont je n'oublie pas la voix sonore et persistante à mon oreille car il se croyait par politesse obligé de me faire la conversation, je revoyais Le Havre, où nous nous étions pour ainsi dire perdus, et l'aspect sinistre des quais, le soir. Je revoyais Caen et le dîner chez des amis du président C..., dîner dont j'aurais beaucoup à dire, mais ce sera (peut-être) pour plus tard, je me souvenais comment je n'avais pas été reçu par Th. à Caen. Il avait autre chose à faire et sans doute me prenait-il pour un autre. Et, finalement, je me demandais pourquoi je m'étais mis dans un tel cas, me remémorant aussi ce que m'avait dit Gaétan Picon : « Vous vous êtes fourré dans un guêpier », parole pleine de sens à condition de bien savoir que si guêpes il y avait, il s'agissait de guêpes sans dards. Hélas, c'est bien là la plus triste des choses. Mais je voulais l'oublier. Quand même je voulais entreprendre, faire quelque chose, ne l'avais-je pas toujours voulu, par le côté le plus obscur et peut-être le plus bête de

moi-même et n'était-ce pas ce que j'étais en train de recommencer, malgré l'évidence, et, tout en sachant qu'il n'arriverait rien, qu'il ne se passerait rien, que le feu lui-même ne
prendrait pas, est-ce que je ne voulais pas au moins tenter de
l'allumer, autrement dit de faire part à ces têtes engourdies —
pas toutes, soyons justes, mais presque toutes — d'un grand
projet dont je m'étais mis à rêver depuis quelque temps, et
dont la réalisation allait, j'en étais sûr, donner à notre entreprise culturelle un admirable essor ? M. Couffon tardait à
paraître, et M. Galaup parlait toujours... J'étais dans une certaine impatience en l'écoutant car il s'étendait un peu et il me
tardait de faire part à l'assemblée de mon grand projet. Je ne
doutais pas de l'accueil qu'on lui ferait, j'allais susciter l'enthousiasme, recueillir l'approbation générale, tout juste si on
n'allait pas me porter en triomphe. Et pourquoi pas ? Il s'agissait d'une si grande idée, inspirée par une grande piété. Il
allait falloir trouver les mots pour bien l'exprimer, cela me
faisait un peu peur. Je rêvais en effet depuis un certain temps à
l'histoire, bien que n'étant pas du tout un historien, à l'histoire de notre ville, il faut bien le préciser, et comme notre ville
se trouvait en pleine croissance, en plein renouveau, en plein
développement, que dans les années récentes sa population
s'était accrue du double de ce qu'elle avait été depuis sa fondation jusqu'aux années d'après la Seconde Guerre mondiale,
passant de vingt-cinq à trente mille habitants vers 1930 à cinquante mille aujourd'hui pour ce qu'on appelait encore la
vieille ville et à soixante-dix si l'on incluait la périphérie, c'est-
à-dire les cités nouvelles, la zone industrielle, etc. Il me semblait donc tout à fait légitime de dire qu'il s'agissait d'une
nouvelle fondation de la ville, d'un re-départ, d'une re-créa-
tion, et que c'était une merveille à voir après un millénaire et
demi d'existence. La fondation de notre chère cité date en effet
de la fin du cinquième siècle. J'aurais voulu qu'à l'instant où
nous pensions à fonder chez nous un centre culturel, notre
premier souci, et notre première action, fussent un hommage
pieux au fondateur et à ses compagnons venus du pays de Gal-

les ou d'Irlande chassés par l'invasion des Saxons pour s'établir sur nos bords en pleine forêt, près d'une fontaine, et y
construire leur premier oratoire. Que de fois n'avais-je pas lu
et relu dans nos livres le récit de l'arrivée des moines ! Que de
fois ne m'étais-je pas représenté comment leur barque avait
remonté la rivière du Gouët, sous la conduite de celui qui allait
devenir le fondateur d'une cité nouvelle, et que nous révérons
depuis sous le nom de saint Brieuc. Et n'avais-je pas aussi tenté
dans un de mes livres, de raconter ce grand événement ? La
barque s'était arrêtée près d'une fontaine, c'est là que saint
Brieuc et ses soixante moines avaient débarqué et construit
leur oratoire, allumé le premier feu, fait tinter la première
cloche, qu'ils avaient commencé à défricher, en luttant, contre
les loups... Ils ne trouvèrent pas grand monde autour d'eux, si
ce n'est, dit-on, quelque part, un méchant « baron » qui s'était
fait par là un château de bois et qui voulut les chasser. Et qui
en fut empêché par un miracle de douceur qu'obtint la piété du
vieux moine. Il m'avait toujours semblé qu'un hommage à ce
vieux moine et à ses compagnons n'eût pas été une mauvaise
chose de notre part à l'instant d'inaugurer notre centre culturel, qu'il nous appartenait, en somme, de nous incliner,
d'abord, devant ces fondateurs intrépides, dans un esprit de
reconnaissance et de piété et, pour donner plus d'éclat aux choses, vu que nous entrions désormais dans la deuxième moitié
du second millénaire de notre existence, de célébrer ce grand
moment par de grandes fêtes dans toute la ville, par une
semaine ou une quinzaine historique que nous eussions « animée » par des reconstitutions, des images et des chants, peut-
être par des spectacles — son et lumière —, l'équivalent, en
somme, mais encore plus significatif, des fêtes qui s'étaient
données quelques années plus tôt, vers 1938 ou 39, en l'honneur d'un autre de nos saints, saint Guillaume, à qui nous
devons notre cathédrale Saint-Étienne achevée au XIIIᵉ siècle.
Le souvenir des fêtes de Saint-Guillaume était encore dans toutes les mémoires et quant à moi je n'en ai rien oublié. Pendant
deux semaines à ce moment-là on avait vu reparaître à travers

la ville, surtout dans notre grande rue Saint-Guillaume, les
tours et les créneaux, les portes du Moyen Âge avec leurs
archers et leurs guetteurs, on avait vu passer des chevaliers
avec leurs armures et leurs heaumes sur leurs destriers et le
clou de la fête avait été la reconstitution d'un tournoi au parc
des sports. Je retrouverai dans nos archives le souvenir et les
images de ces grandes fêtes dont les commerçants avaient largement profité, il faut le dire, ce qui me donnait — allait me
donner quand M. Galaup en aurait terminé avec son exposé —
un argument puissant en faveur de ma proposition d'une nouvelle reconstitution historique à propos du millénaire et demi
de la fondation de la ville. Ma foi, je voyais les choses un peu
comme les voit Perrette sur sa tête ayant un pot au lait. M.
Alphonse Boulbain, président du syndicat d'initiative se trouvant sûrement dans l'assemblée, et tel que je le connaissais,
bouillant, dynamique, toujours de la meilleure humeur du
monde et malgré l'âge qui vient hélas pour lui comme pour
tout le monde, d'une extraordinaire jeunesse, M. Alphonse
Boulbain, « notre » Alphonse allait sûrement voir tout de suite
le beau de mon grand projet, et l'utile, et, sûrement, ici me
soutiendrait, à supposer que j'en eusse besoin, ce que je ne
croyais pas du tout devoir se produire. Je cherchais des yeux
M. Alphonse Boulbain et je le découvris au bout de notre
grande salle bavardant le plus joyeusement du monde avec son
voisin, ne prêtant pas la moindre attention à ce que disait M.
Galaup. Un instant plus tard M. Galaup acheva son exposé, et
vint alors mon tour de prendre la parole, ce que je fis avec une
grande tranquillité, ne doutant pas le moins du monde de mon
succès. Je passai rapidement sur l'historique de nos premières
recherches. Je rappelai en quelques mots l'état des choses tel
qu'il se présentait dans notre ville, l'absence du Musée, l'étroitesse de la bibliothèque, etc. J'ajoutai à cela un bref compte
rendu de mes voyages au Havre, à Caen, à Rennes, etc. Je dis ce
que je savais de Bourges et de la maison de la culture de Bourges, modèle des maisons de la culture de France, je ne manquai
pas, non plus, de bien préciser que s'il y avait déjà près de deux

ans que nous avions entrepris cette « exploration », l'idée
même de la construction d'une maison de la culture à Saint-
Brieuc était bien plus ancienne, et qu'elle revenait à Antoine
Mazier, notre grand maire récemment disparu, et à Pierre
Lorguilloux, notre secrétaire général, qui les premiers en
avaient compris la nécessité et songé aux moyens d'en réaliser
l'édification. Cela fait, j'entrepris le gros morceau de mon discours. Faut-il le recommencer ici ? Je n'en crois rien. Après
tout ce que j'ai dit des mille cinq cents ans passés depuis que le
saint fondateur et ses soixante ou quatre-vingts moines débar-
quèrent sur nos bords, édifièrent leur premier oratoire auprès
de la fontaine, allumèrent le premier feu et firent tinter la
première cloche, on voit assez quel tableau je tentais de faire
de ces tout premiers jours de notre histoire, et comment je
m'efforçai de bien dire quelle grande chose ce serait pour nous
que d'en rappeler le souvenir et de montrer par là que nous
étions encore capables de piété. J'avais lu dans nos livres que
les moines arrivant d'Irlande apportèrent avec eux l'« esprit de
légende », ce n'était pas une mauvaise chose à rappeler quand
nous parlions de culture. Certes nous devions avoir l'esprit
tourné vers l'avenir, je me donnai bien garde de l'oublier,
mais le sens de l'avenir n'excluait pas la piété à l'égard du
passé, et bien fou, ou bien ingrat celui qui méconnaît l'héritage de ses pères sans lesquels il ne serait pas ce qu'il est et tient
pour rien leurs travaux et leurs peines avant même de savoir
s'il sera capable d'en faire autant qu'eux et avec la même témérité. Mettons plus modestement, le même courage. Je ne sais
s'il me vint à l'esprit d'en dire tant devant cette brillante
assemblée, mais il me semble me souvenir qu'à un moment de
mon discours, je me laissai aller à une pointe de lyrisme, dont
aujourd'hui dans un esprit plus froid j'aurais peut-être quelque chose à dire, dans le sens de l'autocritique ou en tout cas
de la réserve, pointe qui eut pour effet que je me sentis entouré
d'un grand silence, et que je ne vis plus devant moi que des
têtes baissées et des regards échappant au mien : situation
qu'en pareille occurrence on peut interpréter dans un sens

favorable, ou, au contraire, dans le sens inverse, qui donnerait à penser au brillant orateur qu'il est tout simplement ridicule. C'est alors que M. Couffon apparut. Et j'en donne ma bonne parole, moi qui ne l'avais jamais vu, je le reconnus tout de suite. Oui, c'était bien M. Couffon, il arrivait un peu en retard mais en marchant sur la pointe des pieds ; on se poussa doucement pour trouver à M. Couffon une chaise où il pût s'asseoir, ce qu'il fit le plus discrètement du monde, tandis que je décidai, justement par égard pour M. le président de la société d'Émulation, de résumer ce que je venais de dire devant l'assemblée, c'est-à-dire de rappeler les grandes lignes des manifestations que je proposais pour célébrer le millénaire et demi de la fondation de notre ville. M. Couffon était assis à une dizaine de sièges sur la droite, il me regardait fort attentivement et j'étais frappé de la ressemblance que présentait son visage un peu rond, un peu fort, avec cette grosse moustache blanche très belle et ses gros yeux, et un air de très grande bonté peut-être un peu triste, avec le visage d'un de nos anciens maires, M. Henri Servain, qui, lui, avait travaillé toute sa vie dans les vins, qui avait été pendant plus de trente ans un très grand maire, et qui, d'après ce que j'avais entendu dire, possédait une voix de ténor remarquable. Cette ressemblance me distrayait beaucoup de ce que j'étais en train de dire et, percevant à certains petits signes que M. Couffon ne paraissait pas tout à fait d'accord avec ce que j'étais en train de dire, le voyant agiter un doigt faisant un signe négatif, puis hocher la tête, je me sentis dans l'obligation de m'interrompre et de le prier de faire part à l'assemblée de son opinion. Ce qu'il fit aussitôt, d'une grosse voix qui ne ressemblait pas du tout à la voix fluette de notre ancien grand maire M. Henri Servain, en disant tout simplement qu'on n'était pas sûr de la date. Pas sûr de la date ? Comment cela ? Et que fallait-il entendre par là ? C'est ce que je me sentis sur le point de m'écrier, mais je demeurai coi, et M. Couffon, voyant mon air surpris, inquiet, se leva, pour mieux s'expliquer. Dieu que sa silhouette était imposante ! Comme il était solide, puissant, large, et comme il

dominait, telle une sorte de menhir, l'assemblée tout entière !
D'une voix tranquille, M. Couffon répéta qu'on n'était pas sûr
de la date, que des recherches étaient toujours en cours, que
l'histoire avait beau être une science, les moyens manquaient,
parfois, pour préciser avec la certitude qu'on souhaitait et que
cette science, par définition, exigeait le jour et l'heure de tel ou
tel grand événement historique. Et, quant à l'arrivée sur nos
bords du vieux moine et de ses soixante ou quatre-vingts compagnons, si on pouvait dire qu'en effet l'événement s'était produit vers la fin du Ve siècle, il était encore impossible d'affirmer si c'était en 465 ou en 468, peut-être même en 470, et par
conséquent il était ou trop tard, ou trop tôt pour parler d'un
millénaire et demi. De plus, il était à craindre qu'on demeurerait longtemps encore dans cette incertitude, on pouvait même
craindre qu'on y demeurerait toujours, et, dans ces conditions,
il ne pouvait être question qu'on se livrât à la moindre manifestation, puisque en fait, on n'était sûr de rien. Et voilà !
Ayant dit, M. Couffon se rassit, devant l'assemblée parfaitement muette, et moi aussi muet que les autres tant j'étais,
comme on dit, frappé de stupeur. Il fallait répondre, mais que
répondre ? Si je ne répondais pas moi-même, quelqu'un aurait
dû répondre à ma place, le temps pour moi de retrouver mon
souffle. Ma foi, voulais-je dire à M. Couffon, il me semble qu'à
deux ou trois années près quand il s'agit d'un millénaire et
demi, on pouvait y aller quand même ! Il n'y aurait pas grand
mal à cela ! Et que le vieux moine et ses compagnons eussent
débarqué sur nos bords en 465 ou 470 ou même un peu plus
tôt ou plus tard, on pouvait dire quand même en l'année 1966
où nous étions (si je ne me trompe) que le compte y était. Mais
voilà ! M. Couffon en sa qualité d'historien avait tranché, et je
vis bien qu'il n'était pas question de passer outre, tout le monde dans l'assemblée ayant été convaincu par l'intervention de
M. le président de la société d'Émulation, sauf peut-être deux
ou trois, dont Pierre Lorguilloux le premier mais il ne jugea
pas opportun d'intervenir tout de suite, et la réunion prit bientôt fin, je n'eus plus qu'à rentrer chez moi, il était déjà assez

tard et la nuit était venue... Avec la nuit venue, l'heure du dîner était passée ou guère ne s'en fallait, ce qui explique que la dispersion fut rapide. Quant à moi, renonçant à l'offre amicale que me faisait M. Galaup de me ramener chez moi en voiture — nous sommes voisins —, je me mis en route à pied, histoire de m'aérer un peu la tête tout en songeant, plus ou moins, à ce grand mystère par lequel toute entreprise du genre de celle qui venait de nous réunir se trouve sans cesse contrariée de la manière la plus banale et si souvent la plus inattendue. Diable ! Diable ! Est-il possible qu'il en soit ainsi, et va-t-il falloir, à la fin, s'avouer qu'on a toujours eu raison de dire que dans cette charmante petite ville, cité gentille qui est la nôtre, rien ne prend pas même le feu ? On n'est pas sûr de la date ! Oh, le cher monsieur Couffon, grand historien comptable, fallait-il se dire qu'à cause de lui et de l'effroyable soumission de toute l'assemblée à son imposante personne, nous n'allions pas rendre à notre vieux saint l'hommage qu'il méritait et laisser passer comme cela cette grande occasion de grandes fêtes qui en même temps marqueraient le temps de la deuxième fondation de la ville ? Allions-nous trouver quelqu'un pour nous dire qu'on ne savait pas davantage le jour de cette deuxième fondation ? Et, au fait, quand donc en avait-on posé la première pierre, et de quel monument s'agissait-il ? Il est très probable que personne n'aurait su le dire au juste. Les choses s'étaient passées comme cela, voilà tout, depuis la Libération. On peut dire qu'à partir de ce moment-là des chantiers s'étaient ouverts partout, qu'on avait construit de nouveaux ponts, de nouvelles routes, vu s'édifier de vastes ensembles, de nouvelles cités, que tout s'était mis à bouger et à grouiller d'une façon merveilleuse, qu'on avait vu s'élever dans les champs autour de la vieille ville des tours de sept, huit étages, et peut-être plus, des H.L.M., et il n'y en avait encore pas pour tout le monde. Une merveille, comme ces villes d'Amérique aux temps anciens que l'on appelait des villes champignons. Tout en marchant pour rentrer chez moi par les rues désertes à cette heure-là où tout le monde était à la soupe, je pouvais

aussi me rappeler que dans les tout premiers temps de la Libération il avait été aussi question de fonder dans notre ville un
centre culturel, et qu'il y avait même eu un commencement
d'exécution. On réquisitionna pour nous une pièce au rez-de-
chaussée d'une vieille maison dans la rue du Port, on nous
donna quelques tables et une armoire, deux ou trois chaises
que nous transportâmes nous-mêmes dans une voiture à bras
et là, nous tînmes deux ou trois séances où il ne vint pour ainsi
dire personne, à l'exception de quelques élèves de l'École normale d'Instituteurs, bons enfants de la République. Et ce fut
tout. Il fallut fermer boutique, en attendant de meilleurs jours
dont j'avais cru voir poindre l'aube, quand Pierre Lorguilloux
avait décidé que j'irais au Havre, à Caen, Rennes, etc., pour
étudier le grand projet qui devait aboutir à l'édification d'une
maison de la culture.

22 octobre, Paris — Je vois qu'il ne m'est pas plus facile de
travailler aux Mémoires à Saint-Brieuc qu'ici. À vrai dire, tout
pourrait s'enchaîner, ce que j'aurais à dire de ma rencontre
lundi matin avec M. Galaup et de la visite que nous avons faite
de cette grande maison que vient de louer le conseil municipal
dans laquelle un bureau sera alloué à l'animateur du Centre
culturel constituerait une suite tout à fait « normale » à ces
pages sur l'assemblée, à la mairie, où apparut M. Couffon. Je
ne sais combien d'années séparent ces deux moments, deux
années au moins, peut-être trois. Il n'y a pas grand-chose de
changé. Nous sommes toujours dans la « vieille Russie », etc.
etc. Matière de bréviaire... En sortant de cette réunion et parcourant tout seul les rues désertes pour rentrer chez moi,
j'avais bien le temps de me demander pourquoi je m'étais fourré là-dedans, etc.

LE COLLIER

C'est Charlie qui nous a raconté cette histoire-là, il y a déjà pas mal de temps. Une histoire : non. A proprement parler il n'y a pas d'histoire, mais alors, de quoi s'agit-il ? Attendez. Vous allez voir.

Quand nous nous rencontrons, chez Stanley par exemple, ou chez Jean-Pierre, nous y repensons tout de suite, nous nous faisons un petit clin d'œil. Hein ? Vous vous souvenez ? Parbleu ! Comment oublier ce vieux bonhomme et son chien ? Jamais de la vie.

Je lui ai répété vingt fois, à Charlie, que je raconterais moi aussi cette histoire-là, et même que je l'écrirais, et que je commencerais par dire où je l'avais entendue. Mais à présent je change d'avis. Non : ce n'est pas par là qu'il faut commencer. Il faut commencer par dire que Charlie est très grand et que, par conséquent, il a de très grandes jambes. N'oubliez pas cela !

Charlie est américain, mais voilà bien quinze ou vingt ans qu'il habite Paris. Vous comprenez : c'est un peintre. Il a son atelier du côté de Montrouge. De temps en temps, pas trop souvent, il retourne en Amérique pour un mois ou deux, pas plus, et justement, cette fois-là, il en revenait.

Il y avait une huitaine de jours qu'il était rentré à Paris, tout guilleret, ma foi, d'avoir retrouvé son vieil atelier, son vieux bistrot, son petit restaurant. Vous savez ce que c'est quand on retrouve ses habitudes.

A propos, c'est aussi dans un restaurant qu'il nous raconta cette... histoire-là, dans un restaurant aussi modeste que le sien, du côté de Montparnasse. Comment s'y trouvait-il ? C'est bien simple : c'était un lundi. Son restaurant était fermé. Pensant qu'il aurait à faire dans l'après-midi du côté de Montparnasse, il était venu jusque-là pour déjeuner, voilà tout.

Moi, j'avais rendez-vous avec Jean-Pierre et Dominique — c'est sa lionne — mais je suis arrivé en retard, et Charlie avait déjà commencé son histoire. Il a tout repris pour moi, en me disant qu'il était en train de raconter ce qui était arrivé quelques jours plus tôt, le jour même de son retour à Paris, en fait. Mais, pour bien comprendre, il fallait remonter assez loin, et

se représenter un vieux bonhomme de soixante ans bien passés, un de ces vieux solitaires vous savez, qui travaillent on se
demande dans quel vieux bureau noirâtre, et qui ont au restaurant leur serviette et leur rond de serviette. Quand ils ont fini
leur repas, on les voit plier et rouler très soigneusement leur
serviette, la passer dans le rond et fourrer le tout dans une
petite boîte qui porte un numéro. Il y en a bien comme ça
vingt ou trente le long du mur, comme les petits tiroirs chez la
mercière : c'est pour les habitués, les pensionnaires, les vieux
amis. On les soigne, on leur accorde des privilèges, et même
celui de venir avec leur chien, ceux qui en ont... Et ce vieux
bonhomme-là en avait un. Gamin.

Le chien s'appelait Gamin. Pas une trouvaille pour un nom
de chien. Et pourquoi pas Médor ? Mais ça, c'est moi qui le dis
parce que Charlie, lui, ça lui était bien égal.

Quant au vieux Monsieur, Charlie n'avait jamais rien su de
lui sauf qu'on l'appelait Monsieur Sylvain. Bonjour Monsieur
Sylvain. A votre service, Monsieur Sylvain. A demain, Monsieur Sylvain. C'est ainsi que Roger, le garçon, s'adressait au
vieux Monsieur tout seul, au vieux Monsieur célibataire ou
veuf, et le vieux Monsieur Sylvain ôtait ou remettait sur sa tête
presque chauve, selon qu'il arrivait ou qu'il partait, son vieux
chapeau melon tout verdi. Mais c'est à peine s'il répondait du
bout des lèvres.

Monsieur Sylvain était un vieux bonhomme à grosse tête
chauve, barbu et moustachu à la vieille mode, il avait de très
gros yeux à fleur de tête, des traits un peu forts et mous, et il
ne portait jamais que des habits noirs.

Des habits : entendons-nous. Charlie lui avait toujours vu le
même depuis qu'il le connaissait et il pouvait assurer que
jamais le vieux Monsieur Sylvain n'y avait donné le plus léger
coup de brosse. De même, le chandail de laine grise qu'il portait sous sa veste aurait bien eu besoin de quelques reprises.

Tout en parlant, Charlie avait pris son crayon et il exécuta
sur la nappe en papier un rapide croquis de Monsieur Sylvain,
merveilleuse occasion pour nous d'admirer la sûreté, l'élégan-

ce, la vivacité de son trait. Ce qui me frappa le plus dans ce
croquis ce fut la vraie bonté qu'exprimait ce vieux visage bourru. Oui, bourru, et pire que bourru peut-être.

— Vous savez, reprit Charlie, en remettant son crayon en
poche, il ne parle jamais à personne.

Là-dessus, voilà Charlie qui reprend son crayon, et qui trace
un portrait du chien.

— Ça, dit-il, c'est Gamin.

Et tous, nous fûmes frappés de la ressemblance entre le maître et le chien. Mais oui, ils se ressemblaient. Notez que de
telles ressemblances ne sont pas aussi rares qu'on le croit. Moi-
même j'ai eu un professeur qui ressemblait à un chien, un
certain M. Rolland, un excellent homme, vous pouvez me croire, excellent professeur aussi. Il ressemblait à un bon chien, à
cause de ses yeux, de sa barbiche, enfin je ne sais pas au juste
mais il avait une tête de caniche. Gamin, lui, était un grand
chien, un épagneul.

En général les patrons de restaurant sont sévères pour les
chiens, presque aussi sévères qu'envers les clochards mais ici,
Charlie nous le rappela, ce n'était pas du tout le cas.

— Depuis que je fréquente ce restaurant, j'ai toujours vu
Monsieur Sylvain arriver en tenant Gamin en laisse, et quel
reproche personne eût-il pu faire à Gamin ? Un très brave
chien, très bien élevé, que je n'ai jamais entendu aboyer, que
j'ai toujours vu se coucher docilement sous la table aux pieds
de son maître. Jamais je ne l'ai vu tirer sur sa laisse.

Un chien très doux, supportant très gentiment son collier,
un joli collier en cuir orné d'une plaque de métal brillant qui
portait son nom. Roger, le garçon, lui préparait sa pâtée. Il
avait sa gamelle à lui. Gamin ne dérangeait jamais personne.

— Sauf moi, dit Charlie. A cause de mes grandes jambes. Il
me faut de la place pour les allonger sous la table. Et quand je
me trouvais être le voisin de Monsieur Sylvain...

Bien sûr. C'était facile à comprendre. On aime bien manger
tranquillement. Mais Charlie ne disait jamais rien au sujet de
Gamin. Il avait beaucoup de respect pour Monsieur Sylvain et

son chien. Il n'aurait pas voulu leur causer d'ennuis. Alors, il
s'arrangeait. Il recroquevillait ses jambes comme il pouvait, et
il attendait que Monsieur Sylvain eût fini.

— J'ai pris l'habitude, vous comprenez, d'arranger mes
jambes de manière à ne pas gêner Gamin. D'ailleurs, je n'ai
jamais vu Gamin bouger, une fois couché sous la table. Je ne
l'ai jamais entendu broncher, pas même soupirer. Un chien
paisible, que j'ai toujours vu se lever sans hâte, pour manger la
pâtée que Roger lui apportait au moment où Monsieur Sylvain
réglait son addition. Gamin mangeait toujours très proprement. C'était même un spectacle pour certains. Bon, dit Charlie, maintenant, pour en revenir à l'histoire...

— Alors, il y a une histoire ? fit Dominique. Je me demandais...

Moi aussi je me demandais où Charlie allait en venir. Il
répéta qu'il n'y avait pas d'histoire, qu'on ne pouvait pas appeler ça une histoire...

— Mais attendez, vous allez voir...

... Donc, quand il était retourné à son petit restaurant, le
jour même de son arrivée à Paris, en revenant d'Amérique, le
vieux Monsieur Sylvain était là, en train de déjeuner, sa serviette largement étalée sur sa poitrine, et sa demie de beaujolais devant lui. Toujours le même vieux bonhomme barbu,
moustachu, le même vieux bourru dans son habit noir pas
brossé. Et du premier coup d'œil, Charlie s'aperçut que la seule
place qui restât libre était justement à côté de Monsieur Sylvain. Il n'y avait pas à chercher, mais à s'installer là, en faisant bien attention à recroqueviller ses grandes jambes pour
ne pas déranger Gamin, silencieux et invisible sous la table...
Et inutile de dire qu'il ne salua même pas Monsieur Sylvain, et
que, de son côté, Monsieur Sylvain ne prêta pas la moindre
attention à l'arrivée de Charlie. Il en avait toujours été ainsi.
Pourquoi voudriez-vous qu'il en eût été autrement ce jour-
là ?

Charlie commanda son quart de rouge, son œuf dur mayon-
naise et son sauté d'agneau, il se mit à manger. Et, pendant ce

temps-là, le vieux Monsieur Sylvain achevait tranquillement
son repas. Charlie continuait à faire attention à ses jambes.
Comme il y avait longtemps qu'il ne s'était plus trouvé dans ce
cas-là, il en éprouvait un peu plus de gêne que d'habitude.
Mais, que voulez-vous, il faut ce qu'il faut, et pas plus ce jour-
là que jamais, il n'eût voulu manquer de respect à Monsieur
Sylvain. N'empêche qu'il fut assez content, quand il vit Monsieur Sylvain plier sa serviette. Bon, se dit-il, je vais pouvoir
étendre mes jambes. Roger va apporter sa pâtée à Gamin. Ça va
me faire plaisir de revoir ce bon chien, et, peut-être, de lui
faire une caresse. Car on pouvait se permettre de faire une
caresse à Gamin, mais jamais de lui offrir même un os de
poulet, ni un morceau de sucre. Son maître l'interdisait formellement. Gamin eût d'ailleurs refusé. Personne que Monsieur Sylvain n'avait le droit de s'occuper de Gamin, personne,
sauf Roger, et Monsieur Sylvain était même un peu jaloux de
Roger. Quand Roger s'approchait en apportant la pâtée, ce
n'était pas lui qui appelait Gamin, c'était Monsieur Sylvain
lui-même. Et Gamin se levait sans brusquerie, sans impatience.

Bref, je me suis dit : il va faire un signe à Roger. La gamelle
avec la pâtée est toute prête. Tandis que Roger l'apportera,
Monsieur Sylvain achèvera de plier sa serviette, il la passera
dans le rond, il ouvrira le petit tiroir, y placera la serviette,
refermera, il tirera de sa poche l'argent qu'il doit et le posera
sur la table. Il a fait son compte. Roger n'a pas besoin de perdre son temps à le vérifier. Les choses se sont toujours passées
comme ça. Oui, mais voilà que Roger s'est arrêté près du guichet à travers lequel les gens de la cuisine passent les plats. Il
se retourne vers Monsieur Sylvain et leurs regards se rencontrent. Pourquoi ne bouge-t-il pas ? Où est la pâtée ? Pourquoi
se regardent-ils ainsi ? Monsieur Sylvain passe sa serviette
dans le rond, il ouvre la petite boîte. Roger ne bouge toujours
pas.

Autour d'eux, autour de nous, c'est le tintamarre habituel.
La petite boîte est restée un instant ouverte et mon regard s'y

est porté. Avant qu'il y ait fourré la serviette, j'ai vu qu'elle contenait autre chose, et j'ai reconnu le collier de Gamin. Son collier en cuir avec la petite plaque de métal brillant portant son nom. Le regard de Roger s'est aussi porté vers la petite boîte et il s'en est détourné. Monsieur Sylvain a mis sa serviette en place et refermé le tiroir. Roger a pris le plat qu'on lui passait de la cuisine et il est allé le porter à son client. Monsieur Sylvain a déposé sur la table l'argent qu'il devait et il s'est levé. Il s'en est allé, en se coiffant de son vieux melon verdi. J'aurais pu allonger mes jambes, mais, que voulez-vous, je n'ai pas osé le faire tout de suite, j'ai attendu que le vieux Monsieur eût passé la porte...

1969

5 août 1969 — Mais quoi ! Vais-je me plaindre ? Ce coup de téléphone n'était-il pas pour m'annoncer que ce soir même, à huit heures et demie, sur la deuxième chaîne, passera l'émission à laquelle j'ai participé il y a une quinzaine de jours à Orléans sur cette affaire d'antisémitisme plus qu'odieuse qui tous ces temps derniers a défrayé, comme on dit, la chronique ? J'ai tout de suite téléphoné à E. Geist que j'irais voir cela chez elle. Et, tant que nous sommes sur ce chapitre des activités sociales, pourquoi ne pas noter ici qu'il n'y a pas plus de trois jours j'ai participé avec Vercors qui la dirigeait à l'émission dite « le journal improvisé » de Radio-Luxembourg et que j'ai profité de mon passage dans la maison pour remettre à qui de droit le texte d'une autre émission que j'ai enregistrée et qui ne sera diffusée qu'au mois de septembre, en réponse à la question : « Qu'est-ce pour vous que l'essentiel ? » D'abord, je ne voulais pas répondre, trouvant la question un peu trop « journalistique », puis je m'y suis résolu.

L'essentiel ! Qu'est-ce que l'essentiel pour vous ? Telle est la question. Il n'est pas facile de répondre à une aussi grande question, indiscrète d'ailleurs, et il est encore moins facile de s'y dérober. Quel est son sens ? Veut-on savoir comment, ayant vieilli, on voit désormais la vie et quel serait le meilleur conseil que l'on voudrait donner aux autres sur le meilleur emploi de nos jours ? Ou bien, me demande-t-on de dire quel

est l'essentiel pour moi-même, la préoccupation n° 1 ? A quoi
je n'aurai pas de peine à répondre que c'est de travailler tous
les jours, d'écrire des livres. En aimant qui vous aime, bien
entendu, en faisant de mon mieux pour ne faire de mal à personne. Mais la vraie nature de la question est d'un esprit plus
général. Il s'agit de savoir ce que l'on pense du destin de l'humanité. Vous qui avez vu le siècle, qu'en pensez-vous et qu'es-
pérez-vous des siècles à venir ? Si vous en aviez la puissance,
que feriez-vous pour remédier à tant de maux qui nous acca-
blent ? J'ai vu le siècle en effet, les guerres, les révolutions, les
crises, le chômage, la faim, et les premiers avions, et les
exploits prodigieux de la Science, jusqu'à hier où l'on a mis le
pied sur la Lune. Il suit de là que je me pose depuis longtemps
à moi-même la question de savoir si le progrès peut régler le
problème du mal. Chacun de nous a ses marottes. Que feriez-
vous, si vous étiez le président de la République ? Si vous étiez
le pape ? ou même, Dieu le Père ? Que diriez-vous aux hommes ? Je leur dirais : « Vous avez tort, et vous le savez. » Pourquoi ne vous arrêtez-vous pas ? Notre siècle, avec toutes les
horreurs dont il est plein et les merveilles de ses conquêtes, est
aussi le siècle de la conscience, je ne veux pas dire de la
conscience d'être ou de cette conscience qui nous permet de
distinguer entre le mal et le bien mais de cette conscience première qui nous fait savoir que nous avons tort. Il n'est personne au monde aujourd'hui qui ne sache à quoi s'en tenir. Et que
nous faisons tous ce que nous ne devons pas faire, ce que nous
ne voulons pas faire, que nous acceptons tous ce que nous
savons ne pas pouvoir, ne pas vouloir accepter, que nous nous
laissons tous entraîner en mettant tout sur le compte de la
fatalité historique, aussi bien d'un côté que de l'autre du
rideau de fer, ou du mur d'argent.

Arrêtons-nous, comme le voyageur fatigué s'arrête au bord
de la route. Reposons-nous. Réfléchissons. Examinons. Autrement dit, mettons l'histoire en panne pour tout le temps qu'il
faudra. Nous avons le temps. Et voyons comment nous pouvons organiser notre séjour. On me dit que la conquête de la

Lune représente une merveilleuse application technique de tout ce que l'on savait depuis Newton, et que cet exploit des hommes, si formidable soit-il, est inhumain. Je ne veux pas le croire. Je crois que si les hommes ont pu faire une telle chose, ils peuvent, pareillement, en faire d'autres à notre dimension terrestre et régler bien des problèmes qu'on a crus jusqu'à présent insolubles. Mais à la condition de n'avoir plus peur. Les hommes ont peur, pas seulement les uns des autres, mais d'eux-mêmes, peur de reconnaître les merveilleuses richesses qui sont en eux, peur de se construire, peur de la vie. Arrêtons-nous et réfléchissons pendant qu'il en est temps encore, autrement, nous nous trouverons tous dans le chaos et malgré la Lune conquise et tous les exploits qui nous attendent, dans le désastre et la civilisation du « sauve-qui-peut ». Fin de citation.

6 août — Je m'apprête à partir pour Montargis où je resterai deux ou trois jours et d'où j'irai à Joigny. Ce petit voyage à Montargis fait partie de mes activités sociales. Il va constituer pour moi une « distraction » que je redoute, mais que j'accepte, pour la raison que ce qui va se passer là a du rapport avec la maison de la culture d'Orléans à laquelle je tiens et que, du reste, la Comédie d'Orléans y sera. A propos, je suis allé hier soir chez E. Geist pour voir cette émission sur l'affaire d'anti-sémitisme récente, émission que l'on a donnée sous ce titre : *Affaire classée*. Toute la partie de l'émission où les interviewers font parler les gens dans la rue, et le témoignage du commer-çant juif qui a vu un jour devant son magasin un attroupement de plus de deux cents personnes proférant des menaces, et des injures à son égard, m'a fait mieux comprendre encore la gra-vité de l'événement. Affaire classée sans doute, mais qui peut toujours, sous une forme ou sous une autre, recommencer. Quant à moi, je me suis trouvé très vieux, sur cet écran.

Passons au chapitre du second métier qui prendra la forme, ce matin, d'un texte publicitaire que Jacqueline Bramly m'a demandé, et qu'elle doit venir prendre ici tout à l'heure, à dix

heures et demie. Il s'agit d'un texte destiné à une revue médicale et le titre en est : *Rester jeune après cinquante ans.* Pas plus
que je ne voulais répondre à la question de Radio-Luxembourg
sur l'essentiel, je ne voulais rédiger ce texte sur « rester jeune »
mais Jacqueline a insisté, elle a fait miroiter à mes yeux quelques billets de mille francs, et, tout compte fait, il y a quelques
jours, j'y suis allé du mieux que j'ai pu, j'ai pris ma plume, et
j'ai commencé par dire que, « s'il est vrai qu'après quarante
ans on a le visage que l'on mérite et qu'il ne vous donne pas
trop de chagrin ni à personne, tâchons de faire en sorte de
mieux mériter encore celui qu'on aura à cinquante. Et pourquoi pas au-delà ? Pourquoi lésiner sur l'espoir ? On a toujours
dix ans devant soi. Les uns vieillissent vieux, et les autres vieillards. C'est Charles Péguy qui le dit. Notre mère Nature y est
bien pour quelque chose mais la nature a besoin d'aide et elle
sait l'accepter. Dans une très large mesure il ne tient qu'à
nous. Être jeune, rester jeune, c'est tout pouvoir et pouvoir
répondre à tout. Si le visage est le reflet de l'âme, le témoin de
la manière dont nous aurons vécu et de notre expérience, si le
dehors répond du dedans, tâchons de soigner l'un et l'autre
d'abord en aimant assez la vie pour ne pas nous trouver un
jour dans le cas malheureux de lui faire grise mine. Fuir l'ennui est la première loi. Fuyez l'ennui et il vous fuira. Souriez
et l'on vous sourira. Un poète m'a dit : Ouvre les mains, tu y
verras pousser des roses. Il faut accepter la vie sans y mettre
trop de conditions, ne pas lui chercher chicane, la respirer à
fond. Comme elle sent bon ! Si vous l'aimez elle vous aimera,
soyez-en sûr. Faites-lui confiance. Accusez-la si vous le voulez
pour le mal qu'elle pourra vous faire, que voulez-vous, elle est
comme ça, mais n'en accusez pas les autres, ils sont dans le
même cas que vous. Fuyez les drames, presque toujours faux.
Fuyez les "scènes" de ménage surtout : rien ne vous fait vieillir
plus vite, en vous enlaidissant, en plus. Fi ! Soyez de bonne
humeur. La jeunesse est de bonne humeur. Cherchez la bonne
humeur autour de vous. Voilà qui vous maintiendra, qui vous
entretiendra. Et qui vous fera mieux accepter, puisqu'il le faut,

les premières atteintes de l'âge. Certes on vous aura dit bien des fois qu'il est vain de chercher à réparer des ans l'irréparable outrage. C'est un vieil adage, de moins en moins vrai d'ailleurs. Avant d'en venir à l'irréparable, encore un instant de bonheur, s'il vous plaît, mon Dieu ! Et puis quoi, quand même ! Les cheveux blancs ont parfois beaucoup de charme. Je ne parle pas, bien sûr, des cheveux des dames depuis longtemps toujours beaux, l'art et la science de la haute coiffure ayant fait et faisant tous les jours d'immenses progrès, mais de ceux des messieurs qui ont grand tort de s'en chagriner. S'ils s'en chagrinent, si l'occasion ne leur est pas encore venue de rencontrer quelques-unes de ces jeunes filles, de ces jeunes femmes qui se plaisent mieux dans la compagnie des hommes mûrs qui ont quelque chose à leur dire. Quels sont les signes des premières atteintes de l'âge chez les dames ? D'après Honoré de Balzac, aux tempes et aux poignets. Ne cherchez pas à les cacher, ils sont la preuve de votre savoir et qu'est-ce qu'une femme qui n'a rien appris ? Emparez-vous au contraire des armes de votre ennemi — de notre ennemi à tous : le Temps, faites-en des moyens de conquête et des trophées. Tout est affaire d'esprit, c'est-à-dire d'intelligence de la vie. Ceci dit, mesdames, ne soyez pas trop gourmandes et ne buvez pas trop d'alcool, même de celui qui passe pour être le seul à ne vous point faire de mal, dansez, plutôt, nagez, faites de la marche à pied. Personnellement je vous conseille l'escrime, si vous en avez le temps et les moyens. Et consultez quand même votre médecin de temps en temps, entrez en passant chez votre pharmacien, mais n'y prenez rien au hasard. Demandez-leur conseil. Leur science, à tous les deux, a fait aussi de fabuleux progrès et grâce à elle bien des choses que l'on ne croyait pas possibles sont devenues vraies. Et nous avons gagné du temps. La patience des savants, des chercheurs, des médecins, des pharmaciens, de tous ceux dont c'est la vocation et le métier d'aimer la vie et de travailler à la protéger, à la prolonger fait qu'aujourd'hui on peut sans ridicule parler de rester jeune après cinquante ans et au-delà. Alors qu'au temps d'Honoré de Balzac, déjà cité, l'âge limite d'une femme était trente ans. En conclusion de quoi nous dirons que tout est possible, notre bonne volonté aidant, et si quelque esprit chagrin venait à me répliquer que chercher à rester jeune après cinquante ans c'est demander la lune, je lui répondrais, on s'en doute bien, que nous venons tout justement de l'attraper ! »

Fin de citation, et, d'après Jacqueline, « bon pour cinquante mille exemplaires ». Avec la photo du jeune et brillant auteur. Et vogue la galère.

Jeudi 7 août — La galère aura vogué hier jusqu'à Montargis où après avoir déjeuné au buffet de la gare de Lyon avec Jacqueline, j'ai pris le train d'une heure vingt pour arriver ici vers trois heures, où j'ai été accueilli par Maurice Szigeti qui m'attendait sur le quai. Ensuite : colloque, conversation, dîner et spectacle de danse monté par la Comédie d'Orléans, sous les arbres, dans l'enceinte du lycée où une quarantaine de jeunes gens et de jeunes filles sont réunis pour un mois dit « mois de l'amitié ». A la suite de ce spectacle, tout le monde est allé danser jusqu'aux environs de minuit. Je n'ai guère envie de m'étendre sur le sujet de la « Culture » qui a fait l'objet des conversations d'hier soir et dont le spectacle prétendait, je pense, donner une illustration. Mais il va être bientôt temps pour moi de savoir ce que je pense sérieusement de cette expérience que je poursuis depuis un peu plus de deux ans et qui va me devenir impossible si les choses ne deviennent pas un peu plus claires. Jusqu'à présent, je n'ai guère rencontré, de tous côtés, que des obstacles à peu près à tout ce que j'aurais souhaité. J'écris ceci, ce matin, dans la chambre que j'occupe au lycée, en attendant de recommencer tout à l'heure.

Dimanche 10 août — Me trouvant à Joigny où je suis arrivé hier matin, je viens de remonter dans ma chambre pour écrire un peu, voulant écrire comme tous les jours, ce matin par pure discipline. J'éprouve qu'il est toujours aussi vain de croire que l'on travaillera en voyage avec la même assiduité que chez soi.

A Montargis, où j'aurai passé trois jours, je n'ai rien pu faire de personnel et c'est à peine si j'ai pu y penser. Il est vrai que j'étais entouré d'une quarantaine de jeunes gens, filles et garçons, avec lesquels j'ai beaucoup bavardé, pour le profit de qui ? voilà qui est bien difficile à dire. Mais la compagnie était extrêmement plaisante, souvent belle, toujours gracieuse et souriante, toujours de très bonne humeur. Je ne suis pas sûr, malgré tout, d'approuver entièrement ce genre de « rencontres » et je remets à plus tard de réfléchir pour savoir ce que j'en pense au juste (bien que ce soit déjà fait, je crois), mais ce point ferait naturellement partie de l'« essai » que j'écrirai peut-être un jour sur ce qu'on appelle les activités culturelles en France et la propre expérience que j'en ai depuis un peu plus de deux ans surtout. Aujourd'hui les gens se rassemblent pour dire ce qu'ils pensent, autrefois il me semble que c'était plutôt pour raconter ce qu'ils avaient vu. Notre époque est pédante. Hier matin, donc, j'ai quitté Montargis vers neuf heures, en voiture, avec Maurice Szigeti, le responsable de ces rencontres, et une jeune fille du « stage », Odile, l'une des deux ou trois seules jeunes filles françaises de tout le groupe. Ici, je retrouve Mimi, ma plus vieille amie. Elle a aujourd'hui quatre-vingt-deux ans. Je l'ai connue à Saint-Brieuc en 1920. Et Lulu, fille de Mimi, qui, alors, avait sept ans. Souvenirs toujours vivants de cette rencontre, de mon séjour chez Mimi et Georges, son mari, à Lannion, fin 1920-début 1921, et de mon départ de Lannion pour Paris en mai 1921 — il y a eu cette année quarante-huit ans de cela.

1971

Samedi 23 octobre 1971 — J'ai été réveillé hier matin, vers neuf heures, par la visite de Bernard Richard, qui arrivait de Grenoble[1]. À neuf heures du matin, je suis généralement debout, mais hier, je dormais encore, étant rentré assez tard la veille après avoir dîné rue Saint-Lazare avec Pierre Gallimard et Nicole, chez eux. Je ne les avais pas revus depuis assez longtemps, et j'ai passé avec eux une excellente soirée. Mais je me suis ressenti toute la journée d'hier de cette veille un peu tardive. Il est vrai que ma soirée précédente, mercredi, s'était aussi un peu prolongée. J'ai sûrement tort de ne pas mieux me régler quant à l'emploi de mon temps. Je n'y parviens pas, tout en sachant qu'il le faudrait, et j'ai grande envie, grand besoin de retourner à Saint-Brieuc pour mieux travailler, et mieux m'y reposer. Je suis pour le moment retenu ici par des rendez-vous d'« affaires », surtout par un rendez-vous O.R.T.F., avec M. Désiré, rendez-vous qui n'aura lieu que le 9 novembre. En attendant, j'irai déjeuner tout à l'heure chez Petit[2], demain avec Jean-Claude Brisville à Montmartre, mardi, toujours à Montmartre chez Jacques Lemarchand et Simone, enfin jeudi soir, encore à Montmartre, chez Jean-Marc Lambert, où il doit

1. En novembre 1970, Louis Guilloux avait participé à la Quinzaine du Livre organisée par la ville de Grenoble.
2. Henri Petit.

y avoir Antelme[1], Renée Gallimard, Pierre et Nicole, et d'autres. Dès que je suis dans une compagnie qui me plaît la fatigue disparaît. Elle m'accable dès que je suis seul, et mes dispositions au travail sont devenues depuis quelque temps très mauvaises et souvent nulles, ce qui me préoccupe et m'inquiète beaucoup.

Il doit y avoir environ trois semaines de mon dernier déjeuner avec Malraux chez Lasserre, comme d'habitude. Nous avons parlé du Bengale. En attendant, il partait quelques jours plus tard, en croisière.

Mercredi dernier, j'ai passé une grande partie de la journée à Bourg-la-Reine avec Minette Grenier et Madeleine. Question des papiers de Jean.

Hier soir, vers six heures, au café (coin de la rue de Beaune et de la rue de l'Université) avec Jacqueline Bour. Nous avons parlé de Jean, et de ses papiers, qu'elle regardera avec moi, comme nous en avons convenu avec Minette. Ensuite est arrivé Jacques Lemarchand qui nous raconte qu'à la dernière conférence du mardi dans le bureau de Gaston, à laquelle se trouvait présent Blanzat (que j'ai rencontré dans la rue il y a quelques jours : un vieillard, plus que malheureux depuis la mort de son fils), Gaston lui demande :

— Qu'est-ce que vous nous préparez ? Qu'écrivez-vous, pour le moment ?

À cette question, Blanzat fond en larmes.

Un instant plus tard, Blanzat est parti, Gaston :

— Mais pourquoi pleurait-il ainsi ?

... Ensuite, Jacques m'a beaucoup parlé de la correspondance avec Martin du Gard, dans laquelle il est fort question de tout ce qu'a fait Gaston en 1914 pour ne pas aller à la guerre. Choses dont Gaston lui-même m'a beaucoup parlé autrefois. Mais il dit aujourd'hui que tout ça, c'est des mensonges.

---

1. Robert Antelme, l'auteur de *L'Espèce humaine* (Gallimard, 1957) où il retrace, à travers son expérience de la déportation, la vie d'un commando dans un camp de concentration allemand.

Dimanche 24 octobre — Rentré de chez Petit, vers quatre heures de l'après-midi, et après une bonne sieste, j'ai eu la visite d'une étudiante américaine d'origine polonaise, qui fait un travail sur mes livres. Je ne refuse jamais de répondre aux questions des étudiants qui s'intéressent à mon œuvre, mais c'est chaque fois une chose pour moi très pénible, et qui le devient de plus en plus. Non que les questions que l'on me pose manquent toujours d'intérêt (il arrive aussi qu'elles en manquent tout à fait) mais je supporte de moins en moins facilement ce retour auquel on m'oblige vers mes œuvres passées, auxquelles je ne pense jamais. Et aussi, de plus, je ne me supporte plus de m'entendre faire à l'un ou l'une ces mêmes réponses que j'ai déjà faites à d'autres. Elles me font l'effet de radotages et elles ne sont d'ailleurs pas autre chose.

Le malaise que j'éprouve vient sans doute que je ne sais pas et pour le moment ne peux pas prendre de résolutions.

Pain des rêves :
« Au Pain sans qui la vie est une trahison. »
(Verlaine, *Sagesse*.)

... et ce chant que tout petit enfant, j'apprenais à l'école de la rue Vicairie :

> *Nous disons guerre à la guerre*
> *À la haine, à la misère*
> *C'est pour nous le genre humain*
> *Que nos mains rompent le pain.*

« Petites (et grandes ?) ironies de la vie » :
À vingt ans François est très amoureux de Jeanne. Mais il est timide et Jeanne est très réservée. On sort deux ou trois fois ensemble, théâtre, cinéma. François fait un voyage. Avant son départ Jeanne lui pose la question que voici :

— Voulez-vous que je sois votre camarade pour toute la vie ?

Abasourdi, il répond avec embarras, ni oui ni non. C'est qu'il ne sait pas se décider. Et là-dessus, il part. Quand il revient au bout de deux mois, il apprend que Jeanne est devenue très amie d'un autre. Il la revoit, dans la rue, et c'est lui, alors, qui lui pose la même question qu'elle lui avait posée elle-même au moment où il partait. Réponse de Jeanne :

— N'espérez rien.

Ce qui ne fut pas très facile à François. Et, là-dessus, comme on dit, la vie passa. Des années, de nombreuses années. Et, « par le plus grand des hasards », ils se rencontrèrent un jour. Elle avait longtemps vécu sans l'épouser avec quelqu'un qui avait fini par l'abandonner.

— Et vous, lui demanda-t-elle, avez-vous été heureux ?

Il lui répondit que non.

— C'est vrai que vous pensiez à moi ?

— Oui.

Après un silence, elle lui dit :

— Je prierai pour vous.

Se procurer l'inédit de Tchekhov, chez les Éditeurs Réunis : son enquête sur le bagne de Sakhaline.

« Mon bon jeune homme, ne vous demandez pas toujours si vous avez à juger les œuvres que vous lisez, contemplez ou entendez. Demandez-vous, de temps en temps, si, plutôt, elles ne vous jugent pas. »

... et les insectes, monsieur, pensez-vous quelquefois aux insectes ? À la lutte de l'homme contre les insectes et au danger qui le menace soit de mourir de faim s'il ne triomphe pas dans cette lutte, soit de mourir empoisonné par l'emploi qu'il est contraint de faire des insecticides ? Et avez-vous entendu cet avertissement solennel d'un savant annonçant que d'ici trente ans, si l'on n'y prend pas garde, le plancton dans le fond des mers aura entièrement disparu, et que ce sera là une première et définitive atteinte à la vie ? En un mot, avez-vous vu hier soir, à la télévision, cette émission sur les insectes ? C'était, ma foi, le jour même de l'arrivée à Paris de M. Brejnev, arrivée qui fut saluée par cent et un coups de canon...

Chamson, au téléphone :

Lui : Tu as vu Malraux ? Alors ?

Moi : Oui. Il m'a parlé du Bengale.

Lui : Il est fou ! C'est délirant...

Moi : Ah ?

Lui : Il est à Paris ?

Moi : Non. Je crois qu'il est toujours en croisière.

Lui : En croisière ? Il est parti en croisière ? Ah ! C'est parce qu'il n'a pas eu le prix Nobel !

Mardi 26 octobre — Jean-Claude Brisville m'a annoncé hier soir au téléphone qu'il venait d'être très favorablement question du *Pain des rêves* à une commission de l'O.R.T.F. chez Clancier[1].

Avant le déjeuner chez Jacques Lemarchand nous avons passé un long moment à regarder le plan Colbert, à la recherche des vieilles rues du quartier Saint-Germain, surtout de la rue Taranne.

Lundi 8 novembre — Malgré les protestations de nombreux gouvernements et d'une foule de pauvres gens à travers le monde entier, malgré, aussi, la réserve de certains experts, les militaires américains ont obtenu des instances suprêmes du Congrès de faire éclater leur bombe atomique cinq cents fois plus puissante que celle d'Hiroshima, à deux mille mètres sous terre, dans les îles Aléoutiennes. Les « Informations premières » à Paris ont donné la nouvelle, en prenant bien soin d'en atténuer l'horreur : on nous a informés que cette « expérience » n'avait été suivie d'aucun séisme, d'aucun tremblement de terre, d'aucun raz de marée. En même temps, on a vu défiler sur l'écran l'Armée Rouge, à Moscou, pour la célébration d'un grand anniversaire, celui de la révolution d'Octobre 1917.

1. Le romancier G.-E. Clancier.

Mercredi 10 novembre — Au restaurant du Dragon hier midi j'étais assis auprès de trois Italiens, une dame marchande de tableaux, en face d'elle un jeune peintre, à côté de la dame un vieux monsieur qui me faisait l'effet d'un vieux gentilhomme campagnard. Tout italiens qu'ils fussent, mes trois voisins s'exprimaient surtout en français. La dame avait un chien. Le chien est venu de mon côté. C'est comme cela que nous avons fait connaissance et que j'ai découvert que le vieux monsieur était Moravia. Il se souvenait de moi, je me souvenais de lui. Il connaissait un de mes livres, moi l'un des siens. Nous nous étions rencontrés la dernière fois, il doit y avoir une bonne vingtaine d'années, tout près de Rome à Sermoneta chez la princesse Caetani, et, plus anciennement encore, chez Daniel Halévy. Toutes choses dont nous avons bavardé amicalement.

À la télévision hier soir, apparition de Malraux et de Mme Gandhi. Malraux, très véhément, en grande colère, m'a-t-il semblé, reprochant violemment au monde de n'avoir rien fait devant la misère humaine, et se levant pour partir, après avoir annoncé aux journalistes qui l'entouraient et qu'il avait prévenus en arrivant, qu'ils s'étaient dérangés pour rien, que c'était à « cette dame », Mme Gandhi, qu'il fallait s'adresser pour en savoir plus long...

Ma traduction de la *Vie de Browning* de Chesterton porte la date de 1930 dans le catalogue Gallimard.

Vendredi 19 novembre — Toujours à Paris et toujours au 42 de la rue du Dragon, bien au chaud, ma foi, par un matin bien froid. Je viens d'en faire l'épreuve en allant m'acheter un croissant pendant que passait mon café, comme tous les jours depuis un certain temps. Je suis dégoûté des bistrots, du bruit, de la cohue, du temps perdu, de l'argent qu'on vous vole, du restaurant gargote, et j'ai toujours grande envie de retourner à Saint-Brieuc pour me remettre sérieusement au travail, et aux travaux. Je n'ai pas touché à *L'Herbe d'oubli* depuis plus de deux mois. J'ai à peine regardé mes *Carnets*. Comment vivre dans cette contemplation du néant ? Expérience du vide. Côté « travaux » : au cours de la soirée chez O'Neil, mercredi dernier, Baraduc[1] m'a demandé de réfléchir à une « présentation » de Conrad, pour les films, mes adaptations. J'ai accepté. Côté *Pain des rêves*, les choses ne vont pas mal. Enfin, j'ai vu, avec Jean-Pierre[2], hier midi, Mazoyer, le metteur en scène avec qui je suis sûr que je m'entendrai très bien, et j'ai bon espoir pour *Le Jeu de patience*.

1918

Un proverbe russe dit qu'il « ne faut pas manger des cerises avec ses supérieurs : ils vous crèveront les yeux avec les noyaux ». Dans ce petit restaurant de la rue du Cherche-Midi où de nombreux blessés en stage à l'hôpital Laennec venaient boire le coup sur le zinc, j'avais fait la connaissance d'un jeune « poilu » jovial qui arrivait là tous les jours vers midi. Il était, je crois, charentais. Blessé à une jambe il marchait avec une canne. Trente ans. Rayonnant. La guerre était finie pour lui. Elle le serait bientôt pour tout le monde. Il retournerait dans sa Charente natale. Un excellent homme.

Il me fit cadeau d'une pipe.

C'était une pipe en maïs, comme en apportaient les Américains. Mais sachant qu'une pipe sans tabac n'est pas grand-chose il m'offrit, en même temps, un paquet de « gros cul ».

... Le lendemain, quand arrive midi, je m'aperçus qu'il ne me restait plus un sou en poche. La fin du mois était encore assez lointaine. Et pas question, bien entendu, de demander une avance à M. Finot[3]. Mais quoi ! N'étais-je pas un fidèle

1. Jean O'Neil et Philippe Baraduc produisaient des films pour la télévision.
2. Jean-Pierre Burgart.
3. Louis Guilloux travailla quelque temps en 1918 à *La Revue mondiale* que dirigeait Jean Finot.

client de Mme Barbu ? Quelques jours plus tôt, n'avait-on pas bavardé très amicalement ? Ne m'avait-elle pas offert un verre de vin au comptoir ? J'étais sans argent il est vrai, mais... Dans quatre ou cinq jours, je toucherais mon mois. Je me fis servir mon repas solide, car j'avais l'appétit de mon âge. Après le repas, je me fis apporter un café, et, tout en buvant mon café, j'allumai ma belle pipe toute neuve de la veille, et me levant enfin et m'approchant du comptoir où l'excellente Mme Barbu rinçait des verres, je lui dis :

— Madame Barbu, je n'ai pas d'argent aujourd'hui, mais...

— Comment ! se récria-t-elle, et vous ne me l'avez pas dit !

J'eus la bêtise de croire qu'il fallait entendre par là qu'elle allait me consentir un crédit, mais à l'aspect de son visage, je vis bien qu'il s'agissait de tout autre chose.

Mais cela ne se faisait pas ! Comment ! Je n'avais pas d'argent et j'avais eu le toupet de me faire servir un repas ? Et un café ! Mais elle allait avertir le patron tout de suite, et on allait bien voir ! Avait-on idée ?

— Mais, madame Barbu...

— Il n'y a pas de mais...

— Pourtant...

— Pas de pourtant. Ces choses-là ne se font pas. Voilà tout.

J'offris ma montre en gage. Elle n'eut pas le courage de l'accepter et sa colère tomba. Mais je devais prendre garde, me dit-elle, à ne pas recommencer.

— Je n'aurais garde, me dis-je, me préparant à sortir en me disant que je ne reviendrais ici que pour y payer ma dette.

Comme j'ouvrais la porte, je me trouvai nez à nez avec le blessé qui m'avait offert la belle pipe de maïs et le paquet de « gros cul ».

— Alors ! me dit-il, elle n'a pas éclaté ?

Bête comme je l'étais, je lui demandai ce qu'il voulait dire.

— Parce qu'on ne l'a pas beaucoup arrosée, la pipe ! me répondit-il en riant.

Ce dernier coup m'acheva. Je ne sais comment je m'en tirai, ce que je lui répondis, si je répondis quelque chose, ni comment je parvins à quitter l'endroit.

Petite anecdote à verser au chapitre des bonnes leçons.

1972

22 janvier 1972 — Il est désormais entendu que *Le Pain des rêves* et *Le Jeu de patience* seront « adaptés » pour la Télévision et que je ferai moi-même ces adaptations. Pour *Le Pain des rêves*, le metteur en scène-réalisateur sera Jean-Paul Roux, qui fit voilà quelques années *Compagnons,* et, pour *Le Jeu de patience*, Robert Mazoyer, dont je dois la connaissance à Jean-Pierre Burgart. J'ai assisté à la projection de deux de ses films : *La Mère,* film tiré d'une nouvelle de Marcel Arland, et *Les Cousins de la Constance,* qui m'ont tout de suite convaincu du talent de Robert Mazoyer. Nous pourrons travailler ensemble dans la plus parfaite entente, je n'ai pas la moindre inquiétude à ce sujet. Ma dernière rencontre avec Robert Mazoyer a été avant-hier, chez lui, à Saint-Cloud. Il m'avait invité à déjeuner. Nous avons passé tout l'après-midi ensemble et parlé de beaucoup de choses en dehors du sujet de notre travail. C'est au cours de cette conversation que l'idée nous est apparue, je ne sais si elle est de lui ou de moi, qu'il pourrait être bon et utile que je tienne un « journal de travail » pendant tout le temps que durera l'application à ces deux adaptations. C'est ce que j'inaugure ce matin et, malheureusement, il me faut noter que mes dispositions au travail sont, pour le moment, fort médiocres, sinon pires que médiocres. La lettre de M. Sabbagh me demandant de bien vouloir adapter pour la Télévision mon *Pain des rêves* porte la date du 7 janvier 1972. Aujourd'hui, je

n'ai pas encore trouvé le courage de reprendre l'ouvrage et d'en commencer la relecture. J'éprouve même, pour cela, une réelle répugnance. Et je me demande avec grande appréhension ce qu'il va en être quand il va s'agir du *Jeu de patience*. La lettre de M. Sabbagh me précise que je devrai remettre mon texte de l'adaptation du *Pain des rêves* au plus tard le 30 avril prochain.

Le travail dont il s'agit (ces deux ouvrages) prendra beaucoup de temps, sûrement plus de dix-huit mois. Il ne me laissera guère la possibilité (la disponibilité) d'autre chose. Aurai-je la force de le mener à bien ? Le 15 janvier dernier, j'ai accompli ma soixante-treizième année. Depuis quelques mois, je me sens très fatigué, et ma vue devient de plus en plus mauvaise.

Il n'y a pas loin de trois ans aujourd'hui, qu'il était question, à l'O.R.T.F., d'adapter *Le Pain des rêves* et *Le Jeu de patience*. Il aura fallu tout ce temps-là pour obtenir la décision. En attendant, j'aurai adapté plusieurs ouvrages de Conrad, et *Les Thibault* de Martin du Gard.

Lundi — probablement le 24 janvier — Toujours pas touché au *Pain des rêves*, dont je ne possède d'ailleurs pas ici un seul exemplaire. Et comme la maison Gallimard est fermée du vendredi soir au lundi matin, je n'ai pas encore pu m'en procurer.

Mardi 25 janvier — J'ai appris que Gaston est à l'hôpital. Pneumonie. Mais il paraît qu'il ne souffre pas, qu'il n'a plus de fièvre (après l'avoir eue très forte) et on espère qu'il va s'en tirer malgré ses quatre-vingt-dix ans. Ce que je crois et espère très fort de mon côté.

Dimanche 30 janvier — Le dîner organisé chez eux par Dominique Vincent et Jean-Pierre Burgart pour un premier « contact », comme on dit, entre M. Pierre Long, le producteur, Robert Mazoyer, Yves Jaigu et moi-même, a eu lieu hier soir, 16 rue Bocquillon. Étaient présentes les personnes sus-nommées et leurs dames : Mme Pierre Long — qui est allemande —, Andrée Jaigu, Reine Mazoyer et une très charmante comédienne, que j'avais vue dans le film de Robert Mazoyer : *Les Cousins de la Constance,* Catherine de Senne. J'étais arrivé un peu avant tout le monde, vers sept heures, pour faire une partie d'échecs avec Jean-Pierre. Nous en avons fait deux. Il les a gagnées toutes les deux fort brillamment, et j'ai tout envoyé promener. Le dîner a été fort gai. J'étais assis entre Reine Mazoyer à ma gauche et, de l'autre côté, Dominique. En face de moi, Mme Pierre Long. Dîner à la choucroute. Nous avons beaucoup ri, plaisanté, chanté, à la fin : chansons anglaises, irlandaises, écossaises. Catherine de Senne en connaissait beaucoup, elle a fort joyeusement participé à ce concert vocal.

16 février — J'ai commencé hier à relire *Le Pain des rêves* et j'ai feuilleté *Le Jeu de patience.* Avant-hier, lundi 14, a eu lieu le déjeuner prévu chez M. Pierre Long, le producteur, avec Robert Mazoyer et Jean-Pierre Burgart. Tout s'est fort bien passé, et les questions pratiques sont réglées. Mais les délais qu'on m'impose sont tels que je n'ai plus une heure à « perdre » si je veux arriver à temps. Or, je n'ai toujours pas la moindre envie de me mettre à ces travaux. À cinq heures hier après-midi, Robert Mazoyer est venu chez moi au Dragon. Nous avons parlé pendant deux heures du *Jeu de patience,* puis attendu l'émission où Chaban-Delmas doit venir à la télé pour s'expliquer sur les attaques dont il est l'objet. Le spectacle d'un homme humilié n'est guère plaisant à voir.

Lundi de Pâques, 3 avril, Saint-Brieuc — Je suis revenu hier à Saint-Brieuc en voiture avec Paul Chaslin et Evelyne sa femme, il était un peu plus de midi. Nous avons quitté Paris samedi matin avant sept heures pour Dieppe, et nous avons trouvé le brouillard bien avant d'y arriver. De Dieppe, où nous n'avons passé que quelques instants, nous sommes allés, à dix ou quinze kilomètres de là, déjeuner chez des amis de Paul, les Kergomard, ce qui nous a conduits jusque vers quatre heures de l'après-midi, heure à laquelle nous sommes partis toujours sous un épais brouillard jusqu'à un lieu dont j'oublie le nom, à deux cents kilomètres de là, pour passer la soirée dans une colonie de vacances (La Maison pour tous) où nous avons dîné avec les enfants et « Mère Louve ». Restés là jusqu'au lendemain matin. Couchés à l'hôtel. Repartis à dix heures et, d'une traite, jusqu'à Saint-Brieuc. Nous n'avons retrouvé le soleil qu'en Bretagne, le ciel s'éclaircissant à mesure que nous avancions, le vrai soleil n'apparaissant qu'à Dinan. J'ai emporté tous mes papiers qui étaient rue du Dragon dans le coffre.

La fatigue est toujours très grande et la difficulté à écrire considérable.

Lundi 4 septembre, Paris, 42 rue du Dragon où je suis rentré voilà quatre jours, venant de Saint-Brieuc, après un séjour à Trélan, chez Yves Jaigu, près de Rennes et un autre à Belle-Ile-en-Mer, à Kerzo, en Locmaria, chez Jean-Pierre Burgart. A Saint-Brieuc, j'ai poursuivi mon travail d'adaptation du *Jeu de patience*.

J'ai de plus en plus de difficulté à écrire. Il me faut m'appliquer comme un écolier. La main, autrefois si libre, si vive, se crispe ; le bras, les yeux deviennent de plus en plus mauvais. Je vais devoir bientôt envisager l'opération de la cataracte. On me dit que ce n'est pas grand-chose. Pour le reste, je suis encore (ou je me crois) assez solide. Je ne me plaindrais de rien si (sans jouer sur les mots) j'avais quelque chose en vue. Mais rien, sauf cette *Herbe d'oubli* que j'ai délaissée pour travailler à mes adaptations, et qui m'intéresse de moins en moins. C'est une des raisons pourquoi j'ai acheté ce cahier ce matin, pour l'avoir toujours sur ma table pour pouvoir, à tout moment, y écrire quelque chose, fût-ce l'état de ma fortune, etc. Je ne me résignerai jamais. Au mois de janvier prochain, j'aurai accompli ma soixante-quatorzième année.

Hier, j'ai écrit à Malraux que je n'ai pas vu depuis bien longtemps.

Mercredi 6 septembre — Déjeuné hier au Vagenende, ensuite rentré au Dragon. A l'instant, téléphone de Mme de Vilmorin : rendez-vous lundi à treize heures quinze chez Lasserre, pour déjeuner avec Malraux. À cinq heures, hier, visite de Jean-François Ribon, qui revenait de Saint-Brieuc. Soirée très heureuse avec lui et Françoise au restaurant des Ministères. Rentrés au Dragon ensuite pour avoir des nouvelles de l'attentat de Munich et, en attendant, un film sur le ghetto de Varsovie. Je n'avais encore rien vu d'aussi horrible sur cet immense crime.

Jeudi 7 septembre — Ce matin, on apprend que tous les otages pris par les Palestiniens à Munich ont été tués dans la bagarre avec les policiers allemands, plus trois Palestiniens.
Aux dernières nouvelles, tout le monde à Munich est mort.

Jeudi 28 septembre — Rien écrit dans ce cahier depuis plusieurs jours pour toutes sortes de raisons de distractions, courses, rendez-vous, fatigue — et j'oubliais le travail auquel je me suis remis en attendant de reprendre avec Robert Mazoyer l'étude du *Jeu de patience*, et avec Jean-Paul Roux, que j'attends tout à l'heure à midi, celle du *Pain des rêves*. J'ai donc travaillé à un chapitre de *L'Herbe d'oubli* (Marins. Le port du Légué. Binic) que je compte donner à Jean Grosjean pour la *N.R.F.*

Malraux, que Mme Simone de Beauvoir maltraite fort dans son dernier ouvrage : *Tout compte fait*, est arrivé l'autre jour chez Lasserre où je l'attendais depuis deux minutes en me disant — réponse à mon : comment allez-vous ? — :
— Je m'effondre.
Il s'assied.
Moi :
— C'est-à-dire ?
— Je tombe. Je tombe n'importe où, à n'importe quel moment, et je ne peux plus me relever. On me relève, couvert de bleus.

Ces derniers mots, avec le sourire charmant que je lui ai toujours connu et dont Flo, sa fille, a hérité.

Moi :

— D'où cela vient-il ?

— Je ne sais. Mon médecin est en vacances. Je ne le verrai qu'après le 15.

— Rien ne vous prévient que vous allez tomber ?

— Absolument rien.

— Et... le travail ?

— Je n'ai plus envie.

Après un moment de silence, il ajoute :

— Du reste, ça m'est égal.

L'apparence est pourtant toujours aussi solide, la présence entière, la parole aussi vive. Mais il boit peu, mange très modérément et ne fume plus.

— Heureusement que je ne sors plus jamais à pied !

Il m'avait promis de me donner de ses nouvelles dès qu'il aurait vu son médecin. Comme il ne l'a pas fait, je lui ai écrit. J'attends.

La dernière fois que j'avais vu Gaston dans son bureau à la N.R.F. j'avais été fort touché de voir ce vieil homme de quatre-vingt-onze ans se lever comme j'allais partir, m'accompagner à travers son bureau en me demandant où j'allais à présent, continuer à m'accompagner jusque chez Robert[1], m'ouvrir les portes.

Lettre de Malraux datée du 4 octobre — « Cher ami, Je crois que ces illustres médecins ne savent pas trop de quoi il retourne et tâtonnent. Enfin, nous continuons les examens avec des appareils martiens. Et vous ? Mille bonnes chances pour *Le Pain des rêves*, et bien amicalement. »

Dimanche 29 octobre, Paris — J'ai appris au téléphone

1. Robert Gallimard.

(Yves Jaigu) que l'affaire *(Jeu de patience)* n'est pas du tout conclue : pour le moment, l'affaire est en porte à faux, d'où il suit que j'interromps le travail.

Excellente soirée, jeudi dernier, chez Anne Gallimard, rue Edouard-Detaille.

Hier samedi, visite des Varron, de Milan. Beaucoup parlé de Palante, et de Boris Savinkov. Varron a trouvé les Mémoires de Guerassimov[1] qu'il doit m'envoyer.

En ce moment-même, Jean-Paul Roux et son équipe sont à Saint-Brieuc pour le tournage des premiers éléments du *Pain des rêves.*

Ce matin un peu avant midi, j'avais rendez-vous avec Jacqueline Bour, au Lipp, pour boire un verre. Après quarante ans de vie dans la maison Gallimard, Jacqueline a pris sa retraite voilà quelques mois à peine, et semble très bien s'en accommoder. Nous avons parlé ensemble du manuscrit de Jean (Grenier), manuscrit intitulé : *Voir Naples,* que Robert a décidé de publier, ce que Minette Grenier voudrait aussi, mais à condition qu'on fasse certaines coupures surtout dans tout ce qui est imputé au personnage issu de Bosco[2], et que l'on supprime entièrement la fin de l'ouvrage qu'elle trouve « ridicule » — ce qui n'est pas du tout l'avis de Jacqueline Bour et qui ne serait jamais le mien, sauf par une certaine complicité. De là, nous sommes passés aux « commérages », choses faciles bien que je croie pouvoir dire que nous ne sommes ni l'un ni l'autre ce qu'on pourrait appeler des mauvaises langues — commérages desquels je retiens une chose que je note ici très volontairement pour donner un peu de « piquant » au journal. Il se pourrait fort bien, d'après les on-dit, que la maladie de Malraux ne soit autre que celle engendrée par l'abus du whisky et que son séjour à La Salpêtrière n'ait pas d'autre raison que

1. Le général Guerassimov, chef de l'Okhrana. Son livre s'intitule *Tsarisme et terrorisme* (1904-1912), Paris, Plon, 1934.
2. Henri Bosco (1888-1976), poète et romancier que Jean Grenier avait connu à l'Institut français de Naples où il était professeur.

celle d'une désintoxication, laquelle, du reste, toujours d'après les on-dit, ne serait pas la première. Ainsi donc, quand « il s'effondre » ce ne serait pas autrement que comme un illustre ivrogne, ce que je trouve rassurant.

Dans mon rêve, Albert[1] n'était pas mort, il était en prison. Nous le savions tous. Il s'en évaderait sûrement, mais une action avait-elle été envisagée pour le tirer de son cachot ? Je ne le sais, ni si je devais y participer, ni comment, ni avec qui. Quoi qu'il en soit, le fait est que je le retrouvai tout à coup dans la rue. L'opération avait donc réussi et c'était à moi de l'entraîner au plus vite vers une cachette sûre. Ce que je fis, sans prendre le temps d'échanger avec lui le moindre mot. Il se laissa conduire pendant quelques pas, une dizaine, une vingtaine, puis brusquement, il s'arrêta, se retourna, et me dit quelques mots dont je ne me souviens plus mais qui signifiaient qu'il « préférait y retourner ». Il partit et disparut à l'instant.

1. Albert Camus.

1973

Le 20 janvier 1973 — Le 15 de ce mois, voilà cinq jours passés, je suis entré dans ma soixante-quinzième année.

Et, justement, le facteur sonne et m'apporte son calendrier.

Mon vieil ami Pierre Petit, membre du Parti communiste depuis sa vingtième année, et résistant héroïque, m'a raconté ceci il y a déjà bien longtemps : il avait conservé chez lui une mitraillette et son approvisionnement. Vers 1947, la police perquisitionne chez lui et saisit la mitraillette. Il est condamné par le tribunal correctionnel à la saisie de la mitraillette, à la suspension de ses droits civiques pendant un an et à une grosse amende fort au-dessus de ses moyens. Pierre Petit est un ouvrier plombier.

Je lui demandai :

— Alors, qu'as-tu fait ? Le Parti ne t'a pas aidé à payer l'amende !

— Non. J'ai exposé mon cas aux camarades. Réponse : t'as été assez con pour te faire piquer, t'as qu'à payer.

Silence, de part et d'autre. Puis moi :

— Ah ? Et alors ?

Il hausse les épaules.

— Ben... Qu'est-ce que tu veux, je prends toujours ma carte.

... Déjeunant jeudi dernier avec Jacqueline Bour chez Robert Mallet, recteur de l'Université de Paris, qui vient de publier un recueil de poèmes : *La Rose en ses remous* (Gallimard), Mallet nous rapporte que, rencontrant récemment dans une circonstance officielle le président de la République Pompidou, celui-ci l'aborde par ces mots :

— Alors, monsieur le recteur, on taquine la muse ?

Godemert, depuis longtemps malade, annonça l'heure de sa mort en disant, le matin : « Ce sera pour ce soir. » Il ne s'était pas trompé.

Habitués à refuser, les hommes puissants voient d'abord les obstacles à toute chose qu'on leur propose.

Il me semble que si je ferme l'œil droit, la vision de l'œil gauche devient meilleure et peut-être bien des choses s'arrangeraient tout simplement en changeant de lunettes.

A partir d'un certain âge, on radote, on rabâche, on se répète, que voulez-vous, on raconte pour la vingtième fois la même histoire, c'est l'âge qui veut ça, et les gens sont bien gentils de ne pas trop vous faire sentir votre infirmité. Disons : quand ils ne nous la font pas trop sentir, car il arrive aussi, de temps en temps, qu'une légère exclamation, un mot tout de suite retenu, une ombre furtive sur un visage vous fassent tout à coup sentir que votre auditoire connaît parfaitement votre petite histoire. Et alors que faire, surtout si on vous encourage à la raconter quand même ? Tout cela pour dire que je ne sais pas moi-même si je vous ai déjà raconté la touchante et embarrassante histoire du facteur Marchand ? Ce que je sais, en revanche, c'est que je l'ai racontée à beaucoup de monde. L'histoire du facteur Marchand fait partie de mon répertoire, disons, si vous préférez, de mon « numéro ». Aussi, je ne serais pas surpris si vous me disiez : Ah ! C'est votre histoire du facteur Mar-

chand ? Cette histoire que vous commencez généralement ainsi : « Mais oui, c'est un fait, j'ai eu un facteur dans ma vie. »
Bon. Admettons. Mais cette histoire du facteur Marchand, l'ai-
je jamais écrite ? Je crois bien que non. Notez que je n'en suis
pas tout à fait sûr. Il me faudrait, pour l'être, remuer feuille
après feuille, tout ce tas de papiers que voilà sur ma table, ne
comptez pas sur moi pour cela. Bon, encore une fois. Il arriva
donc un jour voilà bien vingt ou trente ans de cela — on se
perd dans les années du passé — que le facteur titulaire prit un
congé, ou qu'il tomba malade, et qu'il fut remplacé par un tout
jeune débutant — jeune, il pouvait avoir une trentaine d'années — extrêmement gentil, fort timide, un doux. L'autre, à
vrai dire, le titulaire, était plutôt une brute. Et avec cela, un
solide gaillard, une espèce de sous-officier à peine poli. Mais il
ne s'agit pas de lui. Le jeune remplaçant, c'est du facteur Marchand qu'il s'agit, se montra, dès le début, plein d'attentions et
de réserve. Et il arriva qu'un jour, il y en avait quinze à peine
qu'il était « sur la tournée », en me remettant mon courrier, je
guettais son passage sur le pas de la porte, il me dit qu'il avait
quelque chose à me demander. Oh ! Il ne me dit pas cela comme ça ! Il s'y reprit à deux fois, à trois peut-être, s'embarras-
sant dans les formules de politesse, en s'excusant de l'audace
qu'il prenait, en allant même jusqu'à ajouter que si je ne pouvais pas lui « accorder » les quelques minutes d'entretien qu'il
avait la « hardiesse », c'est-à-dire la « témérité » etc. Je le fis
entrer, asseoir, et voilà mon petit bonhomme de facteur, tout
penaud, tout frêle, blond-blanc, avec ses yeux bleus, ses joues
roses, une petite moustache de chat sur sa lèvre rouge, son gros
sac de cuir posé sur ses genoux, son képi qu'il tenait à deux
mains sur le sac de cuir, fort embarrassé de sa personne, qui
me regarde, et ne dit rien. Il était vers les cinq heures de
l'après-midi.

— Eh bien, monsieur Marchand, lui dis-je, c'est donc si
grave ?

Il ouvrit la bouche, comme qui suffoque, puis, tout d'un
coup, il me répondit :

— Voilà, monsieur, il y a quelqu'un sur ma tournée...

Après ces quelques mots, nouveau silence. Et il reprit :

— Mais il ne veut pas dire qui il est...

— Mais... vous le connaissez ?

— Moi ? Oui. Mais il ne veut pas vous dire qui il est.

— Mais... je ne vois pas...

— Il ne veut que votre avis.

— Sur quoi ?

— Il écrit, monsieur.

— Ah ? Il écrit quoi ?

— Des poèmes. En prose.

— Et il ne veut pas dire son nom ?

Le facteur Marchand, baissant un peu les yeux et tout en rougissant légèrement, me répéta encore une fois que la personne en question le lui avait rigoureusement défendu. En même temps, il sortit, de la poche intérieure de sa veste, un petit cahier d'écolier qu'il me tendit.

Ici, son regard se redressa.

— Monsieur, me dit-il, tandis que je prenais le cahier, si seulement vous vouliez jeter un coup d'œil sur ces pages... Ce monsieur en serait si heureux. Par avance, il s'excuse de vous demander une telle chose qui va vous dérober un peu de votre temps si précieux...

Mon Dieu ! Quelle longue phrase ! Jusqu'à présent, il n'en avait pas encore tant dit. Et quel regard d'enfant il avait ! Un vrai regard suppliant.

Il soupira, et conclut :

— Voilà !

Toujours avec le même regard d'enfant. Voilà. C'était fini. Il avait accompli sa mission. Et, dans ce cas, il n'avait plus qu'à se lever. Ce qu'il fit, en remettant son sac en place. Un coup de hanche à gauche, un coup d'épaule à droite, et son képi toujours entre ses mains tant que nous n'eûmes pas gagné la porte. J'avais laissé le petit cahier d'écolier sur la chaise que je venais de quitter. Au moment de partir, il se retourna pour y jeter un dernier regard.

— Soyez rassuré, lui dis-je, en le quittant. Je vais lire ces pages tout de suite, et nous en parlerons demain, si vous voulez.

— Oh, merci !

— Remettez donc votre képi !

Il remit son képi. Nous nous serrâmes la main. Mais il ne partit pas encore. Je le vis très embarrassé. C'était une dernière timidité de sa part, ou bien avait-il encore quelque chose à me dire ?

Oui : c'était bien cela.

— Je voulais aussi vous dire... que... moi aussi, j'ai travaillé dans le livre. A Paris. Je suis de Paris, et quand j'avais seize ans, je suis entré dans une imprimerie. Du côté de Montrouge. On habitait avenue d'Orléans... J'ai passé deux ans dans l'imprimerie comme grouillot...

Telle fut ma première rencontre avec le facteur Marchand. Je vous raconterai la suite une autre fois.

24 janvier — La guerre va-t-elle finir au Viet ? L'accord sur le cessez-le-feu est proclamé, et suivi d'un discours de Nixon.

Samedi 27 janvier — Tout laisse penser que les choses ne vont pas s'arranger facilement au Vietnam. En attendant la signature du cessez-le-feu qui est annoncée pour demain dimanche, les combats continuent, avec acharnement dit-on. Il s'agit pour les uns comme pour les autres de gagner le plus de terrain possible. Hier soir, à la télévision, une grande émission rétrospective consacrée à cette guerre de trente-deux ans aujourd'hui, à laquelle il est probable que va succéder une nouvelle guerre civile.

Dimanche 28 janvier — Aujourd'hui, les combats auront cessé au Vietnam — en principe. Attendons.

Ce matin, soleil printanier, douceur printanière. Promenade au Bois, en voiture avec Françoise.

Dans Rousseau (*Confessions*, deuxième partie, éd. Pléiade,

p. 279) : « Aujourd'hui, ma mémoire et ma tête affaiblies me rendent presque incapable de tout travail : je ne m'occupe de celui-ci que par force et le cœur serré de détresse. » Quand il écrit ces lignes, il est âgé de cinquante-sept ans (1769). Il lui restait neuf ans à vivre jusqu'au 2 juillet 1778.

Et dans une des dernières lettres de Balzac, un an ou deux avant sa mort : « Oh ! mes pauvres yeux, si bons ! »

L'autre nuit, j'ai rêvé de Lambert. Je le retrouvais après une longue séparation volontaire de sa part, et dont, cette fois, il me reprochait d'être le responsable. Je dis « cette fois » parce que j'ai déjà fait ce rêve plusieurs fois, le même thème fondamental étant cette séparation dans la vie.

Lundi 29 janvier — « Malgré la proclamation du cessez-le-feu, des combats acharnés se poursuivent au Vietnam. » *(Le Figaro.)*

Jeudi 1er février — Le docteur Bernard m'a trouvé à l'œil droit une cataracte complète. Mais l'œil gauche est bon. On change de lunettes. Avec un verre opaque à droite, et un verre changé à gauche, je pourrai travailler normalement. Des gouttes dans l'œil gauche. Pas question d'opérer pour le moment. On n'opère pas un œil tout seul. Il faut attendre que les deux soient dans le même état. « Revenez me voir dans deux ans ! » Voilà bien de l'optimisme, que je partage. Je suis sorti de là très soulagé. Que m'importe si je suis borgne, pourvu que je puisse travailler.

Vendredi 2 février — Ce soir, chez Robert Gallimard, pour y rencontrer Lehmann, rencontre annuelle du bon docteur Lehmann, qui soigna Albert et Michel, qui assista Michel jusqu'à ses derniers moments lors de ce funeste accident de voiture qui lui coûta la vie, huit jours après la mort d'Albert, tué sur le coup.

Samedi 3 février — La soirée d'hier chez Robert a été fort
agréable et s'est prolongée assez tard. En arrivant là, rue de
Fleurus, vers les neuf heures, c'est Renée qui m'a ouvert la
porte. Elle était là avec Robert, qui tenait par la main leur
petite Valérie, une très charmante enfant que je voyais pour la
première fois. J'aime les enfants. Je crois pouvoir dire que je
me suis toujours bien entendu avec eux. Cela ne m'a pas été
difficile avec la petite Valérie. Il y avait déjà là Prassinos[1] et sa
femme, et quelques autres, un Anglais dont j'ignore le nom, un
Italien, je crois, déjà vu l'année dernière et qui doit être un
peintre, et, bien entendu, le bon, le grand Lehmann, le vieil
ami, le héros de la soirée, avec qui je suis allé tout de suite
m'asseoir dans un coin pour bavarder un peu à notre aise.
Nous n'avons guère eu que quelques minutes ensemble, comme
c'est toujours le cas dans ces sortes de rencontres, et guère fait
qu'échanger des nouvelles des autres. J'ai appris que le pauvre
Géa Augsbourg est à bout de course, parfaitement égaré, et
jusqu'à la fin de ses jours désormais dans un hospice de vieillards. C'est une grande tristesse. Un peu plus tard...
Interrompu par le téléphone. Foutu pour ce matin.

... Ceci est le premier essai de mes nouvelles lunettes que, ce
matin à midi et demi, m'a remises l'excellent M. Roosen, toutes nouvelles lunettes dotées à droite d'un verre opaque, contre
la somme des dix mille trois cents francs anciens qui, jusqu'à
ce matin, constituaient le fond de ma bourse. Il me semble que
ces nouvelles lunettes vont me faciliter considérablement les
choses. En tout cas, pour le moment, j'en éprouve le plus grand
bien, il n'est que de s'y habituer tout à fait et de se remettre au
travail. Il est quatre heures de l'après-midi. Je rentre d'un
déjeuner chez mon cher Henri Petit, qui avait invité Mme Grenier et Madeleine, et Mme Bouvry, que je n'avais pas revue
depuis tant d'années, c'est-à-dire depuis près de vingt ans. Petit
m'a fait cadeau d'une photographie faite par Elisabeth sa fille

---

1. Le peintre Mario Prassinos.

il y a une dizaine ou une quinzaine de jours au cours d'un
déjeuner chez lui.

Lundi 5 février — La note sur *Le Jeu de patience* que Jean-
Pierre m'a proposé lui-même d'établir est principalement destinée à Malraux, dont je n'ai pas la moindre nouvelle depuis au
moins quinze jours, ce qui me surprend beaucoup. Malraux a
toujours été d'une exactitude absolue en même temps que
d'une rapidité exemplaire. Il doit y avoir à son silence quelque
raison dont je ne puis d'autant moins m'enquérir qu'au dernier téléphone que j'ai eu avec Mme Sophie de Vilmorin, voilà
déjà au moins deux semaines, il avait été question d'un déjeuner avec Malraux, Yves Jaigu et moi, pour parler justement de
ces affaires du *Jeu de patience*, et d'une intervention possible
de Malraux auprès de Mme Jacqueline Baudrier. Yves Jaigu,
fort au courant des choses, et pour cause, devant rappeler Mme
de Vilmorin. Il l'a fait et ne l'a pas trouvée. J'ai dîné chez lui
hier soir, il était grippé, et n'avait pas plus que moi de nouvelles. Il doit recommencer aujourd'hui. Je pensais remettre à
Yves une copie de la note, je m'en suis abstenu, préférant
attendre pour cela que le rendez-vous avec Malraux soit fixé.
J'attends le téléphone, j'attends le courrier, mais par un sur-
croît de désagrément, le courrier n'est plus distribué dans la
maison depuis le début du mois. En effet, la concierge a été
contrainte de partir, sa loge va être vendue. Le courrier reste
en instance à la poste de la rue Saint-Romain. Il faut aller l'y
chercher. J'y suis allé deux fois déjà à la fin de la semaine
dernière, et je n'y ai d'ailleurs rien trouvé. J'hésite à y retourner ce matin, ne voulant pas risquer de manquer le téléphone
que j'attends. Tout bien réfléchi, je me demande si le bon sens
— et la vertu ! — ne serait pas pour moi d'écrire directement à cette Mme Baudrier, pour lui demander de me répondre par un oui ou par un non, en me disant pourquoi le non si
c'est le cas. Il ne m'est pas possible de me laisser traiter avec
une pareille désinvolture. A mon avis, il y a longtemps que
cette dame aurait dû me prier de passer la voir à son bureau, et

m'expliquer les raisons de son refus, en discuter avec moi. Sa
manière d'agir à mon égard est d'ailleurs plus que de la désinvolture. C'est du mépris. La chose est intolérable. Allons ! Mar-
chons ! C'est le moment de se souvenir de ce que me disait
mon vieux Beerblock dont nous avons beaucoup parlé avec
Mme Bouvry l'autre midi chez Petit, et c'est à savoir « qu'on a
toujours plus de force que de courage ».

Aujourd'hui 6 février, anniversaire de Jean (6 février 1898).
Il aurait aujourd'hui soixante-quinze ans.

Mercredi 7 février — Exécuter, pour la télévision, deux
films (dramatiques), l'un : Villiers, l'autre : Lequier.
Si je n'ai pas de nouvelles de Malraux, cela tient (c'est ce que
j'ai appris hier de Mme Sophie de Vilmorin, que je me suis
décidé à appeler au téléphone) à ce que Malraux attendait une
communication d'Yves Jaigu, pour un complément d'informa-
tion, et qu'Yves n'a pas pu, jusqu'à présent, téléphoner. Mme
Sophie de Vilmorin devait appeler Yves pour mettre les choses
au point et me donner une réponse aussitôt. J'attends, ce
matin, son coup de téléphone.

La curieuse lettre que je reçois ce matin (datée du 3 février) :
« Cher ami, Vendredi 9 février, de 17 h à 19 h, nous recevons
nos amis à l'occasion de l'inauguration des locaux de LIBÉRA-
TION 27, rue de Lorraine.
« Je serais heureux que vous y passiez pour que nous discu-
tions de ce que vous attendez d'un quotidien de gauche, avec le
collectif de direction dont je fais partie.
« Au 9 février, cher ami, et soyez assuré, en attendant, de
mes meilleurs sentiments. Jean-Paul Sartre. »

A l'instant, le téléphone de Mme Sophie de Vilmorin. Déjeuner chez Lasserre lundi, une heure et quart, avec Malraux.

Le Villiers de l'Isle-Adam que je voudrais proposer à la troisième chaîne serait une « vie de Villiers » mais traitée d'une façon particulière, plutôt un « destin » de Villiers, en tout cas nullement une vie romancée. Villiers serait montré à la fois comme il fut dans sa biographie réelle, et en tant que « personnage » d'une « dramatique » incarné en la personne d'un farfelu contemporain qui se dit, et croit peut-être, être Villiers. Personnage qui aura sa personnalité propre, son état civil propre, mais qui voudra être Villiers à la fois parce qu'il aime le poète et pense qu'on ne lui a jamais rendu justice, mais aussi parce qu'il refuse notre monde contemporain et ne consent à y demeurer que, d'une part, par son amour pour Villiers et, d'autre part, parce que sa présence dans notre monde sera une protestation permanente contre lui. En bref, on devra se souvenir, en imaginant ce personnage, du mot de Cocteau : « Victor Hugo n'a jamais existé, c'était un fou qui se croyait Victor Hugo. » Le personnage en question, puisqu'il aura nécessairement un état civil propre, connu de très peu de monde (sa concierge), portera officiellement un nom quelconque, mettons Amédée Blason. Il se sera fait le visage de Villiers, il se présentera aux gens sous le nom de Villiers, il apparaîtra dans les rues dans les costumes de l'époque de Villiers, etc. Ceci n'est même pas contre la vraisemblance. Si l'on se souvient, et de nombreux Parisiens s'en souviennent encore, d'un personnage très pittoresque que l'on rencontrait très souvent boulevard Saint-Germain, il y a une trentaine d'années, vêtu comme un demi-solde. Ce personnage très réel historiquement se prétendait le dernier fidèle de Napoléon, etc. Nous n'entrerons pas pour le moment dans le détail des choses, il ne s'agit là que d'une note d'*intention*. Souvenons-nous seulement que Villiers était un très brillant causeur, et qu'il n'est pas trop difficile de reconstituer ses propos à partir bien entendu de ses œuvres et en relisant un ouvrage de Catulle Mendès où il figure : *La Maison de la vieille dame*. En plus, c'était un très excellent improvisateur au piano. On a noté certaines de ses improvisations. Dès à présent, on peut rêver à une grande scène où l'on verra Amédée-Villiers entraîné dans un dîner par une bande d'étudiants qui tous auront revêtu des costumes d'époque et se seront fait les figures des illustres contemporains de Villiers, Victor Hugo en tête. Scène de dérision. Le génie bafoué. La fin sera celle de Don Quichotte : la perte de l'illusion, qui entraînera une mort pauvre et même misérable très conforme à celle de Villiers.

Jeudi 8 février — Mardi dernier, dînant chez Claude Roy, rue Dauphine (avec Loleh Bellon et la mère de Loleh Bellon), Claude Roy me demandait pourquoi je n'avais jamais rien écrit sur mon voyage de Russie en 1936 avec Gide. Je le lui ai raconté tout au long en lui donnant les raisons que j'avais eues de me taire jusqu'à présent, un peu surpris moi-même de trouver dans ma mémoire les choses à la fois si présentes, et si absentes, et me disant qu'en effet, il serait temps de dire aussi complètement que je le pourrais, tout ce que j'ai vu, senti, éprouvé au cours de ce voyage et ce qui s'en est suivi à mon retour à Paris. La conviction s'est faite en moi dès ce moment-là, et depuis lors elle demeure, que Gide n'est allé en Russie que pour y chercher l'autorité de dire ce qu'il savait qu'il dirait. Tout en bavardant avec Claude Roy je me suis souvenu de cette admirable soirée de pique-nique sous le grand chêne, avec Iachvili, Tabitzé, Dabit et Schiffrin à une vingtaine de kilomètres de Tiflis, et des trois paysans qui achevaient leur repas dans le pré non loin de nous, et des toasts que nous échangions[1]. Depuis lors, Iachvili et Tabitzé ont été « physiquement liquidés » par notre grand camarade Staline.

Voyage en U.R.S.S. — Départ de Tiflis. Depuis des heures, le train attendait en plein soleil. Iacha[2] se mit à jurer s'en prenant à ces idiots qui avaient laissé les glaces fermées. Avant même d'avoir installé ses bagages, il baissa la glace. La chaleur

---

1. Un souvenir de cette soirée est évoqué par un des personnages des *Batailles perdues* (Gallimard, 1960, pp. 24-25).
2. Jacques Schiffrin.

concentrée dans le compartiment en faisait un lieu inhabitable, même après que nous eûmes ôté nos vestes et retroussé nos manches de chemises. Nous étions seuls dans notre compartiment. Sur le quai brûlant, il n'y avait pas grand monde. Iacha regrettait de n'avoir pas accepté de prendre l'avion.

— C'est ta faute, mon petit Louis, si tu n'avais pas eu tellement la trouille...

Il est vrai que je n'avais pas montré grand empressement. Et maintenant deux jours de train pour rejoindre Moscou. A peine eut-il quitté Tiflis que la poussière entra en tourbillons dans le compartiment.

— Il va falloir fermer la glace...

— Autrement dit : Comment préférez-vous crever ? Non, dit Iacha. On ferme pas.

Le camarade chef de train entra et engagea avec Iacha un dialogue qui devint tout de suite assez vif. Le camarade chef de train désignait la glace en faisant signe de la fermer...

— Il te dit de fermer la glace !

— Laisse-moi m'expliquer...

Le camarade chef de train était un homme grand et doux, extrêmement gentil, je voyais qu'il faisait de son mieux pour persuader Iacha sans le brusquer.

A perte de vue la steppe nue, immense, sans bords, comme une mer solide, sous les brouillards dorés du sable soulevé par le train. La nuit n'allait pas tarder. Entre le camarade chef de train et Iacha le dialogue se poursuivait, mais, tout à coup, je vis le camarade chef de train sourire, et Iacha, avec l'air de qui n'en croit pas ses oreilles, s'apaiser, rester pantois, et consentir à relever la glace. Et le camarade chef de train nous quitta, toujours souriant.

— Oui, j'ai relevé la glace, me dit Iacha. Sais-tu pourquoi ? Pas seulement à cause du sable : à cause des pillards.

— Nous sommes au Far West ?

— Imbécile ! Tu parleras de Far West une autre fois. Ça n'a pas été facile, tu sais, de le faire parler...

— Le chef de train ?

— Qui ? A la fin, comme je refusais toujours, il a tout de même consenti à me dire que ce n'était pas seulement à cause du sable, mais à cause des pillards. Tu te rappelles les trois vagabonds à Tiflis ?

— Parbleu !...

— Eh bien, mon vieux, il paraît que la steppe en est remplie. Et comme les trains ne vont pas très vite, les vagabonds les attaquent, la nuit. Ils sautent sur le marchepied et avec un croc... oui, oui, mon petit, avec un croc, ils attrapent ce qu'ils peuvent, un sac, un habit... et même la gueule ouverte d'un malheureux endormi. Tu comprendras que dans ces conditions...

Un jeune beau garçon de seize à dix-sept ans descend l'escalier à toute bringue en jouant de l'harmonica.

Je lui dis au passage :

— Alors... c'est vous le musicien ? Qu'est-ce que vous jouez comme ça ?

— Des blues.

Il passe. Je le retrouve sous la voûte.

— Oui, des blues, me répète-t-il — Et avec le plus radieux sourire. — C'est le chant des gens malheureux. Non ? Alors !...

Vendredi 9 février — Hier, au soir, le discours (interview) de Pompidou à la télévision. Les choses, me semble-t-il, sont claires. La phrase : « Qu'on ne compte pas sur moi pour renier tout ce à quoi je crois », annonce l'intention, sinon la volonté, de ne pas se soumettre à la décision du scrutin si elle était favorable à la gauche. En somme, la guerre est ouverte. Il est probable que dans tous les cas il se passera beaucoup de choses aussitôt après les élections.

Dimanche 11 février — Au retour d'une promenade au Bois avec Françoise, en voiture (il est onze heures du matin) je rentre dans la pénombre de mon Dragon après l'éclatante lumière de ce début de journée. On dirait vraiment que c'est déjà le printemps. Tout était frais ce matin, dans Paris large, lumineux, presque silencieux, la Seine charmante, souriante, la cohue et le vacarme oubliés, et s'il n'y avait pas encore de feuilles ni de fleurs, les feuilles et les fleurs qu'on attend pour demain peut-être, du moins ai-je aperçu à certaines fenêtres en allant vers Passy les premiers stores orange qui sont aussi comme les premières fleurs de la saison.

Anniversaire de la mort de Molière. Interview télévisée de l'aumônier des artistes en somme faite pour expliquer et justifier l'attitude de l'Eglise envers Molière à sa mort. Molière ayant refusé de renier son état de comédien.

> *Avant qu'un peu de terre, obtenu par prière,*
> *Pour jamais sous la tombe eût enfermé Molière...*

La « réconciliation » de l'Eglise avec le théâtre ne date que d'il y a cinquante et un ans.

Lundi 12 février — Dans *Le Figaro* de ce matin, un article sur le sinistre incendie du C.E.S. de la rue Edouard-Pailleron.

Tout ceci est plus qu'horrible et monstrueux. Certes, on peut éprouver et l'on éprouve la plus vive compassion pour les victimes et leurs parents, mais pour le coupable ? Personne n'a un mot pour lui, pas même Sa Sainteté Paul VI. Le moindre mot de compassion pour le coupable « choquerait » sans doute l'opinion. On le juge déjà, on le traite déjà en « réprouvé ».

Mardi 13 février — Comme tous les matins après le café et le croissant au Rouquet, me voici rentré au Dragon assez mécontent de m'apercevoir qu'il est déjà dix heures et que je n'ai encore rien fait. Il est vrai que la soirée d'hier, rue de

Bièvre, chez Yves et Andrée[1], s'est prolongée assez tard, et comme elle succédait à un après-midi assez chargé, je ne dois pas trop m'étonner si, pour le moment, j'éprouve un peu de fatigue. La seule chose que je puisse tenter de faire est de me remettre à ce journal, pour lequel depuis quelque temps je montre assez d'assiduité, sans trop m'interroger sur l'intérêt ou la valeur de tout ce que j'y consigne. En grande partie, sinon en tout, je l'écris comme j'écrirais des lettres à mes petits-enfants, c'est cela surtout, qui m'anime. A quoi ressemblera ce fatras à leurs yeux ? Comment ressentiront-ils ce perpétuel chaos dont est faite la suite de ces pages, que l'on puisse, tout en restant apparemment le même, passer d'une chose à l'autre comme on enjambe n'importe quel obstacle avec l'air de les oublier au fur et à mesure pour en affronter d'autres, passer de la guerre du Viet dont, aujourd'hui, on dit qu'elle a réellement cessé, à telle petite note, à tel petit croquis, à tel événement inattendu comme celui de cet incendie épouvantable dont nous parlions hier ou avant-hier, et que l'on commence aujourd'hui, déjà, à oublier ? Tant de choses se présentent à nous qui devraient retenir toute notre attention. Mais Kafka ne dit-il pas que la vie est une distraction perpétuelle qui ne nous permet même pas de savoir de quoi elle distrait ? C'est pourtant ce « de quoi » qui compte seul. Et, de son côté, dans ses *Carnets,* Samuel Butler ne dit-il pas lui aussi, parlant de ses notes quotidiennes, qu'il n'est pas possible (mais on le voudrait) de mettre un grain de sel sur la queue d'un oiseau ? Nous voulons être présents à tout ce qui nous échappe sans cesse comme l'eau que nous voudrions retenir dans notre main. La vie nous coule entre les doigts. C'est sur le conseil de Malraux, il y a une bonne trentaine ou quarantaine d'années, que j'avais lu les *Carnets* de Butler. Retrouverai-je la citation sur l'oiseau que je cite aujourd'hui de mémoire ?

... Tandis que j'écrivais ces pages, on a sonné : c'était ma voisine Mlle Noëlle Neveu, artiste peintre, qui venait me

1. Yves et Andrée Jaigu.

demander de lui signer un pouvoir en vue de la prochaine
réunion de copropriétaires qui doit avoir lieu ces jours-ci, à
laquelle je n'assisterai pas. Je lui ai signé le pouvoir. Nous
avons eu ensuite le petit bout de conversation auquel m'obli-
geait la pure et simple courtoisie. Je ne savais plus très bien
où j'en étais au moment où elle est partie. Je cherchais à m'en
souvenir et j'allais déjà me remettre à mon travail, quand le
téléphone a retenti : c'était l'étudiant américain qui est venu
me voir hier, avec sa femme, pour me poser toutes sortes de
questions fort oiseuses, et qui me demandait un rendez-vous
pour m'en poser d'autres, mes réponses d'hier ne lui ayant
pas suffi. Comme toujours dans ces cas-là, j'ai agi avec la plus
grande faiblesse, tout ce que j'ai pu faire a été d'éloigner le
plus possible le rendez-vous. Je l'ai remis à jeudi. A quoi bon
me répéter que j'ai tort, puisque je persévère dans ce tort ? Au
diable ! Tout ce que je puis faire en ce moment c'est d'établir
ici un mémento des choses non oubliées mais différées, tout
ce que j'aurais à dire sur le livre de Lucie Chamson[1], la
conversation avec le camarade hongrois (membre influent du
Parti) l'autre soir en dînant chez Véronique Charaire, le
repas d'hier avec Malraux et Yves Jaigu chez Lasserre, le
retour au Dragon en voiture avec Malraux et, à peine rentré
chez moi, la visite de l'étudiant américain et de sa femme
jusqu'au moment où est arrivé M. Magnien (films Opéra) qui
m'a emmené voir M. T., adjoint à M. Guillaud, directeur de la
troisième chaîne. Ensuite une très bonne soirée chez Yves
Jaigu, avec Pierre Dumayet et sa femme qui m'ont ramené
chez moi vers une heure du matin. Dans l'antichambre de M.
T., j'ai rencontré Le Hérec.

Lundi 3 décembre — Voilà quatre semaines (lundi 5 novembre) que j'ai été opéré de la cataracte (œil droit). Tout va

---

1. Dans son livre *Ah ! Dieu que la paix est jolie* (Plon, 1972), premier volume d'une
série intitulée *Avec André Chamson*, Lucie Mazauric raconte ce que fut le « vorticis-
me », mouvement de jeunes écrivains indépendants qui dans les années 1922-1924
réunissait André Chamson, Jean Grenier, Louis Guilloux, Henri Petit.

bien. Si le docteur Bernard y consent, je crois qu'il va me devenir tout à fait possible d'écrire, même sans lunettes. La preuve c'est que c'est ce que je fais pour le moment. Mais il faudrait aussi savoir si je pourrais soutenir pendant longtemps cet exercice, ce qui n'est pas du tout démontré.

1974

Mardi 12 février — Soljenitsyne arrêté.

Mercredi 13 février — Expulsé. En Allemagne chez Heinrich Böll.

La dernière fois où je vis Ehrenbourg, c'était il y a quelques années à Rome, probablement l'année qui précéda celle de sa mort. Il me dit qu'il écrivait des Mémoires, mais qu'il ne disait du mal de personne. Notre conversation roula sur le temps où nous nous étions connus et souvent rencontrés dans les années trente-quatre et suivantes, alors qu'il habitait Paris presque constamment, où il était correspondant de la *Pravda*, ou des *Isvestia*. Il me demanda des nouvelles de nos amis, il me dit qu'il habitait désormais Moscou, rue Gorki, et que l'une de ses principales occupations était de cultiver des fleurs. Il me parla d'une quantité considérable de fleurs en pots, soixante, soixante-dix pots de fleurs. A la fin, je lui demandai :

— Et Staline ? Tout de même, Staline ?

— Il était fou, me répondit-il.

Dirai-je que cette réponse ne me satisfit point ? Je n'osai pas lui demander pourquoi, comment le peuple russe tout entier avait pu conserver pendant si longtemps un fou. Du reste, à quoi bon une pareille question ? Sa réponse n'était-elle pas celle qu'on fait à ceux dont on veut se débarrasser ? J'avais fort envie de le quitter. Cependant, je lui en posai une autre :

— Bon. Mais, et Pasternak ?

Réponse :

— Pasternak ? C'est un homme de génie. Mais il choisissait très mal ses femmes.

La femme de Pasternak était alors en prison.

Cette fois, je le quittai et, depuis, je ne l'ai plus revu.

Dans *Le Naufrage d'une génération* (Joseph Berger), pages 37-38 :

« J'ignorais alors que Kolstov, frère de Yefimov, un des meilleurs caricaturistes soviétiques, avait été arrêté à la suite d'accusations portant sur son comportement pendant la guerre civile espagnole, qu'il avait suivie avec talent pour la *Pravda*. Les lecteurs de Kolstov avaient bien remarqué sa disparition, sans se douter qu'il était entre les griffes du N.K.V.D. Nous apprîmes en prison son arrestation et découvrîmes par la même occasion que beaucoup d'autres Soviétiques ayant combattu en Espagne avaient également disparu. La plupart furent arrêtés à leur retour, certains fusillés, d'autres déportés. Quand ces nouvelles nous parvinrent, Kolstov était déjà mort et vingt ans s'écoulèrent avant qu'il soit réhabilité et que ses livres soient à nouveau publiés. »

C'est en juin 1935 au Congrès des écrivains antifascistes pour la défense de la Culture que je fis la connaissance de Michel Kolstov dont le rôle dans l'organisation du Congrès était primordial. A cette époque-là, Michel Kolstov était, je crois, un personnage très important à Moscou, comme je dus m'en rendre compte quand je lui fis visite l'année suivante dans son bureau de la *Pravda*. Au Congrès, il avait précédé l'arrivée de la Délégation soviétique dont je retrouverai tous les noms dans les numéros de *Commune* consacrés à cet événement. Pour le moment, je me souviens seulement qu'elle comprenait Alexis Tolstoï, Babel, Pilniak, Boris Pasternak...

26 mars — Grande surprise ce midi en déjeunant avec Malraux de voir qu'il existe désormais sur la carte de Lasserre un « pigeon André Malraux ». Il m'explique que cela vient d'une rivalité avec le Véfour.

Quelques mots sur les articles publiés sur *La Tête d'obsidienne*. Poirot[1] pas si méchant que ça. *Le Monde* : « journal de gauche ».

Au sujet de Palante : « Je ne suis pas très tombeaux. On n'a qu'à jeter tout ça à la mer. » Cependant (Cripure), « c'est très ressemblant[2] ».

Au nom d'Ehrenbourg, il hausse les épaules.

— Mais quelle était l'accusation contre Kolstov ?

— Il revenait de l'Occident. Il était par conséquent suspect (contaminé). Il avait vu un tel, qui en avait vu un autre, etc.

Un soir que j'étais dans le hall de la N.R.F. près du standard où j'attendais qu'on m'appelât au téléphone, j'assistai bien malgré moi à une conversation entre M. Jean Rostand et un certain M. Murphy ou Morphé, qu'on voyait là presque tous les soirs, et dont je n'ai jamais su ce qu'il venait y faire. Ce M. Murphy (ou Morphé) était un homme d'une bonne soixantaine d'années, très bavard, très gentil du reste, les poches toujours pleines de billets de théâtre, qu'il vous offrait avec une grande générosité et parfois un peu d'insistance. De visage, il ressemblait à Rigadin, qui fut, dans les premières années du siècle, le grand comique du théâtre et du cinéma, autrement dit le Fernandel de l'époque. M. Murphy-Morphé était grand, M. Jean Rostand petit. Les deux interlocuteurs debout au milieu du hall se tenaient face à face. M. Rostand me tournait le dos.

1. Bertrand Poirot-Delpech.
2. En allant au cimetière d'Hillion près de Saint-Brieuc, où Georges Palante est enterré, Louis Guilloux n'avait pas retrouvé l'emplacement de la tombe : la plaque de marbre qui la recouvrait et sur laquelle avaient été gravés le nom et les titres des principaux ouvrages du philosophe avait été enlevée. Après enquête, la plaque fut retrouvée chez un marbrier qui la remit à sa place et les héritiers de Georges Palante certifièrent que le corps de celui-ci se trouvait dans la tombe qu'il avait acquise en concession perpétuelle.

M. Morphé-Murphy le dépassait de toute la tête. Avec les yeux et les dents d'Ignace, il expliquait à M. Jean Rostand... les grenouilles... Avec plus de courtoisie encore que de patience M. Jean Rostand écoutait, répondant par oui et par non dans les rares moments que lui laissait le flot de paroles de l'innocent crampon. Il paraissait ne pas broncher. Mais moi je voyais ses pieds qui répondaient à leur manière, par oui et par non, cherchant à se glisser mine de rien vers l'escalier qui du hall conduit aux étages, là où séjournent les maîtres de la maison et notre Gaston en personne. « Oui, disait le pied gauche, c'est possible. On peut gagner cinq à six centimètres par là... — Croyez-vous ? répondait le pied droit. Tirez de votre côté, moi du mien ! — Doucement ! — Tout doucement ! — A vous ! — A moi ! — Là ! Prenons un instant de repos ! » Cependant, M. Murphy-Morphé allait toujours bon train, poussant le poitrail en avant pour remplir le creux laissé par la glissade du bon savant, qui d'un regard furtif avait mesuré la distance qui le séparait de la première marche de l'escalier : deux bons mètres ! Mais courage ! Et voilà les pieds qui se remettent en mouvement, sournois, mais persévérants, et tandis que le véhément casse-pieds persévère, M. Rostand finit par allonger un bras vers la rampe, naufragé à bout de souffle agrippant enfin le bord de la barque. Voilà un pied qui se pose sur la première marche, l'autre pas encore et M. Murphy qui a occupé tout le terrain perdu redouble d'ardeur. Son vaste visage n'exprime plus que la panique. Voilà que le deuxième pied — le droit — vient de rejoindre le premier qui en profite pour se poser sur le degré suivant, tandis que la main du vieux savant s'agrippe avec une grande fermeté à la rampe et que, dans l'instant qui suit, la situation se renverse, au sens propre du mot, c'est-à-dire que M. Murphy qui, tout à l'heure, devait se pencher pour parler à M. Rostand, et M. Rostand lever la tête pour répondre à M. Murphy, à présent c'est M. Rostand qui se penche vers M. Murphy lequel lève tant qu'il peut la tête car il a encore un mot à dire :

— Et alors, monsieur Rostand, Dieu, hein ! Fini ? Terminé ?

En agitant la main devant son nez, comme un essuie-glace.

M. Rostand, d'une petite voix douce et polie, tout en accompagnant chaque syllabe d'une petite tape de la main sur la rampe :

— Tout de même un peu... tout de même un peu...

Appendice

CHOSES VUES
CHEZ LES SANS-PATRIE[1]

Décembre 1961 — Le camp de Funkturm devant lequel
nous sommes arrêtés à une vingtaine de kilomètres de Hambourg, dans Billstedt, existait déjà pendant la guerre. On voit
d'ailleurs tout de suite, à l'aspect misérable des baraques,
qu'elles ne datent pas d'hier. Les Allemands y logeaient les
ouvriers du S.T.O. Aujourd'hui encore, ce sont des étrangers,
surtout, qui vivent à Funkturm : Polonais, Hongrois, Yougoslaves, etc. Mais à ces « heimatlos » sont venus s'adjoindre des
réfugiés allemands venus de l'Est.
Sept cents personnes, environ, se trouvent ici rassemblées :
la population d'un gros bourg.

En principe, les réfugiés allemands de l'Est ne doivent faire
au camp qu'un séjour d'un an ou de deux, en attendant qu'on
les reloge normalement. Mais, bien que la République fédérale
fasse beaucoup, et vite, pour construire de nouvelles maisons,
il y a des réfugiés allemands qui sont là depuis des années.
Les autres, qui doivent être relogés aussi (on espère que tous

1. La plus grande partie de cette visite dans les camps de réfugiés situés en Allemagne et en Autriche a été publiée dans *Preuves* (numéros d'avril et mai 1962) sous le
titre *Choses vues chez les sans-patrie.*
Un second voyage (mars-avril 1962) conduisit Louis Guilloux en Yougoslavie, en
Italie et en Grèce, mais il n'a pas donné suite à son récit.

les camps seront liquidés d'ici un à deux ans) attendent depuis dix ans, quinze ans. Ce sont les « hard core » que l'on appelle aussi les « résidus » — ce qui reste des millions de personnes déplacées du fait de la guerre et de ses remous, et qu'on n'a pas encore trouvé le moyen de réadapter, de reclasser, de reloger, dont aucun pays acceptant des réfugiés comme par exemple le Canada, ou l'Australie, n'a voulu, ou qui n'ont pas voulu eux-mêmes quitter tel grand-père, tel infirme ou tel malade à qui le visa n'avait pas été accordé.

La plupart, me dit-on, sont des inadaptés, souvent considérés comme inadaptables, des isolés, des mutilés, des vieillards.

Les « meilleurs » sont partis depuis longtemps.

Il y a bien une demi-heure que nous avons quitté le centre de Hambourg, où sont installés les bureaux de la Deutscher Caritas Verband, à laquelle appartient M. Gehrardt C... qui m'accompagne.

M. C... est polonais. C'est un homme d'une cinquantaine d'années, petit, trapu, sérieux. Il a subi lui-même de très grandes épreuves. Il est lui-même réfugié en Allemagne depuis 1942.

Après la banlieue que nous venons de traverser, l'endroit où nous sommes arrêtés ressemble à un coin tranquille de campagne, mais c'est une campagne plate, mélancolique, assez lépreuse sous le ciel gris de décembre. C'est aujourd'hui le lundi 4. Tout est humide et silencieux, mais le froid n'est pas très vif.

J'ai quitté Genève hier à cinq heures, et voyagé toute la nuit. À l'hôtel, quand j'y suis arrivé à neuf heures ce matin, M. T..., délégué du Haut-Commissariat pour les Réfugiés à Hambourg, m'attendait. J'ai eu tout juste le temps de remettre ma valise au garçon d'hôtel, et nous avons gagné les bureaux de la Deutscher Caritas Verband (Secours catholique allemand) qui se trouvent dans le même immeuble.

Là, j'ai fait la connaissance de M. C... qui dirige les services

de la Deutscher Caritas Verband. Nous avons convenu que M.
C... me montrerait d'abord le camp de Funkturm, à une vingtaine de kilomètres de la Grosse Allee où nous sommes.

On m'a prévenu que le camp de Funkturm est le pire des
quatre camps qui se trouvent autour de Hambourg, les autres
étant ceux de Fischbeck, de Falkenberg et de Daimlerstrasse,
ce dernier dans Hambourg — Altona.

À l'orée d'un chemin détrempé parmi des arbres sans feuilles, deux poteaux : c'est l'entrée du camp. Sur le poteau de gauche une planche, portant en noir et blanc une inscription :
Wohnunglager Funkturm. On aperçoit les premières baraques
longues, basses, noires. Il s'en échappe, ici et là, des fumées.
Mais on ne voit personne.

Wohnunglager Funkturm : comment traduire ? *Wohnen* signifie habiter. *Wohnung,* habitation : c'est la maison, la demeure, le « home ».

Quant au mot « lager » il s'est rendu assez célèbre pour
qu'on croie n'avoir pas à l'expliquer. Notons cependant qu'il
vient du verbe « liegen » qui veut dire poser.

Il me semble qu'on peut le traduire par : dépôt.

Nous nous engageons dans une longue rue large comme une
route entre deux files de baraques assez distantes les unes des
autres et parfois séparées par de grands espaces vides qui ressemblent à des terrains vagues.

Toujours personne.

Ici et là, sur des fils, des oripeaux sèchent au vent.

La suite des baraques s'étend fort loin, le camp paraît très
vaste. Le chiffre de sept cents que l'on m'a dit être celui des
personnes rassemblées ici doit être de beaucoup inférieur à
celui des ouvriers du S.T.O. qui autrefois y séjournaient. Mais
à ma question, M. C... est sans réponse. Il me dit enfin qu'il ne
sait pas. Cette question ne paraît guère l'intéresser. Il s'agit
aujourd'hui d'autre chose, n'est-ce pas ?

Toujours personne. Nous avançons à travers un désert. Tout ici rappelle ce qu'était autrefois autour de Paris la zone, avec ses déchets jetés ici et là, ses ferrailles abandonnées, ses vieilles boîtes de fer-blanc crevées.

Un homme dans la force de l'âge, de grande taille, corpulent, vêtu d'une sorte de canadienne marron clair et coiffé d'un gros bonnet rond comme ces bonnets de loutre ou d'astrakan dont on se coiffe ici en hiver, apparaît. Il avance vers nous allégrement sur des béquilles. Je vois qu'il lui manque une jambe. Sa large figure aux traits pleins, au teint vif, sourit largement à la vue de M. C... à qui il fait de joyeux signes d'amitié. À force de béquilles il accourt vers nous, tout souriant.

Il faisait un tour, dit-il. Il nous a aperçus. Justement, il voulait prévenir M. C... qu'il ira le voir demain matin à Hambourg, pour affaires, et s'assurer que M. C... sera bien à son bureau.

On se serre la main. On se présente. M. C... confirme que demain il sera bien à son bureau, comme tous les jours.

— Tu peux venir me voir quand tu voudras...

Ensuite, M. C... explique que je suis venu de France pour visiter les camps où vivent les gens comme lui.

— Alors, dis-lui depuis combien de temps tu es ici ?

— Dix ans.

— Tu es yougoslave ?

— Oui.

— Quel âge as-tu ?

— Cinquante-six ans.

M. C... sait tout cela par cœur. C'est pour moi qu'il interroge.

— Ton métier ?

— J'étais maçon.

Il ne l'est plus. Depuis qu'il a perdu sa jambe.

— Accident du travail ?

— Non.

Pas de pension.

Tout ce qu'il désire, c'est qu'on le loge ailleurs. Il en a assez du camp. C'est pour parler de cela qu'il veut aller voir M. C... demain.

— C'est entendu, dit M. C... Viens demain.

— A demain !

Pas un instant l'ancien maçon n'a cessé de sourire. Il sourit encore en nous quittant et ses yeux bleus, dans son visage coloré, brillent.

— C'est un cas difficile, me dit M. C... comme celui de tous les « alleinstehender ».

Alleinstehender : personne seule. Veuf ou veuve. Célibataire. Plus de pays, plus de métier.

Ils sont des centaines et, dans l'ensemble, des milliers dans ce cas-là. Celui-ci n'a que cinquante-six ans, et il n'a pas encore perdu courage, mais les autres ?

— Il ne peut pas rentrer en Yougoslavie ?

— Il ne le veut pas.

Un petit vent humide s'est levé. Sans dire que nous barbotions dans la boue il faut cependant prendre quelques précautions pour ne pas trop errer dans les flaques. Les baraques succèdent aux baraques. Le bois est vieux, usé. C'est partout la même lèpre dans l'alignement d'une monotonie décourageante et les mêmes fumées s'échappant des tuyaux rouillés.

Toujours personne. Les enfants sont à l'école, les femmes à leur cuisine, les hommes qui travaillent, en ville.

Les autres ?...

Que font-ils ? Je le verrai bien tout à l'heure — mais en attendant, M. C... va me conduire chez le *Lagerleiter*, le chef du camp, le directeur.

Les bureaux de la direction sont installés dans une baraque en bois. Il est probable que rien n'a beaucoup changé depuis le temps des ouvriers du S.T.O. si ce n'est que sur la porte où nous frappons on devait lire : *Lagerführer*, au lieu de *Lagerleiter*.

Des tables, des dossiers sur des étagères, des téléphones, dans un univers de planches. Murs de planches. Plafond de planches. Tout est en bois. Des employés, qui sont de bons Allemands souriants, ni très jeunes ni très vieux.

Le *Lagerleiter* nous fait très bon accueil. Pas de problème : je puis aller où je voudrai, poser les questions que je voudrai. Il confirme ce que j'ai appris à la Deutscher Caritas Verband : en effet il y a ici un peu plus de sept cents personnes de différentes nationalités, et aussi des réfugiés allemands. Il espère bien que d'ici un an ou deux au plus tard on en aura fini avec le camp de Funkturm comme avec tous les autres, que tout le monde sera reclassé, relogé, rétabli dans une situation normale. Ce ne sera pas facile mais il faut qu'on y parvienne et que l'on trouve une solution, même pour les ivrognes...

Il faut penser aux ivrognes, aux malades mentaux dont l'état ne justifie pas qu'on les transfère dans un établissement spécial, aux infirmes, aux mutilés, à tous ceux que l'on appelle des « handicapés ». Et, naturellement, aux vieillards.

Il est du même avis que M. C... à savoir que les cas les plus difficiles sont ceux des « alleinstehender ». Et le seul moyen, d'après lui, d'aider les personnes seules, c'est de trouver de l'argent, encore plus d'argent, pour construire des maisons nouvelles, en dur, et que tout le monde vive comme tout le monde.

— Le gouvernement de l'Allemagne fédérale dépense beaucoup d'argent pour ses propres réfugiés, c'est une question *nationale*, mais quand il s'agit des autres, c'est-à-dire des *heimatlos* (sans patrie) c'est une question *internationale*.

Nous sommes assis autour d'une table. Une femme mûre, bien en chair, tout en noir, coiffée d'un bonnet blanc, vient s'asseoir avec nous. Elle écoute, mais ne dit rien. C'est la *Lagerschwester*, la religieuse-infirmière du camp. Celle-là sait mieux que personne à quoi s'en tenir.

De nouveau, nous avons parcouru une longue rue. En arrivant près d'une baraque parmi les autres, nous avons entendu des cris et des pleurs d'enfants.

M. C... s'est tout de suite arrêté. Il a frappé à la porte de la baraque. Personne n'a répondu. Il a frappé contre la vitre d'une fenêtre. On n'a toujours pas répondu, mais les cris et les pleurs d'enfants ont cessé. M. C... s'est mis à secouer la tête. Nous avons attendu. Il a frappé de nouveau. Enfin la porte s'est ouverte.

Une femme est apparue, encore jeune, mais vêtue comme le sont les « pauvresses » dans les pires romans feuilletons. Elle paraissait fort mécontente.

M. C... lui a dit quelques mots en polonais. Elle nous a laissé entrer.

Le taudis.

Une pièce grande comme la moitié d'un wagon. Là-dedans un lit de fer, une table, et un fourneau allumé. Partout des ballots, des affaires, un grand fatras. Des murs nus. Et devant nous, dans un grand fauteuil jadis rouge, un oreiller noir de crasse lui couvrant les jambes, un enfant malade.

Un enfant de pas deux ans.

Il gémit doucement. Il n'a pas un geste, pas de regard. Son petit visage boursouflé est gris.

De la pièce voisine, que nous ne verrons pas, mais qui, à ce que je devais apprendre, n'est pas plus grande que celle où nous sommes, surgit une bande de loupiots dont le plus âgé n'a pas sept ans, effrayants à voir. Ils sont tous en haillons, certains en chemise, les pieds nus, sales à ne pas croire, morveux, croûteux, plus qu'effarés. Et quelles tignasses !

Ils filent. Où se fourreraient-ils ? Ils rentrent dans leur trou — et apparaît un homme d'une quarantaine d'années, blond, nerveux, celui-là sans doute qui les battait tout à l'heure.

Est-ce lui le mari ?

Sur le mur nu au-dessus du lit de fer, l'agrandissement d'une photo : celle d'un jeune marin. Est-ce la sienne ?

La photo a bien quinze ou vingt ans.

Il explique quelque chose à M. C... mais en polonais. Je ne

comprends pas un mot de ce qu'il dit, mais il a les gestes qu'ont partout les hommes quand ils expliquent qu'ils ont tout fait et que cela n'a servi à rien, quand ils rappellent qu'ils avaient pourtant raison, mais que personne n'a voulu le savoir et que depuis des années et des années rien n'a changé. Il montre l'enfant, qui gémit toujours. Que va-t-il advenir de lui ? Il est sûrement très malade, mais on ne sait pas de quelle maladie. Il est gris. Il gémit sans cesse. Il est sûrement en danger. C'est aussi l'avis de la *Lagerschwester* qui survient et annonce qu'elle a appelé le docteur.

J'ai appris plus tard que cette femme est mère de six enfants, qu'elle est venue en Allemagne emmenée pour le travail obligatoire vers 1942 et que son mari, que ce soit l'homme que j'ai vu ou un autre, je ne l'ai pas demandé, est un ivrogne. Il est à peine onze heures du matin. Le ciel se charge de nuages, le vent humide grandit et commence à nous glacer. La porte s'est refermée sur cette épouvantable misère. On n'entend plus crier les enfants, et le gémissement du petit malade est bien trop faible pour que nous puissions le percevoir, après avoir fait deux pas.

Nous parcourons de nouvelles baraques, frappons à des portes, entrons un instant dans une chambre, puis dans une autre. C'est partout la même misère, la même exiguïté, et, souvent, le même entassement de gens et d'objets. On vit entouré de ballots, de hardes entassées, d'objets empilés. A cause du temps sombre, la lumière électrique est presque toujours allumée. Et le feu de bois brûle dans le fourneau.

L'accueil est presque toujours souriant, souvent cordial. Guère de plaintes. On est là depuis deux ans, dix ans, quinze ans. On est arrivé dans ce camp après avoir passé déjà de longs mois dans d'autres parfois pires. On ne sait pas quand ça finira.

— *Man gewöhnt sich !* : on s'habitue.

Il paraît qu'en Autriche c'est pire encore, et qu'en Italie les réfugiés n'ont pas le droit de travailler.

Ici, ceux qui en sont capables peuvent travailler.

Je ne m'attendais pas à trouver ici, dans un intérieur petit-bourgeois, un vieux monsieur au teint rose, aux joues bien pleines, à l'œil vif, en pantoufles et veste d'intérieur, très propre, soigné, entretenu comme ses meubles qui brillent. C'est pourtant un fait.

Il ressemble à quelque vieux petit rentier d'autrefois. Il en a la placidité, les manières. C'est un vieil Hongrois. Il vient d'avoir soixante-dix ans.

Il fait très bon chez lui. C'est le confort. Il doit se lever de bonne heure pour faire tous les jours son ménage à fond. Rien ne traîne. Tout est plus que propre : astiqué.

Un poêle à bois donne une chaleur très agréable. Il a la radio.

Sur une étagère derrière son lit sont alignés une vingtaine de livres. Aux murs, des tableaux, dont il est lui-même l'auteur.

Ce vieux réfugié hongrois est peintre. Les tableaux qu'il expose sur ses murs sont des copies de grands maîtres : un Rembrandt, un Michel-Ange. Et quelques paysages originaux. Son portrait par lui-même. Le portrait de la *Lagerschwester*. Sur la table, des pinceaux dans un bocal et quelques tubes de couleur.

Il nous reçoit avec grande affabilité, se dit très heureux de notre visite, explique qu'il est là depuis la révolution hongroise, que sa femme est morte, qu'il ne voit personne et que personne ne vient le voir. Il ne sort pour ainsi dire jamais sauf pour aller aux provisions. Il passe ses journées à peindre et à lire, à écouter de la musique à la radio, ou il écrit à ses « parrains ».

M. C... me fera remarquer ensuite que les sujets choisis par le vieux peintre ne sont jamais empruntés à la vie du camp. La vie du camp, comme matière d'art, ne l'intéresse pas. Il a fait le portrait de la *Lagerschwester*, mais il n'a jamais pensé à prendre, comme sujet d'étude, une réfugiée, à peindre une baraque.

Ici aussi tout est propre, au point de paraître comme neuf. Nous sommes chez une veuve. Elle est croate. Elle a quarante-cinq ans. Sous le foulard qui lui enserre la tête, son long visage est encore plein d'un charme tendre, malgré les dents mal soignées. Elle a dû être jolie. Le regard de ses yeux bleu pâle se pose sur nous timidement. Un gros ventre, mais c'est qu'on doit bientôt l'opérer d'un fibrome.

Malgré son gros ventre, elle vient de tout repeindre elle-même, en vert clair. Sur les murs, derrière le lit, elle a tendu une étoffe brodée à la mode de son pays, et posé des rideaux blancs à la fenêtre.

Elle parle doucement. Dans sa voix, on retrouve la même tendresse que dans ses traits, la même timidité que dans son regard.

Une douce.

Elle voudrait bien qu'on la reloge ailleurs, elle l'espère même, pourvu que ce ne soit pas trop loin d'ici. Elle a refusé d'accompagner sa sœur, partie il y a quelque temps pour le Canada. Elle a voulu rester ici près de la tombe de son mari.

Un cas difficile.

En sortant de là, nous sommes allés voir un très vieux Polonais que nous avons trouvé dans un fond de baraque vide et nu, absolument seul.

Que faisait-il là ?

Rien.

Un petit vieux maigre et sec, tout droit, la tête coiffée d'une vieille casquette, son visage gros comme le poing couvert d'une barbe de huit jours, le regard éteint, la parole absente.

Quel âge ?

Peut-être bien quatre-vingts ans.

Il était là tout seul comme un objet remisé dans un coin de grange.

A notre salut, il a esquissé un signe, mais à nos questions il n'a rien répondu.

Son regard était celui d'un homme encore vivant, pas hostile, mais étranger.

Une ombre d'homme.

Cette ombre d'homme depuis plus de vingt ans en Allemagne n'a plus âme qui vive au monde. Un isolé, un *Alleinstehender*. Pour comble, souffrant d'une maladie de cœur, et asthmatique.

Ancien ouvrier agricole. Analphabète.

C'est à peine s'il s'est rendu compte que nous partions.

Quelques instants plus tard nous devions le revoir dans la baraque d'un Serbe, où il apparut toujours comme une ombre et alla s'asseoir dans un coin sans s'occuper de ce qui se passait autour de lui.

A l'inverse du vieux Polonais, le Serbe, quoique pas tout jeune lui non plus — soixante et onze ans —, s'était tout de suite révélé comme un très grand bavard. Et d'autant plus que je lui donnais l'occasion de s'exprimer en français, qu'il parlait parfaitement.

Il l'a appris à Lyon pendant la Première Guerre mondiale, et n'en a rien oublié.

Taillé, comme on dit, en hercule, ventru, pansu, jovial, abondant, il s'est mis tout de suite, avec feu, à me raconter sa vie. Il était capitaine des douanes, autrefois — mais dans la guerre il a perdu un œil — tenez ! — et sans cet imbécile de Grec qui l'a un jour arrêté et livré aux Allemands... Mais voilà la vie ! Et vive la France toujours !

Tout irait bien encore, si les jambes étaient meilleures — mais les jambes ne vont plus guère.

N'importe ! On ne se plaint pas.

Il se lève et frappe sur son ventre pour me montrer comme il est bien nourri. Il y a il ne sait plus combien d'années qu'il est là. Il y mourra peut-être. Ça ne fait rien. Malgré l'œil en moins et les mauvaises jambes ça va quand même et encore une fois : Vive la France !...

Le vieux Polonais se taisait toujours. Il y avait aussi dans la baraque un troisième personnage, assis dans un coin obscur. Un très vieil homme aussi. Qui ne disait rien non plus.

— Et lui ? ai-je demandé.

— Lui ?, m'a répondu le Serbe — c'est un Yougoslave. Il a quatre-vingt-cinq ans. Il travaille toujours sur la voie du chemin de fer...

Je fais mon compte : l'ancien maçon à la jambe coupée, l'enfant malade, et les autres qu'on battait, le peintre hongrois, la veuve qui n'a pas voulu quitter la tombe de son mari, le vieux Polonais muet et asthmatique, le Serbe... Il n'y a pas deux heures que nous sommes entrés dans ce camp...

En chemin, M. C... se souvient qu'il existe ici une famille italienne et il frappe à une porte, mais personne ne répond.

— Je ne m'attendais pas, lui dis-je, à trouver ici une famille italienne.

C'est pourtant un fait. Il arrive que des Italiennes épousent des Hongrois, ou des Tchèques. Et, à côté, vit une Espagnole. On frappe. Mais là non plus personne ne répond.

— Une veuve d'une cinquantaine d'années, reprend M. C... Espagnole. Veuve d'un Yougoslave. Continuons.

L'homme que nous allons voir à présent est encore un Polonais. Les Polonais forment ici, et un peu partout dans les camps, la majorité. A celui-ci, il est arrivé quelque chose d'horrible. Il y a déjà quelque temps, sa femme a égorgé leur enfant de deux ans. Elle voulait l'égorger lui aussi. Cela s'est passé ici même. Elle est maintenant dans un asile. Allons. Ce sera notre dernière visite de la matinée.

Dans la demi-obscurité de la baraque, un homme d'aspect étrange est assis près d'une fenêtre, seul. Devant lui une table, chargée de toutes sortes d'objets. Il paraît grand. Il est tout en os, vêtu de laine des pieds à la tête ; bonnet de laine à grosses mailles, blanc, chandail noir, de gros bas de laine verts qui lui montent jusqu'aux genoux. Une longue figure pâle de vieux cheval fourbu. Des yeux bleus.

La baraque est vaste mais il la partage avec un autre. Voilà justement de quoi il souffre et se plaint tout de suite.

— Cet autre est sale, comprenez-vous, et paresseux en plus ! Il refuse de nettoyer la vaisselle et de nettoyer la pièce.

Il se penche en avant, pour raconter cela, que M. C... me traduit au fur et à mesure. Ses yeux brillent. Il a un tic : c'est de tirer sans cesse sur son chandail, avec les deux mains. Il pince le chandail qui se gonfle comme des seins et le laisse repartir. Cela fait un bruit d'élastique.

Il aime l'ordre et la propreté, lui ! Ne peut-on le délivrer de ce salaud ? Il montre la pièce : le désordre partout, et cette vaisselle sale empilée dans un coin ! Il est tuberculeux. Il se fatigue vite. Il ne peut pas tout faire. Qu'on le délivre ! Tout de suite ! Il n'en peut plus...

Tout cela en tirant sur le chandail, des deux mains à la fois, régulièrement à chaque fin de phrase. Mais ayant achevé sa plainte, il joint les mains dans un geste suppliant.

— Pour l'amour de Dieu !

M. C... lui répond qu'il fera tout pour le loger ailleurs au plus tôt. Il faut encore un peu de patience. Lui, tout en se levant pour nous raccompagner, répète encore, de ses deux mains jointes, le même geste suppliant.

Une pièce pour lui tout seul, il n'en demande pas davantage...

Il va être une heure après midi.

Dans la voiture, en revenant, j'écoute parler M. C... Il a été lui-même emmené de force en Allemagne. Son père est mort dans un camp de concentration. Ses frères ont disparu dans la guerre.

Il a encore de la famille en Pologne où il ne peut retourner.

Il est en Allemagne depuis 1942.

Je demande à M. C... si, dans les camps, on se suicide plus qu'ailleurs. M. C... me répond que non. Il y a des années qu'il travaille au service des réfugiés, et il peut m'assurer que, dans les camps, les suicides ne sont pas plus fréquents que dans les conditions de la vie dite normale.

— On ne cherche pas à s'enfuir ?

— Non. Pour aller où ?

D'abord, le camp n'est pas une prison. Il n'y a ici ni barbelés ni miradors. Les gens sont libres d'aller et de venir comme ils le veulent. Mais quitter le camp, ce serait la mort.

Pourtant, il se souvient d'un cas. Il ne s'agissait pas d'une fuite. C'était pire.

— Il y a déjà longtemps, un homme d'une trentaine d'années, vivant dans un camp, commit un vol. On le condamna à trois mois de prison. A sa sortie, il revint au camp, les autres l'en chassèrent. Il se mit à errer aux alentours. Il dormait dans les champs. On ignore ce qu'il est advenu de lui. Il a disparu...

Je m'étonne de n'avoir trouvé personne au travail à l'intérieur du camp à part les ménagères. Comment ! Pas un cordonnier, pas un tailleur, pas une couturière ?

Il paraît que je suis bien naïf !

Sept cents personnes ne suffisent pas à fournir à un artisan assez de travail pour vivre. De plus, si un artisan, tailleur ou cordonnier, s'établissait ici à son compte, il perdrait son allocation journalière.

On a vu des artisans dans des camps, mais au début, et même alors leur travail était du travail noir. Encore cela ne s'est-il jamais rencontré que dans des camps où des milliers de personnes étaient rassemblées.

— Il y a peut-être ici quelque coiffeur, mais sans boutique, qui vient chez vous, vous tailler les cheveux et vous raser — mais c'est tout.

Un peu honteusement (mais comme il faudra bien que je pose la question, autant le faire tout de suite) je demande :

— Existe-t-il une « expression », par elles-mêmes, de la vie des personnes déplacées ? Nous avons vu un peintre (il ne s'intéressait du reste pas, en tant que peintre, à la vie du camp), verrons-nous demain à Fischbeck un poète ?

M. C... n'a point manifesté de surprise mais il m'a répondu :

— Non.

— Existe-t-il des chansons ?

Il en existait bien dans les camps des prisonniers de guerre et même, a-t-on dit, dans les camps de concentration.

— Non.

— Personne, vivant dans un camp comme celui que nous quittons, a-t-il jamais, à votre connaissance, rien écrit sur la vie de ce camp ?

— A ma connaissance, non.

— Il n'existe pas dans vos archives le moindre petit bout

d'essai, l'ébauche d'un récit, quelque chose qui soit comme une tentative, si faible soit-elle ?...

— Non.

Ces questions de « romancier » semblent impatienter (légèrement) M. C... Il me répond par un « fait divers ».

Si la femme dont il s'agit était comme son mari, d'origine tchèque, je ne l'ai pas retenu. Je ne me souviens que de son âge : cinquante ans, qui était aussi l'âge du mari.

Le deuxième.

De ce deuxième mari, elle n'avait pas d'enfant. Mais du premier il lui restait une fille de quatorze ans.

On devine de quoi il va s'agir.

Et en effet c'est ce qui arriva. L'homme débaucha la jeune fille. Il devint son amant. Pendant longtemps la mère montra une grande patience, mais elle perdit toute patience le jour où son mari lui fit part de sa résolution de s'en aller avec la jeune fille.

Ce jour-là, sans hésiter, par-derrière, elle lui planta un couteau entre les épaules, et la petite, folle d'épouvante, s'échappa de la baraque en hurlant que maman venait de tuer papa.

J'ai noté sur mon carnet : *Schulauer Fährhaus*. C'est, sauf erreur, le nom de l'endroit où M. T... m'a emmené déjeuner avec Mlle A... sa secrétaire, à dix ou quinze kilomètres de la ville sur la rive droite de l'Elbe.

La mer est encore loin, mais devant cet estuaire immense on s'y croirait déjà. Si nous avons de la chance, dit Mlle A..., nous verrons entrer ou sortir quelques-uns des bateaux qui de tous les points du monde arrivent ici ou en repartent.

Dans la salle même où nous sommes est installée une cabine d'où un officier du port surveille les entrées et les sorties, ne laissant aucun bateau sans le saluer au passage en envoyant sur les ondes l'hymne de la nation à laquelle appartient le bateau, qui répond en hissant son pavillon.

Il paraît qu'on va manger un excellent poisson.

M. T... connaît son métier à fond. Avant de venir ici, il a passé des années à Linz en Autriche. Mais sa longue application au service des réfugiés n'a pas entamé sa bonne humeur. J'en puis dire autant de Mlle A... qui, elle-même réfugiée, a vécu dans des camps pareils à celui d'où je sors.

— Vous ne vous attendiez pas à ça, n'est-ce pas ?

Il paraît que j'en verrai d'autres, si je vais jusqu'à Vienne... Ce que l'on rencontre est épouvantable, il faut s'y attendre, mais ne pas s'en laisser décourager. Tout n'est pas négatif. On ne doit pas oublier que la situation a été il y a quelques années cent fois pire et qu'on a toujours travaillé, qu'on travaille toujours à la liquidation des camps. Tout à l'heure, au bureau, carnet et crayon en main, je pourrai noter les chiffres, les statistiques que M. T... me donnera. Par là, je verrai les immenses progrès réalisés ces années dernières. On ne doit pas oublier non plus que ceux qui restent dans les camps sont les cas les plus difficiles, parfois les plus douloureux et que les progrès réalisés d'une part font apparaître, de l'autre, une situation de plus en plus difficile, des cas de plus en plus pénibles. Cependant M. T... est un optimiste. C'est une question de courage, et d'argent. Cette peste sera vaincue. Tout le monde sera rétabli dans un ordre normal. Je verrai, ici même, les nouvelles maisons que l'on construit pour les réfugiés, et j'en trouverai d'autres tout le long de mon chemin. Déjà des centaines et des centaines de familles ont été relogées. Sous certaines conditions, on prête de l'argent à certains réfugiés qui veulent entreprendre un petit commerce. Ils ont dix ans pour le rendre. On crée des ateliers pour les « handicapés », c'est-à-dire pour certains malades, certains infirmes, et je verrai de ces ateliers modèles après-demain à Bielefeld. On s'occupe des délinquants, que l'on rééduque : en cela consiste la partie positive des choses. Que tout aille trop lentement, c'est un fait. Mais les moyens sont insuffisants. Il faut de l'argent, encore plus d'argent. Il y a si longtemps que dure cette misère, et tous les jours, de nouveaux réfugiés viennent grossir le nombre de cet immense prolétariat qui peuple les camps que l'on voudrait liquider et qu'il faudra bien qu'on ait liquidés avant deux ans. Il y en a qui sont là-dedans depuis vingt ans ! Ce sont les vieux réfugiés venus en Allemagne avant ou pendant la guerre, en majorité des Polonais, des Russes, des Serbes. Les nouveaux sont des Hongrois, des Yougoslaves. Tous ne vivent pas dans des camps. Il existe une catégorie de *free-livers* qui vivent en ville. Mais si mauvais qu'il soit, un abri est un abri — c'est le côté positif. Je verrai que partout dans les camps on peut se chauffer au bois, que personne n'y meurt de faim. Ceux qui ne peuvent travailler touchent une petite allocation. Il y a des bons pour les vêtements et les souliers. A la tête des camps l'administration est généralement très attentive, très bienveillante. Mais il faut de plus grands moyens, autrement dit de l'argent. Les moyens dont on dispose actuellement suffisent tout juste à aider les réfugiés à durer. Beaucoup d'entre eux, trop las, trop découragés, ne dureront pas les deux ans qu'on réclame pour en finir, sans parler des vieux très nombreux qui après quinze ans, dix-huit ans de cette vie misérable vont mourir cet hiver...

Un splendide cargo remonte le fleuve, il va gagner la mer, arborant un immense pavillon hollandais. L'hymne hollandais retentit tandis que le cargo passe sous nos yeux. L'officier du port, au micro, annonce que le cargo s'en va aux Indes-Orientales.

La grande question, c'est le logement.

On ne peut supprimer un camp qu'à la condition de reloger normalement ceux qui s'y trouvent. Mais cela n'est pas simple. Nous sommes encore aujourd'hui, partout en Europe, handicapés par les destructions de la guerre. Les logements à bon marché ne se trouvent nulle part, en raison de la crise qui dure. La seule solution est de construire. On construit, mais on ne peut construire n'importe où. Non seulement il faut construire des habitations dont le loyer soit très modeste, mais encore faut-il qu'elles le soient à proximité des villes, pas trop éloignées des lieux de travail. C'est dans l'industrie que la plupart des réfugiés trouvent du travail. On ne doit pas oublier qu'ils sont tous sans autres moyens que ceux qu'ils tirent de leur travail, sans parler du grand nombre d'entre eux qui, absolument sans ressources, dépendent entièrement de l'Assistance. Mais à proximité des villes, les terrains coûtent plus cher qu'à la campagne. On en trouve, mais il faut de longues négociations avant de les acquérir et de pouvoir bâtir. Cependant, dans les camps, on attend toujours, au fond des baraques en bois. Cela va durer encore deux ans.

Pourquoi les démarches sont-elles toujours si longues quand il s'agit de l'achat d'un terrain à bâtir ? C'est qu'il y faut l'agrément du Haut-Commissariat pour les Réfugiés et celui des autorités locales, dans un Etat souverain. Il n'est pas toujours facile, en dépit de la bonne volonté réciproque, de trouver un compromis. Cette recherche a toujours été et demeure encore aujourd'hui l'une des principales raisons qui retardent la suppression des camps. D'un autre côté, la collaboration entre le Haut-Commissariat pour les Réfugiés et les Etats souverains permet de grandes réalisations. En conjuguant les efforts, en insérant dans le programme de construction allemand le sien propre, le Haut-Commissariat obtient que sur le chiffre de cinq cent mille logements par an inscrits au titre national, deux mille le soient pour le compte des réfugiés. Les loyers sont calculés de manière à couvrir le remboursement de l'intérêt et du capital à très long terme. Jusqu'à la fin du remboursement, le logement est réservé aux réfugiés placés sous le mandat du haut-commissaire. « Au cas où les locataires auraient de grosses difficultés financières, le Haut-Commissariat et l'Assistance publique veillent au payement du loyer. Ainsi le Haut-Commissariat peut être certain que les réfugiés ne sont pas condamnés à attendre leur logement plus longtemps que les ressortissants allemands placés dans les mêmes conditions. »

Ce matin, j'ai retrouvé M. C... Nous sommes allés ensemble au camp de Fischbeck.

Le fait que le camp de Fischbeck, à quinze ou dix-huit kilomètres de Hambourg, construit pour des colonies de jeunes, devint à partir de 1940 un camp de prisonniers de guerre où furent rassemblés des soldats français et belges, doit être signalé au lecteur, ancien prisonnier peut-être lui-même.

De 1945 à 1950, ce même camp de Fischbeck a servi d'abri exclusivement à des personnes déplacées, c'est-à-dire étrangères en Allemagne. A partir de 1950, on y a aussi introduit des réfugiés allemands.

Il y a là encore aujourd'hui, à côté d'une soixantaine d'Allemands, des Polonais, des Ukrainiens, des Tchèques, des Lituaniens, etc.

Au total, sept cent soixante personnes.

Quatorze célibataires, vieillards presque tous.

Certains réfugiés vivent dans ce camp depuis onze ans.

L'impression première en entrant dans ce camp, assez éloigné de la grand-route, et par un chemin mal entretenu, est de beaucoup meilleure que celle éprouvée hier à Funkturm. Les premières constructions, où sont installés les bureaux de l'administration, sont en briques. Les baraques en bois viennent

plus loin. Mais, à première vue aussi, elles paraissent meilleures, ou mieux entretenues que celles de Funkturm. Mais c'est
tout de même un camp, d'une grande tristesse dans la solitude
de la campagne, par une journée de grand vent, et de grosse
pluie.

Le *Lagerleiter* me fait un tableau de la situation en insistant,
comme son collègue de Funkturm, sur la condition des plus
malheureux qui sont les personnes seules, les veufs, les célibataires. Ce sont tous des cas difficiles.

Une raison de se montrer optimiste tient au fait que l'on a
jusqu'à présent construit sept cents logements (la contribution
des Nations unies a été de six mille marks par logement) pour
sept cents familles de personnes déplacées dont certaines
venaient de ce même camp de Fischbeck où nous sommes.

M. C... me promet de me montrer quelques-uns de ces nouveaux logements sur le chemin du retour, pas très loin d'ici.

La première baraque en bois dans laquelle nous entrons
paraît immense et très haute. Elle est divisée dans toute sa
longueur par un large couloir obscur malgré la lumière électrique, mais rouge. De part et d'autre, des portes. Sur chaque
porte, un nom. Au bout du couloir, un vague reflet de jour.
Tout paraît nocturne. Personne. Rien que nos pas sur le plancher de bois...

Parfois, à travers une porte entrouverte, on aperçoit un « intérieur ». Tout paraît bien tenu et propre. Un fois, au passage,
j'ai vu un appareil de radio, une autre fois, un écran de télévision.

A certaines portes où le *Lagerleiter* frappe, on ne répond pas.
C'est que les gens sont allés faire des courses, ou qu'ils travaillent.

Nous sommes ici dans la partie du camp habitée par une
majorité de réfugiés allemands.

Une femme d'une quarantaine d'années, forte, courte, avec
de gros cheveux roux, nous sourit et nous prie d'entrer. Nous

voulons visiter sa demeure ? Mais oui ! Tout de suite. Ce sera
vite fait d'ailleurs : il n'y a qu'une chambre et un petit appentis qui sert de cuisine.

— Mais combien êtes-vous à vivre là-dedans ? demande le
Lagerleiter.

Réponse :

— Dix.

Elle-même et son mari. Huit enfants.

Elle soulève un rideau, pour nous montrer les lits superposés.

— Et depuis quand ?

Geste vague. Elle ne compte plus les années. Six ans ? Sept
ans ?

Elle espère qu'on la relogera un jour. Et, puisque son mari
travaille, et que toute la famille est en bonne santé, elle estime
n'avoir pas le droit de se plaindre...

Sa voisine est une très jolie jeune femme aussi allemande et
mise avec coquetterie, mère d'une petite fille de deux ans très
gracieuse.

— Mais oui, dit-elle en souriant, tout cela n'aura qu'un
temps. On construit...

Elle est très jeune, sûrement pas vingt-cinq ans. Son mari travaille. Tout ira bien avant longtemps. Et bon Noël ! *Alles gut !*

Ici, personne ne répond. Mais le *Lagerleiter* insiste, car il
sait, dit-il, qu'*elle* est chez elle, et si *elle* ne répond pas, c'est
qu'*elle* ne veut pas répondre. Il frappe de nouveau. Sur un carton cloué en haut de la porte, je lis, malgré la mauvaise lumière, un nom polonais.

La porte finit par s'entrouvrir, mais on ne nous laisse pas
entrer encore. Loin de là ! Tout, dans le visage de cette femme
qui nous regarde, signifie : allez-vous-en !

Après tout, c'est bien son droit. Elle est chez elle.

Elle a gardé la main sur la poignée de la porte, le *Lagerleiter*
a la main sur l'autre poignée. Elle veut repousser la porte. Un
instant, j'observe la lutte silencieuse des deux mains.

Elle ne sera pas la plus forte.

Son regard, qui paraît noir, nous chasse. Son front se plisse sous le foulard vert qui lui serre la tête et les joues. Elle a un sourire d'une grande maussaderie, et ne dit pas un mot.

Elle finit par céder et, aussitôt la porte ouverte, elle saute, pour ainsi dire, au milieu de la pièce, où elle veut mettre un peu d'ordre. Nous l'avons surprise en plein quand elle faisait son ménage. En hâte, elle enlève divers objets qui traînent sur le lit, mais le désordre est si grand partout qu'elle renonce. Elle reste debout à nous regarder.

Dans son berceau un enfant de quelques mois, très sage, avec de grands yeux noirs. A la différence du petit malade de Funkturm, c'est un très bel enfant, très bien tenu.

La mère est toujours debout, sans un mot, avec le même sourire maussade et le même regard qui nous repousse.

— Depuis combien de temps êtes-vous en Allemagne ?

C'est le *Lagerleiter* qui a posé la question.

Je me demande si elle va répondre. On a dû lui poser cette question tant de fois ! Et des visites comme la nôtre, elle a dû en avoir beaucoup.

Elle répond cependant :

— Depuis 1942.

Inutile de lui demander comment elle y est venue : emmenée de force, pour travailler. Depuis, elle a toujours vécu dans des camps dont elle énumère quelques-uns.

— Et dans celui-ci ?

— Dix ans.

La conversation se tient en allemand. M. C... ne dit pas un mot.

— Dix ans, reprend le *Lagerleiter*, mais...

Et j'entends qu'il fait allusion à un relogement prochain. Elle hoche la tête. La maussaderie du sourire s'accentue. Elle n'y croit plus.

Le *Lagerleiter* lui parle d'une « dernière chance ». Elle hausse les épaules. Il semble que tout ce que nous puissions faire pour elle en ce moment, c'est de la laisser tranquille.

Nous retrouvons l'immense couloir ténébreux avec ses petites lampes rouges.

— Et l'enfant, monsieur le *Lagerleiter* ?

— Ah ! Oui : c'est son deuxième enfant. Le père est un Bulgare qui habite aussi le camp.

— Et le premier ?

— Hors du camp, pour le moment.

— Le mari travaille ?

— Elle n'est pas mariée. Elle ne veut pas se marier. Elle refuse d'épouser le Bulgare.

— Elle veut en épouser un autre ?

— Non. Personne. Elle ne veut épouser ni le Bulgare ni personne. Elle ne veut rien. C'est un de nos cas les plus difficiles.

Le vent qui s'est mis à souffler en tempête nous bouscule dès que nous sortons de là et enlève le chapeau du *Lagerleiter* qui court après. La pluie s'en mêle. Nous pataugeons dans les flaques. Tout est noir. Et nous ne sommes encore qu'au 5 décembre.

On me dit que jusqu'à présent la neige ne s'est pas encore montrée, que le froid n'a pas été trop vif — mais dans quelques jours, à Noël, en janvier, en février...

La pluie ruisselle sur les baraques d'où s'élèvent des fumées.

Personne dehors. Nous allons d'une baraque à l'autre, comme hier à Funkturm, et c'est partout le même spectacle, et toujours les mêmes questions, et les mêmes réponses, la même acceptation, en général. Le cas de la fille-mère que nous venons de quitter ne se retrouve pas : je n'entends pas un mot de plainte, pas un mot de révolte. C'est toujours, comme hier, le même accueil cordial. Bien qu'on n'attende rien d'une visite comme la nôtre, on nous fait honneur. On nous prie de nous asseoir un instant. Et personne ne fait de difficultés pour raconter comment les choses en sont venues au point où nous les voyons et depuis combien de temps elles durent.

Je ne sais ce qu'il faut admirer le plus, de la patience des humains, de leur courage ou de leur résignation.

Ici, on déménage, mais c'est pour aller dans une autre baraque du même camp, le relogement dans une vraie maison n'étant pas encore pour tout de suite.

Au milieu d'une grande pièce vide une jeune femme à genoux achève de bourrer une valise. Des enfants très affairés entrent et sortent emportant des paquets. Nous tombons mal.

On prend à peine garde à nous. Tout ce que je saurai, c'est qu'il s'agit d'une famille de Tziganes.

Comme je dois partir tout à l'heure pour Bielefeld, il faut écourter la visite. Et même, je devrai renoncer à voir les camps de Falkenberg et de Daimlerstrasse.

A mon plus grand regret encore, je devrai supprimer de mon programme la visite projetée à Lübeck où je devais visiter les réfugiés de l'ancien camp de Lohmühla maintenant relogés dans des appartements à la Mozartstrasse, et à la Zieglerstrasse et les vieillards à Saint-Hubertus. Des rendez-vous ont été pris pour moi à Bielefeld pour visiter des ateliers protégés. Je dois y être demain matin.

A dix kilomètres de Fischbeck, M. C... arrête la voiture pour me montrer un « block » de maisons neuves genre H.L.M., ces maisons nouvelles dont nous parlions tout à l'heure, où l'on a relogé des personnes déplacées et des réfugiés allemands.

Nous pourrions rendre visite à quelques-uns d'entre eux, mais l'heure est mal choisie et le temps presse. Dans la suite de mon voyage, j'aurai d'autres occasions de visiter des réfugiés relogés. Nous nous contenterons pour l'instant de faire le tour du « block ». On voit que le chantier vient tout juste de se terminer. D'autres sont ouverts ailleurs.

Ayant quitté Hambourg à dix-huit heures pour être à Bielefeld à vingt-deux heures trente, j'ai eu bien le temps dans le train de réfléchir à ce que j'ai vu.

C'est le prolétariat que j'ai rencontré dans les camps de Funkturm et de Fischbeck. Ailleurs, ce sera sûrement la même chose. Le peuple des réfugiés est un peuple de prolétaires sans patrie. Si parmi eux se rencontrent des « ennemis du prolétariat » anciens et nouveaux, leur nombre est sûrement infime.

Je doute que le vieux Polonais ouvrier agricole illettré que nous avons trouvé tout seul dans son coin de grange soit un ennemi du prolétariat, que la mère de l'enfant malade en soit une.

On m'a dit que les pays d'au-delà du rideau de fer nient qu'il existe de leurs nationaux dans les camps de réfugiés — ou bien, s'il en existe, ils n'ont qu'à revenir dans leur patrie.

Les gouvernements de ces pays ont, il y a quelques années, envoyé dans les camps des commissions, qui auraient conclu à l'inutilité de leur mission.

Il n'est pas trop tard pour recommencer.

Les « ateliers protégés » de Beckhof, que je vais voir, dépendent de l'Institution de Bethel, près de Bielefeld, en Westphalie.

Bethel est le nom d'une ville de l'ancienne Palestine au nord de Jérusalem. C'est là que Dieu apparut à Abraham et à Jacob, et que moururent Rachel et Déborah.

C'est aussi le nom de cette institution célèbre dans toute l'Allemagne et au-delà, où l'on soigne huit mille cinq cents malades chaque jour, principalement les épileptiques et les faibles d'esprit.

Bethel : la ville des malades. Bethel : la maison de Dieu.

C'est une ville en effet, qui, avec ses annexes de Senne et de Freistadt, compte aujourd'hui quatorze mille âmes, comprenant des milliers de malades, internés et libres, de nombreux médecins, des centaines d'infirmiers, d'infirmières, de diaconesses, et qui doit tout au père Frédéric von Bodelschwingh qui la fonda en 1867, et auquel succéda, en 1910, son fils, le pasteur Fritz von Bodelschwingh.

Si le père a eu le mérite de fonder et de développer la « ville des malades », le fils a eu celui, non moins grand peut-être, de la conserver sous Hitler. Aujourd'hui, depuis 1946, c'est le pasteur Rudolf Hardt qui, assisté par le petit-fils du père Bodelschwingh, le pasteur Friedrich von Bodelschwingh, dirige Bethel.

Dès 1882, le vieux fondateur s'intéressa au sort des chômeurs et des sans-abri, pour qui il fit construire des établissements, et son successeur, après 1918, organisa à Bethel des secours aux chômeurs dont plus de mille par jour furent secourus par les soins de l'Institution. Pendant la guerre, Bethel ouvrit ses portes aux vieillards. Sept cent cinquante vieillards y sont encore aujourd'hui hébergés. Après la défaite de l'Allemagne, en 1945, ces mêmes établissements abritèrent des réfugiés. Vingt-quatre mille réfugiés passèrent à Bethel. On institua un bureau pour la recherche des personnes disparues. Mais on s'intéressa aussi aux enfants abandonnés pour qui on ouvrit des écoles, à qui on fournit du travail.

Le domaine de Beckhof, à une dizaine de kilomètres de Bethel, et ayant depuis des générations appartenu à la même famille, a été acheté par l'Institution von Bodelschwingh de Bethel. On y a construit des maisons et des ateliers où les réfugiés trouvent du travail, sont hébergés, soignés...

Une partie de ces choses m'était connue. J'apprends les autres de Herr Wilhelm G... avec qui, ce matin mercredi 6 décembre, j'ai passé deux heures.

Herr Wilhelm G... joue un rôle important dans l'administration de Bethel et dirige les « ateliers protégés » de Beckhof, qui en dépendent.

Les « ateliers protégés » ont été conçus à l'intention de réfugiés sérieusement diminués soit par infirmité, amputation, maladie incurable, soit en raison de légers troubles mentaux.

La « protection » consiste à leur éviter les « chocs » qui pourraient leur venir du monde extérieur, ce qui ne veut pas dire qu'ils en soient séparés. Ils sont libres, peuvent voir qui ils veulent, et se mêler à la population locale.

Les « ateliers protégés » de Beckhof passent pour le modèle du genre.

D'autres de ces « ateliers protégés » existent aussi à Omstede, et l'on envisage une nouvelle création à Linz, en Autriche.

En même temps qu'on fournit du travail aux réfugiés rassemblés dans ces ateliers, on leur donne les soins que nécessite leur état. Le travail lui-même est un élément du « traitement ».

À Beckhof on fabrique des pièces pour des machines à laver et des appareils électriques. Les commandes sont fournies par de grandes entreprises allemandes et les ouvriers de Beckhof payés comme les ouvriers ordinaires. Toutefois, on ne s'y occupe pas que d'industrie, si j'en crois certaines photos que j'ai vues à Genève. On s'y intéresse aussi... au classement des timbres-poste. L'une de ces photos représentait un vieil instituteur ukrainien, occupé à décoller des timbres et à les classer. La légende photo disait que ce petit travail avait contribué à donner à ce vieux maître d'école un nouvel intérêt dans la vie. Ce n'était pas un travail vain, du reste. Il avait son utilité, puisque les timbres décollés, classés et mis en paquets étaient ensuite vendus à des marchands de Hollande, de Suisse ou d'Amérique. On disait encore que dans les mêmes ateliers, une douzaine de réfugiés, des intellectuels pour la plupart, mais trop vieux pour s'employer à d'autres travaux, s'occupaient chaque jour à la même besogne, et que, bien qu'un million et demi ou deux millions de timbres fussent ainsi décollés et classés chaque mois, cela ne suffisait pas encore à satisfaire aux demandes des marchands.

Dans les ateliers de Beckhof, je trouverai des réfugiés venant de l'ancien camp d'Augustdorf où mille huit cents personnes déplacées appartenant à quatorze nations différentes étaient rassemblées jusqu'en 1958, date à laquelle le camp a été fermé.

C'est à cette même date qu'on a ouvert les ateliers et inauguré les nouveaux logements. À Beckhof, tout est neuf. Les constructions commencées en 1957 ont été achevées en 1958.

Beckhof abrite aujourd'hui deux cent vingt personnes déplacées et comprend, outre les ateliers, soixante logements pour des vieillards, des malades, des infirmes, des malades mentaux.

On y achève la construction d'une église où les cultes catholique et orthodoxe seront célébrés.

Son état de santé obligeant Herr G... à garder la chambre aujourd'hui, c'est en compagnie d'une assistante sociale, Fräu-

lein Käte, que j'irai visiter Beckhof, à une dizaine de kilomè-
tres de Bielefeld. Mais d'abord, nous ferons un tour dans
Bethel, où, comme partout ailleurs, on se prépare à célébrer
Noël.

Les magasins sont en rumeur, on vend des sapins partout.
Le temps est sec, mais froid, et le ciel gris. Fräulein Käte me
guide à travers la ville des malades en attendant la voiture qui
doit nous emmener à Beckhof.

La voiture nous a laissés à cent mètres de Beckhof. Il était
un peu plus de deux heures après midi. Le ciel, resté pur, était
d'une belle lumière et la campagne bien paisible : l'endroit est
en effet très bien choisi pour le repos.

Nous avons traversé une sorte de pré un peu boueux, vu des
arbres. Les établissements étaient derrière.

C'est vrai que tout, ici, est neuf. Nous sommes allés chez le
Werkstattleiter le directeur des travaux, un homme jeune, de
très bonne humeur.

Que ces ateliers soient en effet des ateliers modèles où les
conditions de lumière, de sécurité, d'hygiène sont parfaitement réunies, que la plus grande sympathie règne entre les
réfugiés et les représentants de l'administration, c'est tout de
suite évident.

Tout, ici, est clair, propre, tranquille, et l'atmosphère mieux
que cordiale. Le travail auquel on se livre est peu bruyant.
Dans le premier atelier où nous entrons, ne se trouvent guère
plus d'une vingtaine de personnes. La couleur dominante est le
blanc.

Nous sommes dans l'un des ateliers où l'on fabrique des
pièces pour des machines à laver. Certains travaillent assis,
d'autres debout. Tous les âges ici sont représentés, et le premier réfugié auquel Fräulein Käte s'adresse est un jeune homme de vingt-deux ans.

D'où vient-il ? Comment se trouve-t-il là ? Quel est son
pays ? À ces questions, qu'il n'a peut-être pas entendues — ou

pas comprises — il ne répond pas. Il dit seulement qu'il travaille, et qu'il veut travailler beaucoup.

Il est grand, maigre, dans un long visage aux pommettes un peu fortes, il a un regard très attentif, et il répète qu'il veut travailler, qu'il faut travailler.

À ma grande surprise, il s'adresse à moi en anglais. Où a-t-il appris cette langue ? Probablement tout seul, dans les livres. Mais ce qu'il en sait suffit pour qu'il me fasse comprendre que s'il veut tellement travailler, c'est pour envoyer de l'argent à sa mère.

Dans un coin, assis comme en tailleur, un gaillard de cinquante-cinq à soixante ans, poilu, chevelu comme personne, sans un fil blanc. Dès qu'on lui parle, il éclate de rire. Il rit de tout son cœur, de toute sa vaste poitrine, de tout son large visage un peu coloré, sans barbe. C'est Boris, un Russe. Il n'a rien à dire. Il rit, c'est tout. Il est content ici... C'est un vieil ami...

Ici c'est un Hongrois, là un Tchèque, ici un mutilé — une jambe en moins —, là un infirme. Certains viennent de l'ancien camp d'Augustdorf, d'autres d'ailleurs. Mais on peut être sûr que tous depuis des années ont vécu la plus misérable des vies, et ici c'est un grand changement, un progrès réel, bien qu'ils n'aient pas cessé d'appartenir à la catégorie des « impropres à l'émigration ».

D'autres, « handicapés » comme ceux-ci, ont été accueillis par la Nouvelle-Zélande, les États-Unis, le Canada, l'Australie, etc. Ceux-ci, non.

Depuis 1960, les mesures d'émigration ont été partout assouplies, mais le problème est loin d'être réglé encore.

La catégorie des « impropres à l'émigration » répond à certaines définitions bureaucratiques, mais à l'intérieur de cette catégorie il faut inclure celle des « malchanceux ».

Je ne sais plus si c'est dans le deuxième ou troisième atelier où nous sommes entrés que Fräulein Käte s'est souvenue qu'il y avait là quelqu'un parlant français.

Elle a posé la question à haute voix, et j'ai vu se dresser un homme de grande taille, encore jeune, tout en noir, borgne de l'œil droit. Sa joue droite portait des cicatrices qui m'ont paru provenir de brûlures. Il s'est approché en souriant et m'a tendu la main. J'ai vu qu'il y manquait deux doigts.

— Vous venez de France ?

— Oui.

— Paris ?

— Oui.

Il a souri, et il m'a dit en me montrant son œil en moins :

— C'est à Paris que m'est arrivé le bouquet !

— La main aussi ?

— Oui.

Nous sommes restés un long moment sans rien dire. Je ne voulais pas poser de questions. À la fin, je lui ai demandé comme ça allait ici.

Il m'a répondu avec bonhomie :

— Oh ! On pourrait aussi dire merde !

Je ne voulais toujours pas poser de questions, mais il m'a dit lui-même qu'il était russe, et fils d'émigrés. Son âge : cinquante-quatre ans.

— Alors, vous comprenez... J'étais danseur... Les Ballets russes... Alors, vous comprenez...

Ses parents ont d'abord émigré à Berlin, puis, à l'avènement d'Hitler, en France, de là en Amérique et, de fil en aiguille...

Il a encore de la famille à Paris où il espère retourner un jour...

Plus tard, j'ai appris que c'est en combattant pour la libération de Paris avec les troupes américaines qu'il a perdu son œil et la moitié d'une main. Et que les Américains, pas plus que les Français, ne lui ont jamais reconnu de droits à une pension. De cela, il ne m'avait lui-même rien dit.

Le *Werkstattleiter* est retourné à son bureau. Nous ne visiterons pas tous les ateliers, trop nombreux, et le temps nous manquerait alors d'aller faire un tour dans le « village » et d'entrer pour leur dire bonjour chez les vieux et les vieilles installés ici depuis quelque temps dans les nouvelles maisons : le vieux père Beika par exemple, ou Frau Kalacis...

Fräulein Käte voudrait aussi me montrer la nouvelle église, qui n'est pas encore tout à fait achevée, et qui sera très belle. Une église en bois. Pour y aller, nous devrons parcourir une très belle allée sous les chênes. Le chemin sera peut-être un peu boueux, mais tant pis. Le ciel reste pur. Pas une goutte de pluie. Pour rentrer, nous prendrons l'autobus, puis le tramway. Mais entrons encore ici un instant : c'est un atelier de femmes...

On dirait un ouvroir : c'en est un probablement. Il ne me semble pas qu'ici on s'occupe d'industrie, mais de couture, de broderie. Une vingtaine de femmes dans une grande pièce blanche assises devant des tables, et, au milieu de la pièce, quelqu'un, dans une voiture d'infirme, qu'une autre personne pousse ici et là...

Le silence est absolu.

La personne dans la voiture est aussi une femme, tout en blanc, un chapeau sur la tête, d'une grande noblesse de visage. C'est une malade ou une infirme, une réfugiée comme les autres.

J'apprendrai tout à l'heure qu'elle a tout juste passé la quarantaine, qu'elle a les jambes paralysées depuis quinze ans à la suite d'un accident d'auto et qu'ici, elle fait de la broderie...

Quinze ans : en 1946.

— *Sie will kein Mitleid*, me dit Fräulein Käte.

En d'autres termes : elle refuse toute compassion.

Mais comment faisait-elle, avant de venir ici, quand elle était dans un camp comme Funkturm ?

Nous quittons les ateliers pour aller rendre visite au vieux père Beika et à quelques autres, habitant comme lui le « village ». Ce sera la première fois que je verrai des réfugiés relogés normalement, quoique sur une terre étrangère. On se rend compte tout de suite en voyant les maisons neuves, et l'impression se confirme quand on y entre, que ce sont de bonnes maisons, solides, confortables, et même coquettes.

L'appartement du vieux père Beika se trouve au rez-de-chaussée. Sans doute l'a-t-on voulu ainsi pour lui éviter d'avoir à gravir des escaliers.

Le vieux père Beika a soixante-quatorze ans. C'est un vieil homme droit, mince et de taille moyenne, vif, très soigné, un ancien notable. Il était maire de sa commune, en Lettonie, il possédait des terres, il avait une femme, peut-être des enfants.

Aujourd'hui — et depuis longtemps sans doute — il est réfugié et veuf. Il ne s'intéresse plus qu'à la reliure.

Le petit salon où il nous a introduits, fort élégant, très bien tenu, joliment orné, est aussi son atelier. Il travaille devant la fenêtre qui donne sur un jardin. On voit des arbres. Ici et là sont posées des peaux qu'il prépare, sur lesquelles il a déjà ébauché quelque motif. Et c'est de cela qu'il nous parle tout de suite, c'est cela qu'il nous montre, regrettant telle qualité de cuir, une tache, ici, qui l'a obligé à tout changer. Il aime son travail. Il y est très assidu, mais ce n'est pas un travail toujours facile. On se trompe parfois, et il faut tout recommencer. Il y a des pertes...

De son passé, de sa propre vie *avant*, rien. Nous ne lui posons pas de questions. Nous sommes venus lui dire bonjour en passant, il nous en remercie. Il va en profiter pour nous montrer certains de ses travaux qu'il estime particulièrement réussis. Et le voilà qui ouvre des tiroirs...

Je me dis qu'il ne serait peut-être pas autrement eût-il vieilli chez lui, mais aussitôt je me reproche cette pensée. Suis-je juge de ce à quoi il pense en travaillant, de ses regrets, de ce clocher qu'il cherche peut-être partout et qu'il ne reverra jamais ?

— Pauvre vieux père Beika ! me dit Fräulein Käte en sortant, il est bien seul !

Ce n'est pas le cas de Frau Kalacis qui, elle au moins, vit avec sa vieille mère, dans une autre partie du « village » près de l'église, dans une maison toute semblable à celle qu'habite le vieux père Beika.

La vieille mère a quatre-vingt-cinq ans. Frau Kalacis est veuve et n'a jamais eu d'enfants. Dans la pièce principale de l'appartement, dont il occupe la plus grande partie, est installé un très beau métier à tisser.

Tout le temps qu'elle n'est pas à sa cuisine ou à son ménage Frau Kalacis est à son métier.

La vieille mère, dans son lit.

En poussant la navette on a bien le temps de penser...

Il fait maintenant presque nuit, mais Fräulein Käte ne voudrait pas que nous partions sans avoir visité l'église. Par malheur, l'église est fermée. Ou bien on n'y travaillait pas du tout aujourd'hui, ou bien les ouvriers sont déjà partis. Nous n'en verrons que les entours, ou bien, en montant sur des madriers, ce qu'on pourra distinguer à travers une fenêtre, c'est-à-dire à peu près rien. Resterait un moyen qui serait d'aller trouver le pope. Sans doute a-t-il une clé mais, à travers sa porte qu'il entrebâille à peine, le vieux pope Ostaptschük, un vieil Ukrainien dont on ne voit guère que l'immense barbe grise, répond que sa femme est malade et qu'il ne peut pas sortir, que c'est à peine s'il a le temps de nous dire un mot — et les yeux du pope disparaissent derrière la barbe qui se retire comme le flot...

La première chose que j'ai apprise en arrivant à Stuttgart c'est qu'il existe dans la région dix-neuf camps de réfugiés pour mille cinq cents personnes qui toutes, selon le programme dont j'ai déjà beaucoup entendu parler, devraient être relogées avant deux ans. Mais, en même temps, on me dit qu'en raison de la crise il manque dans la ville même de Stuttgart trente-six mille logements.

C'est en compagnie de Frau P... qui est sarroise, et de Herr S... qui est sudète, que j'irai visiter l'un de ces dix-neuf camps, celui de Bad Cannstadt — (*Wohnheim für heimatslöser Ausländer Bad Cannstadt*— Refuge de Bad Cannstadt pour les étrangers sans foyer.)

En 1951-1952, le gouvernement allemand a fait construire les baraques qui constituent le camp de Cannstadt pour y loger des réfugiés jusque-là installés dans d'anciennes casernes allemandes remises en service pour l'armée américaine pendant la guerre de Corée. Ce qui ne signifie pas — après dix ans d'existence — que ces baraques soient meilleures que celles de Funkturm, ou de Fischbeck. Ce sont les mêmes baraques, du même modèle qu'à Funkturm, longues et basses, noires, alignées de part et d'autre de larges avenues, désertes au moment où nous entrons : il est trois heures de l'après-midi.

Des portes béantes laissent apercevoir des lavoirs, ailleurs des latrines. Le sol est boueux, le ciel gris, le temps humide. Comme à Funkturm, on voit s'échapper des fumées à travers des tuyaux rouillés. Ici et là des oripeaux sur des fils se balancent au vent. Tout est laid, accablant.

C'est la misère même.

Un homme traînant la jambe a contourné une baraque en nous lançant un regard inquiet. Il ne s'est pas approché. Il a voulu voir ce que nous allions faire nous-mêmes. Il s'est arrêté, puis il est reparti. Je me suis dit que, peut-être, il ne voulait pas nous parler. Cependant il continuait à nous observer.

Frau P... et Herr S... n'ont pas semblé remarquer sa présence. Nous avons poursuivi notre chemin.

L'homme qui nous épiait pouvait avoir une quarantaine d'années. Grand et maigre, ne portant qu'une veste et un pantalon, malgré le froid, les cheveux au vent — des cheveux qui depuis longtemps n'avaient plus connu les ciseaux du coiffeur —, le cou nu, et le regard toujours aussi inquiet, il se tenait à bonne distance, mais ne nous perdait pas de vue.

Il s'arrêtait parfois, puis il repartait lentement, toujours en traînant la jambe...

Les mains dans les poches.

En approchant d'une certaine baraque, nous avons entendu de grands rires joyeux et quand la porte s'est ouverte, quelqu'un s'est précipité pour baiser la main de Frau P...

Herr S... s'est écrié :

— Comment ça va, Dudelo ?

L'homme qui, avec une grâce parfaite, venait de s'incliner devant Frau P... pour lui baiser la main était un certain Dudelo, apparemment très ami de Herr S... mais, de toute évidence, un vrai vagabond.

Petit, trapu, vêtu d'une vieille canadienne, coiffé d'une casquette à visière de cuir, chaussé de petites bottes bien avachies, le regard noir mais vif, tout brillant de joie, les cheveux longs et en désordre, les pommettes saillantes, Dudelo nous a fait les honneurs de sa demeure : un lieu bien vide, dans une lumière basse, et présentés à l'un de ses amis venu lui faire visite et boire un coup avec lui.

Il n'y avait pas de quoi s'asseoir, mais tant pis !

On aurait pu, il est vrai, débarrasser le lit de tout ce qui l'encombrait, mais cela eût demandé beaucoup de temps et d'efforts. Et où mettre les bouteilles de bière ?

La table en était tout encombrée, les unes vides, les autres pleines.

Il est vrai aussi que l'ami en visite aurait pu se lever et offrir sa chaise, la seule qui se trouvât dans la baraque, à Frau P... mais cette pensée ne parut même pas l'effleurer, tant il était occupé à rire de ce que Herr S... et Dudelo se racontaient en riant eux-mêmes tant qu'ils pouvaient. Ce n'était guère que de petites plaisanteries mais amicales, du genre :

— Espèce d'ivrogne, alors ça va vivre comme ça toute la vie ? Et va te faire couper les cheveux, autrement tu ne trouveras pas de femme pour passer avec toi les fêtes de Noël... Et comment ça va, à part ça ?

Apparemment tout allait bien pour Dudelo et son ami. Il restait encore un peu de bière — regardez ! — pour finir la journée. Et demain on verrait ! Les cheveux ? On s'en fout. Une femme pour passer les fêtes de Noël ? Ah, ça, c'est autre chose. On verra aussi...

En attendant, il aurait pu mettre un peu d'ordre dans cette bauge, non ?

Eh bien oui ! Mais...

L'endroit était d'une saleté sans nom. Tout par terre. Rien aux murs. Rien contre les murs. Pas une armoire. Un lit, une table, cette chaise, et, par terre, des tas d'objets, du bois, des ballots de hardes, des papiers et, surtout, des bouteilles.

— Dudelo, expliqua Herr S... — on peut le dire devant toi, n'est-ce pas, Dudelo ? — est un homme joyeux, même quand il n'a pas bu, futé, bien que ne sachant ni lire ni écrire, et, de plus, un très bon cœur. Toujours prêt à rendre service, et même cherchant les occasions de le faire. Buveur, soit, et chanteur, mais aimant la vie même dans une baraque comme celle-ci. Pas vrai Dudelo ?

Mais si, c'est vrai. Et l'ami, assis devant la table, contemplant son verre, approuvait en riant de toutes ses forces — et de toute sa grande bouche sans une dent. Ce qui, quand il riait, faisait un gouffre immense entre ses joues roses comme des joues d'enfant et lisses sous son crâne nu, tondu, pointu. Mais il ne disait pas un mot. Parfois il nous regardait avec de grands yeux bleus innocents et vides...

Deux vrais vagabonds de Gorki, mais cloués dans un camp. En Allemagne depuis 1940.

Des vagabonds sans steppe.

L'homme qui traînait la jambe nous avait suivis mais il n'était pas entré.

En sortant de chez Dudelo nous l'avons trouvé au coin de la baraque. Il nous attendait debout, les mains dans les poches. Il nous a regardés avec crainte et il s'est avancé en ôtant les mains de ses poches. Nous nous sommes serré la main, mais il n'a eu pour personne le moindre sourire. Il nous a demandé de l'accompagner chez lui. Nous y sommes allés tout de suite. C'était à quelques pas.

En route, il n'a pas dit grand-chose. Nous avons dû ralentir le pas, à cause de sa jambe, et c'est alors seulement que je me suis aperçu qu'il avait une jambe en bois.

Il nous a fait entrer chez lui, et nous avons vu que tout y était aussi étroit et nu que chez Dudelo, mais propre et en ordre. Un lit de fer, une chaise, et une petite table. Ce qu'il voulait ? Une armoire.

— Une petite armoire ?

Herr S... lui a promis une armoire et nous sommes partis sans plus de paroles.

Il ne nous a plus suivis.

Cet homme a été emmené en Allemagne pour le travail obligatoire. En 195 . il s'est rendu coupable d'un cambriolage.

Arrêté par la Military Police américaine, il a, en cherchant à s'évader, roulé sous une jeep.

On a dû l'amputer d'une jambe — en prison.

Herr S... m'a dit :

— Je l'avais bien vu, quand nous sommes arrivés ici tout à l'heure. Si je l'ai laissé nous suivre plutôt que d'aller à sa rencontre, c'est que je le connais depuis longtemps. Il est plus à plaindre que beaucoup. Il faut, le plus possible, éviter de lui parler le premier. Au contraire, il faut, du mieux qu'on peut, s'arranger pour lui laisser l'initiative.

— L'ivrognerie, continue Herr S... en pensant à Dudelo, est un vice très répandu dans les camps, mais comment pourrait-il en être autrement ? On se saoule en effet beaucoup par ici, mais pas au whisky, pas au champagne : à la bière. On ne doit pas reprocher leur vice à ces hommes qui, la plupart du temps, ont perdu tout courage. Qui ne perdrait courage ici ! Ce camp immense, ces baraques partout les mêmes, ces grandes avenues vides sous le ciel gris ? C'est miracle que des hommes, et des femmes, trouvent encore le courage de vivre dans de pareilles conditions, presque sans plus d'espoir, séparés du « genre humain », ayant tout juste de quoi subsister, c'est-à-dire continuer à souffrir dans la conscience de la séparation...

« Comme des lépreux.

« L'ivrognerie est un grand mal, la prostitution en est un autre. Elle existe ici comme ailleurs. Le crime aussi, et la drogue.

Il me cite le cas d'une famille de trois personnes, le père, la mère et la fille, celle-ci âgée de trente-sept ans, qui, tous les trois, s'adonnaient à la coco. D'où venait la drogue, où trouvaient-ils l'argent pour s'en procurer ? Personne n'a jamais pu le dire.

Sous l'influence de la coco, ou, au contraire, quand elle en était privée, la fille battait son vieux père et sa vieille mère, à qui elle cassa un bras, et les enfermait dans un réduit à bois et à charbon où elle les laissait deux ou trois jours.

La police mit un terme à la situation. Un peu plus tard, le vieux père est mort. Après un séjour à l'asile, la fille est revenue au *Lager* avec sa mère...

On ignore la suite.

De tels cas sont exceptionnels, ils le seraient partout. Mais ici ils se produisent dans des conditions qu'il ne tenait, qu'il ne tient qu'à nous de détruire.

Voici maintenant Herr S... Il est hongrois. Il a quarante-sept ans, mais son apparence est celle d'un adolescent. Mince et fragile, on le prendrait pour un garçon de dix-sept ans. Son teint est blanc-gris, un teint de papier.

C'est un ouvrier agricole, mais il ne travaille plus. C'est un hypotendu. Il souffre de l'estomac. Il est asthmatique.

Que fait-il là dans cette baraque ?

Il s'exprime doucement, il est sans révolte. Son regard est celui d'un homme intelligent et raisonnable. Que va-t-il advenir de lui ? Va-t-il accepter qu'on l'emmène dans un hôpital ?

Herr S... reviendra le voir, on décidera dans quelques jours...

Un vieillard, compatriote de Herr S..., peut-être son père, assistait à l'entrevue.

Il n'a pas dit grand-chose.

De là, nous sommes passés au *Kindergarten,* c'est-à-dire l'école enfantine. Pour y arriver, il nous a fallu traverser une bonne partie du camp, longer de vastes avenues, entre les mêmes baraques partout.

Malheureusement, les enfants n'étaient plus là. L'heure était passée. L'institutrice elle-même allait partir.

L'institutrice est une fonctionnaire allemande qui habite en ville.

La baraque dans laquelle est installée cette école, où il n'y a qu'une seule classe, est de beaucoup mieux construite que les autres. Elle ressemble à un petit pavillon. Tout y est propre, et luisant, les bois et les sièges sont cirés. La classe, sans être vaste, est grande et bien éclairée, les murs peints en clair, ornés de petits tableaux enfantins aux couleurs vives. C'est très gai. On voit tout de suite qu'on a fait ici un grand effort par amour pour les enfants. Il en vient une vingtaine tous les jours.

Comme dans toutes les écoles du monde, on leur apprend à lire, à écrire et à compter. On leur apprend des chansons, on leur raconte des histoires de fées, et, pour le moment, on leur lit des contes de Noël, puisque Noël approche, et que cette grande fête est par excellence la leur. On les amuse, on leur enseigne des jeux et quelques principes élémentaires : qu'il faut être bon avec tout le monde, et par conséquent ne pas se battre avec son voisin, conduire un aveugle dans la rue, relever le bâton d'un vieillard, etc.

En terminant notre visite, nous passerons à la cantine, où Frau P... a quelqu'un à voir. C'est une sorte de petite épicerie de village à l'autre bout du camp. La nuit est proche. Des lumières s'allument ici et là. On frissonne un peu.

Frau P... en passant frappe à une porte. N'obtenant pas de réponse elle frappe à la fenêtre. Comme on ne répond encore pas, elle regarde à travers la fenêtre, et recule en s'écriant d'un ton horrifié :

— Mais elle est là toute nue sur son lit !

C'est l'idiote Gontars. Une vraie idiote. Elle a dû se saouler à mort, comme tous les jours, enlever ses habits et se jeter sur son lit pour cuver son vin.

Frau P... frappe de nouveau, mais plus fort. L'idiote ne bronche pas.

— Mais elle va prendre mal ! Il faut au moins qu'elle se couvre.

Il n'y a pas de feu dans la baraque, et la nuit vient qui sera très froide. Depuis combien de temps est-elle là ? Et à quelle heure rentrera son mari, ivrogne autant qu'elle, sinon plus ? Il travaille en ville comme manœuvre.

— Ouvrez !

L'idiote a vaguement perçu quelque chose. Elle a remué et ouvert un œil, nous apprend Frau P... après avoir encore une fois regardé à travers la vitre : le lit sur lequel l'idiote est étendue est tout juste sous la fenêtre.

— Ouvrez la porte !

On entend des bruits, et, finalement, la porte s'ouvre, et Frau P... peut entrer.

Nous l'entendons qui s'exclame :

— Mais au moins habillez-vous ! Mettez quelque chose sur vous, vous allez prendre froid.

Nous comprenons qu'elle aide l'idiote à se vêtir, et bientôt elle nous annonce que nous pouvons entrer.

Dieu, quelle puanteur ! Et quel spectacle ! Au milieu d'un taudis, un être est là, court, énorme, hébété, une femme sans âge, échevelée, une masse de graisse blême dont Frau P... s'efforce de cacher la nudité sous une sorte de blouse grise. L'idiote tient à peine sur ses jambes. Elle ne comprend pas ce qui arrive, ce qu'on lui veut, ce qu'il faut faire. Elle bafouille.

Ce qu'il faut faire ? Se vêtir, et se recoucher et dormir encore, puisqu'il n'y a pas autre chose à faire pour le moment, mais au moins se couvrir, ne pas rester là toute nue sur le lit, jeter sur soi une couverture, ou ce qui en tiendra lieu.

— Comprenez-vous, madame Gontars ? La nuit vient. Il va faire froid. Si vous ne vous couvrez pas vous allez prendre mal. Comprenez-vous ?

L'idiote s'est laissée coucher comme une enfant et nous sommes partis.

Elle a dû se rendormir tout de suite.

À cause de l'idiote, Frau P... a oublié qu'elle devait passer à la cantine, et c'est Herr S... qui le lui rappelle.

— Allons-y !

Mais Frau P... demeure fort soucieuse. Il faut faire quelque chose au plus vite pour cette malheureuse. Quoi ? On a déjà tout essayé. Mais c'est la première fois qu'on la trouve ainsi toute nue sur son lit, ivre morte.

— Cela ne peut durer ainsi !

Non, assurément. Mais encore une fois, que faire, comment faire ? C'est un cas très difficile. Il y en a tant !

Cependant, l'avis de Frau P... comme de Herr S... est qu'on ne doit abandonner personne...

La cantine est une entreprise privée, installée dans une petite baraque en bois, qui, en plus pauvre, rappelle le *Kindergarten*. C'est un petit magasin, mais tout brillant de lumière et de couleurs où l'on vend un peu de tout. Sur des rayons, des boîtes de conserve, des paquets de pâtes, des bouteilles de lait. Sur le comptoir, des balances. Une petite affaire, menée par une Allemande qui se donne beaucoup de mal et ne fait pas payer plus cher qu'ailleurs. Elle est là derrière son comptoir, grande, forte, blonde aux yeux bleus, la commerçante de partout qui tient à satisfaire ses clients.

Sept ou huit personnes sont là, avec des filets, ou des sacs. On vient acheter un peu de riz, des pommes de terre, une tranche de pâté.

Frau P... a disparu dans l'arrière-boutique. Deux jeunes hommes sont entrés. Ils reviennent du travail et passent à la cantine prendre leur pain.

On parle peu. On fume.

Une petite fille de huit à dix ans, emportant les provisions qu'elle vient d'acheter, sort de la boutique. Je la suis du regard, tandis qu'elle s'en va entre les baraques qui commencent à s'estomper dans la première brume de nuit...

J'écris ceci à Munich, aujourd'hui dimanche 10 décembre 1961. Voilà huit jours que j'ai quitté Genève.

En arrivant hier ici, tard dans l'après-midi, j'ai rencontré M. K..., jeune fonctionnaire allemand délégué au Haut-Commissariat des Nations unies pour les Réfugiés. Nous avons pris rendez-vous pour demain matin lundi aux bureaux des Nations unies, 9 Cuvilliesstrasse, Munich 27. Il était trop tard un samedi soir pour rien entreprendre, et le dimanche est pour tout le monde et partout sacré, même si on le trouve ennuyeux.

C'est le jour du Seigneur et de la vie privée.

Demain, lundi, nous irons d'abord faire visite au professeur P... qui s'occupe de questions de finances. Ensuite nous verrons les réfugiés eux-mêmes.

Que fait-on, le dimanche, dans les camps ? Comment sait-on que c'est dimanche ? Va-t-on à l'église en ville, que ce soit l'église catholique ou orthodoxe ? Va-t-on au temple ? Se retrouve-t-on parmi les autres, et comme les autres, le temps d'une prière ?

Que fait aujourd'hui dimanche après l'office, s'il y est allé, celui qui à Funkturm tirait sur son chandail en suppliant avec tant de véhémence qu'on le débarrassât de ce « salaud » ? Que fait l'ancien danseur, que fait la dame en blanc que l'on promène dans sa petite voiture, et M. Dudelo lui-même, que fait-il s'il n'a plus un sou aujourd'hui pour aller à la cantine s'acheter une bouteille de bière ?

L'ennui des camps. La neurasthénie des camps...

M. le professeur P..., qui habite un petit appartement très confortable dans un quartier un peu éloigné du centre de Munich, est un homme de soixante-dix ans, très solide, très cordial, qui nous reçoit M. K... et moi avec beaucoup de gentillesse bien qu'il soit un peu grippé.

Il est lui-même réfugié, en Allemagne depuis de longues années, mais relogé voilà déjà longtemps, et fort convenablement, comme nous pouvons le constater. Si je comprends bien, M. le professeur P... est surtout compétent en matière de finances. N'a-t-il pas occupé avant la guerre dans son propre pays un poste éminent ?

Il nous fait asseoir, nous offre un verre de vin blanc qu'il nous sert lui-même. M. le professeur P... vit seul et, apparemment, sans domestique.

Ce qu'il faut savoir sur la situation dans la région de Munich ? Il va nous le dire.

En Bavière, on compte encore aujourd'hui quatre-vingt mille réfugiés étrangers, dont soixante mille enregistrés. Dans la région même de Munich, vingt-quatre mille « hard core ». Ce sont là des chiffres « impressionnants ». Mais on n'en doit pas tirer des conclusions pessimistes. M. le professeur P... espère bien comme tout le monde que, dans deux ans, le problème sera résolu. D'ailleurs en face de ces chiffres inquiétants, on peut en inscrire d'autres qui nous réconforteront, car on a déjà fait et on fait tous les jours beaucoup. Cinq millions de marks allemands ont été donnés en faveur des réfugiés par l'I.R.O. qui sont venus s'ajouter à l'importante contribution financière de la République fédérale. Il existe un programme de prêts dont mille sept cent cinquante-six familles ont déjà bénéficié. Grâce à quoi bien des gens peuvent « repartir ». On ne doit pas oublier que si les demandes de relogement pour les *heimatlos* en Allemagne sont aujourd'hui de mille deux cent soixante-dix, on a d'autre part construit quatre mille deux cent trente-six logements qui ont coûté vingt et un millions de marks, et que cinq cents familles ont elles-mêmes construit leur nouvelle maison.

Les choses vont lentement, c'est un fait, mais elles progressent. On a déjà trouvé beaucoup d'argent. Il en faudrait encore plus. C'est toute la question.

M. K... a dû nous quitter pour rentrer à son bureau. Je l'y retrouverai tout à l'heure. Je reste encore un instant avec M. le professeur P... qui me raconte comment en effet il occupait un poste brillant, autrefois, chez lui. Mais tout changea avant la guerre et plus encore pendant, où il fut pris par les nazis et emmené à Dachau. À la fin de la guerre, une fois libéré par les Américains, il se crut sauvé. Mais voilà que les Américains, après quelques semaines, l'arrêtèrent à leur tour et le ramenèrent au camp sans lui donner d'explications. Il y resta encore six mois, puis, on le libéra, toujours sans lui donner d'explications, et il devint un *Heimatlosausländer* vivant de nouveau dans un camp tout pareil à ceux que l'on voit encore, jusqu'au jour où il eut la chance d'être relogé et de pouvoir, à son tour, s'occuper des sans-patrie dont il avait partagé le sort.

La matinée était fort avancée quand j'ai retrouvé M. K... à son bureau de la Cuvilliesstrasse. Nous avons établi le plan des visites que je pourrais faire dans les camps, qui sont ici au nombre de deux cents.

Demain, nous irons à Ingolstadt voir quelques réfugiés relogés, et le camp installé dans la *Friedenskaserne*.

C'est tout à fait par hasard que j'entends parler de réfugiés allemands installés dans le camp même de Dachau.

— Dans les anciennes baraques des déportés ?

— Oui.

J'ai exprimé le désir d'aller à Dachau les voir. À quoi il m'a été répondu :

— Oui, mais, s'il vous plaît, vous ne leur parlerez pas.

J'ai promis de ne parler à personne, et nous sommes partis pour Dachau aussitôt après le déjeuner.

Nous sommes arrivés à Dachau vers trois heures.

Tout ce que j'ai à dire — personne n'attendant ici un « récit » d'une visite à Dachau — c'est que nous avons parcouru le camp et que j'ai vu quelques rares personnes aller et venir entre des baraques.

Selon ce que j'avais promis, je ne leur ai rien demandé. M. K... m'a répété qu'il s'agissait bien de réfugiés allemands.

Nous sommes restés une heure à Dachau.

Rentrés à Munich, M. K... m'a dit :

— Nous avons encore le temps de passer Mauerkirchenstrasse voir deux vieux Russes...

Le 5 de la Mauerkirchenstrasse est ce qu'on appelle un très bel immeuble, dans le meilleur style 1900, m'a-t-il semblé, un de ces immeubles solides, en taille, comprenant quatre ou cinq étages, avec des appartements très vastes, de grands escaliers, des greniers infinis et toutes les commodités. Un immeuble, du reste, fort bien entretenu. La porte d'entrée en bois verni est à deux battants, large comme une porte cochère. On accède d'abord à un hall très vaste, d'où part un grand escalier bien bourgeois.

À ma grande surprise, ce n'est pas vers cet escalier que M. K... s'est dirigé, mais vers un autre, que je n'avais pas aperçu, pour la raison qu'il se trouvait dissimulé derrière une petite porte modeste, et comme un peu honteuse de son rôle. C'est un escalier plutôt étroit, en ciment, assez raide...

M. K... s'est retourné vers moi et m'a dit :

— Mais oui... C'est à la cave que nous allons !

Imbécile que j'étais ! Bien sûr !

J'ai suivi M. K... jusqu'en bas de cet escalier. J'ai vu qu'ici, tout était en ciment — un ciment d'un gris bien monotone et froid, sous la lumière électrique. Nous nous sommes engagés dans une sorte de couloir toujours en ciment, là nous avons trouvé une porte, à laquelle M. K... a frappé. Et tout de suite, nous avons compris que la chose n'allait pas être facile.

Une voix — de toute évidence la voix d'une vieille femme, mais d'une femme de caractère — a répondu :

— Non... je ne sais pas qui vous êtes.

— Mais je suis M. K... du Haut-Commissariat.

— Comment ? Je ne vous connais pas.

— Mais si ! M. K... ? Vous êtes bien mademoiselle L... ?

— Oui.

— Maria ?

— Oui.

— Bon. C'est moi M. K... Je voudrais vous voir.

— Je n'ouvre pas.

— Est-ce que M. H... est là ?

— Oui. Mais ça n'a rien à voir.

— Ouvrez donc...

— Non. Allez chercher le gérant.

— Où ?

— Je ne sais pas. Demandez...

Je rapporte ce dialogue aussi fidèlement que je le puis. Je ne crois pas y avoir changé grand-chose, mais les mêmes questions et les mêmes réponses se sont répétées souvent, jusqu'au moment où M. K..., las de dire son nom et d'invoquer le Haut-Commissariat, s'est tourné vers moi d'un air complètement découragé. Ou bien il fallait en effet aller trouver le gérant de l'immeuble — mais où ? — ou bien renoncer à rendre visite à Mlle Maria L...

— Bien, mademoiselle, puisqu'il en est ainsi, nous partons.

Effectivement, nous avons fait quelques pas pour nous en aller, mais alors la porte s'est ouverte, et nous nous sommes retournés. Mlle L... était là, dans le couloir, une très vieille femme en effet, grande, maigre, tout en os, qui nous regardait sévèrement.

— Ah, c'est vous ? dit-elle en reconnaissant M. K... Maintenant que je vous vois... Mais vous comprenez...

Bien sûr. Il y a des rôdeurs et des voyous un peu partout dans le monde aujourd'hui, et aussi des assassins qui s'en prennent à n'importe qui et même aux pauvres gens qui vivent dans des caves. Mais sa voix, son allure, sa force, démentent la crainte qu'elle exprime.

Elle n'est pas d'un genre à se laisser faire.

A présent elle nous ouvre la porte toute grande. Nous pouvons entrer. La cave cimentée est tout en longueur, assez haute mais fort humide. L'air y pénètre par un petit soupirail à barreaux de fer au ras du trottoir, qui donne si peu de jour que dans la mauvaise saison où nous sommes il faut garder l'électricité allumée du matin au soir.

Cinq mètres de long. Trois de large. Là-dedans deux lits, une table, une armoire, un poêle à bois. Un homme est là, vieux et gros, assis, étranger à ce qui se passe, mais souriant. Il ne dit rien. Depuis tant d'années qu'il vit dans ce pays, il n'a pas appris un mot d'allemand. C'est M. Michel H..., beau-frère de Mlle L... Il est quelque chose comme le sacristain d'une église orthodoxe installée dans l'immeuble même, et, pour les services qu'il rend, on lui donne tous les mois quelques petits sous qui viennent s'ajouter à l'allocation que reçoit Mlle L... des assurances sociales.

— Mais prenez place... Asseyez-vous donc, je vous en prie.

Mlle Maria a une marraine à Paris.

— Attendez, je vais vous trouver sa dernière lettre, et vous noterez son adresse. Peut-être irez-vous la voir ? C'est quelqu'un de très gentil. J'ai justement reçu de sa part, il y a quelque temps, un chandail... Attendez, tout à l'heure. La lettre est quelque part dans l'armoire, mais il faut que je trouve mes lunettes...

Nous nous sommes assis et Mlle Maria L..., oubliant de chercher la lettre de sa marraine, s'est mise à raconter comment, depuis des années et des années...

C'est l'histoire de centaines et de milliers de Russes qui ont fui la révolution et, depuis, mené la plus misérable des vies. Mais Mlle L... ne raconte pas ça pour se plaindre. Ce n'est pas

du tout une geignarde. Bien qu'à son âge, et à l'âge de son
beau-frère — qui écoute toujours en souriant —, elle pense
qu'elle ne devrait pas vivre dans une cave ; les choses seraient
encore à peu près acceptables, dit-elle, n'était que la cave est si
humide.

— Vous l'avez remarqué, n'est-ce pas ?

Eh oui, nous l'avons remarqué !

Encore, paraît-il, ce n'est rien, aujourd'hui, et il faut d'autant moins se plaindre que jusqu'à présent l'hiver n'a pas été
trop dur. Mais il y a des jours où dans cette cave l'eau ruisselle
le long des murs. Il arrive aussi qu'elle soit inondée.

— C'est-à-dire ?

Ceci est une question de M. K...

— C'est-à-dire, répond Mlle Maria L..., que le sol est recou-
vert de plusieurs centimètres d'eau. Il faut alors passer des
heures à éponger, et, pour ainsi dire, en vain. Il faut garder le
poêle allumé jour et nuit, pour lutter contre le froid et l'humidité. Cela coûte très cher. Je dépense cinquante marks de bois
par mois.

C'est presque la moitié de son allocation. Et l'électricité, en
plus.

Voilà des années que ces deux vieillards vivent dans ce sous-
sol noir et glacé. Combien de temps vont-ils y rester encore ?
Je vois M. K... fort soucieux. Il promet de revenir bientôt. Il
faut, naturellement, faire quelque chose le plus vite possible.

Mlle L... a retrouvé ses lunettes et presque du même coup la
dernière lettre de sa marraine. Elle me montre cette lettre, qui
vient assurément d'une excellente femme pleine de compassion
et qui fait tout ce qu'elle peut pour venir en aide à son prochain. Mlle L... en éprouve une très vive reconnaissance. Elle
me prie de noter l'adresse. Elle sera heureuse que j'aille voir sa
marraine en rentrant à Paris...

La voiture qui ce matin mardi nous emmène à Ingolstadt est conduite par un grand jeune Prussien très sympathique aussi souriant que taciturne. On lui parle, il vous regarde et il sourit, mais il ne répond guère. C'est qu'il est tout occupé du bonheur d'avoir un fils depuis à peu près une quinzaine de jours. Cela lui donne un enthousiasme fou qui s'exprime par du 120, 130 et plus sur l'*Autobahn*...

Il est à peu près onze heures quand nous arrivons en ville, par un temps pluvieux, mais doux. En exécution de notre programme, c'est vers le bloc de maisons neuves, spécialement construites pour les réfugiés, que nous nous dirigeons d'abord. Il se voit tout de suite qu'on vient à peine de les achever. Elles ressemblent à celles que j'ai déjà eu l'occasion de voir en revenant de Fischbeck. Ce sont de bonnes maisons soigneusement construites qui rappellent, mais me semble-t-il en mieux, nos H.L.M.

Un grand escalier très clair, très propre, bien aéré, des paillassons devant les portes, une impression générale de solidité dans une certaine élégance petite-bourgeoise, etc.

Nous n'avons d'abord rien compris à ce qui se passait. Pourquoi cette grande femme brune un peu trop forte pour son jeune âge éclate-t-elle en cris et en larmes en nous faisant pénétrer chez elle ? Que se passe-t-il ? Dans quel drame arrivons-nous ? Il y a là aussi une vieille voisine tranquille, qui s'efforce de calmer la première, et des enfants de quatre ans, six ans, peut-être huit.

Tout le monde ici est hongrois.

— Que se passe-t-il donc ? Pourquoi pleurer et crier ainsi ? Il est arrivé un malheur ?

Le mari — c'est une divorcée remariée depuis un mois — a eu un accident ?

Non. Ce n'est pas ça. Elle le fait comprendre en secouant la tête. Mais on ne sait pas encore ce qu'il y a. Et elle continue de pleurer et de crier.

L'appartement est très clair, très propre, coquet. Trois pièces, salle de bains, cuisine. La porte de la salle de bains est ouverte. J'aperçois la baignoire : pas trace de charbon.

Alors quoi ? Elle n'est pas contente, ici ?

Eh bien voilà : c'est ça, justement : elle n'est pas contente.

— C'était mieux au camp ! s'écrie-t-elle, sur un ton tragique.

Personne ne s'attendait à cela. Mais c'est pourtant bien là ce qu'elle vient de dire, et elle le répète.

— Ah, oui ! Bien mieux !

Il n'y a pas deux mois qu'elle est entrée ici, juste pour se marier !

— Mais qu'est-ce qui ne va pas ?

Comment, qu'est-ce qui ne va pas ? En voilà une question ! Il faut venir de loin pour poser une question pareille ! Ce qui ne va pas ? Mais tout le monde le sait ! Comment peut-on vivre, ici, avec tous ces galopins qui sont partout dans l'immeuble, ces sales petits voyous qu'on n'arrive jamais à attraper et qui passent leur temps à faire des niches, qui salissent partout, qui cassent tout, qui viennent à tout moment tirer la sonnette...

— Allons ! Allons ! Allons, dit la vieille...

— Oh, vous !

Encore un cas difficile !

Nous sommes partis, la laissant dire. Nous avons gravi deux étages pour aller voir un vieux colonel. M. K... m'a prévenu que j'allais me trouver en face d'un homme de soixante-quinze ans, un homme seul tout récemment relogé dans cette maison neuve.

Un vieux colonel polonais.

Le vieux colonel n'attendait personne, aussi le trouvons-nous en robe de chambre, ce dont il s'excuse tout en nous priant d'entrer et de nous asseoir au salon — puisque maintenant, depuis deux mois, il a un salon !

Qui eût jamais cru que cela deviendrait possible ? Mais voilà qui est fait. Nous pouvons admirer les lieux. C'est un appartement aussi neuf et convenable que celui que nous venons de quitter, peut-être comprend-il une pièce de moins, mais c'est qu'il est destiné à une personne seule.

Le vieux colonel est très content. Il a sa petite cuisine et sa salle de bains.

Il y a vingt-deux ans qu'il attendait cela !...

— Vingt-deux ans !

— Mais oui... Si vous voulez vous asseoir, je puis vous raconter...

Nous voilà assis. Je regarde, j'écoute le vieux colonel. C'est un homme d'une puissante carrure, il paraît beaucoup plus jeune que son âge, avec une belle grosse tête forte aux cheveux rasés et des yeux énormes, globuleux, injectés, qui ont dû être autrefois très bleus, dans un visage plein, au teint un peu trop blanc.

— J'ai été fait prisonnier en 1939.

A partir de là, il n'a plus rien connu d'autre que les camps, en tant que prisonnier de guerre, pour commencer, ensuite ici et là, comme tout le monde...

— Vous devez savoir comment c'est...

Cela a duré vingt-deux ans.

Il est passé d'un camp dans un autre, d'une baraque dans une autre, pour arriver enfin, il y a quelques années, à la Friedenskaserne, tout près d'ici, cette caserne désaffectée et transformée en camp de personnes déplacées.

C'est là, il y a deux mois, qu'on est venu le chercher, pour l'installer ici.

Il parle en souriant. Il est content. Il n'a pas à se plaindre, loin de là. Il savait bien qu'on le relogerait un jour, mais à la fin, il n'osait plus y croire. C'était bien long.

Il n'y a qu'un seul ennui, mais à cela personne ne peut rien : ses yeux.

Voilà longtemps déjà qu'il ne peut plus lire. Mais la chose s'aggrave désormais de jour en jour. Dans un an peut-être, ou dans deux ans, il sera complètement aveugle.

Il en est pour le moment à soixante-dix pour cent.

— Et vous ne portez pas de lunettes ?

— Quelquefois, pour sortir.

Mais il sort peu.

Il a aussi une loupe. Elle est là dans un tiroir. Autrefois, il s'intéressait à certaines questions. Il aimait les sciences...

— On vous soigne ?

— Oui. Mais l'âge est là...

— Des amis viennent sans doute vous voir ?

— Oh ! fait-il, toujours avec le même sourire, des amis... c'est beaucoup dire : des connaissances...

Dehors, nous retrouvons le petit vent doux et la pluie. Au volant de la voiture, en nous attendant, notre grand jeune Prussien n'a pas bronché. Il est là, souriant toujours à la même pensée, à la même image du petit enfant de quinze jours souriant aux anges dans son berceau.

La Friedenskaserne, un peu en dehors de la ville, est une bâtisse sérieuse, sévère, très vaste, construite probablement dans la première partie du siècle dernier, et affectée — c'est ce que M. K... croit savoir, sans pouvoir l'affirmer — à des troupes du génie. De vastes escaliers sonores, de hautes fenêtres à petits carreaux, d'immenses couloirs aux murs blanchis à la chaux : c'est bien une caserne. Les murs sont épais, les portes lourdes et pleines. Cela tient à la fois de la forteresse et de la prison.

Mais tout est vide, ou le paraît.

Le silence de la campagne qui nous entoure, le petit bruit de la pluie, la lumière grise en ce début d'après-midi, la solitude, font de ce lieu, qui autrefois a dû retentir de tant de cris et de chants, un temple de la pire mélancolie. Le moindre de nos pas se prolonge en échos qui retentissent profondément dans ce dédale et, malgré la curiosité que l'on éprouve, l'envie de fuir aussi loin qu'il se pourra est immense.

C'est ici comme un monastère sans cloître, énorme, comme le silence qui l'habite — un silence, dirait-on, fait d'une protestation logée au cœur de chacune des pierres de l'édifice contre la destruction à laquelle il est voué.

La Friedenskaserne, en effet, sera l'année prochaine détruite et rasée. Elle a fait son temps. Elle va céder la place à des bâtiments plus légers, pareils à ceux que nous avons visités ce matin, dans lesquels on relogera des civils et, parmi eux, les quelques-uns qui habitent encore entre ses gros murs, dans les anciennes chambrées des sapeurs bavarois.

Tout est blanc et gris, ou de ce vert sombre qu'on ne peut trouver qu'ici. Tout appelle la trompette qui s'est tue. Dieu veuille qu'elle ne se réveille jamais !

Combien d'hommes logeaient ici ? Les escaliers que nous gravissons, les couloirs que nous longeons, avec leurs nombreuses portes qui sont autant de portes de chambrées, et leurs hautes fenêtres, donnant sur la campagne, sont faits pour le nombre. Aujourd'hui, plus personne. Nous n'entendons que nos pas.

Jusqu'en août 1959, il y a deux ans, trois cent vingt-trois réfugiés ont habité ces locaux déserts. Fin novembre 1961, c'est-à-dire le mois dernier, il n'en restait plus que quatre-vingt-seize.

Qui sont toujours là. Mais où ?

Dispersés à travers ces bâtiments pleins d'ombre.

Après avoir un peu erré, nous trouvons l'appartement du *Lagerleiter*. Est-ce par l'influence de l'atmosphère où nous sommes plongés, cela tient-il au fait que le *Lagerleiter* serre dans sa main un trousseau de clés, qu'il est grand, maigre, sévère, je crois me trouver en face d'un gardien de prison. Je sais que cela n'est pas vrai et que je lui fais injure. C'est sûrement un excellent homme, comme la plupart de ceux que jusqu'à présent j'ai trouvés auprès des réfugiés — et un bon père de famille : cela se voit à la manière dont il sourit et dont il parle à sa petite fille de dix ans, qui l'accompagne. Mais depuis que nous sommes entrés dans ces lieux, l'imagination m'emporte.

La petite fille est partie, le *Lagerleiter* nous emmène à travers un grand escalier, puis le long d'un couloir, dont c'est à peine si l'on voit la fin. Le cliquetis de ses clés se mêle à l'écho de nos pas. Mais elles ne servent à rien, ces clés...

Il frappe à une porte et ouvre.

Une pièce immense, nue, très haute de plafond, ce qui fut autrefois une chambrée où sûrement cinquante sapeurs ont tenu très à l'aise. Une pièce vide, de quinze à vingt mètres au carré, peut-être. Clair-obscur. La pauvre lumière qui vient des fenêtres au fond n'atteint pas les coins qui se perdent dans l'ombre. Des murs blancs. Au plafond, des poutres. Au centre de la pièce, un poêle avec son tuyau. Près du poêle, une table. Et, assis devant la table, la tête dans les mains, un homme, qui ne bouge même pas en voyant la porte s'ouvrir.

Une deuxième forme humaine passe devant la fenêtre : celle d'une femme. Peut-être cette femme dormait-elle sur un petit lit relégué dans un coin. Elle s'avance. Nous nous approchons. C'est à peine si l'homme a bronché.

Sur la table, devant lui, les restes d'un repas. Une bouteille, un verre.

Maintenant que nous pouvons distinguer leurs traits, je vois que l'homme est jeune, et pas la femme.

Mère et fils ?

— Et alors..., fait le *Lagerleiter*, comment ça va ? Nous venons vous dire bonjour.

— Mais bien... Enfin, pas trop mal. S'il ne pleuvait pas...

C'est la femme qui répond, en montrant la fenêtre, puis le jeune homme, assis devant la table.

— A cause du mauvais temps, reprend-elle, il ne travaille pas aujourd'hui.

Il est maçon. Les maçons ne travaillent pas quand il pleut. Il est resté là et il s'ennuie. C'est un jour de cafard.

Est-ce seulement à cause de cela qu'il se tait ?

En fait, il nous tourne le dos. Mais aussi, comme le vieux Russe d'hier que nous avons trouvé dans une cave, avec Mlle L..., peut-être ne sait-il pas un mot d'allemand ?

J'apprends que les deux habitants de ce lieu sont en effet russes l'un et l'autre.

— Et il y a longtemps que vous êtes ici, dans ce camp ? Dites-le à ce monsieur, qui vient de Paris...

Je m'attends à la réponse. Elle est bien ce que je pensais.

— Dix ans...

La suite est la petite conversation à laquelle j'ai déjà souvent assisté sur le prochain relogement.

— Bientôt. Il ne faut pas se décourager. Cela viendra bientôt. Encore un peu de patience...

Je regarde autour de moi. Ce vide épouvantable. Seuls, tous les deux, dans cette pièce immense ! Mais qu'est-ce qui vaut mieux ? Cela, ou l'étroitesse des baraques en bois ?

En sortant, je demande au *Lagerleiter* :

— Mère et fils ?

— Non, me répond-il. Amants.

De nouveau nos pas dans les grands couloirs et les clés qui tintent. Il paraît qu'il existe ici un fou, mais un fou doux, que l'on rencontre parfois errant. Mais on ne sait jamais où le trouver, au juste.

Ou bien les réfugiés qui habitent cette caserne se cachent, ou bien ils sont partis au travail. Partout où nous frappons nous ne rencontrons que l'écho, partout où nous entrons que le vide.

Nous nous attendons si peu, au bout de quelque temps — du moins est-ce là ce que j'éprouve —, à voir ou à entendre personne, que des pas venant à la rencontre des nôtres me font à moitié tressaillir.

C'est une femme, accompagnée d'un garçonnet. La mère et l'enfant reviennent de la ville où ils étaient partis pour quelque course : voilà à peu près tout ce que nous apprenons de cette femme arrêtée là, presque aussi surprise que nous de trouver des visiteurs dans cette caserne.

Elle est polonaise. Son mari aussi. L'enfant a huit ans. Il est né dans un camp. Il n'a jamais rien connu d'autre que les camps, c'est-à-dire la séparation. Cela ne peut s'appeler autrement. Et s'il est vrai que la prime enfance décide du caractère d'un homme, il est à craindre que celui-ci ne soit jamais très à son aise.

Il n'aime pas, déjà, entendre parler de certaines choses. Cela se sent à la manière dont il s'écarte du petit groupe que nous formons. Sans doute, les petits enfants ont-ils leurs propres rêves qui n'ont rien à voir avec les bavardages des grands, et la tentation est forte de s'approcher de la fenêtre, mais, j'en suis sûr aussi, il n'aime pas entendre parler de relogement, de camp, d'allocations, de secours, etc. Cela lui fait trop sentir sa différence et cette confuse humiliation que tous les enfants dans son cas auront éprouvée, les enfants juifs dans les ghettos, les enfants noirs en Amérique et ailleurs, tous les enfants pauvres qui se seront éveillés à la vie dans la conscience qu'ils n'étaient pas comme les autres, que les autres ne voulaient pas d'eux.

Ceci est d'autant plus certain, dans le cas présent, qu'il sait, j'en suis sûr, qu'une circonstance particulière s'oppose à ce que lui et ses parents soient traités comme les autres. Je devine à moitié en écoutant la conversation qui se poursuit entre le *Lagerleiter* et cette femme, de quoi il peut s'agir, et j'en aurai, tout à l'heure, la confirmation : le père fait du bruit. Ce doit être un homme d'un caractère un peu violent. Il a le malheur de se laisser aller à boire de temps à autre, et quand il a bu, il fait du bruit. Cela indispose les voisins.

On le fuit, on le repousse, on ne veut pas de lui. Et voilà pourquoi les occasions qui se sont déjà proposées de se réinstaller dans un logis normal ont toutes échoué, jusqu'à présent...

La petite main de l'enfant, quand ils s'en vont, s'agrippant à la jupe de sa mère...

A se promener ainsi dans cette caserne, la conscience du temps se perd. C'est un autre monde, bizarre, sournois, obscur. Toujours ces grandes pièces vides — toujours cet écho de nos pas et ce cliquetis de clés...

Mais ici, nous nous arrêtons : il y a quelqu'un. Un vétéran qui, en nous voyant arriver, se met à rire, tant notre visite lui fait plaisir, semble-t-il.

C'est un vieil homme, pas très grand, mais un costaud au large visage débonnaire. Polonais.

Il est tout seul dans la chambre, presque aussi vaste que celle où nous avons trouvé les deux amants.

On se présente. Il rit et nous nous serrons la main.

— Depuis combien de temps êtes-vous là ?

A quoi il nous répond que s'il s'agit de savoir depuis combien de temps il est réfugié dans la Friedenskaserne, cela ne fait guère que quelques années, mais s'il s'agit de savoir depuis combien de temps il est en Allemagne, eh bien, mon Dieu, il y est depuis la bataille de Tannenberg !

En riant aux éclats.

— Tannenberg !

Mais la bataille de Tannenberg, c'est l'année 1915, ou quelque chose comme ça ?

Il a été fait prisonnier à la bataille de Tannenberg, et, depuis...

Quand cette guerre-là a été finie, et qu'on l'a libéré de son camp de prisonniers, il n'a pas su que faire. Peut-être n'a-t-il pu rien faire. Il a travaillé un peu, à la campagne, il s'est débrouillé comme il a pu, pendant la période d'après-guerre en Allemagne, il est devenu chômeur et Hitler est arrivé. On l'a réquisitionné pour le travail forcé, ensuite il est allé dans d'autres camps, d'un camp à l'autre, dans beaucoup d'endroits. Et, maintenant, il est ici.

— Quel âge avez-vous ?

— Soixante-neuf ans...

En éclatant du rire joyeux qu'aurait un champion ayant battu tous les records...

— Allons-nous-en, dit M. K... Je crois que nous n'apprendrons plus grand-chose ici... Et ce va être temps, bientôt, de rentrer à Munich.

— Oui, répond le *Lagerleiter*, mais allons quand même voir le Géorgien.

Cette fois, c'est dans une pièce plus petite que les autres. Il y a là un homme étendu sur son lit. Mais à notre vue, se redressant à moitié, il entre en colère.

Qu'est-ce qu'on lui veut encore ? Pourquoi vient-on l'emmerder ? Il n'a besoin de personne. Foutez-moi le camp ! Allez au diable... Fermez la porte.

C'est ce que nous avons fait.

À cause d'une tempête qui aurait endommagé un pont, la ligne directe Munich-Salzbourg est momentanément impraticable. C'est en car (aujourd'hui 13 décembre) que s'est accomplie la dernière partie du trajet.

Le temps s'est refroidi. On annonçait la neige. À présent, on parle de la glace.

L'Autriche est un pays de six millions d'habitants. C'est à peu près la population de la Suisse, celle d'une ville comme Paris, un peu moins que celle de Londres.

À la fin de la guerre, un million six cent cinquante mille réfugiés se trouvaient en Autriche, soit un étranger pour dix nationaux.

La plus grande partie de ces réfugiés fut rassemblée dans la zone d'occupation américaine. En 1955, quand l'Autriche recouvra son indépendance et que les Russes quittèrent les territoires qu'ils y occupaient, la population des réfugiés, encore considérable, se dispersa.

De grands camps s'établirent dans la proximité de Vienne.

À la date du 18 octobre 1961, il restait encore quarante mille réfugiés en Autriche, dont vingt-huit mille vieux réfugiés. Autour de la ville même de Salzbourg, on compte dix-huit camps, dont certains petits camps de deux ou trois baraques. Le camp de Rosittenlager est le plus pauvre de tous. Point de

doute que ce soit là où me conduira d'abord M. B... qui arrivera cet après-midi de Vienne, et avec qui j'ai rendez-vous au
Markus Sitticus (l'hôtel où je suis descendu).

À l'hôtel, je trouve une note que l'on m'a envoyée de Vienne,
contenant les précisions suivantes sur la situation générale des
réfugiés en Autriche à la date du 1er octobre 1961 :

Le nombre des réfugiés, y compris ceux de langue allemande,
est de trente-neuf mille cinq cent quatre-vingt-dix. Les uns
sont d'anciens réfugiés, les autres des nouveaux. On compte, à
cette date, vingt-sept mille sept cent soixante et un anciens
réfugiés (sur ce chiffre quinze mille trois cent vingt-neuf réfugiés de langue allemande) et onze mille huit cent vingt-neuf
nouveaux : Hongrois (huit mille quatorze), Yougoslaves (deux
mille neuf cent cinquante-quatre) et huit cent soixante et un
de diverses nationalités.

M. B... est arrivé tard hier soir. Nous sommes allés au café
Bazar, c'est le grand café de Salzbourg, pour parler de nos
affaires. Là est venu nous rejoindre M. D... qui avait quelques
cas difficiles à soumettre à M. B...

Une fois de plus j'ai pu me convaincre de l'attention avec
laquelle les « responsables » s'occupent des affaires des réfugiés. Ah ! S'il ne tenait qu'à eux, si les moyens étaient ce qu'ils
devraient être !

Nous voici aujourd'hui jeudi vers la fin de la matinée, dans
un hôpital, pour visiter un asile de vieillards. Là se trouvent
un certain nombre de vieux réfugiés.

On n'entre pas comme ça, dans cet asile. Il faut parlementer
avec les représentants de l'administration, attendre le résultat
de nombreux coups de téléphone, ce qui donne à M. B... tout le
temps de me parler du vieux peintre d'icônes que nous allons
peut-être voir.

C'est un ancien officier.

Il y a aussi, dans cet asile, des femmes qui font de très belles
broderies.

Un instant, je me souviens du vieux peintre hongrois de Funkturm, du vieux père Beika et de ses reliures, à Beckhof, de la dame en blanc, dans sa petite voiture, qui elle aussi brode.

Cet après-midi, au camp de Rosittenkaserne, nous verrons M. Pavlik, m'annonce M. B...

C'est un homme exceptionnel, plus qu'intéressant... Enfin, vous verrez...

Tous les hôpitaux se ressemblent, par l'atmosphère, tous les asiles de vieillards ont la même odeur douceâtre, écœurante, mêlée d'une odeur de soupe et d'encaustique, la même blancheur de murs, la même clarté : ici, les fenêtres sont grandes, les plafonds hauts. Tout semble neuf.

Si ce que je suis venu chercher ici est l'assurance que les vieillards vivent à l'asile dans un certain confort, on pourrait presque dire dans un certain luxe, c'est fait du premier coup d'œil. Propreté, hygiène, soins, il est évident que nous sommes ici dans un tout autre univers que celui des baraques en bois ou des casernes désaffectées. Il n'y a pas lieu de beaucoup insister. S'il s'agit de finir ses jours dans un asile de vieillards, autant celui-ci qu'un autre, et l'on ne peut que souhaiter (à condition qu'ils y consentent eux-mêmes, bien entendu) que tant de vieux de soixante-dix ans passés que j'ai vus en train de pourrir dans les baraques, soient recueillis dans des asiles comme celui-ci.

Un instant, nous entrons chez une vieille femme hongroise pour admirer ses broderies sur tissus, en effet fort belles. Elle nous explique qu'elle en expédie, parfois, en Amérique. Quant au peintre d'icônes, il est absent ce matin. Nous pouvons, si nous le voulons, aller voir quelques-unes de ses œuvres à la chapelle orthodoxe.

À quoi bon chercher à « peindre » le camp de Rosittenkaserne ? Il ressemble à tous ceux que j'ai vus déjà. Après le « confort » de l'asile, ce matin, nous retombons hélas, cet après-midi, dans le monde des baraques en bois, et c'est encore la même misère, souvent la même saleté.

Ici, comme à Funkturm, comme à la Friedenskaserne, on séjourne depuis dix ans, quinze ans et plus, après avoir tout perdu, y compris bien souvent l'espoir. Vu des baraques, l'asile est un Eldorado.

Il neige. Le froid commence à devenir assez vif. Le moins que l'on puisse dire, c'est que l'*impression*, en entrant dans ce camp, est épouvantable. Ici comme ailleurs, nous allons rencontrer des vieux, comme ce M. Pavlik, dont M. B... me reparle avec un peu de mystère ; M. Pavlik habite dans la baraque 3. Mais ce n'est pas dans cette baraque que nous entrerons d'abord.

Pour commencer, nous allons voir un vieux capitaine d'artillerie de soixante-douze ans qui, au moment où nous apparaissons près de la petite chambre qu'il occupe dans la baraque, fait un geste pour éteindre l'électricité. C'est qu'il ne veut pas nous laisser voir le désordre et la saleté de l'endroit où il vit. Puis, il se ravise. À quoi bon éteindre ? Après tout, qu'ils regardent ! semble-t-il penser.

Il reste debout sur la porte. Il sourit vaguement. Je m'aperçois que, tout comme le compagnon de M. Dudelo, il ne possède plus une dent.

Aux quelques mots qu'il dit, je comprends qu'il craint surtout que nous ne venions le chercher pour l'emmener dans cet asile de vieillards d'où nous sortons, et qui pour lui n'est pas du tout un paradis. Depuis longtemps cette frayeur le hante.

Nous le rassurons. Il respire. Et il explique que s'il ne veut pas aller dans un asile, c'est qu'il souffre de l'estomac, qu'il veut manger ce qu'il veut, quand il veut, et même la nuit. C'est bien son droit, non ? À l'asile, cela ne serait pas possible, n'est-ce pas ? Il touche une petite pension de l'assistance sociale, quelque chose comme cinq cents schillings par mois. Ça dure une semaine, pendant laquelle il boit un coup. Comment se permettre de boire un coup, à l'asile ?

Il nous a raconté tout cela debout sur le pas de sa porte, dans une attitude où il y avait encore quelque chose d'un peu militaire, comme une idée de garde-à-vous, mais il s'arrangeait pour que nous n'entrions pas. Le peu que j'ai pu apercevoir de son « coin individuel » est à faire frémir.

Son voisin est un Ukrainien jovial, quoique bien vieux, lui aussi. Mais, chez lui, on peut entrer. Il trouve même que c'est très bien. Un nouveau logement ? Ce qu'ils appellent un appartement ? Mais pour quoi faire ? Il est très bien ici, et il comprend mal les gens qui n'ont jamais vu un appartement et qui veulent en avoir un.

— Autrefois en Ukraine c'était la même chose qu'ici, ou pire, là où j'habitais ! Des cabanes. J'étais ouvrier agricole. Ici, j'ai mon coin, je suis content, qu'est-ce qu'il me faut de plus ? Un appartement ? Bon ! Si on me le donne, je le prendrai !...

Dans une partie du camp où ce ne sont plus des baraques mais des constructions en « dur » — d'anciennes écuries — nous avons trouvé une Allemande de la Volga, une femme de quarante et quelques années, avec ses deux enfants de huit à dix ans, des garçons. Assis devant une table ils faisaient bien sagement leurs devoirs.

Quand elle est arrivée à Rosittenkaserne, en 1946, nous dit la mère, c'était en effet une ancienne écurie où tout s'écroulait, s'en allait, se crevassait. Il a fallu tout refaire, nettoyer et repeindre soi-même.

Elle ne sait pas comment elle et son mari y sont arrivés. Cela a pris bien du temps, et coûté beaucoup de peine, mais enfin !

En effet, pour une ancienne écurie, tout est ici très convenable. La table est couverte d'une toile cirée, il y a des rideaux aux fenêtres, des images aux murs. C'est propre.

Elle était en Russie pendant la guerre, naturellement. Elle a même fait partie des Enfants d'Octobre — mais en tant qu'Allemande, elle ne pouvait pas être komsomol.

Elle est partie poussée par l'événement. Voilà quinze ans qu'elle habite ce camp. Son mari ? Il travaille à l'usine...

Nous avons encore fait quelques visites dont il n'y a pas grand-chose à dire, et enfin, nous sommes arrivés à la baraque 3, longue, divisée en son milieu par un large couloir, qui m'a paru fort obscur. Un grand silence régnait là-dedans. De faibles ampoules un peu rougeâtres donnaient ici et là quelques lueurs. On ne voyait personne.

Dehors, il neigeait toujours, mais faiblement.

Toutes les portes étaient fermées. Je savais que maintenant nous allions voir ce M. Pavlik, dont M. B... m'avait, à deux reprises, répété que je trouverais en lui un homme exceptionnel.

C'est par sa voix que M. Pavlik s'est révélé d'abord. En effet, il ne s'est pas montré tout de suite. Comme beaucoup d'autres — comme presque tout le monde dans les camps — M. Pavlik n'attendait pas de visite. En plus, il était occupé. Nous le dérangions. C'est ce qu'il nous a dit à travers la porte, mais sans mauvaise humeur aucune.

D'autres, devant la porte de qui il m'était arrivé de rester, comme ici, n'avaient point caché leur désagrément, et, même, leur hostilité, leur volonté de ne pas nous recevoir, comme la fille mère avec qui le *Lagerleiter* avait engagé une sorte de lutte. Ici, non. Nous dérangions M. Pavlik, mais dans le ton de sa voix pour nous dire qu'il travaillait, il y avait, en même temps que de la contrariété, la promesse qu'il allait consentir à nous recevoir *quand même*, et qu'il ne nous demandait que le temps de mettre en ordre quelques petites choses.

Un peu de temps s'est écoulé. Nous avons entendu des bruits comme des planches ou des paquets remués, et M. Pavlik a ouvert sa porte, il est apparu lui-même, dans un étonnant décor.

J'ai vu un homme d'une bonne soixantaine d'années, du genre maigre et plutôt d'assez bonne taille, la tête coiffée d'un petit bonnet de laine vert et jaune, avec un pompon blanc, les yeux brillant derrière de petites lunettes à monture de fer dans un visage maigre et fin, tout rasé. Il tenait dans une main un morceau de gros carton rectangulaire, très épais, qu'il a posé sur une pile de cartons semblables et, tout souriant, il nous a priés d'entrer. C'est-à-dire qu'il a reculé vers le fond de son cagibi pour nous faire un peu de place.

À vrai dire, il y avait tout juste place à trois là-dedans. Au point que M. B... a eu quelque difficulté pour refermer la porte.

L'endroit était « bourré » et les murs partout recouverts d'images coloriées provenant de couvertures de magazines : portrait de Margaret, belle photo de Sophia Loren, etc. Des sportifs. Il y en avait partout jusqu'au plafond. Des cartes postales. Des calendriers. Pas un pouce des cloisons ne restait visible. Par terre, autour du petit lit de fer lui aussi chargé de toutes sortes de paquets, des piles et des piles de vieux journaux, de catalogues, de cartons pareils à celui que je lui avais vu entre les mains, une table, aussi chargée de ces mêmes cartons, ou de ce qu'à première vue j'avais pris pour du carton, mais qui, en réalité, était une sorte d'isorel.

Au milieu de tout cela, il était bien impossible de se tenir autrement que debout.

Maintenant que M. Pavlik en reculant jusqu'au fond de ce cagibi de chiffonnier s'était rapproché de la fenêtre, je voyais mieux son visage, tout animé de passion et ses yeux noirs, vifs, intelligents, ses mains fortes, nerveuses, les mains d'un homme habile à toutes sortes de travaux. Bien qu'il ait passé la soixantaine, M. Pavlik m'est apparu comme un homme encore en possession de tous ses moyens et destiné, sinon résolu, à les conserver longtemps.

Comme nous nous excusions de le déranger dans son travail, il nous a montré la pile d'isorel et les morceaux posés sur sa table. À quoi M. B... a fait un petit signe de tête montrant qu'il était au courant, et comprenait de quoi il s'agissait, mais signifiant en même temps que je ne savais rien moi-même, et que j'avais besoin qu'on m'explique... À moins, ce qui reviendrait au même, que M. Pavlik ne consentît à me dire pourquoi il refusait, avec tant d'obstination, de se laisser reloger, car enfin ! Un petit appartement de deux pièces, avec cuisine et la salle de bains, au lieu de ce réduit !

J'ai vu alors le vieux visage sec et ridé de M. Pavlik frémir sous le bonnet jaune et vert, et derrière ses lunettes de fer, ses yeux flamber, ce qui n'excluait pas un certain sourire, et même un sourire caressant.

Il m'a fait signe de m'approcher de la fenêtre. Cela n'a pas été facile. En même temps, il me désignait quelque chose dehors, une rangée de ce qui m'a paru être des caisses alignées à une vingtaine de mètres dans un terrain vague derrière la baraque, une dizaine de caisses à moitié recouvertes de neige et il s'est écrié :

— *Aber die Bienen !*

Ce qui veut dire : Mais les abeilles !

Peut-on emmener des abeilles dans un appartement ? Qu'ont-elles à faire du confort moderne ?

— Non, non, non, non !

Si, maintenant, nous voulions savoir à quoi il était occupé, quand nous sommes arrivés — de nouveau, il nous montre la table qui lui sert d'établi —, eh bien, il était occupé à tailler des morceaux d'isorel pour arranger de nouvelles ruches, en vue de la saison prochaine. Pour l'instant, les abeilles dorment, mais quand elles vont se réveiller, ne faut-il pas que tout soit prêt pour elles ? Que vient-on lui parler de nouveau logement ?

Il a déjà refusé bien des fois.

— Non, dit-il. Mon rêve...

Il tire d'une pile de papiers un vieux catalogue d'une usine d'automobiles. Il nous montre l'image d'une belle voiture avec une remorque pour le camping. Alors voilà : dans la remorque, il installe ses ruches. Il prend le volant et il part sur la route. N'importe laquelle. Là où il aperçoit des fleurs et des acacias, il s'arrête. Les abeilles s'en vont butiner. Quand les abeilles en ont assez, il reprend le volant, et s'en va plus loin. Encore des fleurs et des acacias ? Bon ! Elles vont être contentes...

Voici donc dévoilé le mystère dont M. B... ne voulait rien dire, et je vois bien dans son regard, après que nous avons quitté M. Pavlik, qu'il éprouve à l'égard de cet homme exemplaire de l'admiration et du respect. Il sait bien ce que l'on dira de M. Pavlik, mais lui, jamais. Malgré cette planche que M. Pavlik a reçue sur la tête, il y a déjà quelques années (et je ne vais pas tarder à apprendre dans quelles circonstances), il ne dira pas qu'il appartient à une certaine catégorie de petits malades comme on en soigne à Bethel. Sans doute dira-t-il plutôt le contraire.

Il y a encore pas mal de choses à apprendre sur le compte de M. Pavlik. En tout premier lieu que M. Pavlik ne boit pas, ne fume pas, et qu'il mange très peu, car il économise jusqu'au dernier sou pour acheter du sucre, afin de nourrir ses abeilles. Comme il est très pauvre, il faut bien qu'il prélève sur son nécessaire de quoi donner à ses chères abeilles — qui à leur tour le nourrissent, car le plus clair de ses revenus il le tire de la vente de leur miel.

L'histoire de M. Pavlik qui m'est peu à peu révélée est celle d'une seule passion. On l'appelle aujourd'hui l'« homme aux abeilles ». Mais autrefois, avant les catastrophes qui ont fait de lui l'homme que l'on voit maintenant, il était apiculteur. L'amour des abeilles ne lui est pas venu en compensation d'autre chose. Il l'a toujours eu.

D'où vient-il ? De Hongrie. Mais il est en Autriche depuis 1944. Il avait tout perdu, non seulement ses chères abeilles, mais tout ce qu'il avait jamais eu de famille. Pour vivre, il se fit maçon, c'est-à-dire manœuvre, et par malheur, en 1949, une planche lui tomba sur la tête. On dut l'hospitaliser. Il resta deux mois à l'hôpital. Plus tard, il voulut émigrer en Amérique, mais pour des raisons de santé, son visa lui fut refusé. De même que la pension à laquelle il croyait avoir droit au titre d'accidenté du travail ; le rapport médical conclut au rejet d'une demande qui ne paraissait pas fondée. Comme il n'avait pas la moindre allocation et que l'hôtel était beaucoup trop cher pour lui, il finit, en 1953, par demander qu'on le mette dans un camp, et c'est ainsi qu'il arriva à Rosittenkaserne, après avoir acheté à Klagenfurt, avec ses dernières économies, des abeilles qu'il ramenait dans deux caisses.

Voilà comment M. Pavlik autrefois apiculteur en Hongrie est devenu l'« homme aux abeilles » au camp de Rosittenkaserne, à Salzbourg. Un comte italien lui a offert toute l'hospitalité qu'il voudrait pour lui et ses abeilles qui auraient pour butiner tous ses jardins et son grand parc. M. Pavlik a refusé cette offre généreuse au nom de son indépendance.

J'apprendrai deux jours plus tard, à Vienne, en dînant avec M. B... et l'un de ses amis anglais, qu'il s'établit généralement entre les abeilles et leur maître un lien très fort.

Les abeilles doivent toujours être tenues au courant de ce qui arrive à leur maître. Si le maître vient à mourir, il faut aller frapper à la ruche, par trois fois, avec une clé, pour les informer de l'événement. Dans ce cas-là, les abeilles ne meurent pas. Mais si le maître est mort, et que personne ne vienne en avertir les abeilles, alors elles meurent à leur tour.

On ne doit pas non plus omettre d'attacher un ruban noir à la ruche.

Ceci était, on le devine, à propos de M. Pavlik, à qui nous avons beaucoup pensé, et dont nous avons beaucoup parlé, depuis que nous avons quitté Salzbourg. Je me suis aperçu que sa réputation est grande dans les milieux où l'on s'intéresse aux réfugiés. Tantôt on parle de lui comme d'un homme exemplaire, par la passion qui l'anime et le courage qu'il déploie depuis des années au service de cet amour unique, tantôt comme d'un original, très pittoresque.

Mais toujours avec respect[1].

C'est par un temps de neige et un froid de moins huit que

1. Au début du mois d'avril 1962, Louis Guilloux apprendra la mort de M. Pavlik.

nous avons quitté Salzbourg vendredi dernier 15 décembre, à cinq heures de l'après-midi. Nous sommes arrivés à Vienne vers neuf heures.

Hier samedi, accompagnés par une assistante sociale et conduits par Félix, bon Viennois, chauffeur au service de M. B..., nous avons fait de nombreuses visites dans Vienne et hors de Vienne, à des personnes relogées.

Ici, je ne verrai pas de camps, mais dans des maisons neuves, beaucoup de gens (surtout des Hongrois) réinstallés... et, aussi, une institution fondée par les Scandinaves pour de jeunes délinquants.

Des camps, j'en retrouverai à Linz, qui sera la dernière étape de mon voyage.

À propos des pays scandinaves, on me signale que ce sont eux qui ont fait le plus en faveur des réfugiés. Depuis 1955, ces pays ont accueilli trois mille réfugiés par an parmi lesquels de nombreux handicapés et des malades, surtout des tuberculeux. Ce qui ne diminue en rien le mérite des autres pays d'accueil, surtout de l'Autriche qui a largement accepté la naturalisation de nombreux réfugiés : trois cent mille environ, dont deux cent cinquante mille de langue allemande, entre les années 1945 et la fin de 1960.

Le froid s'est aggravé : moins dix. Tout est couvert de neige et de glace. Mais cela n'est pas pour effrayer Félix. Il a vu pire en Russie.

— Qu'est-ce que vous croyez ? Deux ans dans la Wehrmacht !

Il a été à Jitomir.

Mais Félix n'a jamais été dupe, jamais nazi.

À la manière dont il me parle des années 34 et suivantes, on voit très bien de quel côté il a toujours été. Il me propose de faire, si nous en avons le temps, une petite promenade dans Vienne, d'aller voir quelques lieux historiques comme par exemple la maison Karl Marx, où s'enfermèrent les ouvriers insurgés, en 34, et contre laquelle Dollfuss fit donner le canon.

À mon regret, le temps nous manquera pour cela.

Nous devons aller d'abord à Kaiser-Ebersdorf, dans le XXᵉ arrondissement, à la Knödelhüttenstrasse, dans le XIVᵉ, visiter un asile de vieillards, à la Maison scandinave de la Dornbacherstrasse, voir les délinquants. Ce qui revient à parcourir Vienne et ses faubourgs dans tous les sens.

Tout va trop vite, et, souvent, se ressemble trop. Aucun recul. D'autre part, pour des raisons évidentes, il me faut parfois omettre certaines choses. Et dans celles que je note, faire un choix. Je me fais ces réflexions en reparcourant mes carnets aujourd'hui dimanche une fois rentré dans ma chambre d'hôtel (trop chauffée) après avoir déjeuné chez M. B...

Hier, notre première visite a été à une Hongroise de cinquante-neuf ans, dont le mari (soixante-quatre ans) est tuberculeux. Si tout n'est qu'une question d'espace, de confort, d'aspirateur : rien à dire. L'appartement dans lequel vit cette réfugiée réunit parfaitement ces conditions. Mais sa fille, tuée pendant la révolution, et les deux autres emmenées, nous dit-elle, par les Russes, et dont elle n'a plus jamais eu de nouvelles ?

Le mari n'était pas là. Bien que tuberculeux il travaille. Elle voulait absolument nous faire asseoir, et nous offrir une tasse de café, elle nous montrait des photographies de ses enfants disparus...

Et c'est ainsi qu'il faut vieillir !

C'était en banlieue, dans une petite villa bien calme sous la neige.

Sa voisine est une réfugiée de langue allemande, à peu près du même âge, énorme, souriante, vivant elle aussi dans un petit intérieur très confortable : il y a même la radio.

On l'appelle l'Institutrice...

Mais elle n'a jamais été une vraie institutrice. C'est ce

qu'elle nous dit elle-même. On l'appelle ainsi parce qu'elle a toujours aimé les enfants, qu'elle a toujours été entourée d'enfants, et qu'elle a toujours aimé instruire les enfants.

C'est sa vocation. Mais elle n'a jamais eu de titres, de diplômes. Il ne lui a jamais été possible de se préparer au véritable métier d'institutrice, qu'elle aurait tant aimé exercer. Elle a toujours eu bien trop à faire.

Toute sa vie, elle s'est occupée de ses parents. Elle ne les a jamais quittés jusqu'à leur mort, et c'est sa vieille maman qui est morte la dernière, il y a déjà quelques années.

Depuis, elle est seule.

Heureusement qu'il y a les enfants. Ceux des autres, bien entendu. Elle n'a jamais été mariée, elle n'a jamais eu d'enfants à elle.

Quand elle ne sait plus que faire, elle écoute la radio.

Ou bien elle lit.

Elle pense aux enfants.

Jusqu'à la fin de ses jours, elle restera une « institutrice », c'est bien décidé. Et c'est bien comme ça.

Elle a passé dix ans avec sa vieille mère, dans une baraque, et quand même, elle trouvait le moyen de s'occuper des enfants...

— Ici, me dit l'assistante, habite un fou.

Nous sommes dans un sous-sol. Pas, à proprement parler, dans une cave, comme à Munich chez les deux vieux immigrés russes, tout est plus neuf, plus clair, plus large. Mais c'est quand même le ciment, et, pour arriver là, nous avons dû descendre un escalier.

— Quel genre de fou ?

(On m'a parlé d'un fou qui se prenait pour le préfet de Paris.)

— Non. Ce n'est pas celui-là. Vous verrez.

Ce qui est sûr, c'est que ce fou entend ne pas se laisser surprendre. Sa porte est fermée à double, à triple tour. On entend la clé, qui est une grosse clé, craquer, racler dans la serrure.

Cela produit un bruit énorme dans le vide qui nous entoure.

La porte s'ouvre toute grande, et nous voilà face à face avec un monstre.

C'est au point que, de surprise, j'ai un mouvement de recul, qui fait sourire l'assistante.

— Il n'est pas dangereux, me dit-elle.

Soit. Mais il est affreux à voir, et il se dégage de sa personne une telle puanteur...

Énorme, par la taille, et la corpulence. Gras. Mou. Hilare, en nous regardant. Sa large figure blanche, ses yeux étincelants, ses cheveux noirs taillés en brosse, sa grande bouche, ses dents qui brillent. Il éclate de rire en nous faisant signe d'entrer. Il fait quelques pas sur la pointe des pieds, on dirait qu'il veut danser. Et, soudain, il se met à parler, mais avec une telle volubilité, dans un tel charabia mêlé d'allemand et de hongrois, et en riant si fort, que l'assistante elle-même n'y comprend rien. Mais elle le connaît, elle le regarde en souriant et attend.

Il va sans doute se calmer.

La pièce est carrée, vaste, blanche, bien éclairée par des soupiraux sans grilles, de petites fenêtres, plutôt enfoncées dans le mur. Ici, pas trace d'humidité. Mais tout est vide. Sauf, sous une fenêtre, une chaise.

C'est dans la pièce voisine, plus petite, qu'il nous montrera dans un instant, que dort et mange l'étrange habitant de ces lieux. Mais c'est ici qu'il se tient, le plus souvent dans la journée.

D'où vient cette puanteur ? Or, il se déplace sans cesse, toujours comme en dansant sur la pointe des pieds et sans cesser un instant de parler et de rire, parfois aux éclats. L'espoir qu'il se calmera est vain. L'assistante lui pose quelques questions qu'il semble percevoir, mais auxquelles il répond toujours par le même charabia et avec la même volubilité. Mais il a l'air content, et même joyeux. C'est avec une espèce de fierté qu'il nous montre la petite pièce où il dort. Mais là, la puanteur est telle, qu'on ne peut y résister. Il parle toujours.

Nous finissons par comprendre qu'il y a une question d'éclairage qu'il voudrait régler, certaines ampoules qu'il faudrait changer. C'est tout ce dont il a besoin pour le moment, et qu'on le laisse tranquille, qu'on ne vienne surtout pas l'embêter.

Il ne sort pour ainsi dire jamais. Il vit ici comme un moine, ou comme un prisonnier volontaire. Quand il le faut, il va aux provisions, car il se prépare lui-même sa nourriture. J'apprendrai tout à l'heure que sa plus grande crainte est qu'on ne l'empoisonne. Voilà pourquoi il prépare lui-même ses repas. Il a peur. Les hommes sont des ennemis. C'est pourquoi il ferme toujours sa porte à clé, c'est pourquoi il sort le moins possible. À quoi il passe son temps, dans cette grande pièce vide ? Voyez cette chaise, sous la fenêtre. Il monte sur cette chaise. De la sorte, sa tête se trouve au niveau de la fenêtre et il peut s'appuyer sur l'embrasure où la lumière tombe en plein. Il peut appuyer sur cette embrasure le papier sur lequel il écrit du matin au soir...

Quand nous sommes partis — il parlait et riait toujours — et qu'il a refermé la porte, nous avons entendu la grosse clé tourner en craquant dans la serrure, par deux fois...

J'en suis, aujourd'hui dimanche, à la deuxième semaine de mon voyage. Il y a huit jours, j'étais à Munich, quinze, je quittais Genève. Tout a été trop vite, mais dans cette course (qui va s'achever dans deux ou trois jours à Linz) quels horribles spectacles ! Et dire que cela dure depuis tant d'années, et qu'on en réclame encore deux avant de pouvoir liquider la question.

Certes, je n'ai pas tout vu et (déjà dit) j'ai omis, choisi... Qui donc m'a parlé de ce très vieux général russe et de sa femme qui ne « veulent rien devoir à ces gens-là » tout en habitant une baraque dans laquelle le vieux général n'entre jamais que par la fenêtre ? Qui m'a parlé d'un vieillard vivant dans un camp depuis des années, qui a une fille très bien mariée en Amérique mais qui ne répond pas aux lettres ? On lui écrit. Pourquoi n'aidez-vous pas votre père ? Elle ne répond pas. À quoi j'ai répondu en disant qu'elle était peut-être morte ? Pas du tout, on sait très bien où elle est, et qu'elle est bien vivante et riche.

Qui m'a parlé de la sourde-muette ? Il y avait dans un camp, je ne sais lequel, une sourde-muette qui ne communiquait que par signes avec ses enfants, lesquels, même les plus petits, la comprenaient fort bien. Qu'elle fût sourde-muette ne changeait rien à sa condition de personne déplacée, elle était traitée comme les autres. Pour comble de malheur, elle avait pour mari le pire des ivrognes, et les choses allaient fort mal entre eux. Si bien qu'un jour le *Lagerleiter* finit par lui demander si elle ne souhaitait pas qu'on éloigne son mari. À quoi, en imitant le grognement d'un cochon, et avec tous les gestes qu'on ferait pour chasser un cochon, elle fit comprendre qu'elle ne désirait rien d'autre, que ce serait pour elle un grand bonheur, mais elle voulait que le *Lagerleiter* restât à la place du cochon.

Elle riait. C'était pour s'amuser qu'elle disait cela. Elle trouva encore le moyen de faire comprendre que tout cela n'avait pas d'importance, et qu'à la fin elle se pendrait. Je ne sais qui m'a conté cela.

Je ne sais, non plus, où, ni avec qui j'ai eu un jour la seule conversation un peu pénible de tout mon voyage, entendant dire qu'il était bien triste de donner à ces gens-là des baignoires dans lesquelles ils versaient du charbon. La fameuse baignoire à charbon ! Il faut croire qu'elle a des roulettes puisqu'on la trouve partout.

Une autre fois, comme je disais je ne sais plus à qui que les camps ressemblaient assez parfois à des bourgs, mais à des bourgs sans église et sans cimetière, ce qui m'amena à poser la question de la mortalité dans les camps et celle des cimetières, mon interlocuteur trouva la question « très intéressante » et il me répondit que dans la mort on ne faisait aucune différence. Nous en restâmes là.

Pour ce qui est des églises on peut aller à l'église en ville, même si l'on a soixante-dix ans, et si l'église la plus proche se trouve à quatre ou cinq kilomètres du camp.

À propos d'églises, et puisque j'en suis à me « remémorer », j'ai aussi rencontré dans un camp en Allemagne un curé défroqué (il avait bien quarante ans) après avoir été jusqu'à sa trentième année, je crois, prêtre catholique.

De quel pays venait-il ? Peu importe. Tout ce que je sais, c'est qu'au malheur de l'exil, un autre s'était ajouté : la prison à laquelle il avait été condamné à la suite d'une affaire passionnelle.

Depuis, il s'était marié, il était devenu père de famille.

C'était un *free-liver*. Il vivait des leçons qu'il donnait en ville, courant le cachet...

À quoi bon multiplier les exemples ? Je n'apprendrai sans doute plus grand-chose.

La fin de la journée d'hier a été consacrée aux délinquants. J'ai déjà parlé de la Maison scandinave qui les abrite à Skandinavienheim, Wien, 18, Dornbacherstrasse, 88. C'est dans cette maison que se trouvent dix-huit délinquants, en grande majorité, sinon tous, hongrois, et qui, presque tous, ont volontairement quitté leur famille.

D'assez mauvaises têtes, me dit-on. Et qui n'aiment guère les visites.

Cela se voit d'ailleurs tout de suite. À peine suis-je entré dans le bureau du directeur, un homme jeune (vingt-cinq ans au plus), que l'un des pensionnaires, qui est là étendu sur un divan en train de lire, fait carrément la gueule. À peine lève-t-il un œil. Il ne profère même pas un grognement et se replonge tout de suite dans sa lecture. Il rentre du travail. Il est manœuvre. Il a bien le droit de se reposer, non ? C'est ce que m'explique le directeur, qui me paraît l'homme le mieux fait qui soit pour la fonction qu'il exerce. Grand, sportif, solide, de très bonne humeur, joyeux : il faut ça, pour venir à bout de cette bande-là, avec laquelle d'ailleurs il n'a pas d'histoires. Mais il faut savoir les prendre.

Cela n'est pas insurmontable. Tous ont eu une enfance difficile, souvent malheureuse, ils se sont tous rendus coupables de

certains méfaits, ils sont tous, en somme, des enfants abandonnés, auxquels on s'efforce de rendre confiance, d'apprendre un
métier, etc.

Ils travaillent tous. Ils s'habillent eux-mêmes, mais ils sont
nourris. Ils payent leur loyer : cinq cent vingt schillings par
mois... C'est le seul moyen d'après le directeur de les ramener
au sentiment de la responsabilité et de la dignité. Ça n'est pas
toujours facile, mais dans l'ensemble le directeur n'a pas à se
plaindre. Il est plutôt copain avec ces jeunes égarés, on les « ré-
cupérera ».

Que je ne songe pas à leur poser des questions, j'y perdrais
mon temps et ça tournerait peut-être mal, mais on peut faire
un tour dans la maison, aller voir la cuisine, monter dans les
chambres.

Ici, il n'y a point de dortoir. Chacun a sa chambre personnelle. De petites chambres, dont certaines sont des mansardes,
qu'on les laisse décorer selon leur goût, et c'est presque partout
la même chose : des couvertures de magazines aux couleurs
vives, sur les murs, des photos, des images de bateaux.

La plupart des chambres dont on m'ouvre la porte sont
vides. Les « types » ne sont pas encore rentrés du travail, ou
bien ils traînent un peu en ville, avant de revenir au « centre »
pour le repas du soir.

Les quelques-uns que j'aperçois sont, comme celui d'en bas,
étendus sur leur lit en train de lire. Et comme leur copain d'en
bas, ils ne bronchent pas le moins du monde à notre vue. Comme lui, ils font plutôt la gueule. Mais nous n'insistons pas.

La dernière image que j'emporterai de cette visite sera celle
d'un garçon de dix-huit ans allongé sur son lit en train de lire
un roman, dans une petite mansarde aux murs recouverts
d'images dont l'une occupe tout un panneau où d'ailleurs il n'y
a rien d'autre : une jeune femme grandeur nature, à moitié
nue, en collant, très sexy : Brigitte Bardot.

À Kaiser-Ebersdorf, toujours à Vienne, dans le XXᵉ arrondissement, des enfants (hongrois) chantaient sous la direction

d'une jeune femme : c'était une chorale qui se préparait pour la fête de Noël. Nous sommes partis sur la pointe des pieds.

En bas, la concierge de l'immeuble, aussi hongroise, aussi réfugiée, préparait le dîner pour elle-même et pour son petit garçon de sept ans. Tout irait bien, nous dit-elle, elle serait pour ainsi dire heureuse d'habiter cette maison toute neuve, et de gagner sa vie en faisant le métier de concierge, ce qui n'est pas un mauvais métier pour une femme de cinquante-cinq ans, mais le malheur a voulu que son mari meure il y a quelques mois à peine, une semaine avant qu'on la reloge ici.

— Et voilà, dit-elle, en montrant l'enfant, nous ne sommes plus que tous les deux...

Cet ouvrage
reproduit
par procédé photomécanique
a été achevé d'imprimer
dans les ateliers de la S.E.P.C.
à Saint-Amand (Cher), le ... avril 1983.
Dépôt légal : avril 1983.
N° d'imprimeur : 1610.

Cet ouvrage
reproduit
par procédé photomécanique
a été achevé d'imprimer
dans les ateliers de la S.E.P.C.
à Saint-Amand (Cher), le 7 avril 1982.
Dépôt légal : avril 1982.
N° d'imprimeur : 610.